教育部人文社会科学百所重点研究基地
内蒙古大学蒙古学研究中心学术著作系列
TOMUS 23

国家社科基金成果文库

SELECTED WORKS OF THE CHINA
NATIONAL FUND FOR SOCIAL SCIENCES

内蒙古通史 第八卷
生态环境与生态文明

总 主 编　郝维民　齐木德道尔吉
本卷主编　刘钟龄

人民出版社

策划编辑:陈寒节
编辑统筹:侯俊智
责任编辑:詹素娟
装帧设计:肖　辉
责任校对:赵立新　张　彦

图书在版编目(CIP)数据

内蒙古通史.第八卷/刘钟龄 主编.
　-北京:人民出版社,2011.12
ISBN 978－7－01－009407－6

Ⅰ.①内…　Ⅱ.①刘…　Ⅲ.①内蒙古-地方史②生态环境-环境保护-概况-内蒙古
　Ⅳ.①K292.6

中国版本图书馆 CIP 数据核字(2010)第 214133 号

内蒙古通史(第八卷)
NEIMENGGU TONGSHI DIBAJUAN
生态环境与生态文明
主编　刘钟龄

人民出版社 出版发行
(100706　北京市东城区隆福寺街 99 号)

北京中科印刷有限公司印刷　新华书店经销

2011 年 12 月第 1 版　2012 年 10 月北京第 2 次印刷
开本:710 毫米×1000 毫米 1/16　插页:8
印张:36　字数:570 千字

ISBN 978－7－01－009407－6　定价:105.00 元

邮购地址 100706　北京市东城区隆福寺街 99 号
人民东方图书销售中心　电话 (010)65250042　65289539

《国家社科基金成果文库》
出版说明

　　国家社科基金研究项目优秀成果代表国家社科研究的最高水平。为集中展示这些优秀成果，全国哲学社会科学规划领导小组决定编辑出版《国家社科基金成果文库》。《文库》将按照"高质量的成果、高水平的编辑、高标准的印刷"和"统一标识、统一版式、统一封面设计"的总体要求陆续出版。

全国哲学社会科学规划领导小组办公室
2005 年 6 月

额尔古纳河流域的山林大河是蒙古族的祖先以渔猎和放牧为生的宝地。

大兴安岭森林是内蒙古人民世世代代的生态安全保障。

蒙古族牧民把黄花苜蓿草地作为最优质的牧草资源，特别注重对它的保护。

梭梭是阿拉善人民的自然瑰宝，构成了阿拉善荒漠的强大防护带。

琵琶柴荒漠是阿拉善地区最广大的放牧场，具有重要的资源价值和生态效益。

防沙治沙工程，已成为新时代实现人与自然和谐发展理念的重要行动。

草原和家畜，是蒙古族和北方民族发展的物质和文化源泉。

蒙古牛是长期与蒙古高原的草原协同演化的产物，是耐寒冷耐粗饲的品种。

科尔沁沙质草地牛羊共同放牧是合理利用草地，发挥草地生态功能的良好方式。

集约化奶牛饲养管理是传统的草原畜牧业向现代畜牧业发展的重要方向，是提高生产效益和生态效益并改善人民食品结构的重要途径。

草原夏秋割草是内蒙古草原牧民合理利用草原的重要方式，可以有效地使全年的牧草达到比较均衡的供应。传统的割草方式是用人力钐刀，现代化的割草方式是用机械。

优质天然割草场——羊草与针茅的组合。

割草作业。

割下的牧草需要进行适度晾晒，以便干储，这是传统的储草方式。

割下的牧草进行堆放。

牧草堆放，成为草垄。

打成草捆。

呼伦贝尔草原是特色草原文化的发祥地。

呼伦贝尔草原培育的三河马是著名的品种。

呼伦贝尔草原培育的三河牛是肉乳兼用的优良品种。长期以来，牧民选用樟松疏林草地作为三河牛的最佳放牧场。

疏林草地也是羊群放牧的优质牧场和夏营地。

阿拉善双峰驼是驰名中外的优良驼种。

内蒙古细毛羊是细毛羊的优良品种。

传统的夏季放牧场和水源地。

传统的夏营地牧归。

传统的游牧移场。

传统的游牧方式。

放牧羊群，牧民选用"满天星"式的放牧方式。

冬季放牧。

老芒麦人工草地——人工草地是草原建设的新途径。

披碱草人工草地。

垂穗披碱草人工草地。

冰草人工草地。

中度退化的草地，由冷蒿与隐子草占优势。

严重退化的草地，由一年生猪毛菜类植物占优势。

严重退化的草地，由阿氏旋花占优势。

严重退化的草地，由星毛委陵菜占优势。

严重退化的草地，由冷蒿占优势。

羊草草原的生产力测定。

针茅草原的生产力测定。

（单位：g/m²）

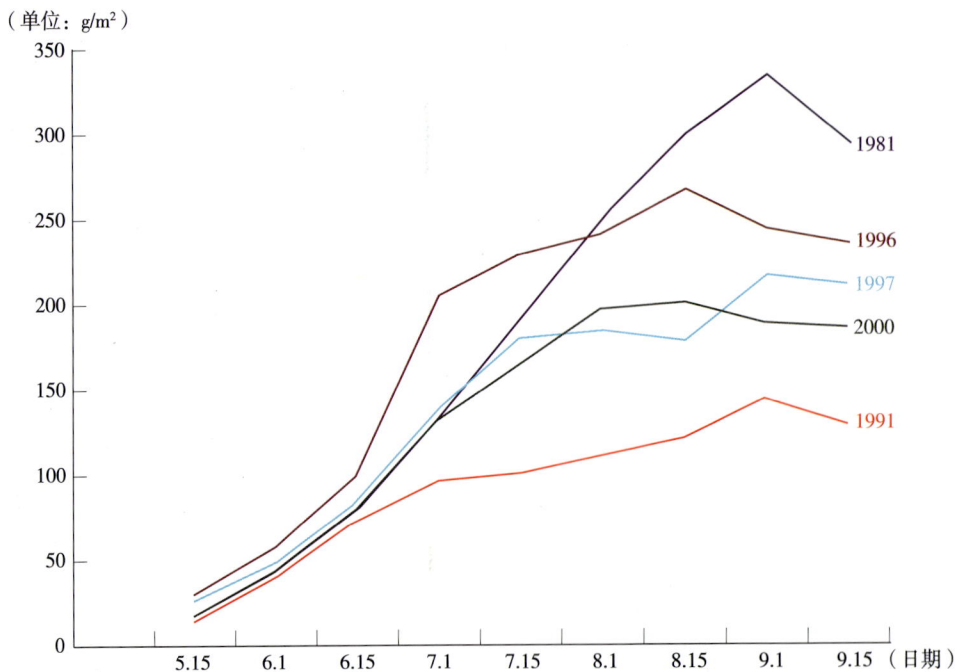

历年草原生产力测定的统计图。

题　　记

一、本卷主旨

20 世纪是人类社会在经济、文化、科学上取得辉煌成就的世纪，但是也面临着生态、环境、资源、人口等问题的严峻挑战。在严酷的现实面前，世人走向了新的生态觉醒。回顾民族发展的历程和文明智慧遗产，使我们深感必须继承和发扬蒙古民族游牧文化的精髓和生态文明传统，为实现人与自然和谐发展和可持续发展寻求历史明鉴。为此，书写内蒙古地区生态环境演变与生态文明的发展，是根据当今时代的呼唤，对编著内蒙古通史的一项创新思考。一是讨论对内蒙古地区生态地理环境形成与演变特征的科学认识，深入理解内蒙古环境的优越性和脆弱性。二是从蒙古族的畜牧业生产经营、草原利用与保护、民风习俗、伦理规范、意识形态、科学技术等诸多方面探索生态文明的积淀与渊源。三是寻求草原游牧生活构筑的天（气候环境）、地（土地营养库）、生（生物多样性）、人（人群社会）复合生态系统的和谐与高效。

二、本卷编著者介绍

刘钟龄　1931 年 1 月生，原籍河北省南皮县。内蒙古大学生命科学学院教授。1951—1955 年在北京大学生物学系（本科）学习，1955—1958 年在北京大学生物学系生态学科攻读研究生。1958 年到内蒙古大学生物系任教至今，履历及其成就详见本卷人物编。

刘钟龄在内蒙古从事生态科学研究和教学长达半个世纪。他拖着残疾的身躯走遍了内蒙古草原乃至蒙古国草原，对蒙古高原的草原、荒漠、山山水水了如指掌，熟知这里的生态环境及其演变，对人文历史也甚为关注。能请到刘钟龄主编本卷是我们的幸运，他是跨生态科学与历史科学研究的开创者。我向他表示深深的敬意。

本卷主编；撰写：

第一编　史料及研究概况　第一章　历史资料与文献概况　第二章　研究概况

第二编　概述　第三章　内蒙古地质时期的环境演变与特征　第四章　内蒙古地区生态系统的演变　第六章　内蒙古农牧交错带的形成与环境变化　第七章　内蒙古草原退化与生态保育　第八章　保持草畜动态平衡，实现生态安全与持续发展　第十章　内蒙古的生态文明传统与生态科学

第三编　专题　第十一章　内蒙古草原变迁的历史反思和生态安全带的构建　第十二章　内蒙古东部草原的生态环境与农牧业发展　第十五章　继承和发扬游牧文化精髓，寻求草原和谐发展新路　第十九章　内蒙古植物学与生态学的重要科学成果　第二十章　中国科学院内蒙古资源环境综合考察工作及成果

第四编　人物　撰写李继侗等三篇人物传略

朱宗元　河北省张家口人。内蒙古乌兰察布盟科委副主任，内蒙古大学蒙古学研究中心兼任研究员。从1956年开始，先后在内蒙古自治区农牧业厅草原勘察队、草原勘察设计院从事植物学、植被生态学与草地资源考察研究工作，并从事农业管理工作。参编中国科学院内蒙古宁夏综合考察专著的《内蒙古植被》《内蒙古自治区天然草场》两部专著，参与《内蒙古植物志》编撰研究。参加国家自然科学基金重大项目《中国种子植物区系的研究》，承担内蒙古草原植物区系分析研究工作和内蒙古特有植物种属的研究；承担国家自然科学基金重点项目《阿拉善荒漠区生态系统受损与恢复机制的研究》的专题研究，出版了《阿拉善荒漠区的景观生态结构与生态系统保育》专著。发表学术论文60多篇。

本卷副主编；撰写：

第二编 概述 第五章 内蒙古畜牧业的发展及其生态环境 第十章 内蒙古的生态文明传统与生态科学

第三编 专题 第十三章 内蒙古额济纳绿洲百年来的环境演变与恢复重建 第十四章 阿拉善地区天然梭梭防护带的生态功能及其保育

张永江 中国人民大学人文学院副教授，历史学博士，清史研究所研究室主任，兼任国家清史编纂委员会图书资料中心主任。日本大阪经济法科大学亚洲研究所客座研究员。主要研究清代边疆民族史、中国北方民族史和蒙古史。著有《清代藩部研究》《蒙古民族通史》第4卷（合著）。发表论文、译文50余篇。

撰写：

第二编 概述 第五章 内蒙古畜牧业的发展及其生态环境 第五节 明代的畜牧业与生态环境 第六节 明代农耕业及其生态环境 第七节 清代牧业政策与畜牧业的发展 第八节 清代的经济与社会变迁对农牧业的影响 第九节 垦殖对生态环境的影响

包庆德 蒙古族。内蒙古大学哲学学院教授，历史学博士。主要从事生态哲学与社会发展理论研究，主持国家社科基金项目《清代以来内蒙古地区生态灾荒与经济社会发展研究》，参加国家社科基金项目《内蒙古草原生态恢复与重建的实践中重要理念研究》及《内蒙古灾荒演变研究》课题。发表学术论文100余篇。

撰写：

第二编 概述 第九章 内蒙古的自然灾害及其与生态环境的关系

宝力高 蒙古族。内蒙古师范大学教授，主持完成了教育部人文社会科学研究"十五"规划项目《蒙古族传统生态文化研究》。

撰写：

第三编 专题 第十六章 蒙古族生态文明的优良传统 第十七章 呼伦贝尔草原的历史沿革与生态文明传统 第十八章 阿拉善地区的传统生态

文化

郝敦元 内蒙古大学理工学院教授。

撰写：

第二编 概述 第七章 内蒙古草原退化与生态保育

第三编 专题 第十一章 内蒙古草原变迁的历史反思和生态安全带的构建 第十二章 内蒙古东部草原的生态环境与农牧业发展 第十五章 继承和发扬游牧文化精髓，寻求草原和谐发展新路

恩　和 内蒙古大学周边国家研究所原所长，教授。

撰写：

第三编 专题 第十一章 内蒙古草原变迁的历史反思和生态安全带的构建

梁存柱 内蒙古大学生命科学学院教授，博士。

撰写：

第二编 概述 第七章 内蒙古草原退化与生态保育

第三编 专题 第十三章 内蒙古额济纳绿洲百年来的环境演变与恢复重建 第十四章 阿拉善地区天然梭梭防护带的生态功能及其保育

王　炜 内蒙古大学生命科学学院教授。

撰写：

第二编 概述 第七章 内蒙古草原退化与生态保育

第三编 专题 第十四章 阿拉善地区天然梭梭防护带的生态功能及其保育

李文彦 中国科学院地理科学与资源研究所研究员。

撰写：

第三编 专题 第二十章 中国科学院内蒙古资源环境综合考察工作及成果

石玉林　中国科学院自然资源综合考察委员会研究员，中国工程院院士。

撰写：

第三编　专题　第二十章　中国科学院内蒙古资源环境综合考察工作及成果

沈长江　中国科学院地理科学与资源研究所研究员。

撰写：

第三编　专题　第二十章　中国科学院内蒙古资源环境综合考察工作及成果

赵家祥　内蒙古大学生命科学学院副院长。

撰写：

第四编　人物　刘钟龄　雍世鹏

本卷参加编写者 13 人，其中有高级职称者 12 位，中国工程院院士 1 位，博士 3 位。

郝维民

2009 年 12 月

目　　录

第四编　人　物

A General History of Inner Mongolia

Volume VIII
Ecological and Environmental Changes and the Development of Ecological Civilization in Inner Mongolia

CONTENTS

Division III   Subject Studies

Division IV　Figures

(English Translation by Baohua and Nasan Bayar, Revision by Irene Bain)

第一编

史 料 概 况

第 一 章

史 料 概 况

　　研究和编撰内蒙古地区生态地理环境的变迁和生态文明的发展，是一项继承和发扬历史传统的任务。在当今内蒙古自治区现代化建设的宏伟事业中，深化对生态环境演变规律性的认识，借鉴生态文明的优秀成果，发扬人与自然和谐发展的理念，为丰富文化多样性发掘宝贵的遗产，是有重要现实意义的。

　　生态文化积淀与文明传统主要是蕴涵在历代各族人民的生产与生活实践中。在当代的现实生活中也有许多生态文明的传承。20 世纪 60 年代以来，随着多层环境问题的出现和生态灾害的发生，特别是草原退化与土地荒漠化的漫延，促使内蒙古及全国的文化界、学术界对有关内蒙古地区生态环境问题的历史经验和理性思维进行了挖掘研究，从而更自觉地意识到生态文明的历史传统对于我们寻求可持续发展之路与构建和谐社会是有重要启示的。

　　对内蒙古生态环境特征和演变情况的了解，除史册的许多片断记载外，主要是源于近代科学的考察研究成果。包括地史学与地质地貌学的研究，气候的研究，生物多样性与生态系统演变的研究，土地与土壤条件的研究等。

第一节　内蒙古生态文明的有关资料与文献

一、相关的主要历史记载文献

　　历史文献是指内蒙古自治区建立以前产生的文献资料，一般是对有关生态环境与生态文明的片断记载。不可能用"生态学""生态系统""景观生态""生物多样性""生态文明"等现代科学术语描绘历史上的生态环境状况及其演变等。这些术语是19—20世纪随着生态学的学科诞生与发展才赋予确切的科学含义，是20世纪才传入中国的。但是我国史籍的相关记载却蕴涵着深邃的生态与环境的理念。在本卷的撰写中引证或参考的主要历史文献列举如下。

［波斯］拉施特著：《史集》第1卷第1分册，第2卷，余大钧、周建奇译。《魏书》卷100《地豆于传》。《蒙古源流》卷7。肖大亨：《北虏风俗·牧养》，元文类卷4。元典章，38。王越：《平贺兰山后报捷疏》，《明经世文编》卷69。刘寿：《答内阁兵部议处属夷伯颜打赖投降书》，《明经世文编》卷307，参见《万历武功录》卷8《黄台吉列传》。方逢时：《为恳乞议处疏通市马疏》，《明经世文编》卷320。方逢时：《云中处降录》，《大隐楼集》卷16，潜江甘氏刻本。瞿九思：《万历武功录》卷7《俺达列传上》。郑洛：《备陈贡市事宜》，《登坛必究》卷38《奏疏二》。岷峨山人：《译语》。祁韵士：《皇朝藩部要略》卷1。《清太宗实录》，天聪八年十一月壬戌。康熙《大清会典》卷142《理藩院·丁册》。《清圣祖实录》，康熙二十二年七月辛未；康熙四十四年闰四月乙未；康熙四十八年十一月庚寅；康熙五十一年五月壬寅。《清世祖实录》，雍正五年二月庚辰。《清高宗实录》，乾隆六年七月丙申。《清仁宗实录》，嘉庆十年二月己卯。《清德宗实录》，光绪三十二年正月丙子。道光《理藩院则例》卷10。光绪《大清会典事例》卷158、卷166、卷978、卷993。《钦定热河志》卷16、卷75，《山田诗序》卷92，《物产》卷92，《山田诗》。校注《蒙古纪闻》第56页。《筹蒙刍议》。［俄］阿·马·波兹德涅耶夫：《蒙古及蒙古人》第2卷，刘汉明等译本，第207、208、372页。《清末绥远的开垦》，《满铁调查报告》第12号。李廷玉：《游蒙日记》，《满蒙丛书》。郦道元：《水经注》。《口北三厅志》卷1《地舆》。《蒙垦续供》，第36页。牟里：《东蒙古辽代旧城探索》，商务印书馆1930年版。《科尔沁部调查报告书》，《森林总说》。《景星设治局详送修志资料清册》，《黑龙江通志采辑资料》上。吴椿龄：《热河省宁城县志》，《宁城县史料》第1辑本，1983年。《赤峰县乡土史地沿革》，《编修地方志档案选编》，第407页。《临河县志》。《五原厅志略》。《调查河套报

告书》，第 175 页。《西蒙阿拉善旗社会》第 10 章《林产》，第 64—65 页。许崇灏：《漠南蒙古地志》，正中书局 1945 年版。

二、相关的主要史志著作

内蒙古自治区建立以来，为了支持经济建设，促进文化发展，先后编著出版了许多内蒙古的历史与方志类的著作。在全国的史志著作与文献中，也有许多对内蒙古发展史的撰述。其中，都含有不少对环境状况及其演变的历史记载与论述。本卷参用的主要著述如下：

义都合西格主编：《蒙古民族通史》第 1 卷、第 3 卷，内蒙古大学出版社 2002 年版。

内蒙古社会科学院历史研究所《蒙古族通史》编写组编：《蒙古族通史》中册，民族出版社 1991 年版。

札奇斯钦：《蒙古秘史新译并注释》，经联出版公司 1979 年版。

林干：《匈奴通史》，人民出版社 1985 年版。

周清澍：《内蒙古历史地理》，内蒙古大学出版社 1994 年版。

周良霄、顾菊英：《元代史》，上海人民出版社 1993 年版。

杨绍猷、莫俊卿：《明代民族史》，四川民族出版社 1996 年版。

金启孮：《清代蒙古史札记》，内蒙古人民出版社 2000 年版。

潘世宪：《蒙古民族地方法制史概要》，呼和浩特市蒙古语文历史学会编印 1983 年。

卢明辉：《清代北部边疆民族经济发展史》，黑龙江出版社 1994 年版。

色音：《蒙古游牧社会的变迁》，内蒙古人民出版社 1998 年版。

中国社会科学院民族研究所：《蒙古族简史》，内蒙古人民出版社 1985 年版。

程廷恒：《呼伦贝尔志略》，上海太平洋图书公司 1933 年版。

陈巴尔虎旗史志编委会：《陈巴尔虎旗志》，内蒙古文化出版社 1998 年版。

中国社会科学院民族研究所：《黑龙江省蒙古族社会历史调查报告》1958 年。

［英］巴德利著：《俄国·蒙古·中国》，吴持哲、吴有刚译，商务印书

馆 1981 年版。

［英］道森著：《出使蒙古记》，吕浦译，周良霄注，中国社会科学出版社 1983 年版。

三、当代社情政论文献

内蒙古自治区建立以来的六十多年，民族区域自治、经济建设、文化建设、社会发展都取得了巨大的进步。其中，农牧林业的发展、国土治理、造林绿化、防沙治沙、草原建设、农田基本建设、水利建设、抗御自然灾害等都有利于生态环境的改善。但也出现了草原退化、土地荒漠化、大气环境污染、水环境恶化与水资源紧缺、沙尘天气的危害、农牧业病虫鼠害的流行等多项环境问题的威胁。内蒙古自治区党委、政府和有关部门、团体发布的文件与领导人的文章等反映出上述的成就和面临的环境问题。这些成为编著本卷的重要资料和依据，主要列述如下。

《乌兰夫文选》上、下册，中央文献出版社 1999 年版。在本卷编撰中，引用了内蒙古自治区社会主义经济建设与民族文化发展的方针政策等有关内容。

《乌兰夫论牧区工作》，内蒙古人民出版社 1990 年版。这一重要文献中，包含着对内蒙古畜牧业发展，牧区建设的指导方针与政策的论述，这是依据中央的路线、方针、政策，充分考虑内蒙古的地区特点、民族特点和历史特点的创造性成果。其中，对畜牧业经营方式和草原保护与合理利用等不仅注重历史传统，更有创新与改革。本卷对此均做出了阐述。

《乌兰夫论民族工作》，中共党史出版社 1997 年版。民族关系、民族问题、民族文化、民族政策等都会关系到社会生产与民众生活的环境质量和生态系统健康状况。内蒙古民族文化传统的继承与发扬有利于改善生态环境。本卷的编著中，乌兰夫的论著是重要依据。

《内蒙古畜牧业文献资料选编》是 1987—1988 年内蒙古党委政研室编辑印刷的大型文献资料集。在本卷的编撰中，参考引用了其中的畜牧业生产、保护与合理利用草原、合理开发水资源、治沙和治理草原水土流失等重要内容资料。

《内蒙古自治区志——畜牧志》，内蒙古人民出版社 2000 年版。该文献为本卷的编撰提供了畜牧业发展历程、防灾抗灾、草原建设、牧区定居化等资料。

《内蒙古自治区志——农业志》，内蒙古人民出版社 2000 年版。本卷的编撰参用了农牧交错带的畜牧业经营方式和农牧结合的发展形式等资料。对其生态环境效益进行了分析。

《呼伦贝尔盟志》，内蒙古文化出版社 1999 年版；《呼伦贝尔盟民族志》，内蒙古人民出版社 1997 年版。这两部著作为本卷的编撰提供了呼伦贝尔盟的历史沿革、民族与人口、传统生产与生活方式、民族风俗与信仰等资料。

四、生态文明发展的专题研究资料

我国古人"天人合一"的思想和"人与自然和谐发展"的观念是生态文明的核心。在我国生态环境问题日益突出的形势下，内蒙古草原与森林更显示出北方生态防线的强大功能。因而，继承与发扬生态文明的传统成为我国我区学者们的研究热点，并已出现了许多研究成果。本卷的编撰中主要参用了下列一些论著。

乌兰巴图、葛根高娃：《蒙古族游牧文化的生态属性》，内蒙古大学出版社 2001 年版。

田志和：《清代东北蒙地开发述略》，《东北师范大学学报》1984 年第 1 期。

《内蒙古近现代王公录续编》，《内蒙古文史资料》第 35 辑。

何耀彰：《满清治蒙政策之研究》，日本关东大学中国学者著作奖助委员会 1967 年版，第 132 页。

叶新民：《元上都研究》，内蒙古大学出版社 1998 年版。

李逸友：《黑城出土文书》，科学出版社 1991 年版。

刘钟龄：《蒙古族的传统生态观与可持续发展论》，《草原—牧区—游牧文明论文集》，《内蒙古畜牧杂志社》2000 年专刊。

盖山林、盖志毅：《文明消失的现代启悟》，内蒙古大学出版社 2002 年版。

刘钟龄、额尔敦布和：《游牧文明与生态文明》，内蒙古大学出版社

2001 年版。

巴拉吉尼玛、安超、张继霞：《绿色之路》，远方出版社 2005 年版。

都永浩：《鄂伦春族游猎、定居发展》，中央民族大学出版社 1993 年版。

韩茂莉：《草原与田园——辽金时期西辽河流域农牧业与环境》，三联书店 2006 年版。

田广林：《西辽河地区的文明起源》，中华书局 2004 年版。

张柏忠：《科尔沁沙地历史变迁及其原因的初步研究》，《内蒙古东部区考古学文化研究文集》，海洋出版社 1991 年版。

张柏忠：《北魏至金代科尔沁沙地的变迁》，《中国沙漠》1991 年第 11 卷第 1 期，第 36—43 页。

田广金、史培军：《内蒙古中南部原始文化的考古研究》，《内蒙古中南部原始文化研究文集》，海洋出版社 1991 年版。

王尚义：《历史时期鄂尔多斯高原农牧业的交替及其对自然环境的影响》，《历史地理》1985 年第 5 期，第 11—24 页。

侯仁之：《从红柳河上的古城废墟看毛乌素沙区的变迁》，《文物》1973 年第 1 期，第 35—41 页。

王北辰：《毛乌素沙地南缘历史演化》，《中国沙漠》1983 年第 3 卷第 4 期，第 11—21 页。

胡琷、巴拉吉尼玛：《乌审召的草库伦》，远方出版社 2008 年版。

内蒙古历史研究所：《原札萨克图旗清末土地放垦及其演变情况调查报告》，1965 年。

宝玉：《清末绥远垦务》，内蒙古史志资料选编第 1 辑（下），1980 年。

色音：《蒙古游牧社会变迁》，内蒙古人民出版社 1998 年版。

［日］后藤富男：《内陆亚洲游牧民族社会研究》，吉川弘文馆 1968 年版。

札齐斯钦：《中原农业民族与蒙古游牧民族之间的贸易方式与战争》，《中亚研究》1977 年。

王建革：《游牧圈与游牧社会——以满铁资料为主的研究》，《中国经济史研究》2000 年第 3 期。

黄时鉴:《论清末政府对内蒙古的"移民实边"政策》,《内蒙古大学学报》1964 年第 2 期。

[法] 格鲁塞著:《草原帝国》,魏英邦译,青海人民出版社 1991 年版。

第二节 内蒙古生态地理环境演变的研究资料

一、古地理环境研究资料

古地理环境是地质年代中的环境演变,以第四纪的古环境研究为主,是当代环境演变的渊源。这方面的研究多是在全国古环境的整体研究中探索内蒙古环境的变化轨迹。因而分别引用了相关的全国性和内蒙古地区性的研究文献。

中国科学院中国自然地理编委会:《中国自然地理——古地理》(上、下册),科学出版社 1986 年版。

王乃文:《板块构造与古生物地理》,载于李春昱等《板块构造基本问题》,地震出版社 1986 年版。

王鸿祯:《从活动论观点论中国大地构造分区》,《武汉地质学院学报》1981 年第 1 期。

周廷儒、张兰生等:《中国北方农牧交错带全新世环境演变及预测》,地质出版社 1992 年版。

殷鸿福:《中国古生物地理》(第 16 章),中国地质大学出版社 1988 年版。

中国科学院内蒙古宁夏综合考察队:《内蒙古自治区及东北西部地区地貌》,科学出版社 1980 年版。

汪久文:《内蒙古自然保护纲要》(第二章,二、古地理环境),内蒙古人民出版社 1989 年版。

二、生态系统与生物地理环境考察研究资料

内蒙古生物地理区的生态系统与生物多样性具有鲜明的地域特色,但也是属于我国北方以至亚欧大陆温带的组成部分。是在喜马拉雅运动过程中,

随着陆地抬升，东亚季风气候环流形成，经历了草原化与荒漠化的演变。20世纪中期以来，显现了全球环境问题的挑战。内蒙古地区的生态与环境引起了我国我区地球科学与生态科学工作者的关注与研究。在本卷的编撰工作中，参用的主要研究成果与资料列举如下。

中国科学院中国自然地理编委会：《中国自然地理——植物地理》，科学出版社1986年版。

郭双兴：《我国晚白垩世和第三纪植物地理区与生态环境的探讨》，载于古生物基础理论丛书编委会编《中国古生物地理区系》，科学出版社1983年版。

朱宗元：《18世纪以来欧美学者对我国西北区地理环境的考察研究》，《干旱区资源与环境》1999年第13卷第3期。

中国科学院内蒙古宁夏综合考察队：《内蒙古自治区及其东西部毗邻地区气候与农牧业的关系》，科学出版社1976年版。

中国科学院内蒙古宁夏综合考察队：《内蒙古自治区与东北西部地区土壤地理》，科学出版社1980年版。

马毓泉主编：《内蒙古植物志》（第2版）第1卷，内蒙古人民出版社1998年版。

中国科学院内蒙古宁夏综合考察队：《内蒙古植被》，科学出版社1985年版。

国家环境保护局：《中国生物多样性国情研究报告》，中国环境科学出版社1998年版。

陈灵芝主编：《中国的生物多样性现状及其保护对策》，科学出版社1993年版。

［俄］尤纳托夫著：《蒙古人民共和国植被基本特点》，李继侗译，科学出版社1958年版。

谢又予、龚高法、陈恩久：《呼伦贝尔盟东南部河谷甸子地的形成演化与发展趋势》，科学出版社1982年版。

李森、孙武、李孝泽等：《浑善达克沙地全新世沉积特征与环境演变》，《中国沙漠》1995年第15卷第4期。

朱震达、刘恕、高前兆：《内蒙古西部古居延—黑城地区历史时期环境的变化与沙化过程》,《中国沙漠》1983 年第 3 卷第 2 期。

三、生态保育、环境治理与可持续发展

中华人民共和国国务院:《中国 21 世纪议程——中国 21 世纪人口、环境与发展白皮书》,环境科学出版社 1994 年版。

李慧明:《环境与可持续发展》,天津人民出版社 1998 年版。

内蒙古自治区建设厅:《内蒙古自然保护纲要》,内蒙古人民出版社 1989 年版。

滕有正等编著:《环境经济机制与政策研究》,内蒙古大学出版社 2001 年版。

刘钟龄、朱宗元、郝敦元:《黑河流域地域系统的下游绿洲带资源环境安全》,《自然资源学报》2002 年 17 卷第 3 期。

周欢水、向众、申建军:《我国荒漠化灾害综述》,《灾害学》1998 年版第 13 卷第 3 期。

吴鸿宾等:《内蒙古自治区主要气象灾害分析》,气象出版社 1990 年版。

邹本功、陈广庭、王康富等:《科尔沁草原土地沙漠化过程及整治》,中国科学院兰州沙漠研究所集刊(4),科学出版社 1994 年版。

李博主编:《内蒙古鄂尔多斯高原自然环境与治理的研究》,科学出版社 1990 年版。

北京大学地理系:《毛乌素沙区自然条件及其改良作用》,科学出版社 1983 年版。

吴波、慈龙骏:《毛乌素沙地荒漠化的发展阶段和成因》,《科学通报》1998 年第 43 卷第 22 期。

内蒙古自治区科技厅:《内蒙古农牧交错带的生态环境治理与科技发展》,2002 年。

第 二 章

研 究 概 况

在内蒙古自治区建立以前，该区长期处于封建统治和半殖民地社会，经济与文化科学均落后于西方较发达国家，广大牧区与农村的社会生产属于个体自然经济。因此，区域性生态地理环境的科学考察研究不可能有计划地大规模进行。但是，欧洲资本主义的兴起和近代科学的进步，推动了世界许多未开发地区的自然与人文地理考察研究。内蒙古地区是亚洲大陆中部的重要组成部分，又是具有自然环境与民族文化特色的区域，必然成为较发达国家的人士探险考察的对象。也必然引起我国的一些学者、文人、官员等的关注和考察。

第一节　新中国成立前对内蒙古地区生态地理环境的考察研究

17世纪欧洲资本主义的兴起，激发了国际地理环境与资源的考察活动。对神秘的蒙古大地和亚洲大陆腹地，格外发生兴趣。特别是俄罗斯横跨欧亚大陆，与蒙古高原相邻接，必然对中国北部地区更加关注。日本自明治维新以来，为了资本主义的发展而深感国土资源的局限，逐渐成为侵略者，把侵华作为首要的目标。所以，俄国、日本与欧美国家都对我国北部、西部和蒙古高原多次进行资源、环境与文化考察。近代生态学是伴随着生物地理学而发展的，在区域性的地理探险考察中，必然积累着观察生物群落和生态现象的知识素材。因此，生态学作为一门野外科学，含有生物与环境内容的地理探险考察活动及其成果在中外各国都有积累。在 17—18 世纪期间，各国人士多次来蒙古高原和内蒙古考察，但是对有关生态、生物地理的内容多限于零散片段记载，未形成系统完整的考察成果。

一、19 世纪俄罗斯等国对内蒙古生态环境的考察研究

19 世纪前期的考察研究。1821 年，俄国使节团成员季米柯夫斯基从恰克图穿越蒙古和内蒙古草原到北京沿途考察，后写出了 3 卷本的《蒙古—中国游记》，其中介绍了沿路的植物和景观。1928 年，俄国使节团又一成员奔秋林也经恰克图—北京的草原之路考察报道了地理环境概况。俄国植物学家图尔钦尼诺夫、库兹涅佐夫、基里洛夫 1828—1837 年间对蒙古及内蒙古植物进行调查和采集，发表了几篇蒙古植物采集的目录和新种属的报道。1830 年，俄国植物学家本吉、洛佐夫等人随着驻北京宗教使节团到中国，在沿途及北京地区采集植物标本达 400 多种。从 1883 年起陆续发表了 17 个新属和大批新种，编订了植物目录，奠定了蒙古高原植被生态与植物区系研究的基础。

19 世纪中期的考察研究。鸦片战争之后，中国开始沦为半殖民地国家，成为资本主义列强肆意侵略的对象。俄国及欧美各国纷纷派员来华考察，蒙古高原和我国北部与西部成为地理环境与资源考察的重要区域。1859 年，达尔文学说问世，生态科学随之应运而生。1866 年生物学家海克尔确立了生态学的科学范畴。从此，在许多地理考察活动中更不乏生态学内容的积累。比利时从 1854 年起在内蒙古布设教会组织，神父阿特塞勒在内蒙古南部采集植物标本，送交俄国的彼得堡植物园，由植物学家马克西莫维奇鉴定，陆续发表新种。法国学者达维迪 1862 年来华考察。1966 年，他到呼和浩特、包头、乌拉山与黄河沿岸一带采集大量植物标本，送给巴黎博物馆与植物园。由法国植物学家弗阮契参加整理鉴定，1883 年发表了《达维迪在中国采集的植物》共 2 部，总计记载了 1 500 多种植物。其中，第一部是在内蒙古所采集的植物及一批新种与新属。1863 年美国地质学家彭拜勒应清政府之请来华考察，考察范围包括华北、东北、内蒙古和西北地区。1865 年由陆路经蒙古、西伯利亚到彼得堡后结束考察。1866 年发表了《1862—

1865年考察中国、蒙古的地质环境》。考察中，他发现我国东部的山脉呈北北东—南南西走向的地质构造。他把这个构造线命名为"震旦上升系"即"震旦系"，成为我国地质学的重要论点。1864年，俄国人克鲁泡特金到我国大兴安岭与蒙古高原等地进行考察，先后发表了多篇考察报告。指出了中国东北地区曾广泛发生过火山活动。明确地肯定曾有过冰川作用的事实与成因，论述了蒙古戈壁中的许多湖泊与气候的关系。他对蒙古高原生态地理环境做了正确描绘。

俄国人普热瓦尔斯基考察队。从1870—1926年，俄国地理学会组织了长达50多年的亚洲中部考察。1870—1885年由普热瓦尔斯基主持，分四次到亚洲中部考察。第一次是对内蒙古的考察，1870年从中俄边境城镇恰克图入境，经乌兰巴托、张家口到北京。1871年2月到赤峰的达里诺尔考察，5月又从北京到呼和浩特、包头及乌拉山考察，7月穿过黄河进入鄂尔多斯西北部，后经磴口过黄河，9月到巴音浩特，登上贺兰山。考察后从北线经狼山从阴山北麓返回张家口。1872年春又走原路到巴音浩特，再到甘肃、青海考察。1873年返回时，6—7月再次上贺兰山考察，从阿拉善东北部返回恰克图。第三次考察是1879年先到青海、甘肃，于1880年8月进入阿拉善，考察腾格里沙漠，9月初再次登上贺兰山。第四次考察是1883—1885年从恰克图出发又经过蒙古和内蒙古阿拉善地区，到甘肃青藏高原考察黄河源头。普氏四次考察后，著有《蒙古和唐古特地区》（1875年）等书，其中多有内蒙古生态地理方面的记载。所采的标本，经植物学家研究确定了4个新属、40个新种，采集的动物有2个新种和6个新亚种。

俄国人波塔宁考察队。19世纪后期，波塔宁带领俄国地理学会的另一支亚洲中部考察队从1863年至1899年对我国西北和内蒙古等地进行了多次考察。1884年8月由呼和浩特过黄河到鄂尔多斯考察，1885年到内蒙古的额济纳河流域考察。1899年对内蒙古大兴安岭及呼伦贝尔草原进行考察。在内蒙古考察中采到大批动、植物标本，后经马克西莫维奇和柯马洛夫鉴定，已确定了160个植物新种，3个新属和一些鱼类新种。他在《中国的唐古特西域和蒙古中部》（1884—1886年）中记载了毛乌素沙地植被情况。1891年还发表了论述鄂尔多斯沙地的文章，记载了清代本区居民增加，开垦沙地，在沙地上进行过度放牧，使植被受损，沙地流动化的情景。波塔宁在《1899 年夏大兴安岭中部纪行》中报道了呼伦湖的湖岸测绘的结果，成为考证该湖湖岸变迁的历史资料，也描述了呼伦贝尔草原丰茂的生态环境面貌。另外，他在考察额济纳时，听当地牧民说河东岸有一座黑城废墟，也加以介绍。

19 世纪后期俄国人的考察研究。1871 年，布廷兄弟与罗温斯基均从蒙古的克鲁伦南下穿越锡林郭勒草原经多伦到北京。发表的《沿途见闻》报道了东蒙古的火山岩特征及生态环境，指出了侵蚀过程与准平原化的作用。1878 年，彼甫措夫从蒙古阿尔泰山与杭爱山通过戈壁荒漠与草原到达呼和浩特。1879 年又从张家口去乌兰巴托，以大地测量和地文考察为主，编制了亚洲中部地图。1883 年发表了《蒙古与中国北部考察简报》。喀里纳克于 1887 年对大兴安岭南部地区进行了考察，采集植物 110 多种。1891 年，普亚塔也到大兴安岭南部考察，采集植物近 300 种。1898 年，札勃洛特奈沿着恰克图到张家口的路线采集植物 100 多种。1899 年，俄国植物学家帕里滨从乌兰巴托沿克鲁伦河到呼伦贝尔草原及大兴安岭，又进入中国东北考察，采集植物标本 2 000 多份，并对以上三人所采集的植物标本一起整理鉴定。1902 年起陆续在《北蒙古植物区系资料》第 1—4 卷发表了研究成果，并于 1904 年发表了《库伦—张家口间蒙古草原植被概论》。帕里滨进行了东蒙古地区考察后，认为大兴安岭山地的特殊形态和谷地的岩石悬崖上有深刻擦痕的现象可以证实大兴安岭经历过冰川作用。1884—1890 年，俄国旅行家格罗姆—格尔日迈洛兄弟在我国西北和内蒙古进行了广泛考察。其中，对龙首山的山地植被做了记载。1892—1894 年，俄国地质地理学家奥勃鲁切夫来华考察。从恰克图经乌兰巴托，横越戈壁和草原到张家口和北京。又到内蒙古鄂尔多斯考察，向西过黄河，登贺兰山经宁夏至兰州。再从额济纳河流域至戈壁阿尔泰山进行考察。1900—1901 年发表了《亚洲中部、中国北部及祁连山》。在二连附近洼地里发现了第三纪犀牛的化石，说明戈壁中的洼地近期沉积是陆相沉积。30 年后的美国考察队就是根据这一线索在二连附近的若干洼地中发现了大批白垩纪脊椎动物和第三纪哺乳动物化石。奥氏的重要贡献是论证了黄土高原的成因学说——"风成说"。1892—1893 年，俄国人阿·马·波兹德涅耶夫完成了大规模的蒙古文化考察。对喇嘛教、蒙古族的历史和史料编纂很有兴趣，1898 年出版了两卷著作《蒙古和蒙古人》。其中也提供了若干生态地理环境资料，重点记述了呼和浩特、岱海、多伦、承德的环境。

二、20 世纪前期俄、日等国对生态环境的考察研究

20 世纪早期，俄国地理学家科兹洛夫又组织了一轮对亚洲中部的大规模考察。其中，对内蒙古西部的阿拉善、额济纳地区生态地理环境的考察十分详细。1899—1901 年到内蒙古阿拉善和祁连山东部，中间进入巴丹吉林沙漠，这是首次对巴丹吉林沙漠的科学考察，1905 年出版了《蒙古和喀姆》一书，报道了阿拉善地区的自然地理、生态环境与社会情况。1907—1909年又进行了蒙古—西康的考察。其中，在内蒙古额济纳河东岸对"黑城废墟"进行挖掘，发现了一大批西夏的珍贵文物。科兹洛夫考察队成员、地质学家契尔诺夫在阿拉善地区考察了拐子湖谷地，记载了谷地中的植物和动物。俄国著名植物学家柯马洛夫对中国东北及内蒙古东部的植物区系有深入的研究，1908 年所发表的《中国和蒙古植物区系导论》成为经典性的著作。

在 19 世纪的上述多次考察之际，日本在明治维新之中也要向国外开辟市场和侵占领土。1905 年日俄战争以后，日本取代了俄国在我国北部地区的势力。从 20 世纪初到 40 年代，日本曾组织大批人员来内蒙古地区进行自然和人文地理考察，其中也包括对生态环境和生物资源的调查。

1906—1907 年，日本人鸟居龙藏组织考察队到中国东北和内蒙古东部做地理考察，同时期来内蒙古东部考察的日本人还有白泽、佐滕佐吉、神保、协山三弥等。所采集的植物标本交由东京帝国大学矢部吉祯整理。1909年，日本派遣矢部吉祯等人到辽河流域进行生物调查，编辑出版了《南满植物名录》（1912 年）。随后由"满铁"相关部门组织完成了《满蒙牧草植物调查》《兴安北省牧野调查》《大兴安岭纵断面调查》《满洲森林》等多项调查成果。

"九一八"事变之后，日本在我国东北炮制了伪满洲国，又在长春成立了伪满大陆科学院，在多学科的考察研究活动中，也开始进行生物资源和生态环境方面的调研。先后由北川政夫发表了《海拉尔附近的植物相》（1937年）、《博克图附近的植物相》（1937 年）、《满洲植物考》（1939 年），由斋藤渡边发表了《满洲产野生饲料植物》等专题报告。

1933 年，日本早稻田大学的德永重康组织了地理学、动物学、植物学、人类学方面的一批学者，成立的"第一次满蒙学术调查团"首先对赤峰市地区进行了综合考察，出版了 6 卷集的调查研究报告，第 4 卷是生态学与植物学的内容。由本田正次、中井猛之进、高桥基生等人报道了新发现的物种以及植被与土壤环境的关系。1934—1939 年间，早稻田大学的满蒙学术调查团还多次到我国东北和华北做调查研究，有些也涉及内蒙古东部地区。1938 年"京城大学蒙疆学术探险队"和"京都大学学术调查队"都到内蒙古东部做过调研。1941 年，"东京帝国大学浑善达克沙地调查队"做了沙区的专项调研，由多田等人写出《蒙疆浑善达克沙地调查报告》。北支经济调查所进行了锡林郭勒草原的生态考察，1943 年出版了《蒙疆牧野调查报告》。书中由岩田悦行写了详细的植被调查结果，划分了羊草群落、贝加尔针茅群落等 12 种群落类型，列出了 258 种植物的名录和描述。

此外，还有一些来内蒙古做考察的日本学者，如三浦密城在内蒙古广泛采集植物，完成了《满蒙植物目录》（1925 年）、《察绥植物目录》（1937 年）、《满洲植物志第 2，3 辑——禾本科、豆科》；佐藤润平发表的《满蒙植物写真辑》（1934 年）、《东乌珠穆沁植物调查报告》（1934 年）等。

三、20 世纪前期欧美等国对生态环境的考察研究

1900 年，德国学者富特瑞来中国西部考察，曾到内蒙古西部区进行植物采集，所采标本由柏林植物园的迪尔斯进行整理，于 1903 年发表了富特瑞采集的植物名录和发现的新种。1910—1917 年间，德国的林普列赫到赤峰地区做生物调查，标本也由德国学者鉴定。

奥地利的维也纳自然博物馆学者汉德·玛兹 1923—1931 年到中国连续多年做生物学考察研究，他所确定的一批新种和中国生物地理学研究论著中都包括内蒙古地区的内容，把内蒙古西部划入"戈壁蒙古荒漠区"。

美国纽约自然历史博物馆多次进行中国北方的生物学考察，1913—1915 年索维布对内蒙古东部做了动物调查，1922 年发表了《在满洲的一个自然科学家》，其中介绍了内蒙古东部的景观生态环境和生物类群。1918—1919 年和 1924—1925 年，博物馆的安德芮两次率队到华北和内蒙古做古生物学考察，其中由喀奈根据采集的植物标本编制了植物名录。

美国华府地理学会 1923 年由乌尔森主持甘蒙科学考察队进行植物、动物和人文环境的考察，中国植物学家秦仁昌主持植物考察，所采植物送美国纽约植物园做鉴定，1941 年发表了《秦仁昌在蒙古南部所采的植物》。根据调查结果，1935 年，美国农业部又派茹利贺父子带领工作队到内蒙古的察哈尔、百灵庙等地调查采集适应干旱的牧草种子和植物标本，中国植物学家耿以礼参加了考察工作，确定了禾本科牧草中的隐子草属等植物类别。从内蒙古采集的冰草带回美国广泛栽培，已成为美国的一种重要牧草资源。

瑞典的地理学家斯文·赫定在 1927—1935 年间组织中瑞西北考察队，对中国西北和内蒙古进行多学科的大规模综合考察。包括地理学、地质学、气象学、古生物学、动物学、植物学、人类学、考古学等广泛的调查研究内容。从 1937 年起到 1962 年共出版了 45 卷研究报告，成为 20 世纪前半期研究内蒙古和西北地区生态地理环境最丰富的成果。

四、20 世纪前期我国学者对生态环境的考察研究

20 世纪前半世纪的中国，推翻了封建帝制，但仍是军阀混战和抗日战争的国难时期，这时民不聊生，文化凋敝。中国学者能对内蒙古做科学考察和生态环境研究，当然不可多得。

1923 年 5 月，秦仁昌参加美国人乌尔森组织的甘蒙科学考察队，到了内蒙古的东阿拉善，登贺兰山，细心采集植物达数百种，开花植物百种，又经多年整理研究和美国纽约植物园的瓦尔柯合作，到 1941 年在我国《静生生物调查所汇报》10 卷 5 期上发表了《贺兰山植物采集纪略》，这是我国学者最早对内蒙古的考察研究工作。

1929 年，刘慎谔到内蒙古和西北地区做生态地理学考察。他从呼和浩特、包头经河套平原进入阿拉善荒漠区，最后到新疆。考察资料经整理总结，于 1934 年发表了《中国北部及西北部植物地理概论》一文，其中述及内蒙古西部的植被生态特征。

中国植物学家耿以礼 1935 年参加美国农业部的茹利贺调查队，来到内蒙古的百灵庙一带采集植物 200 多种，特别对禾本科植物做专门研究，确立了新属和新种，成为中国人研究内蒙古植物的先行者。

宁夏林务局 1941 年组织了贺兰山森林与植物生态调查，在冯钟粒发表

的《贺兰山森林调查报告》中，讨论了植被垂直分布，划分了 4 个森林带，描述了各种林型的生态特征和分布面积，是研究贺兰山植被生态学的重要文献。

以上概述了新中国成立以前所经历的用科学考察方法认识内蒙古地区生态地理环境和生物界的历史过程。从鸦片战争以后，内蒙古作为边疆民族地区，逐渐进入了贫困落后的历史时期。这里的资源被外国人所掠夺，在历次科学考察研究中，所取得的第一手科学资料全部由外国人占有。在内蒙古的土地上没有留下一份正规的生物标本，也没有一份报告是为内蒙古人民的需要所撰写。当然，我们也不否认，这些长期积累的科学资料对认识内蒙古的生态环境和自然资源是有价值的，为今后的研究和发展是打下一定基础的。

第二节　新中国成立以来内蒙古生态地理环境的考察研究

新中国成立之后，内蒙古自治区和全国一样，各项事业百废待兴。经济、文化、科技、教育、卫生事业的振兴已成为人民的渴望和历史的需要。从我国经济恢复阶段和第一个五年计划期间起，内蒙古的各项建设事业均受到国家的高度关注和切实的支持。国家全面安排内蒙古的工农业建设项目，先后派遣经济、文化、科学等专家队伍进行资源、环境与文化、科技等考察研究工作。在国家和各地有关部门及人士支持下，相继建立了内蒙古畜牧兽医学院（现为内蒙古农业大学）、内蒙古师范学院（现为内蒙古师范大学）、内蒙古大学等多所高校以及一批工、农、牧、林业及人文社会科学研究院所，开创了内蒙古经济、文化、科学、教育、卫生事业发展的新纪元。其中，生态、环境、资源科学与生态文化研究也得到长足发展。

一、新中国成立以来国家对内蒙古生态地理环境和资源的科学考察研究

新中国成立后，国家有关单位多次对内蒙古草原牧区、林区、农区的资源和生态环境进行考察研究。

1952 年夏季，国家有关部门组织的牧区考察团，对锡林郭勒草原进行资源调查。我国草地学家王栋教授带领许令妊和李世英等人经张家口到苏尼

特草原，再到锡林浩特考察。1955 年发表了考察报告《内蒙古锡林郭勒盟草场概况及主要牧草介绍》。报告中把锡林郭勒草原划分为 5 个类型，并对40 多种主要牧草的生态特性、营养成分和利用价值做了论述。

1955 年，我国农业部和内蒙古农牧厅组织内蒙古伊克昭盟草原调查队，由北京农业大学贾慎修教授主持，对东胜、郡王旗、鄂托克旗、杭锦旗等地做草地调查，写出《内蒙古伊克昭盟草原调查报告》。包括伊克昭盟的地理条件、草地类型、草地植被演替、草地评价和草地畜牧业及饲料生产等内容。

1954—1955 年，我国林业部邀请苏联森林调查设计总局的专家与中国学者共同组成综合调查队，全面进行了大兴安岭林区的生态地理环境、森林类型、林木生长量、木材蓄积量、森林更新、林木病虫害等多项调查，划分了 8 个林型，编著出版了 8 卷集的《大兴安岭森林资源调查报告》，这是指导大兴安岭林区开发建设的重要科学依据。

1956—1957 年，北京大学应内蒙古农牧厅的邀请，由李继侗教授带领青年教师和研究生到呼伦贝尔草原，为发展草原畜牧业，建立优质种畜生产基地，筹建种畜场，进行了呼伦贝尔草原植被生态学调研。编制出草原植被图，完成了植被研究报告。作为草地资源评价的科学资料，提交内蒙古自治区和当地政府作为决策依据。

中国科学院与苏联科学院联合组成黑龙江流域综合考察队，于 1956—1959 年对呼伦贝尔地区、额尔古纳河流域和嫩江流域自然环境与资源做了考察研究，编辑出版了土壤生态学、植被生态学、自然地理学等相关的研究报告和《黑龙江流域综合考察学术报告》文集。

中国科学院黄河中游水土保持综合考察队固沙分队 1957—1958 年邀请苏联专家彼特洛夫参加合作，到鄂尔多斯的毛乌素沙地与阿拉善的腾格里沙漠进行生态地理考察，取得了沙地与沙漠形成、风沙运动、沙生植物的固沙作用等科学认识，发表了相关的论文。

1959—1963 年，中国科学院治沙队按照国家科学发展规划的要求，对中国西北和内蒙古的沙漠与沙地进行综合考察。在内蒙古境内考察了巴丹吉林沙漠、乌兰布和沙漠、库布齐沙漠、毛乌素沙地和浑善达克沙地。并在乌兰布和沙漠设置了治沙综合实验站，对沙区动态进行观察与测试。几年的考察研究获得丰厚成果，采集了大量的沙区植物标本，为编著沙漠植物志打下基础。还编制了各大沙漠区的植被图、景观类型图、土地利用图等多种图件，共出版了6卷《治沙研究》文集。

根据国家科学发展规划，从1961年起，中国科学院内蒙古宁夏综合考察队按自然资源、经济和产业门类设立12个专业组，当年考察锡林郭勒草原区，1962年考察西辽河流域的昭乌达盟和哲里木盟，1963年组成两个队分别考察呼伦贝尔盟与伊克昭盟，1964年再对锡林郭勒盟和乌兰察布盟进行考察，1965年考察巴彦淖尔盟。在5年的考察过程中写出各项专题报告150多篇，并每年及时向内蒙古政府汇报研究结果，对内蒙古的经济建设事业提出建议。经过"文化大革命"数年的停顿，到1972年，又开始进行成果总结和专题性与补充性的考察。在1976—1985年完成了内蒙古的地貌、气候、水资源、土壤、植被、草场、畜牧、林业8部专著的出版。此项工作1978年荣获全国科学大会奖及中国科学院科技成果奖。

内蒙古的呼伦贝尔盟在"文化大革命"期间划归黑龙江省，决定对呼伦贝尔草原进行大规模开垦，引起科学界的关注和担忧。1972—1975年，中国科学院地理研究所、土壤研究所与内蒙古大学等单位组成黑龙江土地资源考察队，按照土壤学与植被生态指标进行科学考察与土地评价，坚持了农牧林合理规划用地的原则，避免了大规模的盲目开垦。

二、内蒙古自治区进行的生态环境与资源考察研究

内蒙古自治区人民政府有关部门在50年代也开展了草原、森林、土地、生物资源等多方面的考察研究工作。一是内蒙古畜牧厅草原管理局1957—1959年组织的全区草地土壤、植被、畜牧业的考察。二是内蒙古农业厅土地勘察设计院从1958年起所做的土壤普查。三是内蒙古林业厅1957年起所开展的森林资源和林业经营的考察。四是内蒙古科学技术委员会1958—1960年组织内蒙古大学等高校进行全区植物资源考察。三年间，测绘编制了全区的土壤图和植被图草稿，共采集植物标本10 000余份，初步查清了内蒙古的植物约2 000种，有重要资源价值的植物约600多种，发表了《锡林郭勒盟区系植物考察报告》、《内蒙古草原区植被概貌》、《内蒙古的针茅草原》等论文，编辑出版了《内蒙古农牧业资源》与《内蒙古经济植物手册》等专著。这些考察成果为建立内蒙古大学植物标本室和编写《内蒙古土壤志》、《内蒙古植物志》、《内蒙古植被》与《内蒙古森林》等奠定了基础。根据草原考察资料，计算了全区草地的承载力，这时全区约有 1 200 万公顷草地（占 20%）承载的家畜已经达到饱和。因此，提出建议：必须坚持草原生产力和家畜数量的平衡发展。

1958 年，内蒙古科委副主任、著名生态学家李继侗提出了全面进行内蒙古的植物标本采集与调查，建设植物标本室，编著内蒙古植物志的重大科学工作任务。并聘请我国著名植物学家刘慎谔和崔友文先生担任学术指导工作，要求内蒙古大学的马毓泉先生主持此项工作。经过二十年对内蒙古全区植物区系及植物资源的考察研究和植物标本室的建设，1977 年开始了内蒙古植物志的编著工作，又经过二十年的努力，到 1996 年完成了《内蒙古植物志》第 1 版和第 2 版出版工作。

20 世纪 80 年代，卫星遥感技术和地理信息系统方法在生态学、环境与资源科学领域得到广泛应用。1983—1986 年，国家科委下达了"内蒙古草地资源遥感调查"的专项任务，由北京大学与内蒙古大学主持，分成草地、植被、土壤、地貌、水文、土地利用、气候、地理制图等 8 个专业，利用 MSS 卫星遥感影像技术，分区做地面调查解译。完成了《内蒙古自治区草地资源系列地图》。本项科学成果荣获内蒙古科技进步一等奖和全国科技进步三等奖。

20 世纪 90 年代，内蒙古草原、森林和整体环境已经严重恶化。为了扭转生态环境恶化的局面，使农牧林业实现可持续发展，1997—2000 年，内蒙古草原勘察设计院运用最新遥感手段 ETM 卫星遥感信息，对内蒙古草地资源现状和草地生产力进行了新一轮调研。所取得的成果在实施西部大开发战略中，是指导草地畜牧业健康协调发展和建设北方草原生态安全体系的重要科学资料。内蒙古林业厅和林业勘察设计院对内蒙古的天然林保育工程和防沙治沙工程也进行了最新科学考察与设计工作，为森林资源保护和自然保护区的建设做出科学支撑。内蒙古环境保护局在多方考察研究和遥感研究工作基础上完成了"20 世纪末内蒙古生态环境信息查询分析系统"。

三、生态系统、环境保护与资源科学的多学科系列研究

在工农牧林业生产和各项建设事业中，诸如产业规划布局和重大关键性措施、自然资源合理开发、自然灾害防治、生态环境保护与治理等，必须寻求正确答案和解决对策。所以对生态、环境与自然资源的动态观测和实验研究提出迫切需要。各高等院校、科研院所及技术与管理部门根据上述需求和历次多学科考察研究结果，由相关业务部门选择适当区域及典型地点，相继建立起多项生态环境与资源动态观测和科学实验台站，取得了丰富的科学成果。

内蒙古的气象观测、预报和气候规律性研究是必须长期坚持并积极发展的一项生态环境与资源科技事业。半个世纪以来，内蒙古气象局及其台站系统积累了各台站建立后的完整气象观测数据资料，为我区和国家的各项生产建设、防灾减灾、重大决策、科技文教及人民生产生活等提供了天气预报和高质量的信息服务。内蒙古气象局和国家气象研究单位对内蒙古各地的气候动态特征、气候资源与灾害条件及全区气候区划等进行了多层次研究，完成了气象科技的多种论著及软、硬件成果。

根据全国统一规划，内蒙古的地质矿产部门完成了全区的地质普查，对全区的地质环境和矿藏分布取得了基本的科学资料。在水文地质领域，也进行了全区的探测，为农牧林业生产和工矿用水提供了有价值的科学资料。工程地质研究为我区一些重大建设项目提供可靠依据。对于古地理环境变迁和古生物演化史也有不少科学探索的成果，这是认识现代生态环境特征和评价土地资源的基本依据。

20世纪80年代以来，内蒙古在经济与社会发展中也日益感受到生态环境恶化和城市环境污染的危害，引起政府和各界对环境动态与环境保护的关注。呼和浩特、包头、乌海等大中城市相继开展了环境状况的动态监测，并逐步推广到全区各城市和重点地区。到20世纪末，内蒙古环境保护局根据多年的调查与监测资料和卫星遥感信息源，编制完成了全区生态环境动态信息系统。近二十年来，全区科技部门、高等学校和国家相关单位的专业人员对内蒙古的环境恶化、环境保护与治理、环保产品应用等进行了大量的研究工作，产生了大批研究成果与论著。

在畜牧业的发展历程中，内蒙古广大草原从 20 世纪 60 年代开始出现退化趋势。即草原生态系统结构与功能受损和生产力衰退。1958—1960 年，内蒙古农牧学院聘请苏联专家伊万诺夫讲授草地经营学，并协助内蒙古草原管理局和学院在呼伦贝尔草原、锡林郭勒草原、乌兰察布草原、鄂尔多斯荒漠草原、东阿拉善荒漠 5 种代表性地区建立定位实验站，进行动态监测和草地经营利用的科技实验。这项研究工作由许令妊、彭启乾、章祖同领头，从 1959 年起持续到 1965 年，积累了 6 年的植物生产量季节动态数据。对植物种群的物候特征与再生能力、牧草耐牧性、牧草可食性及营养化学组成等项目进行了观测与实验研究。对草地合理利用方式和草地退化的空间序列进行了探索。这是内蒙古的一项开创性的草地生态学研究工作。

中国科学院治沙队在沙漠与沙地综合考察工作基础上，于 1959 年在乌兰布和沙漠（巴彦淖尔盟磴口县境内）建立了磴口治沙实验站；在腾格里沙漠（阿拉善左旗头道湖地区）建立了半定位观测实验站。1963 年，中国科学院治沙队工作结束以后，磴口治沙实验站作为长期定位研究站改由中国林业科学院管理。两站均对沙区生态环境要素进行定位观测。磴口站长期做引种国内外固沙植物与果树等经济树种和治理沙漠的实验研究，经过二十多年的治理，已建成一个生物治沙的典型示范区，该站对沙生植物种群生物学与生态学研究也取得不少成果。头道湖研究站，作为半定位站于 1959—1964 年对各项生态要素进行了 5 年观测，并对植物群落类型、结构、功能及植物种的发育节律，沙地主要植物群落的水分状况，优势植物的化学成分与土壤的关系等做了实验与测定，取得了研究我国荒漠植物生态特性最早的成果。

1977 年，全国科学规划大会根据国际生态学发展动态和"国际生物学（IBP）计划"及"人与生物圈（MAB）计划"，确定了建立内蒙古草原生态系统定位研究站的任务。1978 年，经中国科学院生物学部与内蒙古自治区政府协商，决定由中国科学院有关研究所和内蒙古大学联合在锡林郭勒草原区的白音锡勒牧场建立我国第一个草原生态系统定位研究站。1979 年正式建站，中国科学院植物研究所、动物研究所、内蒙古大学、内蒙古农牧学院、内蒙古林学院从 1980 年起对草原地球化学元素、土壤水分和养分、草原生物产量以及草原气候要素等进行长期动态监测，至今已取得了二十多年的季节与年度间的动态数据。对草原光合生产力做了长期的系列研究，也进行了啮齿动物和昆虫的种群生态与生物学系列性研究。内蒙古大学承担起草原植物区系多样性和植被生态学研究，土壤微生物及土壤动物生态学研究，草原退化与恢复演替研究，割草场动态与割草制度的研究和营建人工草地的实验生态学研究。这些研究项目所取得的成果除在国内外刊物发表外，主要集中在本站编辑、科学出版社出版的《草原生态系统研究》（第1—5集）中。

根据经济建设中需要实施资源转换战略，1981年内蒙古党委责成内蒙古大学组建自然资源研究所，开展相关的研究工作，1982年正式建所。该所针对内蒙古草原畜牧业生产与生态环境所面临的植被生产力衰退、环境恶化及灾害频发等实际问题，于1982—1987年首先承担了国家科委下达的内蒙古草地资源遥感调查研究。随即从1986年至2000年间，连续承担国家自然科学基金资助的生态学、生物学与地理学研究项目共计44项。包括草原生产力动态研究，草原退化与恢复演替机理研究，草原生物多样性研究，草原优势植物种群生态学研究，草原植物与水分关系的生态学研究，草原植物种群间他感作用研究，草原植物、土壤、大气相互作用研究，草原土壤微生物组成与功能研究，草原光照波谱特性与生产力遥感监测研究，草原与荒漠景观生态格局及动态研究，草原火生态效应研究，草原割草场动态及合理利用研究，营建人工草地的实验生态学研究，草原生态服务价值的研究，生态经济与环境经济机制研究等诸多领域的项目。这些研究工作的成果为我国草原生态学的学科发展、内蒙古草原生态安全体系的建设以及草地农畜产业健康发展提供了有价值的支持。

1986—2000年，内蒙古农牧学院在阴山北麓的达茂旗设立海雅牧场草原实验站，对荒漠草原生态系统结构与生产力及草地合理利用方式展开了多年系列研究，取得了完整的成果，对于当地畜牧业经营和生态环境保护具有重要指导作用。

内蒙古阴山北麓半干旱区的农牧交错带，由于人口增长，土地开垦面积扩大，长期进行粗放耕作，农田的投入与产出失调，导致土地退化、环境恶化和居民贫困化。面对这种形势，北京农业大学和内蒙古农业科学院从1986年起，在乌兰察布盟四子王旗设立农业综合实验站，开展旱作农业三元结构的综合实验和退耕还林还草还牧的实验研究。对调整产业结构，促进农业增收，改善生态环境和农牧民致富提出了大有成效的科学对策，并已成为政府决策的依据。这是面对"三农"（指农民、农业、农村）长期坚持科技工作的典范。

根据大兴安岭林区多年来过量采伐，造成采育失调的恶果和国家实行天然林保育工程的需要，内蒙古林学院对国家林业局的"九五"、"十五"科学攻关项目，在大兴安岭北部设立森林生态系统定位实验站，从1995年起对兴安落叶松林及其次生林的年龄结构、更新状况与森林水文系统规律等进行了生态学实验研究。这项开拓性的研究成果为认识大兴安岭森林生态系统功能和森林保育提供了有价值的数据与资料，并出版了专题研究报告。

自1981年起至今，中国科学院应用生态学研究所在内蒙古赤峰市科尔沁沙地西部的乌兰敖都设立沙地生态实验站。二十多年来长期坚持沙地生态动态观测和生态治理的实验研究，写出了大批研究报告和论文。

1985—1988年，内蒙古林业科学院与日本专家合作，在内蒙古毛乌素沙地组建治沙工程和沙地动态观测实验站。使用日本支援的先进仪器设备，持续四年的工作，取得了完整的沙地小气候动态、水文循环过程、植物生长与种群消长等生态学研究结果。还在多年实践经验的基础上，进行灌木、乔木、草本植物相结合的治沙工程试验，提出了可行的沙地综合治理模式。

第二编

概　述

第　三　章

内蒙古地质时期的环境演变与特征

第一节　地质历史过程中内蒙古的环境格局

　　内蒙古地区位于亚洲大陆中部的蒙古高原东南部，属于北半球的中纬度地区。地跨北纬 37°30′—53°20′ 与东经 97°10′—126°02′，绝大部分土地是在北纬 40°—50° 之间，由东北斜向西南，呈一弧形地区。是我国北方以蒙古族为主体的自治区，总面积 118 万平方公里，成为华北北部的边疆。

　　内蒙古自治区的疆土是由内陆高原及其东、南部的山地和平原所组成。东部是大兴安岭山地与科尔沁草原地区，与松嫩平原和辽河平原相接；东南一隅延及燕山山地北麓，隔山与华北平原相望；南部有阴山山脉横贯东西，阴山以南是鄂尔多斯高原，并与晋陕宁甘的黄土高原相连；西部的阿拉善高原与河西走廊相接，也是丝绸之路的通道。内蒙古高原的北边与蒙古国境内的蒙古高原连成一体。

　　贯穿在内蒙古境内的两大山系——大兴安岭和阴山山脉是围绕在内蒙古高原东、南部的弧形脊梁，成为亚洲大陆中部内陆流域和太平洋流域的基本分水岭。因此，内蒙古高原是四面远离海洋，并有山地所环绕的内陆腹地。内蒙古东部和南部的外流区虽然属于太平洋流域，但因地理位置和多重山地的阻挡，也具有内陆地区的气候特征。内蒙古以东有小兴安岭和长白山系，东南侧又有燕山山地与沿海地区相隔；由此往西，有太行山脉与吕梁山脉成为东南海洋季风影响的屏障；内蒙古西部被祁连山系所阻隔。由于上述山地的层层包围，必然削弱了海洋季风对内蒙古地区的影响，所以成为我国北方和西北干旱与半干旱地区的一部分。构成了以草原和荒漠为主体的景观生态区域，并依次由东向西从中温带湿润区、半湿润区过渡到半干旱区、干旱区以至极干旱区。相应地发育成寒温性针叶林植被、温带夏绿阔叶林植被、温带草原植被和温带荒漠植被。下面分别对内蒙古地理环境的历史演变和地貌格局的形成做简要说明。

一、内蒙古大地在地质年代早期的环境变迁

内蒙古的陆地环境是历经漫长的沧桑巨变而成的。最早是围绕着太古代早期出现的"鄂尔多斯陆核""冀北—辽东陆核"以及黄河与淮河之间的"黄淮陆核"，经过长时期陆壳的发展，至早元古代末期，形成了华北古陆的稳固基底，再到晚元古代，全部固结而成巨大的陆台。华北古陆的北缘即阴山地区以北仍是浩荡的海域，构成兴（安）蒙（古）海槽，使华北陆区与西伯利亚大陆相分隔。内蒙古的鄂尔多斯陆台、狼山、阴山、东至燕山地区，自元古代五台运动奠定了地台基础以后，又历经构造运动的影响，使岩浆侵入，岩性变质，并接受侵蚀夷平、断陷或抬升，保持着陆地面貌。直到古生代海西运动的造山作用，使内蒙古阴山南北均结束了海洋环境，褶皱隆起成山，并开始了侵蚀夷平与陆相堆积过程。作为陆地环境承受外营力作用的时期，可能始于古生代中晚期。从太古代到古生代，陆地虽已形成，但地表不存在生物。[1][2]

进入寒武纪，海面又复扩大，华北陆台的大部分被浅海淹没，至奥陶纪海浸达到极盛，华北陆区除东胜古陆、阴山、燕山等岛群散落相望以外，原来的大部分陆地均成为陆表海。这是我国北方地质史上最长的海浸时期，为海洋生物的繁衍创造了条件。到志留纪末期，随着加里东运动发生了大规模的海退，陆地面积逐渐扩大，使海洋生物的若干类群占领滨海以至河口的半

---

① 王鸿祯：《从活动论观点论中国大地构造分区》，《武汉地质学院学报》1981 年第 1 期，第 42—46 页。

② 中国科学院中国自然地理编委会：《中国自然地理——古地理》（下册），科学出版社 1986 年版，第 4—14 页（图 1 - 8）。

淡水生境，如滨海低地沼泽中出现原始裸蕨类植物，为生物登陆准备了条件。

晚古生代期间，陆地环境又发生了很大变化，北方各陆台经过加里东运动联结成劳亚（Larasia）大陆，并与南方的冈瓦纳（Gondwana）大陆慢慢汇合而成单一的联合古陆（Pangaea），这是我国境内陆地环境演变的全球大背景。① 泥盆纪晚期又发生广泛的浅海海浸，到二叠纪出现海退，兴蒙海槽北部出现额尔古纳古陆盆地。古生代末期，海西运动的结果使天山—兴安岭海槽褶皱隆起形成一系列内陆盆地，华北—塔里木古陆与蒙古—西伯利亚古陆对接拼合，我国境内的大别山—秦岭—柴达木—塔里木以北形成统一的大陆。华北广大陆区北部形成阴山高地，由北向南地势降低。华北北部从大青山至太子河流域一带的高地，在粗砂岩和砾岩中含煤性良好，未见海相夹层，在京西、大同等拗陷盆地和阴山南麓均出现厚煤层，表明了陆生植物生长已十分旺盛。石炭纪至二叠纪早期，西起新疆准噶尔盆地经内蒙古北部直至松辽古陆属于安加拉植物群，以草本真蕨和种子蕨为主，木本植物以匙叶（Neoggerathiopsis）为代表，均属于温带植物类型。安加拉植物群分布区以天山—兴安岭大地槽为南界，由此往南，从我国华北盆地起，进入湿热气候环境的植物区，以高大的石松、节蕨、科达类为特征；逐渐发展演变为华夏植物群，到二叠纪晚期松柏类和苏铁类大量繁生，渐渐以裸子植物占主导地位。

晚古生代逐渐拼成的联合古陆在三叠纪之末趋向于解体，随着大陆的分裂，大西洋、印度洋的扩展与太平洋的挤压缩小，到中生代末期形成了接近现代的海陆分布格局。②③ 在整个中生代期间，全球气候比较温暖湿润，为陆生生物的繁衍和进化创造了条件。蕨类植物逐渐衰落，进入了裸子植物繁盛的时代。到白垩纪中期，植物王国中出现了相当数量的被子植物，并且以

---

① 王乃文：《板块构造与古生物地理》，载于李春昱等《板块构造基本问题》，地震出版社1986年版，第307—308页。

② 王乃文：《板块构造与古生物地理》，载于李春昱等《板块构造基本问题》，地震出版社1986年版，第307—308页。

③ 中国科学院中国自然地理编委会：《中国自然地理——植物地理》（上册），科学出版社1986年版，第4—6页。

乔木、灌木、草本等多种生活型广泛适应气候变化，至白垩纪末，被子植物已遍及各大陆，逐渐成为植物界的主宰。[①]

内蒙古的大地在中生代基本上是被侵蚀夷平的地区。鄂尔多斯盆地沉积有厚度不同的白垩系或侏罗系陆相沉积物，岩层以砾岩、砂岩为主，并形成煤层或油页岩等。锡林郭勒与呼伦贝尔盆地也属沉积区，阴山、燕山与兴安岭高地为侵蚀区。在印支运动与燕山运动过程中，有不同程度的岩浆侵入，中性岩浆喷发，断裂抬升，岩层深度变质，构造变动剧烈，隆起为古阴山与古兴安岭，为形成现代阴山山地与兴安岭山地奠定了基础。燕山运动的强烈造山作用对内蒙古的地势轮廓产生了全面深刻的影响，鄂尔多斯盆地等沉积区也都逐渐填满转变为高地。

中生代的内蒙古气候，虽然也有干湿程度的历史波动，但基本上是湿润温暖气候，属于暖温带、亚热带气候区。因此植物相当繁茂，以裸子植物占优势，蕨类植物已见衰落，银杏类、松科、罗汉松科和海金沙科植物在侏罗纪和白垩纪早期特别发达，这些植物类群所组成的森林植被成为当时的主要景观特征，也是成煤的主要有机物质。在这个重要的成煤期，鄂尔多斯、晋北大同、锡林郭勒、赤峰、呼伦贝尔都形成了含煤层。

新生代是大陆漂移、海洋扩张继续发展，岩石圈构造发生巨大变动的时期，使海陆分布及地形都逐渐接近现代面貌，气候变化的总趋势是向温凉转变，生物界的演化已进入了哺乳动物和被子植物繁盛的时代。新生代的喜马拉雅运动对欧亚大陆的地理环境造成了极大的影响，我国的地形格局和气候环流大势也发生了根本变化。内蒙古地区受喜马拉雅运动的影响，在燕山运动构造线的基础上，使阴山山地及其以北地区发生程度不同的上升，在阴山南麓，沿着东西方向断裂下陷，形成深厚的沉积。在大青山东端的乌兰哈达、灰腾梁、集宁及岱海地区，在锡林郭勒阿巴嘎地区均有较大范围的玄武岩喷发，形成了高度不等的熔岩台地。喜马拉雅运动不仅在地质构造与地势变化上逐渐塑造了内蒙古地貌的轮廓，而且对气候演变也产生了深刻影响。其生态环境变迁过程可分为几个地质时期。

---

① 郭双兴：《我国晚白垩世和第三纪植物地理区与生态环境的探讨》，载于古生物基础理论丛书编委会编《中国古生物地理区系》，科学出版社 1983 年版，第 164—167 页。

二、暖湿森林生态环境时期的特征

内蒙古地区在中生代期间，气候温暖湿润，植物葱郁，森林繁茂。在中生代后期，晚白垩世时，气候趋于旱化，但仍然比较温暖。据二连浩特、四子王旗的脑木根等地晚白垩世马斯特里赫特期孢粉组合表明，当时这里的平原上已形成常绿阔叶林和针阔混交林，山地上仍为针叶林，低洼湖滨已有沼泽植物。主要裸子植物为松科、罗汉松科、杉科等；被子植物已有杨柳科、杨梅科、胡桃科、桦木科、壳斗科、榆科、山龙眼科、漆树科、忍冬科、豆科等。此外还有蕨类植物的石松科、紫箕科、莎草蕨科等。

进入新生代，在第三纪的古新世、始新世，特提斯海仍占据我国西部地区，四周的暖洋流对内蒙古气候还有强烈影响，植被也是暖温带亚热带的阔叶针叶林，含有不少的常绿阔叶树。山地针叶林的植物有红杉、水杉、柳杉、雪松、油杉、铁杉、银杏等。丘陵与平原的主要森林植物有水青冈、山毛榉、桦、榆、胡桃、山核桃、杨梅、杜鹃、黄杨、黄杞、枫香等，林下常有蕨类植物如紫箕等，但缺乏草本被子植物。到了渐新世，气温进一步降低，森林植物以适应较寒冷气候的云杉、山核桃、栗、榆等为主，常绿植物已趋于消失，森林植被已逐渐向温带落叶阔叶林演变。

上述的暖湿森林生态时期，从中生代延续到新生代的早第三纪，是地理环境相对稳定的时期。由于气候温暖湿润，森林分布广泛，木本植物占主导地位，生物物质积累作用强烈，土壤发育良好，腐殖质含量丰富，所以土地肥沃。这时雨量充沛，河流遍布，河谷宽而平坦，河水清澈，是生物繁衍和物种演化的一个十分繁盛的地质时期。

三、半干旱草原生态环境的形成

第三纪渐新世以后，在内蒙古地区经历了以草原化过程为主的时期。随着喜马拉雅运动的进行，广大地区逐渐抬升，使特提斯海从我国西南部退出。海陆对比所造成的季风环流形势渐渐取代了原来的行星风系环流形势，我国的气候带逐渐出现了东西之间的梯度分异。内蒙古气候的大陆性也在加强，与我国东部区相比，干旱化程度增强，气温趋于下降，温差加大。所以，晚第三纪的内蒙古气候已发生了较明显的东西差异，东半部属于湿润暖温带，西半部属于干旱暖温带。内蒙古植被由针叶林及夏绿阔叶林向疏林草原与草原演变。在东部的针叶林中，杉科与银杏类减少，以松类树木为主，落叶阔叶林则以栎、桦、杨、榆、柳等属的落叶树种为主，其叶片为中等大小，薄叶型，叶缘多有齿，代表了温带中生环境。这时，植物群落的组成比早第三纪更为复杂，被子植物进一步发展，尤其是草本植物在演化中对气候变迁表现了良好的适应性和可塑性，种类数量逐渐增多，以至在内蒙古中、西部地区成为群落的主要成分。藜科、蓼科、伞形科、禾本科的种类数量众多，菊科的蒿属大为繁盛，车前科、灯心草科、杏菜科也在中新世出现。古老的蕨类植物、裸子植物及原始类型的被子植物急剧衰减。禾本科的针茅属植物从渐新世出现，在晚第三纪有所发展，以至成为草原植物群的优胜者，有针茅属植物参与所构成的草原景观，在中新世已经形成了。在内蒙古南部与华北山地丘陵相邻地区，晚第三纪已是草原与森林的交错地带，据凉城地区上新世孢粉组合和化石鉴定表明，这里的针叶乔木主要是云杉、冷杉，阔叶树为桦、栎、榆、赤杨等，这是组成针阔叶混交林的主要成分；草本植物则主要是禾本科、蒿类与藜科植物等草原成分。

　　动物界在第三纪的演化发展也很明显，特别是陆上哺乳动物的进化尤为突出，从古新世时期即进入了哺乳动物的时代，到始新世晚期，哺乳类的科数增加了近一倍。渐新世开始，随着气候地带的差异，哺乳动物类群与分布出现了地带间的不同组合，这是气候、地形等环境条件的变化对动物演化迁徙产生深刻影响的结果。当时，奇蹄目、偶蹄目、啮齿目、兔形目和食肉目的种类已有不少分化繁衍。在内蒙古地区，因气候带的分异，适应草原化地理环境的变化，动物类群也表现了明显的草原特征。例如，在内蒙古集宁、准格尔旗等地均发现了上新世的三趾马、中华马、长颈鹿、包氏轭齿象、布氏羚羊、双叉付鹿等食草兽类，属于中上新世"蓬蒂期三趾马动物群"。草原小型食草类动物，联合翼兔、德氏黎明鼠、开端仿田鼠、葛氏脊齿跳鼠、假沙鼠、徽氏东方鼠、艾氏原鼢鼠等化石在中晚上新世地层均有不少发现，属于"二登图动物群"。在内蒙古二连浩特一带，发现有同时期的丽蚌等瓣鳃类化石，表明了在广阔草原的低洼处，有湖盆分布，其周围形成沼泽与草甸。上述古动物类群的发现也充分反映出晚第三纪内蒙古草原化环境演变的进程。

上新世末至第四纪初，喜马拉雅运动以断块式抬升，使青藏高原大面积隆起，大气环流格局又有变化，季风气候更为明显。内蒙古气候进一步向干旱冷凉转变，草原景观也有扩展。沉寂的大地也活跃起来，基性玄武岩进一步喷发，火山、断裂、沉陷与抬升在原来构造基础上更广泛地发生，地面侵蚀、剥蚀作用也在大范围出现。到早更新世，阴山以北基本上是半干旱草原气候，阴山以南略显湿润，植被类型由疏林草原向草原转变，但东南地区仍属森林草原。在地表风化壳中已有明显的碳酸钙与石膏淀积，为草原植物旱生化适应与草原特征植物生态型的出现准备了条件。

四、干旱荒漠化生态环境的演变

第四纪虽然历时不过 300 多万年，但是在环境演变和生物发展史上却发生了巨大的飞跃。首先是地壳的升降运动与板块的水平运动都十分活跃，喜马拉雅运动以大幅度整体断块隆起为特色，形成了气势雄伟的青藏高原。这一大高原以东，黄土高原与蒙古高原也都是整体抬升的新构造运动区。这两个高原之间的阴山山地也做断裂抬升，在第四纪期间，抬升高度大约 500—1 000 米。由于青藏高原及其高耸山系的隆升，渐渐阻挡了印度洋湿润气流北上，迫使干冷的西伯利亚冬季风转向东南与太平洋进行热交换，从而更加强化了东亚季风环流。第四季冰期的到来，特别是中更新世以后的冰期，其规模和深刻程度都是空前的，因而气温发生多次波动，但是总的趋势是逐渐变冷，并导致地球水体不断增加固结，使海洋面下降，我国海岸线东移，大陆腹地离海洋越来越远，使内蒙古及西北地区深居内陆。由于内蒙古又处在西伯利亚高压侵入的前沿，所以从第四纪以来，尤其是早更新世末期以后，内蒙古进入了以荒漠化过程为总趋势的环境演变时期。

中更新世初期虽然气候转暖一些，但随之受二次冰期（相当于民德冰期、里斯冰期）活动的深刻影响，气候干寒，使内蒙古中西部的植被演变为以荒漠草原与荒漠为主，主要植物科属为蒿属、藜科、禾本科、蒺藜科、柽柳科、麻黄科等。

晚更新世前期为间冰期（相当于里斯—玉木间冰期）气候转湿暖，低洼处的河湖相沉积物又有广泛分布，以砂砾石为主，"西塛包砂砾组"即为此时的产物。自然景观又向草原和荒漠草原恢复，在山地上部阴坡又有云杉、冷杉、松等为主要成分的森林。晚更新世后期经历了第四纪以来最后一次大范围的冰期，即玉木冰期。由于气候寒冷，海水又被大量固结在地球两极和大陆山地，海洋退缩，大陆海岸线向深海推移，海平面下降到低于现今120—160米。内蒙古地区距离海洋更远，东南季风难以抵达，冬春季受西伯利亚高压控制，气候干旱而寒冷。因此，这一时期又经历了范围空前广大，程度很深的荒漠化过程，这是内蒙古荒漠化时期最突出的阶段。当时一月平均气温约-25℃—-35℃，比现代要低12℃—15℃，七月平均气温约13℃—20℃，也比现代同期气温要低2℃—9℃。当时的年平均气温在0℃以下，最北部可达零下10℃左右。年降水量大体在50—150毫米左右，仅相当于现代全区平均降水量的30%—40%。可见，正处在冰期的晚更新世气候完全属于荒漠气候。其降水虽与现代阿拉善地区大体相当，但热量却低于现代的阿拉善地区。因此，景观生态特征更为荒凉，地面裸露，物理风化强烈，风蚀作用显著。阴山南北最早的一些风积沙地主要形成于本时期，而沙漠外围黄土分布区的马兰黄土也是荒漠化时期的"副产品"。在内蒙古最北部地区，晚更新世后期气温更低，接近北方冻土带，出现永冻现象。地面流水作用基本停止，完全为干燥剥蚀作用所代替，地面细物质被吹扬风蚀，基岩裸露，沙丘四起，如浑善达克沙地等。由于晚更新世后期黄河水位下降，早期沉积的冲积—湖积物被强劲的西北风搬运，也形成沿黄河走向分布的风积沙带，大体覆盖于黄河二、三级阶地之上，即是库布齐沙漠的形成。鄂尔多斯南部毛乌素洼地沉积了深厚的河湖相沉积物，即所谓萨拉乌素系，其上层经吹蚀即是毛乌素沙地风积沙的主要来源。阴山南麓土默川一带，晚更新世早期流入还相当活跃，河网、湖泊、沼泽到处可见，但在后期随着气候条件的变迁，也大大地干旱化了，土壤盐渍化也明显发生。

晚更新世后期内蒙古中西部的植被基本上以荒漠草原与荒漠为主，低洼处镶嵌有面积大小不等的盐生植被。主要成分为菊科蒿属、藜科猪毛菜属、碱蓬属、盐爪爪属、梭梭属、百合科葱属、豆科锦鸡儿属、禾本科针茅属、芨芨草属、芦苇属、柽柳科、麻黄科等。在荒漠与荒漠草原上活动的动物主要有双峰驼、鸵鸟、布氏羚羊、野驴、盘羊、狼及穴居的啮齿类动物。这些动物都能奔善跑，适应于干旱环境。

随着永久性冻土的逐渐消融，气温转暖，内蒙古中、东部降水增多、沙丘渐渐被固定，禾本科植物逐渐成为植被的主要组成成分，荒漠逐渐被草原代替，这即意味着地质历史时期最后一次冰期的结束，并宣告了全新世的到来，现代草原景观在内蒙古中部的大地上广泛形成，开始了一个新的与人类生存更为密切的历史阶段。①②

第二节　内蒙古地貌单元的形成和环境特征

内蒙古的地貌是在上述漫长的自然历史演变过程中，由内外营力塑造形成的。大体上是以高平原地形为主体，约占全区总面积的一半。在地质构造上主要受华夏系构造带和纬向构造带所控制，西部受阿拉善弧形构造的制约。因而西起走廊北山（合黎山、龙首山）、贺兰山，向东与阴山山脉及大兴安岭相连，构成内蒙古高原本部的外缘山地。它成为我国北方一条重要的自然界线，制约着各项自然要素呈现出东北—西南向的弧形带状分布，也影响着生物多样性的地理分布格局。③

一、内蒙古高原的地貌与环境

大兴安岭、阴山山脉和北山山系所构成的隆起带以北是开阔坦荡的内蒙古高原，其海拔高度约在700—1 400米之间，地势由南向北、从西向东逐渐倾斜下降。在地貌结构上，大体上是由外缘山地逐渐向浑圆的低缓丘陵与高平原依次更替。丘陵区以古生代的结晶岩、变质岩以及中生代花岗岩侵入体为主，广大的高平原主要由中生代和第三纪的砂岩、砂砾岩及泥岩组成，上覆较薄的第四纪沉积物。④

内蒙古高原的东北部是呼伦贝尔高原地区，它由大兴安岭西麓的山前丘

---

① 汪久文：《内蒙古自然保护纲要》第二章（二、古地理环境），内蒙古人民出版社1989年版，第14—21页。

② 殷鸿福：《中国古生物地理》第十六章，中国地质大学出版社1988年版，第306—309、315—318页。

③ 中国科学院内蒙宁夏综合考察队：《内蒙古自治区及东北西部地区地貌》，科学出版社1980年版，第1—3页。

④ 中国科学院内蒙宁夏综合考察队：《内蒙古自治区及东北西部地区地貌》，科学出版社1980年版，第1—3页。

陵与高平原组成，以海拉尔台地为主体，海拔高度约为 600—800 米。山前丘陵地带广泛堆积着黄土状物质与冰水沉积物，植被与景观是以森林草原为特色。高平原中部，地面波状起伏，广泛覆盖地带性草原植被。沉积物以厚度不等的沙层和沙砾层为主。局部的沙地上发育着樟子松疏林、灌丛与半灌木植被。呼伦贝尔高原的地表水系比较发达，在几条较大的河流两侧都有发育良好的河岸沼泽，河滩灌丛与草甸。呼伦湖和贝尔湖是高平原的低洼中心，其周围有盐化低地的分布，形成各类草甸植被。

内蒙古高原中段的锡林郭勒高原位于呼伦贝尔高原以南，也是一个广大的草原地区，海拔约 900—1 300 米。它的北面、东面和南面均有丘陵或低山隆起，但地形切割不甚剧烈。区内也有一些不大的内陆河流和洼地，分布着各种草甸植被。这一高原区的东半部以乌拉盖河为中心，形成乌珠穆沁盆地，中部有阿巴嘎熔岩台地，南部是面积相当广阔的浑善达克沙地。沙区内缺乏地带性植被的分布，榆树疏林、各类灌丛、草甸和沙蒿等沙生植物群落都十分发达。

锡林郭勒高原往西，则进入阴山山脉以北的乌兰察布高原区，海拔高约 1 000—1 500 米。其南部是阴山北麓的山前丘陵，丘陵以北是地势平缓的凹陷地带，海拔 1 300—1 400 米上下，这里农业比较发达。凹陷带以北又有一横贯东西的石质丘陵隆起带，海拔在 1 500 米上下，剥蚀比较强烈。由此往北则进入逐级下降的层状高平原地区，这里地形平坦，地幅广阔，海拔约 1 000—1 200 米，地面组成物质主要是第三纪的泥质和沙砾质岩层，形成了荒漠草原占优势的自然景观。层状高平原上还分布着一些干河道和湖盆洼地，是盐化草甸和盐生植被所占据的生境。

内蒙古高原西部是阿拉善高原区，它基本上是一个干燥剥蚀高平原地区，海拔约 1 000—1 500 米，这里是亚洲荒漠区的最东部。它的四周有蒙古阿尔泰山、狼山、贺兰山、龙首山、合黎山与马鬃山等山地所围绕。区内还有一些老年期的干燥剥蚀丘陵和低山，相对高度约 100—500 米，例如雅不赖山高处海拔达 2 000 米以上。由于这些低山、丘陵的伸展分布，把高平原分割成若干盆地，使阿拉善高原区内沙层广泛覆盖，形成著名的巴丹吉林沙漠、腾格里沙漠和乌兰布和沙漠。沙漠之间还有大面积的沙砾质和砾石质戈壁，都是地带性荒漠植被分布的地区。高原上还分布着许多盐湖和湖盆洼地，较大的有居延海、古日乃湖、吉兰太盐池等，都是盐生荒漠与盐生植被占优势的生境。

二、鄂尔多斯高原与河套平原的地貌和环境

阴山山脉以南被黄河大湾所包围的鄂尔多斯高原，为一古老的陆台，海拔约 1 100—1 500 米。基岩以中生代的疏松砂岩为主，地面覆盖大量的第四纪冲积物和风积物。高原的中部为剥蚀平原，并具有许多剥蚀残丘、沟谷和湖盆洼地等，使地形切割比较明显，高原西部的桌子山为一南北走向的断块山地，在构造上与贺兰山相连，海拔约 1 600—2 000 米。高原的东部是流水侵蚀造成的地面切割十分破碎的黄土丘陵和基岩裸露区。鄂尔多斯的南部是较大面积的第四纪沙层所构成的毛乌素沙区。在黄河南岸，高原的北缘还有一条狭长的库布齐沙带横贯东西。鄂尔多斯高原经受强烈剥蚀的长期作用，使典型的地带性植被不能充分发育，适应于地表侵蚀和堆积作用的半灌木植被与沙地植被具有广泛的分布。

鄂尔多斯高原与阴山山脉之间的河套平原在构造上是一条东西走向的沉降盆地，海拔900—1 100 米。在盆地基础上普遍沉积了很厚的第四纪冲积湖积沙土、亚沙土、亚黏土和淤泥等，黄河两岸尚有小规模的风积沙层。阴山山脉南麓的冲积洪积扇裙形成了山前倾斜平原，在扇裙边缘，由于潜水溢出，故形成断续的沼泽化低地。因大青山沿着断裂带继续隆升，所以山谷内普遍发育着一至四级阶地。现代黄河也有轻微下切，在河漫滩以上形成高出河面 10 米左右的阶地。河套平原的上述地形条件，使地带性植被的分布仅限于山前倾斜平原及局部隆起的部位，而隐域性的盐生草甸及盐生植被则广泛发育。由于地下潜水水位较高，又便于引黄河水灌溉，所以河套平原已是灌溉农业地区，自然植被多被农田所代替。

三、西辽河平原的地貌与环境

西辽河平原位于大兴安岭和冀北山地之间，是西辽河及其各支流的冲积平原。它的西部狭窄，东部宽阔，略呈三角形，东西长达 270 余公里，是我国东北松辽平原的一部分。地势西高（海拔 400 米左右）东低（海拔低于250 米），东北部和松嫩平原相接，东南与辽河下游平原毗连。地貌上最显

著的特点是沙层有广泛覆盖，形成沙丘与丘间洼地相间排列的地形组合，当地群众泛称"坨甸地"。其中，沙丘多呈北西西—南东东走向的垄岗状沙丘链，与本地区的主风向是一致的。沙丘之间形成低湿滩地，沼泽和小型湖沼。在沙丘上形成的植被有沙地疏林、沙生灌丛、沙蒿群落等，沙丘间的低湿地上则分布着草甸、沼泽等群落的生态系列。西辽河沿岸的冲积平原上，没有风成沙丘的大量堆积，主要的原生植被也是草甸与沼泽植被。目前已被广泛开垦，农业比较发达，西辽河上游的老哈河流域有黄土堆积形成的黄土丘陵地貌，由于流水侵蚀较重，沟壑纵横。植被以虎榛子灌丛、白莲蒿群落及次生的本氏针茅草原群落为最常见。

四、大兴安岭山地的地貌与环境

大兴安岭山脉从黑龙江右岸的漠河一带至西拉木伦河左岸全长约1 300—1 400公里，宽约150—300公里，北段较南段宽广。海拔自北而南由1 000米逐渐升高，到挑儿河上游附近可达1 500—1 700米。再向南又下降到1 200米左右；继续往西南延伸，到林东的西北部，山势骤升，最高峰达1 900米，然后又逐渐下降，平均海拔保持在1 500米上下。大兴安岭的主要分水岭是不连贯的，山脉的东坡和西坡也有明显的差异，由于第三纪后期的新构造运动使山岭西侧随蒙古高原而抬升，总的坡降不大，山岭东侧则因松辽平原的下降，切割比较剧烈，所以使东西两侧成不对称的形态。随着山地高度的差异和坡向的不同，植被的分布有一定的垂直分带现象，山脉北段是兴安落叶松林为主的针叶林区，中、南段则是坐落在草原区的山地森林草原景观。大兴安岭东西两麓的山前丘陵地带也是森林草原带的一部分，山地分水岭则成为松辽平原草原区和内蒙古高原草原区的界线。

五、阴山及贺兰山的地貌与环境

阴山山脉屹立在内蒙古高原的南部边缘，包括若干东西走向的断裂山地。最西部的一段是狼山，海拔1 500—2 200米，南北宽度一般只有20—30公里，狼山以东为色尔腾山，海拔低于1 700米，它的东南接着乌拉山，虽然山地较狭窄，但最高峰可达2 200多米。阴山山脉的中段，即包头市—呼和浩特市一段，是大青山，由太古代片麻岩、石英岩及古生代的砂页岩、砾岩组成，海拔最高 2 300 多米。阴山山地的东部，集宁一带，为大片的玄武岩所覆盖，后经不同程度的侵蚀作用，形成以台地为主与丘陵盆地交错分布的地貌。阴山山脉的南北两侧也是很不对称的，南坡面向着陷落的河套平原及土默特平原，山地的相对高度达 1 000 米以上，因而显示出巍峨的中山地貌。北坡则经过剥蚀的低山丘陵缓缓过渡，逐步下降到内蒙古高平原上，相对高差只有 200—400 米，所以山地形态很不显著。阴山山脉作为内蒙古高原南缘隆起山地，其南坡主要形成了与华北植物种类成分相似的山地森林、灌丛及草原植被；北坡则以草原植被占优势。阴山山脉的分水岭在内蒙古高原草原区与黄土高原草原区之间，显然是一条天然分界线。

　　贺兰山是阿拉善高原区东南边缘的隆起山地，呈南北走向，它是内蒙古地区海拔最高的山地，最高峰达 3 556 米，相对高度 1 500—2 000 米以上。因此，形成了比较完全的山地植被垂直带，上部有亚高山植被发育，在大区域的植被水平地带分异中，它的分水岭成为草原区与荒漠区的一段重要界线。

第三节　内蒙古的气候环境

　　内蒙古的地貌格局对气候环流和水、热的分配必然产生制约和影响，因而对生态多样性的分化和植物的分布以及对自然地带的形成都是十分重要的因素。

　　内蒙古处在亚洲中纬度的内陆地区，因此，具有明显的温带大陆性气候特点。漫长的冬季，全区均受到蒙古高压的控制，从大陆中心向沿海移动的寒潮极为盛行。夏季则受到东南海洋湿热气团的一定影响。由于本区外围有长白山、燕山、太行山、吕梁山等山系在东南面环绕，又有区内的大兴安岭和阴山山脉阻隔，使海洋季风的势力由东南向西北渐趋削弱，所以内蒙古地区东南季风的作用不强。它所能影响的范围一般只能波及内蒙古高原的东、南部，不能深入到高原的中心，狼山与贺兰山以西的地区，仍在大陆气团的控制之下。在海陆分布和地形条件的影响下，大气环流的上述特点使内蒙古各项气候因素形成了东北—西南走向的弧形带状分布。气候带的这一特点对植物和土壤的分布都产生了明显的影响。

　　内蒙古地区的热量分布虽然与不同纬度的太阳辐射强度有关，但由于地形条件、地表组成物质和下垫面等因素的影响，也使热量分布从东北向西南逐渐递增。内蒙古境内的南部边缘和西部地区已接近暖温带的热量指标，年平均温度5℃—8℃，大于等于10℃的积温达3 000℃—3 200℃以上。而最北部的呼伦贝尔草原及大兴安岭地区，年平均温度多在0℃以下，根河和图里河可达-5℃，积温1 500℃—1 800℃，达到了寒温带的指标。内蒙古中部的锡林郭勒高原地区，年均温约1℃—4℃，积温1 800℃—2 400℃，往西到乌兰察布高原，年均温上升到3℃—6℃，积温2 200℃—2 600℃，进入西部的阿拉善荒漠地区，热量更高，年均温达6℃—9℃，积温3 000℃—3 600℃。大兴安岭以东地区，也可以看到由北向南热量递增的趋势，例如北部的尼尔基，年均温1.4℃，积温2 100℃；扎兰屯年均温2.5℃，积温2 300℃，保安召年均温3.4℃，积温2 500℃；高力板年均温5.5℃，积温2 800℃；赤峰、宁城一带年均温7℃以上，积温也超过3 000℃。[①]

　　内蒙古地区处在内陆地区，所以气候的大陆度较高，一般约在70%上下。冬季受蒙古高压的控制，气流来自北方，使气温降低，又因南部山地的阻挡，近地面的冷空气长久停滞，所以冬季漫长而又严寒，例如免渡河可达-50℃，成为全国最寒冷的地区之一，按照候均温5℃以下为冬季的指标，该地区的冬季可长达5—7个月。按候均温20℃以上为夏季指标来看，西部地区可达3个月以上，其余广大地区只有1—2个月。全区气温的另一特点是春温骤升、秋温剧降。反映气候大陆度的年温差和日温差也都十分悬殊，全年温差一般在33℃—45℃之间，绝对高、低温差常达50℃—70℃，日温差往往达到15℃上下。[②]

　　日照丰富也是内蒙古气候条件的重要特点。各地全年日照总时数大约是2 500—3 400小时，日照百分率为55%—78%。内蒙古是我国日照最丰富的地区之一。

---

　　① 中国科学院内蒙古宁夏综合考察队：《内蒙古自治区及其东西部毗邻地区气候与农牧业的关系》，科学出版社1976年版，第6、14页（图3、图6）。
　　② 中国科学院内蒙古宁夏综合考察队：《内蒙古自治区及其东西部毗邻地区气候与农牧业的关系》，科学出版社1976年版，第6、14页（图3、图6）。

大兴安岭北部及其东麓，年均降水量在400—500毫米以上。西辽河流域、阴山南麓的山前平原和丘陵区、鄂尔多斯高原的东部等地区降水一般为400毫米。大兴安岭以西的呼伦贝尔草原、锡林郭勒草原和鄂尔多斯高原中部降水一般只有250—300毫米，由此往西，则逐渐下降到200毫米。东阿拉善地区则低于150毫米，西阿拉善与额济纳地区，年均降水量只有40—50毫米。[①]

与同纬度的东北平原及华北地区相比，内蒙古的绝对湿度是较低的，它也和降水量的分布一样是从东南向西北逐步减少的。而且全年最高值出现在夏季，最低值出现在冬季。大兴安岭山区相对湿度约在70%以上，内蒙古高原的广大地区在60%以下，阿拉善荒漠地区普遍低于40%。

蒸发量大大超过降水量是干旱、半干旱地区自然条件的重要特征。总的来说，内蒙古地区的蒸发量大约相当于年降水量的3—5倍，不少地区超过10倍，荒漠地区达15—20倍以上，阿拉善的沙漠中更高达100多倍。全区的蒸发量也是由东而西随温度增高、湿度减低、云量减少、日照增强而递增，除大兴安岭地区年蒸发量少于1 200毫米以外，大部分地区都在1 200—3 000毫米之间，最西部可达4 600毫米。

多风也是本区气候的重要特点。冬季、春季在蒙古高压控制下，大风尤为频繁。全年内风向的变化主要取决于冬夏季风的变换。冬季盛行西北风，夏季多偏南和东南风。大部分地区年平均风速在3米/秒以上，也有些地区超过4米/秒。

气候因素是直接影响生物生存的能量和物质条件。其中热量的差别与干湿程度的不同所形成的水、热组合条件是主导因素。因此，生态环境的地理分异大体上是和气候带的分布相吻合的。

第四节　土地类型及其生态环境的变异

土地环境与成土过程受许多因素制约，气候、地形、基岩、母质、生物

---

① 中国科学院内蒙古宁夏综合考察队：《内蒙古自治区及其东西部毗邻地区气候与农牧业的关系》，科学出版社1976年版，第6、14页（图3、图6）。

地球化学以及水文条件等对土壤的性质都有重要的影响。

在内蒙古生物气候条件的长期影响下形成的地带性土壤类型比较复杂。其中主要有黑土、黑钙土、栗钙土、棕钙土、灰钙土、黑垆土、灰漠土、灰棕荒漠土、褐土以及山地上发育的灰白色森林土、灰色森林土、灰棕壤、棕壤和灰褐土等。此外，在许多局部性的特殊环境中还有非地带性的草甸土、沼泽土、盐土以及风沙土、披沙石土等。并形成了与内蒙古地区生物气候带大体一致的土壤地带，即上述的地带性土类与非地带性土类所构成的土被组合。①

一、黑土与黑钙土的土地类型与生态环境

黑土主要分布在大兴安岭北部及其山前丘陵平原地区，并与其他土类组合分布形成黑土带。黑土是在湿润、半湿润气候条件下与林间杂草类草甸植被相辅而成的，它的发育既有草甸过程的特点（腐殖质积累和潜育化过程），又常表现出森林土壤成土过程的某些特点（黏化和盐基淋溶过程）。黑土腐殖质含量丰富，表层可达5%—10%，碳/氮在10—14之间。底部无碳酸盐聚积层。土壤呈微酸性，酸碱度约5.6—6.6，而且通体上下比较均匀一致。从黑土的剖面形态差异来看，可将其分为深厚黑土、普通黑土、草甸黑土三类土地。黑土的生态环境优越，历史上是以养牛为主的畜牧业地区。

黑钙土大面积分布在大兴安岭东西两麓地区，集中在森林与草原过渡地区范围内，并与我国东北平原、蒙古以及俄罗斯外贝加尔的黑钙土带连成一体。黑钙土往往和阴坡上的森林土壤组成复合性土地。黑钙土的土壤溶液呈中性，酸碱度自土壤表面而下逐步提高。黑钙土腐殖质呈黑色、黑灰色或暗棕灰色，一般具有团粒结构，腐殖质含量高达170—500吨/公顷，表层含量3.5%—12%，并有较厚的腐殖质过渡层。内蒙古地区有暗黑钙土、普通黑钙土、淡黑钙土、草甸黑钙土等土地类型的分化，其生态环境保持着草甸草原的发育，是最适宜养牛、马的土地环境。三河牛与三河马等优良家畜品种

---

① 中国科学院内蒙古宁夏综合考察队：《内蒙古自治区与东北西部地区土壤地理》，科学出版社1980年版，第324—326页。

就是与这类生态环境协同演化的产物。

二、草原土地类型的生态环境

栗钙土是最典型的草原土壤类型。广泛分布于内蒙古中部，东至呼伦贝尔高原及西辽河流域，西至大青山北麓及鄂尔多斯高原中东部，随气候干旱程度和草原植被旱生性的加剧，它还形成不同的亚类，即暗栗钙土、普通栗钙土和淡栗钙土三类。栗钙土的剖面是由栗色或灰棕色腐殖质层与紧实的灰白色碳酸钙淀积层组成。腐殖质层厚度约25—45厘米，而且向下急剧转淡，过渡层明显，腐殖质贮量一般为40—130吨/公顷，表层有机质含量1.5%—4.5%；碳/氮约5—12，结构多呈细粒状与粉末状，缺乏团粒结构。钙积层淀积的深度、厚度、数量和形式，随地区水热条件和成土母质的不同而有明显差别。

棕钙土形成于最干旱的草原气候条件，集中分布在内蒙古高原和鄂尔多斯高原的西部，是与荒漠草原及草原化荒漠相符合的土地类型。土被组合以棕钙土占优势，间有局部的盐化荒漠土、盐化草甸土、盐土、风沙土以及山地栗钙土等。棕钙土的生物气候环境具有草原和荒漠的过渡性特点。在土壤性状上也表现出草原、荒漠两种成土过程的特征。棕钙土腐殖质含量约1.0%—1.8%，总贮量30—60吨/公顷，碳/氮约6—13。在腐殖质层内，有机质含量很不均匀，往往出现颜色差异明显的两个或几个亚层。土壤结构多呈粉末和块状。钙积层部位较高，一般紧接在腐殖质层之下，约出现在20—30厘米的深度，其厚度约20—30厘米。在气候越干旱的地区，钙积层出现的部位越高，其厚度越小，含量也较低。总之，越靠近荒漠地区，棕钙土的碳酸钙移动和淀积的程度越弱。土壤通体呈碱性，酸碱度在9.0—9.5以上，并随土层深度而加剧。由于成土条件的差异，棕钙土的亚类主要有暗棕钙土、淡棕钙土和草甸棕钙土等。经过长期的历史选择，这里成为羊的优良品种——苏尼特羊的故乡。

褐土是我国华北区的重要土类，它在内蒙古地区的水平地带上分布面积不大，只见于赤峰市的宁城、喀喇沁旗和敖汉旗最南部。褐土是在暖温带半湿润地区森林灌丛草原的条件下形成的土壤，其成土母质多为黄土性物质。土壤剖面主要是由腐殖质层和黏化层组成，除淋溶型的褐土以外，底部

（接近母质层）还有钙积层的明显存在，表现出兼有森林和草原两种土壤成土过程的特点。土体中紧实的棕褐色黏化层是褐土区别于其他暖温型草原土地（黑垆土、灰钙土等）的重要特征。腐殖质含量较丰富，总贮量达300吨/公顷，表层有机质含量4%—7%；碳/氮约13—20，介于森林土壤和草原土壤中间。褐土无盐化和碱化现象，全剖面呈微碱性或碱性反应，上层酸碱度值7.8—8.0，下部可达8.5—9.0。碳酸盐淋洗不完全，剖面上层也常有碳酸钙反应。这些都是褐土区别于森林土壤的特征。从碳酸盐分布特点来看，褐土可区分为淋溶褐土、碳酸盐褐土和普通褐土三类土地。

分布在内蒙古南部边缘地区的黑垆土是暖温型的草原土类，一般发育在黄土母质上。由于黄土的结构特性使它极易遭受侵蚀，所以天然植被破坏后，长期的侵蚀使黑垆土保存的不多。

灰钙土在内蒙古的分布范围很小，只限于鄂尔多斯高原的西南角及贺兰山西侧的山麓地带，往南、往西则连续分布到宁夏和甘肃的黄土丘陵地区，形成灰钙土带。这一土类是在我国黄土高原区的温暖型荒漠草原中形成的，成土母质也多是黄土性物质。灰钙土的剖面分化不明显，腐殖质层呈棕黄带灰色，有机质含量较低，一般在0.5%—0.9%之间，但腐殖质下渗较深，约30—70厘米，过渡不明显，结构性较差，碳/氮变动较大，约6—16。钙积层多呈假菌丝状和斑点状聚积，少数呈层状分布。全剖面酸碱度在9.0以上，并随深度而加重。有淡灰钙土和草甸灰钙土地类型的分化。

以上是内蒙古各类草原土地的特点，成为各类草原植被的重要生态条件。

三、荒漠土地类型的生态环境

由草原区往西，进入荒漠区的范围，地带性草原土壤逐渐消失，荒漠土壤成为土地组合的优势类型。其中，灰漠土分布在鄂尔多斯高原的西北部和阿拉善高原的东部与南部，是在草原化荒漠的干旱气候条件下发育的土类。这里的热量接近于暖温带的标准，而干旱程度仅次于典型荒漠地区。所以土壤性状具有明显的荒漠土壤特征，形成龟裂结皮，表土沙质化、砾质化等。灰棕荒漠土是最干旱的气候条件下形成的典型荒漠土，它已完全不具备草原土壤的成土特性，分布在阿拉善高原区的中部与西部，土体呈碱性。灰棕荒漠土可分化为普通灰棕荒漠土和石膏灰棕荒漠土两类，后者主要分布在极干旱的荒漠中心地区。

四、森林及草甸土壤组合与土地生态环境

在大兴安岭、阴山、贺兰山等山地还发育了一些森林和灌丛土壤。其中最主要的有以下几类：

灰白色森林土，分布在大兴安岭北段的山地上部，是寒温型针叶林（主要是兴安落叶松林）下发育的土壤。其土层厚度约 1 米左右，剖面层次分化明显，大致可分为枯枝落叶层（厚 3—15 厘米）、棕灰色的粗腐殖质或泥炭粗腐殖质层（10—20 厘米）、灰白色或灰色潜育层以及浅棕灰或灰棕色淀积层。土壤水分常处于饱和持水状态。土壤通体呈酸性，酸碱度 5—6。与灰白色森林土相近似的灰色森林土主要分布在大兴安岭北段，多出现在灰白色森林土的分布界线以下，也是针叶林下形成的土壤。

灰棕壤，也称为灰棕色森林土或暗棕色森林土。主要分布在大兴安岭北部东侧，发育在中温型夏绿阔叶林和针阔叶混交林下。地表有枯枝落叶层，但腐殖质层不厚。全部剖面均无泡沫反应，土壤有机质含量较灰白色森林土丰富，一般可达 5%—10%，碳/氮约 12—17，酸碱度 5.8—6.7。总之，灰棕壤具有明显的腐殖质积累、盐基淋溶和黏化等森林土壤的特性，但灰化过程表现不明显。

棕壤即棕色森林土，在内蒙古的燕北山地、大兴安岭南段的东南坡、大青山、贺兰山均有分布。它是湿润温暖的夏绿阔叶林和针阔混交林下发育的森林土壤。典型的棕壤剖面由枯落层、腐殖质层和质地黏重的棕色淀积层组成。通体均无泡沫反应，也没有明显的灰化特征，有机质含量约 5%—10%，碳/氮约 14—20，酸碱度 6.5—7.0。

灰褐土多见于西拉木伦河以南的低山地区，一般出现在海拔 700—1 200 米之间，属于暖温型的半湿润气候。剖面结构缺少明显的淀积层，剖面由微薄的枯落层、腐殖质层和不明显的过渡层组成。表层有机质含量约达 5%—7%，碳/氮约 11—13，从剖面上部到下部呈中性至弱碱性。从灰褐土的形态和理化性状来看，它兼有褐土、黑垆土和棕壤的某些特性，成为介于三者之间的过渡型土壤类型。

草甸土、沼泽土、盐土、风沙土是我区各地常遇到的隐域性土壤，它们的形成不但受大气候的制约，而且同局部环境的水分运转、盐分移动、基质活动等因素也有密切关系。

第五节　内蒙古自然地带的形成

各种类型的陆地生态环境都是由一定的气候与土地条件和不同的生物群落所组成的。随着地质历史过程中太阳辐射与水热组合等因素的时空变化，生物多样性及其生态组合的演化，使内蒙古地区明显地分化形成了一系列不同的自然地带和景观生态区域，下面做简要说明。

一、温寒湿润针叶林地带

这一地带集中分布在内蒙古东北部的大兴安岭山地北段，是欧亚大陆寒温带针叶林区在我国境内延伸的一部分，与黑龙江省北部的针叶林区连接在一起。大气环流受蒙古高压和海洋季风的交替影响，属于温寒湿润气候区。年平均降水量 500 毫米左右。气候湿润度在 1.0 以上，年平均气温 −4℃ 上下，大于等于 10℃ 的全年积温 1 400 ℃ —1 700 ℃。常年冻土层有广泛分布，因而沼泽化现象也很多见。地带性土壤是灰白色森林土及灰色森林土。此外，山地黑土、草甸土与沼泽土均有分布。植物区系以欧洲—西伯利亚成分、东西伯利亚成分为特色，并含有一定数量的环北极成分、亚北极成分及北极高山成分。地带性植被类型以明亮针叶林为主导，由兴安落叶松为建群种组成了多种不同的林型。此外，云杉林、樟子松林也有少量分布，在山地的顶部还有偃松林的分布。次生性白桦林和山杨林广泛分布。山地五花草甸多是在采伐迹地上发育的林间草甸植被。本地带森林及其次生植被的存在是东北平原和呼伦贝尔草原的重要生态屏障。针叶林带的生态组合及多种生物资源为林区的综合经营提供了十分有利的条件。

二、温凉湿润夏绿阔叶林地带

分布在大兴安岭山地北段的东坡，与我国东北夏绿阔叶林带相接，是针叶林带向阔叶林带过渡的地带。气候受海洋季风的一定影响，比较湿润，但因纬度偏北，所以属于温凉湿润、半湿润气候区的一部分。年平均气温0℃上下，局部可达3℃—4℃，大于等于10℃的年积温1 800 ℃—2 500 ℃，年降水量约450毫米，气候湿润度0.8—1.0。地带性土壤为灰棕壤，局部分布草甸黑土等。植物区系组成的代表性成分是东亚成分及中国东北成分，兼有达乌里—蒙古成分。原生的地带性植被是兴安落叶松与蒙古栎组成的针阔叶混交林，在长期人为活动影响下，原生的森林植被保存不多，黑桦林及山杨林分布较多，次生矮化的蒙古栎疏林、山地榛灌丛及五花草甸也有一定的分布面积。在沟谷、河滩与平缓山坡已有大量开垦的农田，经过多年粗放耕种，目前土地肥力已明显下降。

三、温暖湿润夏绿阔叶林地带

分布在燕山山地北部，即内蒙古的宁城与喀喇沁旗南部，是我国华北夏绿阔叶林带的北部边缘。属于暖温型半湿润—湿润气候区，年降水量450毫米上下，年均温约6℃，大于等于10℃的年积温约3 000 ℃，气候湿润度约0.8。地带性土类以山地棕壤为主。植物区系组成中含有不少典型的华北区系成分和东亚区系成分，是华北区系、东北区系与蒙古区系交汇地区。代表性的原生植被类型是栎林和油松与蒙古栎的针阔叶混交林。次生森林植被的主要类型是桦杨林、椴树林。山地中生灌丛也很发达，主要有杜鹃类灌丛、虎榛子灌丛、绣线菊灌丛、荆条灌丛等。山体上部有山地草甸植被的分布。

四、温凉半湿润森林草原地带

在大兴安岭北部的西麓山前丘陵地区及大兴安岭南部山地形成了连续的森林草原地带，西边与俄罗斯的外贝加尔地区的森林草原带相接，东面与我国东北地区的森林草原带相连。具有温凉半湿润气候条件，年均温-2℃—0℃，大于等于10℃的年积温1 800℃— 2 200℃，年降水量400毫米上下，气候湿润度0.6—0.8。土壤类型以黑钙土为主，并有森林灰化土的岛状分布。植物区系的典型成分是达乌里—蒙古成分，也含有一些东亚区系成分和北方成分。植被的突出特点是森林与草原交错出现。森林以白桦、山杨林为主，呈岛状分布在比较阴湿的山地与丘陵阴坡。草原植被以贝加尔针茅草原为地带性代表，并且常与丘陵上部的线叶菊草原和下部的羊草草原组成生态分布系列。沟谷与阴坡常有五花草甸的分布。

五、温凉半干旱草原地带

这是内蒙古地区境内面积最广阔的自然地带，包括内蒙古高原草原带与西辽河平原草原带，是欧亚草原区的最东翼，北面与蒙古国的草原带连成一体。由于这一地带受海洋季风的影响有所减弱，所以气候属于温凉半干旱气候区，年均温-2℃—5℃，大于等于10℃年积温2 000℃—2 800℃，年降水量约250—350毫米，气候湿润度0.3—0.5。栗钙土是本地带最广泛分布的地带性草原土壤。植物区系中以达乌里—蒙古种和蒙古种为特征；在西辽河平原草原带含有一些东亚区系成分。地带性植被是典型草原植被，以大针茅草原与克氏针茅草原为代表群系，羊草草原也常有分布。在草原带的低湿滩地上多形成草甸与盐湿草甸植被。这些都是重要的天然草场资源。

六、温凉干旱荒漠草原地带

本地带位于内蒙古高原的中西部地区，北面与蒙古国的荒漠草原地带相连，是气候最干旱的草原地带。年平均温度2℃—5℃，大于等于10℃的年积温2 200℃—2 700℃，年降水量150—200毫米，气候湿润度0.13—0.2。地带性土壤为棕钙土。植物区系以蒙古成分、戈壁—蒙古成分为代表，并有古地中海区系成分。荒漠草原植被的典型群系是小针茅草原和沙生针茅草原。在本地带的南部边缘有短花针茅草原的局部分布。隐域性生境中常有芨芨草草甸及盐生植被的分布。

七、温暖半干旱草原地带

这一带位于燕山北麓的丘陵平原地区与阴山山脉以南的丘陵平原区，中间通过冀北与晋西北地区的草原地带连接起来构成完整的地带，是比较温暖的半干旱气候区。年平均气温5℃—7℃，大于等于10℃的年积温2 800℃—3 200℃，年降水量300—400毫米，气候湿润度0.3—0.5。黑垆土是本地带的典型土壤。植物区系中，亚洲中部成分占主导地位，但也具有华北成分和东亚成分，蒙古草原成分也有明显渗透。地带性植被以本氏针茅草原为典型代表，在侵蚀作用较强的条件下，半灌木蒿类及百里香等构成了草原植被的变型。在低山丘陵上，灌丛植被的分布很广，例如虎榛子灌丛、绣线菊灌丛、沙棘灌丛等。在本地带山地，多形成以华北区系成分为主的夏绿阔叶林与针叶林，例如辽东栎林、椴树林、油松林等。

八、温暖干旱荒漠草原地带

分布在鄂尔多斯高原的中西部地区，并延伸到宁夏、甘肃境内。因距海洋较远，海洋季风作用不强，所以气候干旱。年平均温度约7℃，大于等于10℃的年积温 3 000℃—3 200℃，年降水量 200 毫米上下，气候湿润度约0.2。土壤以灰钙土为代表，并有风积沙的广泛分布。植物区系以亚洲中部成分为代表，兼有古地中海成分及蒙古戈壁成分。草原植被以短花针茅草原及沙生针茅草原占优势，在大面积的沙地中，蒿类群落分布得很多，锦鸡儿类灌丛也比较发达。

九、温暖干旱半荒漠地带

位于东阿拉善与西鄂尔多斯地区，北面进入蒙古国境内，向南扩展到甘肃河西地区，是亚洲荒漠区的最东端。因地处内陆，形成了大陆性干旱气候。年平均气温6℃—8℃，大于等于10℃的年积温 3 100℃—3 400℃，年降水量约100—150毫米，气候湿润度0.06—0.13。地带性土壤是棕漠土，风沙土有大面积的分布，绿洲土壤以盐渍土及草甸土为主。植物区系以戈壁成分为代表，并含有若干独特的地方特有成分与古老残遗成分，荒漠植被的群落类型比较多样，主要有藏锦鸡儿荒漠、红沙荒漠、绵刺荒漠、珍珠柴荒漠以及特有的四合木荒漠、沙冬青荒漠、半日花荒漠等。这些荒漠植被的群落组成中多含有旱生禾草类层片，由荒漠草原的几个建群种——小型针茅等组成，这是草原化的特征。

十、温热极干旱荒漠地带

集中分布在阿拉善高原中西部地区，并与蒙古国及我国新疆、甘肃河西的荒漠地区连成一体。因处于内陆腹地，海洋季风作用甚微，造成了极干旱的大陆性气候，但热量较高，日照较丰富。年平均气温在8℃以上，大于等于10℃的年积温 3 300℃—3 600℃，年降水量多在 50 毫米上下，气候湿润度0.02—0.06。在植物区系组成中，古地中海成分占有较突出的地位，而戈壁成分是区系的主要特色。这里的生态环境十分严酷，生物生产力很低，植被稀疏，不能郁闭，许多沙漠与戈壁几乎完全裸露。荒漠植被的主要类型是红沙荒漠、珍珠柴荒漠、绵刺荒漠、梭梭荒漠、霸王柴荒漠等。由于荒漠植被的组成以坚硬多刺、木质化、肉质化植物为主，所以多适于饲养骆驼。

　　综上所述，内蒙古由于承受海洋季风影响的强弱不同，由东向西依次形成了湿润、半湿润、半干旱、干旱、极干旱五种气候区域。这是造成整个内蒙古地区生态外貌及生物生产力发生地带分异的能量与物质基础。因而在湿润地区形成了森林生态环境，在半干旱地区形成了草原生态环境，在干旱地区形成了荒漠草原与半荒漠生态环境，在极干旱地区形成了荒漠生态环境。又因热量条件的差异，大体上沿纬度方向分化出温带范围内的温寒、温凉、温暖、温热四个地带，随着热量分配状况的不同又发生了三种森林、温凉与温暖草原和温暖与温热荒漠类型的差别。使内蒙古地区的生态环境表现出显著的多样性及多方面的优势与限制因素，这是长期的自然历史赋予内蒙古现代人与自然友好共处、和谐发展的共同基础。

第　四　章

内蒙古地区生态系统的演变

生态系统是地球的自然演化史和人类经营活动双重影响下的产物，既反映出特定区域和景观的特征，也显示出历史过程的烙印。内蒙古作为亚洲大陆的中纬度内陆地区，其生态地理环境经历了草原化与荒漠化的漫长过程，也承受着人类社会的朝代更换，民族矛盾与融合以及农牧产业经济的强大压力。内蒙古地区从晚第三纪以来，各个自然地带因大气水热组合以及生态地理环境的分异，演化形成了多样化的生态系统和生物群落类型。在广阔的高原、平原及丘陵地区，地带性的生态系统类型主要是温带草原和温带荒漠。在内蒙古各山地、沙地和隐域性的低湿地、盐渍地等生态环境中也分别有森林、灌丛、草甸、沼泽、沙生群落、盐生群落等群落类型，构成错综复杂的生态组合。下面对这些不同的生态系统及其植被类型分别做简要阐述。

第一节　温带草原生态系统的形成与演化

温带草原是以耐冬寒的旱生性多年生草本植物所建群的植物群落为标志。组成草原群落的植物种类以地面芽植物和地下芽植物为主，包括丛生型禾草、根茎型禾草与苔草、鳞茎型草类及轴根型草类等，而且是适应于冬寒与干旱胁迫的植物生活型。草原地上芽植物种类很少，矮高位芽植物的种类极少。

温带草原植被作为地带性植被类型在内蒙古高原、西辽河平原及鄂尔多斯高原中东部连续分布，构成了内蒙古草原区，北面与蒙古国的草原区相接，共同组成亚洲大陆中部的蒙古草原区。

在内蒙古草原区内，阴山山脉以北，气候温凉，成为中温型草原带，阴山山脉以南，气候较为温暖，构成了暖温型草原带。随着气候湿润度的地理差异，在大兴安岭山前半湿润气候区形成了森林草原带，内蒙古草原区中部是广大的半干旱气候区，形成了典型草原带，草原区的西部进入了干旱气候区，出现了向荒漠过渡的荒漠草原带。

内蒙古的草原生态系统的形成与演化，可以按照植物区系组成的生态学分析划分为不同的草原类型（表4-1）。[①]

一、草甸草原

在温凉半湿润的大气候条件下，含有较丰富的中生性双子叶草本植物，以中旱生草类为优势成分的草原植物群落为草甸草原。最有代表性的建群植物、优势植物及特征种是：贝加尔针茅（Stipa baicalensis）、羊草（Leymus chinensis）、线叶菊（Filifolium sibiricum）、西伯利亚羽茅（Achnatherum sibiricum）、无芒雀麦（Bromus inermis）、扁穗冰草（Agropyron cristatum）、日阴菅（Carex pediformis）、黄花菜（Hemerocallis minor）、歧花鸢尾（Iris dichotoma）、野火球（Trifolium lupinaster）、蓬子菜（Galium verum）、裂叶蒿（Artemisia tanacetifolia）等。

草甸草原主要集中分布在大兴安岭山麓及阴山山地，它与山地阴坡分布的岛状森林、灌丛、草甸等植被组合在一起构成森林草原景观。这一地带的河谷低湿地上往往有很发达的草甸、沼泽及河岸灌丛等植被。

草甸草原的主要群落类型（群系）有贝加尔针茅草原、羊草+杂类草草原、线叶菊草原等。这三个群落类型常常在丘陵地上构成一个生态系列。

---

① 马毓泉主编：《内蒙古植物志》（第2版）第1卷，内蒙古人民出版社1998年版，第78—81页。

表4-1　内蒙古草原生态系统的群落类型

草原类型	群系组	群　系
草甸草原	丛生禾草草原	贝加尔针茅草原 Form. Stipa baicalensis
	根茎禾草草原	羊草草原 Form. Leymus chinensis
	轴根杂类草草原	线叶菊草原 Form. Filifolium sibiricum
典型草原	丛生禾草草原	大针茅草原 Form. Stipa grandis
		克氏针茅草原 Form. Stipa krylovii
		本氏针茅草原 Form. Stipa bungeana
		羊茅草原 Form. Festuca dahurica
	根茎禾草草原	米氏冰草草原 Form. Agropyron michnoi
		沙生冰草草原 Form. Agropyron desertorum
		羊草+针茅草原 Subform. Leymus chinensis+Stipa spp.
	小半灌木草原	冷蒿草原 Form. Artemisia frigida
		百里香草原 From. Thymus serpyllum
荒漠草原	丛生禾草草原	小针茅草原 Form. Stipa klemenzii
		沙生针茅草原 Form. Stipa glareosa
		短花针茅草原 Form. Stipa breviflora
		戈壁针茅草原 Form. Stipa gobica
	鳞茎草类草原	多根葱草原 Form. Allium polyrrhizum
	小半灌木草原	小亚菊草原 Form. Ajania achilleoides

　　贝加尔针茅草原在森林草原带占据典型的地带性生境，多分布在缓坡地、岗台地和丘陵坡地中部。群落组成较为丰富，种的饱和度可达 20—30种/平方米，据统计共有种子植物 150 种，分属于 100 属、33 科。植物生态类群也比较多样，常分别与丛生禾草、根茎禾草、杂类草结合组成十余个不同的群丛。

　　羊草+杂类草草原是森林草原带的平原、阶地、丘陵坡麓及宽谷地上所分布的草甸草原群落。植物种类十分丰富，约计有 195 种种子植物，分属于119 属、33 科。群落类型的多样性也最突出，据调查约分为 40 个不同群丛，分别与中旱生禾草、苔草，中生或中旱生杂类草组成群落。

　　线叶菊草原多见于丘陵上部或砾石性土壤上，具有山地草原特点，随地理纬度逐渐南移，线叶菊草原分布的海拔高度依次上升，在大兴安岭以西，北纬46°以北，一般分布在海拔 700—1 000 米；北纬 43°—46°，分布在 1 000—1 500 米；北纬41°—43°，分布在 1 500—1 700 米。线叶菊草原的植物种类也很丰富，初步统计约有 196 种，分属于119 属、34 科。群落类型约分化出 20 个群丛。

上述三个群系又常常与低山丘陵阴坡的白桦、山杨林以及山地五花草甸、沟谷草甸、沼泽等多种植物群落组合构成森林草原带。

二、典型草原

由典型旱生性多年生草本植物组成的草原植被称为典型草原。其植物区系组成中，禾本科草与蒿类植物占优势，最有代表性的建群种与特征种是大针茅（Stipa grandis）、克氏针茅（Stipa kryloyii）、本氏针茅（Stipa bungeana）、糙隐子草（Cleistogenes squarrosa）、米氏冰草（Agropyron michnoi）、洽草（Koeleria cristata）、黄囊苔草（Carex korshinskyi）、寸草苔（Carex duriuscula）、双齿葱（Allium bidentatum）、山葱（Allium senescens）、小叶锦鸡儿（Caragana microphylla）、草木樨状黄芪（Astragalus melilotoides）、扁蓿豆（Melilotoides ruthenica）、达乌里胡枝子（Lespedeza davurica）、细叶柴胡（Bupleurum scorzonerifoliurn）、麻花头（Serratula centauroides）、冷蒿（Artemisia frigida）、变蒿（Artemisia commutata）等。

典型草原植被广泛分布在内蒙古高原的呼伦贝尔、锡林郭勒、阴山南麓及鄂尔多斯东部，构成了广阔的典型草原地带，这是内蒙古草原区的主体。在典型草原地带以内，阴山山地与大兴安岭南部山地因海拔升高到 1 800—2 500 米以上，因此在垂直带上出现了针叶林、夏绿阔叶林以及山地灌丛和草甸等，使草原区的植被组合复杂化，也大大地丰富了植物区系的组成。典型草原带的河谷与湖沼等低湿地生境中，中生与湿生植被的生长也增加了草原植物区系的成分。风积沙地也是草原带的一类特异性生境，形成了不稳定的沙生植被，包含着一组沙生植物生态类群，多在植物演替系列上具有先锋植物和半先锋植物的特性。例如差不嘎蒿（Artemisia halodendron）、油蒿（Artemisia ordosica）、沙蓬（Agriophyllum squarrosum）、沙竹（Psammochloa villosa）等。

典型草原的主要群落类型有大针茅草原、克氏针茅草原、本氏针茅草原、羊草+大针茅草原、冰草草原、冷蒿草原、百里香草原等。

大针茅草原是内蒙古高原上（呼伦贝尔—锡林郭勒高原）占据地带性生境的基本群落类型，分布区中心为蒙古高原，周围扩及俄国中西伯利亚、我国松嫩平原和黄土高原。群落组成比较丰富，据统计共有种子植物160种，分属于93属、32科，种的饱和度15—25种/平方米。群落类型中以大针茅+糙隐子草+冷蒿群丛为典型代表，随着生境的差异而分化出中生化、旱化与沙化的群落类型。

羊草+针茅草原是典型草原带分布很广的草原群落类型，占据土质良好的平原、阶地、缓坡地下部、宽谷地等生境，常与大针茅草原、克氏针茅草原等群落组成生态系列。群落中的植物种类丰富，总计约有175种种子植物，分属于105属、32科。群落类型分化出38个群丛，广泛适应于典型草原带的地带性生境。

克氏针茅草原是大针茅草原向旱化或轻微退化的替代类型，广泛分布于典型草原带，其中，呼伦贝尔草原西部及锡林郭勒草原中西部分布最为集中。它的群落组成、群落类型及生物生产力均低于大针茅草原。

本氏针茅草原是限于阴山山脉以南地区分布的主要草原群落类型，目前因长期广泛农垦，这一群落类型已残留不多，在内蒙古境内主要见于阴山南坡、燕山北部及鄂尔多斯东部，是黄土高原草原的主要地带性群落类型。在群落组成中常有华北区系成分的出现，例如达乌里胡枝子、白莲蒿（Artemisia sacrorum）等都是常见的主要特征植物。

米氏冰草草原与沙生冰草草原是适应于沙质土壤的草原群落类型。米氏冰草草原零散分布于内蒙古高原典型草原带，沙生冰草草原在西辽河平原区有较多分布。这两个群系的群落类型分化及其植物组成都比较简单。

冷蒿草原是典型草原放牧退化演替的变型，也是草原旱生化的群落类型。目前在内蒙古高原典型草原带分布很多，群落组成比较单一，群落类型多因演替进程而有分化，构成冷蒿群落的动态序列。在对草原植被实行封育保护条件下，冷蒿草原可以恢复演替为大针茅草原等群落。

百里香草原是黄土高原草原区北部的土壤侵蚀变型。在内蒙古境内，主要分布于鄂尔多斯高原东部及西拉木伦河与老哈河流域。群落组成中常有本氏针茅、达乌里胡枝子等特征植物。群落类型分化较少，常见有百里香+本氏针茅群丛、百里香+冷蒿群丛、百里香+达乌里胡枝子群丛。

三、荒漠草原

荒漠草原是由旱生性更强的多年生矮小草本植物组成的半郁闭草原植被，也构成了连续分布的荒漠草原带，但植被组合比较单一，植物区系也比较贫乏，生物多样性不高，但拥有一组特征植物种属。例如羽针组的小型羽状芒针茅：小针茅（Stipa klemenii）、沙生针茅（Stipa glareosa）、戈壁针茅（Stipa gobica）和须芒组的小型针茅：短花针茅（Stipa breviflora）以及无芒隐子草（Cleistogenes songarica）、多根葱（Allium polyrrhizum）、戈壁天冬（Asparagus gobicus）、大苞鸢尾（Iris bungei）、狭叶锦鸡儿（Caragana stenophylla）、兔唇花（Lagochilus ilicifolius）、叉枝鸦葱（Scorzonera divaricata）、小亚菊（Ajania achilleoides）、旱蒿（Artemisia xerophytica）等。

荒漠草原主要集中分布于阴山山脉以北的乌兰察布高原及西鄂尔多斯地区，并延伸到贺兰山东麓。荒漠草原带的河谷低地、湖盆洼地、盐渍低地等特异生境中往往形成芨芨草（Achnaterum splendens）盐生草甸及盐生荒漠等植被，成为荒漠草原带植被组合的特征。

荒漠草原的主要群落类型有：小针茅草原、沙生针茅草原、短花针茅草原、小亚菊草原等。

小针茅草原是内蒙古荒漠草原的主要地带性群落类型，集中分布于乌兰察布高原地区的棕钙土上，往北分布到蒙古国东戈壁地区。小针茅草原的植物组成中总计有75种种子植物，分属于52属、27科。群落分化也较多，常与糙隐子草、无芒隐子草、多根葱、冷蒿、小亚菊等分别组成不同群丛。

沙生针茅草原是沙质化荒漠草原的群落类型。在内蒙古高原区的荒漠草原带主要分布在二连地区，在鄂尔多斯高原的荒漠草原带也有较多分布。群落结构的突出特点是几种锦鸡儿（Caragana intermedia、C. stenophylla、C. pygmaea）在群落中构成小灌木层片，组成灌丛化荒漠草原。

短花针茅草原是黄土高原荒漠草原带的主要草原群系，在内蒙古境内，分布到鄂尔多斯高原中部及乌兰察布高原的南部地区，处于我国的短花针茅草原分布区北缘。群落类型较少，植物种类组成也比较贫乏。

　　戈壁针茅草原是石质化荒漠草原的群落类型，多零星分布在草原区山地基岩出露的砾石质坡地上，例如阴山山地、乌兰察布高原的石质残山与残丘上均有分布。群落类型因伴生植物层片的性质不同而分化出多种群落。

　　多根葱草原是乌兰察布高原北部碱化低地上出现的荒漠草原群落类型。群落组成中，小针茅、无芒隐子草等荒漠草原特征植物仍组成次优势层片。

　　小亚菊草原是砾石质高平原荒漠草原的群落变型，与小针茅草原在乌兰察布高原上交替分布，与短花针茅草原在鄂尔多斯高原上交错分布。群落组成与这两类小型针茅草原的成分十分相近。

第二节　温带荒漠生态系统的形成与演化

　　荒漠植被是旱生性最强的植物群落类型，由适应干旱与冬寒气候的超级旱生植物所建群，以矮化的木本、半木本或肉质化植物为主，形成稀疏的植物群落。一般地上部分是不郁闭的，其生物积累微弱（生物产量低），土壤的钙化、石膏化、盐碱化严重，地表物质的剥蚀与堆积现象明显，生物与环境的斗争格外激烈。

　　内蒙古的荒漠生态系统是在夏热冬寒的温带气候条件下演化而成的，集中分布于阿拉善高原及鄂尔多斯高原西部的干旱与极旱气候区内，是温带干旱区的地带性植被。内蒙古的荒漠区是亚洲大陆温带与亚热带荒漠的东翼，因沉积物组成的不同，可分为沙质荒漠（沙漠）、砾石质荒漠（戈壁）、石质荒漠（石漠）、土质荒漠（土漠）、盐土荒漠（盐漠）等景观类型。随着内蒙古荒漠区气候干燥度的地带差异，在西鄂尔多斯和东阿拉善形成了草原化荒漠带（半荒漠带），在阿拉善中部是典型荒漠带，阿拉善西端则进入了极旱荒漠带。

　　荒漠植物生活型的突出特点是适应干旱与土壤盐分的性状，植物根系发达，深度与广度所扩及的范围常超过地上部分若干倍；植物枝条硬化或刺化，退化叶、小叶、硬叶、刺叶、肉质叶、异型叶等都很普遍。还有一些植物则以每年集中脱落一部分新生枝条的半木本性质为特征。这些都是因干旱胁迫而降低水分消耗的旱生型灌木与半灌木等植物生活型的特征。

　　按照建群植物与优势植物生活型的不同，荒漠植被可以分为灌木荒漠、半灌木荒漠与小半乔木荒漠。这些荒漠生态系统类型又因生态适应方式的分化，组成不同的群落类型（表4-2）。下面分别进行说明。[①]

表4-2　内蒙古荒漠生态系统的群落类型

荒漠类型	群系纲	群　系
灌木荒漠	泌盐小灌木荒漠	红沙（琵琶柴）荒漠 Form. Reaumuria soongorica
	具刺灌木荒漠	绵刺荒漠 Form. Potaninia mongolica
		半日花荒漠 Form. Helianthemum soongoricum
		藏锦鸡儿荒漠 Form. Caragana tibetica
		柠条锦鸡儿荒漠 Form. Caragana korshinskii
	肉质叶灌木荒漠	霸王柴荒漠 Form. Zygophyllum xanthoxylon
		四合木荒漠 Form. Tetraena mongolica
		裸果木荒漠 Form. Gymnocarpos przewalskii
		泡泡刺荒漠 Form. Nitraria sphaerocarpa
		唐古特白刺荒漠 Form. Nitraria tangutorum
		齿叶白刺荒漠 Form. Nitraria roborowskii
	退化叶灌木荒漠	膜果麻黄荒漠 From. Ephedra przewalskii
	常绿叶旱生灌木荒漠	沙冬青荒漠 Form. Ammopiptanthus mongolicum
半灌木荒漠	肉质叶半灌木荒漠	珍珠柴荒漠 From. Salsola passerina
		松叶猪毛菜荒漠 From. Salsola laricifolia
		蒿叶猪毛菜荒漠 Form. Salsola abrotanoides
		短叶假木贼荒漠 Form. Anabasis brevifolia
		合头藜荒漠 Form. Sympegma regelii
	旱生叶半灌木荒漠	驼绒藜荒漠 Form. Ceratoides latens
		戈壁短花菊荒漠 Form. Brachathemum gobicum
	退化叶半灌木荒漠	蒙古沙拐枣荒漠 Form. Calligonum mongolicum
小半乔木荒漠	退化叶小半乔木荒漠	梭梭荒漠 Form. Haloxylon ammodendron

----

　　① 马毓泉主编：《内蒙古植物志》（第2版）第1卷，内蒙古人民出版社1998年版，第82—85页。

一、灌木荒漠

内蒙古荒漠区的灌木荒漠分布广泛，类型多样，根据建群种的生态特性可分为：泌盐小灌木荒漠、具刺灌木荒漠、肉质叶灌木荒漠、退化叶灌木荒漠、常绿叶旱生灌木荒漠。再按照群落建群种共分出 13 个群落类型（群系）。

红沙荒漠是由柽柳科的泌盐小灌木红沙（Reaumuria soongorica）所建群的荒漠群落，在亚洲荒漠区有广泛分布，在内蒙古荒漠区是分布最广的群落，并且在草原区的盐渍低地上也有隐域性的群落片段出现。由于分布广泛，所以植物区系组成比较丰富。据统计：在内蒙古境内，组成红沙荒漠的植物共有 121 种，隶属于 24 科、66 属。其中以藜科植物为最丰富，蒺藜科也是具有特征意义的科。按群落组成和生态结构特点可以划分为 40 多个群丛，是内蒙古荒漠植被中群落分化最多的群系。

绵刺荒漠是由蔷薇科单种属的古老残遗植物绵刺（Potaninia mongolica）所组成的荒漠群落。它集中分布在阿拉善荒漠区，成为阿拉善特有种。绵刺是具刺旱生小灌木，对干旱有高度适应性，常以"假死"的休眠状态渡过干旱季节和年度，雨后能快速返青。绵刺荒漠的种类组成中约有 80 余种植物，菊科、藜科植物种最多，蒺藜科也有较多的种。群落随气候干燥度的差异和风蚀风积作用强度的不同而分化为草原化绵刺荒漠、极旱绵刺荒漠、石质性绵刺荒漠、沙质化绵刺荒漠和沙砾质典型绵刺荒漠等群落。

半日花荒漠由孤立的岛状残遗分布的半日花（Helianthemum soongoricum）所组成，是局限于鄂尔多斯西部桌子山地区分布的砾石质荒漠。群落组成和结构十分简单，多含有小型针茅、细柄茅等小禾草，表现出草原化荒漠的特征，具有重要的科学价值，应列为生物多样性保护的类型。

藏锦鸡儿荒漠是草原化荒漠植被的代表性群系。藏锦鸡儿（Caragana tibetica）是一种拟垫状型的旱生灌木，具有明显的旱生结构特征，生态适应幅度狭窄，群集性很强，集中分布在荒漠草原带向荒漠区过渡的区域，即乌兰察布高原西端及鄂尔多斯高原西部的桌子山东麓地区。根据样地调查统计：藏锦鸡儿群系的种子植物约计 70 种，分属于 24 科、45 属，其中包含较多的蒿属、针茅属草本植物，表现出明显的草原化特征，并分别与旱生禾草、葱类、旱生半灌木、旱生灌木等优势成分组成不同的群落。

柠条锦鸡儿荒漠是由高大的旱生灌木柠条锦鸡儿（Caragana korshinskii）所组成的沙质荒漠。分布于库布齐沙漠西部、乌兰布和沙漠、腾格里沙漠及其外围地区。是西鄂尔多斯—东阿拉善地区特有植物。群落结构比较单调，在厚层沙地上形成单优种群落，或与蒙古沙拐枣共同组成群落；在沙层较薄的沙地上可与霸王柴、沙冬青等形成混生群落。

霸王柴荒漠的建群种霸王柴（Zygophyllum xanthoxylon）是亚洲荒漠的古老残遗植物，它以若干变种和小种断续分布在整个亚洲荒漠区，是古地中海干热植物区系的后裔。霸王柴是超旱生肉质叶灌木，植株较高大，可适应于石质、砾石质和沙砾质荒漠生境。在极干旱的剥蚀残丘石质坡地上，可形成比较单一的群落，在沙质与沙砾质荒漠中常与猫头刺、驼绒藜、绵刺、红沙、木蓼、泡泡刺、沙冬青等荒漠植物分别组成混生群落。

四合木荒漠是由蒺藜科系统地位很独特的古老残遗种四合木（Tetraena mongolica）所组成的肉质叶小灌木荒漠群落。四合木属于单种属，分布区仅限于西鄂尔多斯的桌子山山麓地区，成为西鄂尔多斯的特有属、种和特有群系，它的起源与南古大陆热带区系有密切联系。四合木荒漠为沙砾质荒漠，群落结构中多有小型禾草层片，成为草原化荒漠群落。四合木也常与其他荒漠植物混生形成多种不同群落。

泡泡刺荒漠、唐古特白刺荒漠、齿叶白刺荒漠是由同属的三种肉质叶旱生小灌木（Nitraria sphaerocarpa, N. tangutorum, N. roborowskii）所组成的不同荒漠群落。泡泡刺荒漠是典型荒漠的代表群系，从阿拉善到塔里木荒漠区均有分布，多形成单优种的沙砾质荒漠群落及泡泡刺+红沙群落。唐古特白刺荒漠与齿叶白刺荒漠都是盐化荒漠的群落类型，多环绕湖盆外围分布或在谷地与坡麓分布，群落组成均比较丰富，尤以藜科植物种类最多。唐古特白刺荒漠的分布区较广，从阿拉善到青海柴达木、新疆准噶尔及塔里木均有分布。齿叶白刺荒漠主要分布在阿拉善南部、河西走廊及新疆南部。

膜果麻黄荒漠是叶片退化、小枝常绿的灌木荒漠。膜果麻黄（Ephedra przewalskii）的分布区由阿拉善西部分布到河西走廊、柴达木盆地及塔里木盆地。是典型荒漠带的砾石质荒漠群落，群落结构比较简单，植物种类贫乏，偶有霸王柴、梭梭、裸果木、红沙等植物伴生。

　　裸果木荒漠是与膜果麻黄荒漠的分布区和生境相似的荒漠，由超旱生小灌木裸果木（Gymnocarpos przewalskii）组成小面积群落，种类成分贫乏，群落类型也很少，主要分布在石质山丘与干谷地，是分布稀少的荒漠群落。

　　沙冬青荒漠是内蒙古唯一的常绿叶灌木荒漠。沙冬青（Ammopiptanthus mongolicum）是古老的第三纪残遗植物，与古热带气候相联系。分布于阿拉善荒漠区，南至甘肃北部，东至西鄂尔多斯，西至雅布赖山，是阿拉善特有种。沙冬青荒漠群落的植物组成与群落类型都比较多样，除霸王柴等荒漠灌木植物可成为次优势成分外，还混生小型针茅、亚菊、猫头刺、蒙古葱等荒漠草原成分。所以沙冬青群落是草原化荒漠的代表性群系。

二、半灌木荒漠

　　半灌木荒漠也广泛分布在内蒙古荒漠区，可分为肉质叶半灌木荒漠、旱生叶半灌木荒漠、退化叶半灌木荒漠等，共有以下几个群系。

　　珍珠柴荒漠是肉质叶半灌木荒漠中富有代表性的地带性荒漠群系。珍珠柴（Salsola passerina）的分布区以阿拉善为中心，往北进入蒙古国达北纬45°线，往南至河西走廊，往西一直分布到疏勒河下游，往东进入荒漠草原带沿集二铁路线分布在盐渍低地上。珍珠柴荒漠群落的组成据统计约有种子植物90种，分属于22科、58属，藜科、菊科植物最多。群落结构简单，但群落分化较多，含有丛生小禾草、葱类或亚菊类的珍珠柴群落属于草原化荒漠；含有荒漠小灌木或小半灌木的群落属于典型荒漠。

　　松叶猪毛菜荒漠与蒿叶猪毛菜荒漠分别由肉质叶小半灌木松叶猪毛菜（Salsola laricifolia）、蒿叶猪毛菜（Salsola abrotanoides）所建群。松叶猪毛菜荒漠是草原化石质荒漠群系，群落类型单一，主要分布在西鄂尔多斯的桌子山，东阿拉善的狼山、贺兰山、雅布赖山等石质低山丘陵上，也可零星出现在荒漠草原带的剥蚀残丘上。蒿叶猪毛菜荒漠的群落组成比较简单，常与红沙、合头藜等组成典型荒漠群落，在内蒙古境内仅分布在额济纳旗的马鬃山区，并分布到祁连山、阿尔金山及昆仑山，往北分布到蒙古国的戈壁阿尔泰及蒙古阿尔泰山区。

　　短叶假木贼荒漠是由超旱生肉质化小半灌木短叶假木贼（Anabasis brevifolia）所建群的石质荒漠群落。主要分布在阿拉善北部及蒙古国境内的戈壁阿尔泰地区。除组成单优种群落之外，还在荒漠草原带出现零星的群落片段。

合头藜荒漠由超旱生半灌木合头藜（Sympegma regelii）所建群，为石质荒漠。从阿拉善分布到柴达木和塔里木的石质山地与剥蚀残丘。群落外貌单调，种类成分贫乏，常与珍珠柴、短叶假木贼、霸王柴、红沙等分别组成不同群落。

驼绒藜荒漠是沙质草原化荒漠的主要群系之一，驼绒藜（Ceratoides latens）是旱生叶半灌木，在西鄂尔多斯有较多分布，阿拉善东北部也有较大面积的分布。往西多零散分布在海拔较高的山麓地带，群落类型较少，常含有小型针茅、葱类、亚菊、冷蒿等荒漠草原成分，或与藏锦鸡儿等组成群落。

戈壁短花菊荒漠是分布范围狭小的荒漠群系，戈壁短花菊（Brachathemum gobicum）是比较高大的半灌木，组成沙砾质荒漠，分布于阿拉善东北部，南至吉兰太盐湖，西至巴丹吉林沙漠边缘，北至蒙古国东戈壁省，多为零散分布的小面积群落。此外，在阿拉善南部还有南山短花菊（Brachathemum nanshaicum）组成的群落片段零星分布，成为戈壁短花菊群落的替代类型。

蒙古沙拐枣荒漠是半灌木沙质荒漠群系。蒙古沙拐枣（Calligonum mongolicum）是比较高的旱生半灌木，在巴丹吉林沙漠、腾格里沙漠及阿拉善北部的复沙地上形成较大面积的分布。群落结构均一、植物种类很少，常有膜果麻黄、木蓼及沙生植物的少量混生。在库布齐沙漠的西端流沙地上，有阿拉善沙拐枣（Calligonum alashanicum）组成十分稀疏的群落。

三、小半乔木荒漠

内蒙古的小半乔木荒漠只有梭梭荒漠，这是十分独特的荒漠类型。梭梭（Haloxylon ammodendron）是小乔木状的半木本性植物，冬季有大量新生枝脱落，是在荒漠区选择演化形成的特殊植物生活型，而且是古老的第三纪植物种属。梭梭荒漠在阿拉善有比较广泛而又集中的分布，组成若干大面积的群落。群落的种类组成比较多样，据统计约有100种种子植物，分属于24科、65属。因而在土壤基质、沙质、沙砾质、砾石质等不同生境中形成不同的梭梭荒漠群落。

内蒙古的荒漠植被做为亚洲荒漠的东翼具有十分突出的特色。首先是群落类型多样，总计有20多个不同的群系，其群落生态特性的分异也很分明。其次是拥有许多古老的植物种属及残遗成分，例如霸王属、四合木属、绵刺属、扁桃属（Amygdalus）、沙冬青属、半日花属、麻黄属、梭梭属、革苞菊属（Tugarinovia）等，其中有些种属成为地方特有成分，在植物区系历史、地理学研究中具有重要科学意义。再次是处于亚洲内陆腹地干旱区的东部边缘，具有东亚季风气候的边缘效应，因而形成了草原化荒漠（半荒漠）地带，并有夏雨型一年生植物层片成为荒漠的一个特点，区别于新疆荒漠的春季短命植物层片。

第三节 山地森林—灌丛—草甸复合生态系统

内蒙古的大兴安岭山地、冀北山地北部、阴山山地、贺兰山、龙首山、马鬃山等山区约占内蒙古全区总面积的17%。除贺兰山、龙首山两个较小的山区最高海拔达3 000米以上外，其余山地都是中山和低山。由于山地的大气、水热等气候因素随海拔高度及坡向、坡度的不同而发生明显差异，因此，山地植物与生态系统也必然表现出因垂直分布和地形分割而造成的分布格局。所以山地植被不可能是单一的植被类型，而是由不同植被类型组成的植被复合系列。当然因山体大小、海拔高度、相对高差、山地所坐落的水平地带位置及地质地貌等差别而使植被类型组合有显著不同。在海拔较高的山地形成了针叶林带、夏绿阔叶林带及高山（亚高山）植被带。山地的主要植被类型是针叶林、夏绿阔叶林、灌丛、山地草甸、山地草原及山地荒漠。在山地沟谷与河滩也有河谷林、河谷灌丛、河滩草甸及沼泽植被。下面对山地森林、灌丛及草甸做简要介绍。

一、山地针叶林生态系统

主要由落叶松属（Larix）、云杉属（Picea）、松属（Pinus）的树种所建群，分别组成明亮针叶林和常绿针叶林（表4-3）。[1]

---

[1] 马毓泉主编：《内蒙古植物志》（第2版）第1卷，内蒙古人民出版社1998年版，第86—87页。

表 4-3 内蒙古山地针叶林的类型及演化系统

针叶林类型	林 型	
明亮针叶林	兴安落叶松林 Form. Larix gmelini	兴安落叶松—草类林 兴安落叶松—杜鹃林 兴安落叶松—杜香林 兴安落叶松—藓类型 兴安落叶松—偃松林 兴安落叶松—蒙古栎林 兴安落叶松—桦木林
	华北落叶松林 Form. Larix principis-rupprechtii	
常绿针叶林	云杉林 Form. Picea koraiensis 白扦林 Form. Picea meyeri 青扦林 Form. Picea wilsonii 青海云杉林 Form. Picea crassifolia 樟子松林 Form. Pinus sylvestris var. mongolica 油松林 Form. Pinus tabulaeformis 偃松林 Form. Pinus pumila	

兴安落叶松林是东西伯利亚及中西伯利亚东部的特有群系，延伸分布到我国大兴安岭山地。在内蒙古的森林植被中，兴安落叶松林是面积最大的森林类型，约占全区森林总面积的60％。兴安落叶松是夏绿针叶树，生态可塑性较大，组成多种林型。兴安落叶松林的植物种类约有种子植物220种、苔藓与蕨类植物约40种，以毛茛科、菊科、蔷薇科、莎草科、百合科的植物种属为最多，豆科、桦木科、杜鹃科植物也较多，这8个科的植物总计约110种。随森林立地条件不同，分化形成不同林型，各林型在生态发生系列中的位置如下所示：

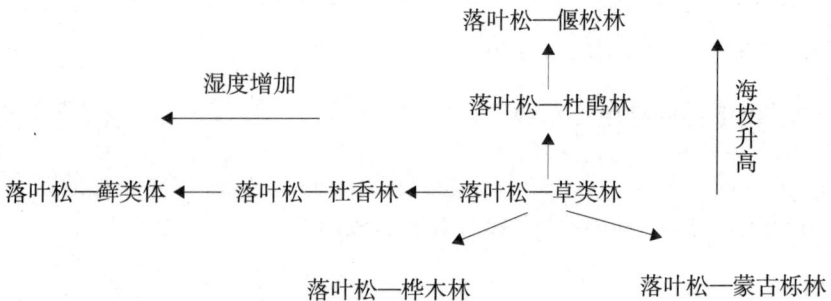

华北落叶松林是我国华北山地针叶林的类型，在内蒙古只限于阴山南部的蛮汗山、冀北山地北缘及大兴安岭南端的黄岗梁有零星分布，近些年来经过森林封育和人工造林又扩大了华北落叶松林在这些山区的分布。

云杉林是大兴安岭北部、小兴安岭、长白山分布的针叶林类型。多生于山地阴坡及河谷中，常与兴安落叶松、白桦等树种组成混交林。

白扦林主要分布在华北的雾灵山、小五台山、五台山、管涔山及内蒙古的大青山、恋汉山、大兴安岭南部山地。常与华北落叶松组成混交林，在大青山山地还有白扦与青扦、青海云杉的混交林。

青扦林广泛分布于华北、西北及西南山区，青扦为中国喜马拉雅成分，在内蒙古的阴山及贺兰山均有分布，是山地针叶林带的主要森林类型，多形成单树种林，或与白扦、青海云杉混交成林。

青海云杉林分布于祁连山、六盘山及内蒙古的阴山与贺兰山，青海云杉成为祁连山—贺兰山特有成分，是构成山地针叶林的主要类型，分布的海拔也多在 1 700 米以上，常组成单优种林或与白桦、山杨构成混交林。

以上四种云杉表现出由我国东北、华北、内蒙古到西北和西南山地的地理替代分布，进入新疆山地，又有雪岭云杉成为替代种。

樟子松林是大兴安岭北部山地及其西麓沙地所分布的针叶林，往北分布到黑龙江以北的外兴安岭山地，是欧洲赤松在黑龙江流域的地方变种。山地的樟子松林随立地条件而分化为樟子松—堰松林、樟子松—杜鹃林、樟子松—越桔林、樟子松—杜香林、樟子松—草类林。沙地樟子松林具有草原化特征，成为单优树种的针叶林。

油松林广泛分布于我国华北山地，往西到祁连山。内蒙古的阴山山地、贺兰山及冀北山地北缘均有分布。在华北各山区，多与辽东栎组成混交林，在内蒙古境内的山地上，多形成单优树种的油松林。

偃松林是大兴安岭北部山顶所形成的特殊森林类型。偃松偃匍匐卧丛生，所以群落呈灌丛状，是适应山顶多风寒冷生境的森林生态变型。

二、夏绿阔叶林生态系统

由栎属（Quercus）、椴属（Tilia）、槭属（Acer）、杨属（Populus）、桦木属（Betula）的树种所组成的生态系统，一般均分布在山地阴坡及山地沟谷中。

阔叶林主要有以下一些群落类型。①

辽东栎林（Form. Quercus liaotungensis），分布于大青山与蛮汗山海拔1 700 米以上的山地阴坡，常与白桦、山杨等组成混交林。

蒙古栎林（Form. Quercus mongolica），主要分布于大兴安岭东麓及南部山地、多见于海拔 1 000 米以上的山地，由于人为影响多成为次生矮林。

白桦林（Form. Betula platyphylla）是大兴安岭北部西麓山前丘陵、大兴安岭南部山地、阴山山地广泛分布的阔叶林，也是森林草原带的主要森林群落。

黑桦林（Form. Betula dahurica），分布于我国东北及华北山地，在内蒙古只分布到大兴安岭东坡，常与蒙古栎混生成林，或成为兴安落叶松林的混生树种。

山杨林（Form. Populus davidiana）也是森林草原带的主要森林群落，分布范围与白桦林一致，并常与白桦组成混交林。

椴树林（Form. Tilia mongolica）是阴山山地零散分布的阔叶林，在冀北山地也是白桦、山杨林的混生树种。

三、山地灌丛生态系统

是广泛适应山地多种生境的植被类型。由圆柏属（Sabina）、桦木属（Betula）、榛属（Corylus）、虎榛子属（Ostryopsis）、柳属（Salix）、绣线菊属（Spiraea）、蔷薇属（Rosa）、栒子属（Cotoneaster）、扁桃属（Amygdalus）、委陵菜属（Potentilla）木本种、锦鸡儿属（Caragana）、鼠李属（Rhamnus）、沙棘属（Hippophae）、岩高兰属（Empetrum）植物所建群，组成多种群落类型。

属于高寒灌丛的群落类型有：大兴安岭北部高纬度地区石质山顶上形成的岩高兰灌丛（Form. Empetrum nigrum）、贺兰山高山带分布的高山柳灌丛（Form. Salix cupularis）和鬼箭锦鸡儿灌丛（Form. Caragana jubata）；亚高山分布的小叶金露梅灌丛（Form. Potentilla parvifolia）。

---

① 马毓泉主编：《内蒙古植物志》（第2版）第1卷，内蒙古人民出版社1998年版，第87—88页。

针叶林区的山地灌丛有大兴安岭北部的柴桦灌丛（Form. Betula fruticosa）、榛灌丛（Form. Corylus heterophylla）。

在草原区山地分布的中生灌丛有：土庄绣线菊灌丛（Form. Spiraea pubescens）、三裂绣线菊灌丛（Form. Spiraea trilobata）、蒙古绣线菊灌丛（Form. Spiraea mongolia）、黄刺玫灌丛（Form. Rosa xanthina）、山刺玫灌丛（Form. Rosa davurica）、柄扁桃灌丛（Form. Amygdalus pedunculata）、沙棘灌丛（Form. Hippophae rhamnoides）、虎榛子灌丛（Form. Ostryopsis davidiana）、叉子圆柏灌丛（Form. Sabina vulgaris）等。

四、山地草甸生态系统

包括高山、亚高山草甸和中、低山带的山地草甸，是由中生性多年生草本植物所建群的植物群落。高山、亚高山草甸是山地森林带以上所形成的草甸植被，贺兰山、龙首山海拔3 200米以上的高山带有片段分布或在山顶形成帽状分布。主要由矮嵩草（Kobresia pygmaea）为建群种，伴生成分有其他嵩草、苔草（Carex）、火绒草（Leontopodium）、珠芽蓼（Polygonum viviparum）、蚤缀（Arenaria capillaris）等。

山地中部与下部形成的山地草甸与森林同带分布或是森林的次生植被，最常见的山地草甸有两类。一是五花草甸，由多种花色华丽的双子叶草类组成的草甸群落，在大兴安岭山地东西两侧均有大量分布。优势植物有地榆（Sanguisorba offcinalis）、黄花菜（Hemerocallis minor）、蓬子菜（Galium verum）、野豌豆（Vicia spp.）、百合（Lilium spp.）、苔草（Carex spp.）等。另一类是禾草草甸，以高大禾草为优势成分，如无芒雀麦、早熟禾（Poa spp.）、野青茅（Deyeuxia spp.）、大油芒（Spodiopogon sibirica）等。

第四节　低湿地草甸、沼泽、灌丛、河滩林与盐生群落生态系统

在河谷滩地、湖盆低地、丘间洼地与风蚀洼地等隐域性生境中，由于地下水可供应植物生长的需要，或土壤盐分含量较高，所以形成了许多中生植物、湿生植物或盐生植物所组成的植被类型。

一、低湿地草甸生态系统

在土壤有效水分充足或基本充足的低湿滩地上，由多年生中生性草本植物所组成的隐域性植物群落，其土壤水分主要来源于地下水与地表迁流汇集。低湿地草甸的地理分布十分广泛，东起大兴安岭山地与西辽河平原，西至阿拉善荒漠地区，在全区各个自然地带都有低湿地草甸植被的群落类型。按其对水分、盐分适应性特点，划分为典型草甸、沼泽草甸、草原化草甸、盐化草甸等类型。

典型草甸植被多是由禾本科的中生草类所建群的群落，苔草属与双子叶植物的建群种较少。占据中等湿度的生境，土壤酸碱度为中性。主要分布在大兴安岭山区及其两麓、西辽河流域、内蒙古高原东部、黄河沿岸等地区的低湿地上。常见的群落类型有小糠草草甸（Form. Agrostis alba）、无芒雀麦草甸（Form. Bromus inermis）、拂子茅草甸（Form. Calamagrostis epigejos）、散穗早熟禾草甸（Form. Poa subfastigiata）、寸草苔草甸（Form. Carex duriuscula）、地榆草甸（Form. Sanguisorba officinalis）、黄花苜蓿草甸（Form. Medicago falcata）、鹅绒委陵菜草甸（Form. Potentilla anserina）等。

沼泽草甸植被是以湿中生多年生草类占优势的群落，多出现在季节性地表积水的泛滥低地上。主要群落类型有小叶章沼泽草甸（Form. Deyeuxia angustifolia）、草沼泽草甸（Form. Beckmannia syzigachne）、看麦娘沼泽草甸（Form. Alopecurus aequalis）、牛鞭草沼泽草甸（Form. Hemarthria compressa）、荻沼泽草甸（Form. Miscanthus sacchariflorus）等。

草原化草甸植被是由旱中生草类建群或在群落中含有草原植物层片的群落类型，是一类旱化的草甸植被，多分布在高河漫滩、阶地、宽谷地等生境中。代表性的群落类型有野古草草甸（Form. Arundinella hirta）、滨草草甸（Form. Elymus dahuricus）、光稃香茅草甸（Form. Hierochloe glabra）、狼尾草草甸（Form. Pennisetum alopecuroides）等。

盐化草甸植被由耐盐性中生草类所建群，是在地面蒸发较强烈、土壤盐渍化的低湿地上形成的群落类型。因此多分布在典型草原地带、荒漠草原地带及荒漠区内的盐化低地上。盐化草甸多由禾草组成，也包含一些耐盐性杂类草及小半灌木、小灌木类植物。分布最广、数量最多的盐化草甸是芨芨草草甸（Form. Achnatherum splendens），在典型草原带、荒漠草原带及荒漠区都是最常见的群落类型。由于芨芨草的生态幅度较宽，所适应的生境类型较多，所以分化出许多不同的群丛。此外，还有野黑麦盐化草甸（Form. Hordeum brevisubulatum）、赖草盐化草甸（Form. Leymus secalinus）、碱茅盐化草甸（Form. Puccinellia tenuiflora）、马蔺盐化草甸（Form. Iris lactea）等。

二、草本沼泽生态系统

在地表积水、土壤过湿并常有泥炭积累的低湿滩地生境中，由湿生草本植物组成的植物群落为草本沼泽。由于多水的生境中生态条件比较均一，所以植物的广布种较多，植物群落多是跨地带分布的。在内蒙古分布较广的草本沼泽群落类型有：芦苇沼泽（Form. Phragmites australis）、根丛苔沼泽（Form. Carex caespitosa）、乌拉草沼泽（Form. Carex meyeriana）、羊胡子草沼泽（Form. Eriophorum vaginatum）、草沼泽（Form. Scirpus triqueter）、水葱沼泽（Form. Scirpus tabernaemontani）、香蒲沼泽（Form. Typha orintalis）、泥炭藓类沼泽（Form. Sphagnum spp.）等。

三、低湿地灌丛生态系统

有许多河谷滩地、沙丘间洼地、盐化低地、湖盆湿地中，由中生或湿生灌木组成各种类型的灌丛植被。在大兴安岭及其两麓低山丘陵区的河谷中有蔷薇科的多种灌木——山荆子（Malus baccata）、稠李（Prunus padus）、辽山楂（Crataegus sanguinea）等混生组成河谷灌丛。

在内蒙古各地的河流沿岸及沙区的沙丘间滩地上，有多种柳灌丛的分布。其中以大兴安岭及其两麓低山丘陵区河滩柳灌丛的群落类型最多，主要由沼柳（Salix rosmarinifolia）、兴安柳（Salix hsinganica）、鹿蹄柳（Salix pyrolifolia）、五蕊柳（Salix pentandra）、越桔柳（Salix myrtilloides）等组成灌丛群落。广泛分布于内蒙古全区各山区的河滩柳灌丛有砂杞柳（Salix kochiana）灌丛。沙丘间滩地柳灌丛的主要建群种有小红柳（Salix microstachya）、乌柳（Salix cheilophlia）、北沙柳（Salix psammophyla）等。

在内蒙古荒漠区及荒漠草原地带的盐化低地上有几种柽柳类组成的盐湿灌丛。主要群落类型是红柳灌丛（Form. Tamarix ramosissima）、柽柳灌丛

（Form. Tamarix chinensis）、细穗柽柳灌丛（Form. Tamarix leptostachys）、长穗柽柳灌丛（Form. Tamarix elongata）、短穗柽柳灌丛（Form. Tamarix laxa）等。

四、河滩林生态系统

大兴安岭山区河谷林的主要类型有钻天柳林（Form. Chosenia arbutifolia）、甜杨林（Form. Populus suaveolens）。西辽河平原南部的大青沟分布着朝鲜柳林（Form. Salix koreensis）。内蒙古荒漠区的黄河河漫滩等地有沙枣林（Form. Elaeagnu angustifolia）。额济纳河河漫滩有胡杨林（Form. Populus diversifolia）、沙枣林分布。

五、盐生生态系统

在内蒙古干旱、半干旱区的盐渍低地上，由盐生小半灌木及盐生一年生植物组成的群落类型具有很强的适应盐土的特性。最有代表性的群落是由盐爪爪属的几种小半灌木所建群的着叶盐爪爪群落（Form. Kalidium foliatum）、细枝盐爪爪群落（Form. Kalidium gracile）、尖叶盐爪爪群落（Form. Kalidium cuspidatum）。这些盐生群落也属于隐域性的盐湿荒漠植被。

一年生盐生群落主要由碱蓬（Suaeda glauca）、茄叶碱蓬（Suaeda przewalskii）、肥叶碱蓬（Suaeda kossinskyi）、盐地碱蓬（Suaeda salsa）、角果碱蓬（Suaeda corniculata）、平卧碱蓬（Suaeda prostrata）及盐角草（Salicornia curopaea）、盐生草（Halogeton glomeratus）、蛛丝蓬（Micropeplis arachnoides）等所组成。

第五节　植物类群多样性的形成

内蒙古植物多样性的研究，首先应该从植物种类多样性的分析入手，以便探索本地区植物界演化的历史梗概，并将反映出内蒙古生物多样性的区域特征。内蒙古植物区系包含着植物界的各大类群：种子植物、蕨类植物、苔藓植物、藻类植物、地衣类及菌类等。本节只限于对种子植物、蕨类植物、苔藓植物三类高等植物做专门记述，并进行较完整的统计和分析。内蒙古的藻类植物目前研究工作比较薄弱，地衣类及菌类也缺乏完整的研究成果，所以不便于进行全面统计。

目前，在内蒙古全区所搜集到的高等植物（种子植物、蕨类植物、苔藓植物）2 781 种。其中，种子植物 2 208 种，蕨类植物 62 种。苔藓植物511 种。这些植物分属于 197 科、865 属。按照植物大类群进行统计，列入表 4 - 4 中。

内蒙古总面积为 118 万平方公里，约占全国总面积的 12%。植物区系的科属种组成在全国所占的比例可按照吴征镒对全国植物的统计做比较。内蒙古的种子植物科的数目约占全国种子植物总科数 337 科的 35.7%，属也占全国 3 116 属的 20.9%，而种数只占全国的 8.2%，这几个比例数字反映出内蒙古植物区系的多样性特征。物种数量偏少，反映了区域生态地理环境趋于严酷化的历史特点；科属类群多样性较高又表现出植物区系漫长的分化变异与迁移融合的复杂历程。

表 4 - 4　内蒙古植物类群多样性的统计

植物类群		科属种类	科数	占总科数(%)	野生植物属数	占总属数(%)	栽培植物属数	野生植物种数	占总种数(%)	栽培植物种数
苔藓植物			63	32.1	184	21.3		511	18.4	
维管植物		蕨类植物	17	8.6	28	3.2		62	2.2	
		裸子植物	3	1.5	7	0.8		23	0.8	3
	被子植物	双子叶植物	95	48.2	501	57.9	62	1 676	60.3	146
		单子叶植物	19	9.6	145	16.9	8	509	18.3	23
高等植物（总计）			197	100	865	100	70	2 781	100	172

本区的植物区系中，单属科以及在本区只含有一种或极少数种的科是很多的，单种属、寡种属及在本区只含一种或少数种的属也很多。这是亚洲大陆中部草原区和荒漠区植物区系的重要特点之一。从另一方面来看，内蒙古如与同类的半干旱及干旱地区相比，植物种的数量是比较丰富的。例如相邻的蒙古国，总面积达 150 余万平方公里，而种子植物及蕨类植物共有 2 823种（I. A. Gubanov，1996）；我国新疆全区总面积是 160 多万平万公里，境内又有天山、阿尔泰山等几大山区，植物约有 3 000 多种。因为内蒙古横跨针

叶林区、夏绿阔叶林区、草原区和荒漠区等自然地带，而且又处于我国东北、华北及蒙古等植物区系成分相互渗透的地区，所以丰富了本区的植物组成。当然，在全区范围内植物种类的分布是不均衡的。其中，山区的植物最丰富，东部的大兴安岭拥有很丰富的森林植物及草甸、沼泽与水生植物；中部的阴山山脉及西部的贺兰山不但兼有森林和草原植物，而且还有草甸、沼泽成分。广大的高原和平原地区则以草原与荒漠旱生型植物为主。

一、植物科的多样性分化

植物的科一级分类单位可以表达出植物区系多样性分化的起源线索，并可反映出不同区域间区系的联系。[①]　内蒙古所分布的种子植物共117科，占本区高等植物197科的59.30%，构成内蒙古植物区系的主体成分。其中有高度进化、物种多样性分化十分复杂的菊科、禾本科等大科，也有在演化史上比较古老的金粟兰科、马兜铃科等。内蒙古种子植物科的数量较多，也表明了与其他相关地区的植物区系有十分广泛的联系。

按照各科所包含的种数来分析（表4-5、表4-6），含有200种以上的大科只有菊科、禾本科，含有100—200种的科有4科，连同含有40种以上的科共15科，总计含有1 456种，占种子植物总种数2 208的65.9%，而科数只占总科数的12.8%。这15个科不仅含有本区大部分植物种，而且还包含了一些大属，如：苔草属（Carex）、蒿属（Artemisia）、蓼属（Polygonum）、黄芪属（Astragalus）、柳属（Salix）、风毛菊属（Sarussurea）、委陵菜属（Potentilla）、棘豆属（Oxytropis）、葱属（Allium）、针茅属（Stipa）、锦鸡儿属（Caragana）、绣线菊属（Spiraea）等，这些大科大属包含着在本地区植被组成中具有重要作用的许多植物种。

大科中的菊科是全球广泛分布的科，也是本区最大的一科。它在温带地区的种属多样性最高，是最进化的被子植物类群，几乎全部是草本植物。在内蒙古生态系统中拥有许多建群种、优势种和特征种。例如，冷蒿（Artemisia frigida）是草原区广泛分布的建群种，白莲蒿（A. sacrorum）是石质山地的建群种，一组沙蒿（Artemisia halodendron, A. wudanica, A. in-

---

① 马毓泉主编：《内蒙古植物志》（第2版）第1卷，内蒙古人民出版社1998年版，第92页。

tramongolica, A. ordosica, A. sphaerocephala) 是第四纪以来随着风积沙地的形成而分化的年轻物种，成为沙生植被的建群种。线叶菊 (Filifolium sibiricum) 是森林草原地带山地草原的建群种。亚菊属 (Ajania) 的一些种是荒漠草原和荒漠植被的优势种。

表 4-5　内蒙古维管植物科的大小排序 (共计 134 科) ①

>300 种 (1 科)	菊科 (92 属，315 种)
201—300 种 (1 科)	禾本科 (72 属，218 种)
101—200 种 (4 科)	豆科(36,158) 莎草科(11,127) 毛茛科(18,119) 蔷薇科(22,101)
51—100 种 (6 科)	藜科 (20，78) 十字花科 (34，73) 石竹科 (18.71) 百合科 (19，66) 蓼科 (6，56) 玄参科 (21，55)
31—50 种 (4 科)	唇形科(25,46) 伞形科(29,44) 杨柳科(3.40) 紫草科(15,34)
21—30 种 (7 科)	兰科 (21，29) 虎耳草科 (10，26) 堇菜科 (1，25) 桔梗科 (5，25) 龙胆科 (11，23) 报春花科 (6，22) 景天科 (5，21)
11—22 种 (14 科)	桦木科 (4，16) 蒺藜科 (5，16) 忍冬科 (6，16) 鸢尾科 (1，15) 罂粟科 (4，14) 牛儿苗科 (2，13) 松科 (3，12) 茜草科 (3，12) 旋花科 (4，12) 眼子菜科 (2，12) 鼠李科 (2，11) 柽柳科 (3，11) 柳叶菜科 (3，11) 杜鹃花科 (6，11)
6—10 种 (19 科)	大戟科 (3，10) 萝摩科 (3，10) 木贼科 (1，9) 榆科 (3，9) 茄科 (5.9) 灯心草科 (2，9) 蹄盖蕨科 (4，8) 岩蕨科 (2，8) 列当科 (3，8) 柏科 (3，7) 荨麻科 (4，7) 鹿蹄草科 (5，7) 卷柏科 (1，6) 麻黄科 (1，6) 小檗科 (1，6) 白花丹科 (3，6) 败酱科 (2，6) 车前科 (1，6) 天南星科 (5，6)
4—5 种 (12 科)	铁角蕨科 (2，5) 鳞毛蕨科 (2，5) 水龙骨科 (3，5) 桑科 (3，5) 菱科 (1，5) 香蒲科 (1，5) 黑三棱科 (1，5) 檀香科 (1，4) 卫矛科 (2，4) 木樨科 (2，4) 花忍科 (1，4) 泽泻科 (2，4)
2—3 种 (35 科)	石松科 (2，3) 阴地蕨科 (1，3) 苋科 (1，3) 金鱼藻科 (1，3) 芸香科 (3，3) 槭树科 (1，3) 葡萄科 (2，3) 椴树科 (1，3) 金丝桃科 (1，3) 狸藻科 (1，3) 川续断科 (2，3) 葫芦科 (3，3) 茨藻科 (1，3) 浮萍科 (2，3) 鸭跖草科 (3，3) 中国蕨科 (2，2) 球子蕨科 (2，2) 壳斗科 (1，2) 桑寄生科 (2，2) 睡莲科 (2，2) 亚麻科 (1，2) 远志科 (1，2) 水马齿科 (1，2) 凤仙花科 (1，2) 锦葵科 (2，2) 瑞香科 (2，2) 胡颓子科 (2，2) 小二仙草科 (1，2) 五加科 (1，2) 山茱萸科 (1，2) 夹竹桃科 (2，2) 马鞭草科 (2，2) 紫葳科 (1，2) 水麦冬科 (1，2) 雨久花科 (2，2)

---

① 马毓泉主编：《内蒙古植物志》(第2版) 第1卷，内蒙古人民出版社1998年版，第93页。

（续表）

1 种 31 科	瓶尔小草科 蕨科 裸子蕨科 金星蕨科 槲蕨科 槐叶苹科 金粟兰科 胡桃科 马兜铃科 马齿苋科 防已科 木兰科 茅膏菜科 酢浆草科 苦木科 岩高兰科 无患子科 猕猴桃科 沟繁缕科 瓣鳞花科 半日花科 千屈菜科 杉叶藻科 锁阳科 马钱科 胡麻科 透骨草科 五福花科 花蔺科 谷精草科 薯蓣科

禾本科是单子叶植物中高度进化的大科，在全球广泛分布，种属多样性十分突出。是各类草本植被的主要成分，并侵入各类森林和灌丛植被中。在内蒙古草原及草甸植被中，禾本科草类是最主要的建群种和优势种。针茅属的一系列种，是在草原植被形成的历史中长期适应的主导植物。冰草属（Agropyron）、隐子草属（Cleistogenes）、羊茅属（Festuca）、早熟禾属（Poa）的许多种都是草原和草甸的产物。

豆科也是有代表性的世界分布科，在内蒙古的森林、草原、荒漠、草甸及山地植被中都有选择适应的特征植物和优势种，特别是黄芪属、棘豆属、锦鸡儿属的物种最为典型。

毛茛科、蔷薇科都是北半球温带广布的典型科，在森林、草甸和山地植被中具有十分突出的作用，在草原植被中也有一些旱生化的特征植物，如唐松草属（Thalictrum）、委陵菜属等。

莎草科也是世界性分布的科，多数种类见于草甸、沼泽和林下，内蒙古各地的沼泽草甸中也有丰富的莎草科植物成为优势成分。

藜科、十字花科、唇形科在亚洲中部到地中海形成了多样化中心，成为荒漠和草原的特征植物，例如猪毛菜属（Salsola）、虫实属（Corispermum）、兔唇花属（Lagochilus）、百里香属（Thymus）都是典型的代表。

蓼科、伞形科、石竹科、百合科、玄参科、杨柳科都是以北半球温带分布为主的科，在森林和草原地区有许多种属分化，特别是山地的种属多样性最高。

在本区只含有一种植物的科共31科，其中种子植物25科，蕨类植物6科；只含有2—3种植物的科35科，其中种子植物31科，蕨类植物4科。这些只含1—3种植物的科合计66科，占本区维管植物总科数的49.3%；但所含有的种数只有116种，占维管植物总种数的5.1%。这些种属稀少的科也往往是植物区系分化演变的历史见证。

表 4－6　内蒙古种子植物主要科的数量及与邻区植物科的比较①

地区数量 植物种	内蒙古 (118 万平方公里)				华北 (100 万平方公里)		蒙古国 (150 万平方公里)	
	属数	属数占全区的%	种数	种数占全区的%	种数	占全部种数的%	种数	占全部种数的%
全部植物	653	100	2 208	100	3 925	100	2 775	100
1. 菊科	92	14.1	315	14.3	388	9.9	407	14.7
2. 禾本科	72	11.2	218	9.9	293	7.5	250	9.0
3. 豆科	36	5.6	158	7.2	170	4.3	312	13.7
4. 莎草科	11	7	127	5.8	181	4.6	127	5.6
5. 毛茛科	18	2.8	119	5.4	174	4.4	119	4.3
6. 蔷薇科	22	3.8	101	4.5	276	7.0	140	5.0
7. 藜科	20	3.1	78	3.5	64	1.6	90	3.2
8. 十字花科	34	5.2	73	3.3	84	2.1	135	4.9
9. 石竹科	18	2.8	71	3.2	66	1.7	83	3.0
10. 百合科	19	3.0	66	3.0	138	3.5	86	3.1
11. 蓼科	6	0.9	56	2.5	85	2.2	67	2.4
12. 玄参科	21	3.2	55	2.4	79	2.0	77	2.8
13. 唇形科	25	3.8	46	2.1	129	3.3	86	3.1
14. 伞形科	29	4.4	44	2.0	110	2.8	66	2.4
15. 杨柳科	3	0.5	40	1.8	87	2.2	50	1.8
16. 紫草科	15	2.3	34	1.5	46	1.2	48	1.7
17. 兰科	21	3.2	29	1.3	54	1.4	29	1.0
18. 虎耳草科	10	1.6	26	1.2	83	2.1	21	0.8
19. 堇菜科	1	0.2	25	1.1	41	1.1	18	0.6
20. 桔梗科	5	0.8	25	1.1	35	0.9	16	0.6
21. 龙胆科	11	1.7	23	1.0	43	1.1	32	1.2
22. 报春花科	6	0.9	22	1.0	39	1.0	26	0.9
23. 景天科	5	0.8	21	0.9	43	1.1	17	0.6
24. 桦木科	4	0.6	16	0.7	36	0.9	13	0.5

---

① 马毓泉主编:《内蒙古植物志》(第 2 版) 第 1 卷,内蒙古人民出版社 1998 年版,第 94 页。

（续表）

地区数量 植物种	内蒙古 （118万平方公里）				华　北 （100万平方公里）		蒙古国 （150万平方公里）	
	属数	属数占全区的%	种数	种数占全区的%	种数	占全部种数的%	种数	占全部种数的%
25. 蒺藜科	5	0.8	16	0.7	6	0.2	18	0.6
26. 忍冬科	6	0.9	16	0.7	66	1.7	11	0.4
27. 鸢尾科	1	0.2	15	0.7	19	0.5	14	0.5
28. 罂粟科	4	0.6	14	0.6	31	0.8	28	1.0
29. 牻牛儿苗科	2	0.3	13	0.6	15	0.4	13	0.5
30. 松科	3	0.5	12	0.5	19	0.5	9	0.3
31. 茜草科	3	0.5	12	0.5	43	1.1	12	0.4
32. 旋花科	4	0.6	12	0.5	16	0.4	11	0.4
33. 眼子菜科	2	0.3	12	0.5	27	0.7	21	0.8

内蒙古植物区系组成中包含的单属科有：卷柏科（Selaginellaceae）、木贼科（Equisetaceae）、阴地蕨科（Botrychiaceae）、槐叶苹科（Salviniaceae）、麻黄科（Ephedraceae）、金鱼藻科（Ceratophyllaceae）、水马齿科（Callitrichaceae）、瓣鳞花科（Frankeniaceae）、菱科（Trapaceae）、杉叶藻科（Hippuridaceae）、锁阳科（Cynomoriaceae）、透骨草科（Phrymataceae）、五福花科（Adoxaceae）、香蒲科（Typhaceae）、黑三棱科（Sparganiaceae）、茨藻科（Najadaceae）16科。在全区境内只包含一属的科有：阴地蕨科（Botrychiaceae）、瓶尔小草科（Ophioglossaceae）、蕨科（Pteridiaceae）、裸子蕨科（Hemionitidaceae）、金星蕨科（Thelypteridaceae）、槲蕨科（Drynariaceae）、金粟兰科（Chloranthaceae）、壳斗科（Fagaceae）、檀香科（Santalaceae）、马兜铃科（Aristolochiaceae）、马齿苋科（Portulacaceae）、小檗科（Berberidaceae）、防己科（Menispermaceae）、木兰科（Magnoliaceae）、茅膏菜科（Droseraceae）、酢浆草科（Oxalidaceae）、亚麻科（linaceae）、苦木科（Simarubaceae）、远志科（Polygalaceae）、岩高兰科（Empetraceae）、槭树科（Aceraceae）、无患子科（Sapindaceae）、凤仙花科（Balsaminaceae）、椴树科（Tiliaceae）、猕猴桃科（Actinidiaceae）、金丝桃

科（Hypericaceae）、沟繁缕科（Elatinaceae）、半日花科（Cistaceae）、菫菜科（Violaceae）、千屈菜科（Lythraceae）、小二仙草科（Haloragidaceae）、五加科（Araliaceae）、山茱萸科（Cornaceae）、马钱科（Loganiaceae）、花科（Polemoniaceae）、狸藻科（Lentibulariaceae）、车前科（Plantaginaceae）、水麦冬科（Juncaginaceae）、花蔺科（Butomaceae）、谷精草科（Eriocaulaceae）、雨久花科（Pontederiaceae）、薯蓣科（Dioscoreaceae）、鸢尾科（Iridaceae）等。上述 16 个单属科与 43 个本区只含一属的科合计 59科，占全区总科数的 44.0%。这是本区植物区系组成的一大特点。

　　与邻近地区的植物区系做比较，内蒙古种子植物的科数是相当丰富的（表 4-7），不仅占全国种子植物总科数的 35.7%，而且高于我国西北干旱荒漠平原区及东北平原区，仅仅低于属暖温带气候的华北地区和我国南方亚热带地区，与相邻的蒙古国植物科数大体相当。

表 4-7　内蒙古与邻近地区种子植物科属种数的比较

地　区	科　数	占全国科数之比（%）	属　数	平均每科所含属数	种　数	平均每科所含种数
内蒙古（温带）	117	35.7	653	5.6	2 208	19.0
华北（暖温带）	151	44.8	914	6.1	3 465	22.9
东北平原（温带）	98	29.1	429	4.4	1 049	10.7
西北荒漠（温带）	68	20.2	361	5.3	1 079	15.9
华中（亚热带）	207	61.4	1 279	6.2	5 444	24.4
全国	337	100	3 116	9.2	27 000	80.1
蒙古国	114		643	5.6	2 775	24.3

　　在上述不同地区间按大科的排序做比较，都是菊科排在首位。内蒙古与华北、东北平原是禾本科居第二位；而荒漠区是黎科占第二位，禾本科退居第五位；华中地区的禾本科居第三位，蔷薇科占第二位；蒙古国则是豆科占第二位，禾本科居第三位。另外，内蒙古的豆科、莎草科、毛茛科、蔷薇科、黎科、十字花科、百合科、蓼科 8 科的排序与华北有 5 科是一致的，与东北平原有 7 科是一致的，与荒漠区有 6 科比较相似，与华中只有 4 科相近似，与蒙古国的各科排序是比较相近的。

与华北地区相比较（表4-6），植物种最丰富的五个大科是一致的，表现出两地区植物区系具有明显的共同性和联系。但是华北地区蔷薇科的种属数目显然比内蒙古丰富（276∶101），百合科、唇形科、伞形科、杨柳科、虎耳草科、忍冬科、桦木科等科的物种丰富度显著高于内蒙古，显示出华北地区属于东亚植物区系的突出特色。内蒙古的藜科、蒺藜科、柽柳科均比华北丰富，反映了亚洲内陆干旱区植物区系的特点。与蒙古国相比（表4-6），菊科、豆科、十字花科的种数都多于内蒙古，是排序占第一、第二、第五位的大科，这是因为蒙古国的山地及高山植物种类丰富多样所造成的。

二、植物属的多样性分化形成

在植物界的演化系统中，同一植物属的物种常具有共同的起源和相似的进化趋势。因此，在地区性植物区系研究中，属一级多样性的分析，对探索区系的演变更可提供有力的佐证与线索。①

内蒙古的高等植物共有865属，其中种子植物有653属。根据所含植物种数的多少进行分析，本区含有植物种数最多的属是苔草属（91种）与蒿属（70种），含有31—40种的属共有4属，含21—30种的属有8属，含11—20种的属13属，含5—10种的属129属，其余的均为含1—4种的属（表4-8）。

表4-8　内蒙古种子植物属的含有种数统计

含不同种数的属	属　数	含不同种数的属	属　数
含1种的属	289	含17种的属	2
含2种的属	137	含18种的属	1
含3种的属	74	含19种的属	2
含4种的属	42	含21种的属	1
含5种的属	28	含22种的属	1
含6种的属	20	含23种的属	2
含7种的属	14	含25种的属	1

---

① 马毓泉主编：《内蒙古植物志》（第2版）第1卷，内蒙古人民出版社1998年版，第96—98页。

（续表）

含不同种数的属	属 数	含不同种数的属	属 数
含 8 种的属	8	含 27 种的属	2
含 9 种的属	7	含 30 种的属	1
含 10 种的属	5	含 31 种的属	1
含 11 种的属	2	含 33 种的属	1
含 12 种的属	1	含 35 种的属	1
含 13 种的属	4	含 40 种的属	1
含 15 种的属	2	含 70 种的属	1
含 16 种的属	1	含 91 种的属	1

据此可将在本区含 1—4 种的属定为小属，5—15 种的属定为中等属，16—30 种的属为较大属，31—40 种为大属，70 种以上为特大属。

内蒙古种子植物的特大属、大属与较大属 20 属所含有的种数总计 604 种，分别占本区种子植物总属数与总种数的 3.1% 及 27.4%，中等属与小属合计 633 属，含有的种数为 1604 种，分别占总属数与总种数的 96.9% 及 72.6%。下面对内蒙古植物区系组成中的主要属做简要说明（表 4-9）。

苔草属是全世界广泛分布的大属，是各类森林、沼泽和草甸的重要成分。在内蒙古是占首位的特大属，各地的各类植被中，除荒漠植被及盐生植被少有苔草属植物的踪迹以外，均有该属的种出现，有些种可成为沼泽草甸的建群种与特征种。在森林的林下、草甸草原、山地草原、典型草原也常有苔草属的优势种。

蒿属主要分布于北半球温带，是高度分化的一属，果实传播与繁殖能力很强。在北温带的森林、草地及荒漠中都有常见种及优势种。是内蒙古植被组成中分布甚广的属，夏绿林、草原、草甸、荒漠、沙地植被、山地植被及农田与撂荒地均可见到不同的蒿属植物种。

本区的大属：黄芪属是世界性分布的一属，遍及内蒙古各地的植被类型中，既有森林草甸的特征种，也有草原优势种和荒漠种，在沙地与山地有更丰富的种。风毛菊属为北温带分布型，在内蒙古主要见于森林草甸与山地，也有少数种是草原的常见种。蓼属是世界性分布，主要是中生性草本植物，在内蒙古多见于草甸中。葱属是北温带广布属，中生种与旱生性的种都很多，是资源价值很高的植物类群，在内蒙古草原与荒漠中有一系列替代性分布的旱生种，并成为优势种或特征种，在山地与草甸中也有不少中生种的分布。柳属是北温带分布的木本植物，在内蒙古多是低湿地、沙地和山地成分，分别组成柳灌丛群落，具有重要的生态防护与资源价值。

表 4－9　内蒙古种子植物主要属的种数及分布型

属　名	种　数	分布型
1. 苔草属 Carex	91	世界分布
2. 蒿属 Artemisia	70	北温带分布
3. 黄芪属 Astragalus	40	世界分布
4. 风毛菊属 Sarussurea	35	北温带分布
5. 蓼属 Polygonum	33	世界分布
6. 葱属 Allium	31	北温带分布
7. 柳属 Salix	30	北温带分布
8. 委陵菜属 Potentilla	27	北温带分布
9. 棘豆属 Oxytropis	27	北温带分布
10. 堇菜属 Viola	25	世界分布
11. 毛茛属 Ranunculus	23	世界分布
12. 鹅观草属 Roegneria	23	旧大陆温带分布
13. 早熟禾属 Poa	22	世界分布
14. 繁缕属 Stellaria	21	世界分布
15. 乌头属 Aconitum	19	北温带分布
16. 沙参属 Adenophora	19	旧大陆温带分布
17. 马先蒿属 Pedicularis	18	北温带分布
18. 锦鸡儿属 Caragana	17	温带亚洲分布
19. 蒲公英属 Taraxacum	17	北温带分布
20. 铁线莲属 Clematis	16	世界分布
21. 绣线菊属 Spiraea	15	北温带分布
22. 鸢尾属 Iris	15	北温带分布
23. 虫实属 Corispermum	13	北温带分布
24. 猪毛菜属 Salsola	13	世界分布
25. 野豌豆属 Vicia	13	全温带分布
26. 婆婆纳属 Veronica	13	全温带分布
27. 针茅属 Stipa	12	全温带分布

　　较大的委陵菜属、棘豆属广泛分布于北温带。在内蒙古，多数种是见于草原和山地的特征植物。堇菜属、毛茛属、繁缕属都是世界广布属，乌头属是北温带属，这四属都是内蒙古山地森林草甸的常见成分。鹅观草属是欧亚大陆温带属，主要见于草甸。早熟禾属是高度分化的世界分布属，多为中生种，在内蒙古草甸植被中有若干建群种、优势种和特征种，也有少数草原种。沙参属和马先蒿属都是温带分布属，中生种居多，内蒙古山地分布的种较多，也有些草甸草原的特征种和少数草原种。锦鸡儿属是亚洲温带分布的一属灌木，随着中新世以来亚洲大陆环境的剧变，使本属也有若干旱生化与适应高寒气候的种系分化，成为亚洲大陆中部的重要特征属，并形成地理替代分布，在内蒙古草原区及荒漠区所分布的 10 余种也反映了本属种系分化的趋势。蒲公英属是北温带广布种，主要见于草甸、农田及撂荒地。铁线莲属是世界性分布的一属，在本区有一些特异分化的种及旱生种，分别出现在山地、草原与石质荒漠中。绣线菊属是北温带分布的山地灌木，多组成山地灌丛植被，内蒙古的各山区分别有不同种所建群的山地灌丛。鸢尾属在北温带广泛分布，也有显著的生态地理分化。本区的鸢尾属植物也分别为中生与旱生种，有沼泽草甸种、盐化草甸优势种，也有草甸草原、典型草原及荒漠草原的特征种。虫实属是北温带分布的一年生草本植物，在内蒙古地区都是高度适应于沙地的一年生植物，常常成为沙地的先锋植物居群或伴生成分。猪毛菜属是生态地理分异多样化的世界分布属，在内蒙古也有明显的分化，有 4 种是强旱生半灌木多年生荒漠建群种与优势种，另有 9 种是旱生化一年生草本植物，多生于干旱荒漠沙地，少数种可在撂荒地形成群聚。野豌豆属是南北温带广布属，在内蒙古多是限于山地森林、灌丛、草甸、草甸草原中出现的中生性草本植物。婆婆纳属是全温带分布属，内蒙古的本属植物主要见于山地、森林、灌丛及草甸，只有少数种成为草原成分。针茅属主要分布于欧亚大陆温带草原、北美温带草原及南美温带草原，是草原旱生化多年丛生型禾草，成为草原的主导成分。内蒙古草原区的针茅属形成了三组地理替代分布种，都是草原建群种或优势种，组成了内蒙古草原最主要的几个群系。

　　单种属与寡种属，从属一级的起源分化与发展中反映出植物区系演化的特点。有些单种属与寡种属是新属初始发生，尚未充分发展的植物种系，甚至是十分进化的类型。有些单种属与寡种属是古老属演化的末期产物，是残遗性的类群。在内蒙古植物区系中，上述两类都有典型代表。例如菊科的翠菊属（Callistephus）、百花蒿属（Stiipnolepis）、紊蒿属（Elachanthemum）、栉叶蒿属（Neopallasia）、线叶菊属（Filifolium）等代表着新属的初始分化。又如刺榆属（Hemiptelea）、沙冬青属（Ammopiptanthus）、四合木属（Tetraena）都是古老的类型。单种属与寡种属也代表着多样化的演化适应途径，如虎榛子属（Ostryopsis）、沙棘属（Hippophae）、文冠果属（Xanthoceras）、单侧花属（Orthilia）是森林区植物区系演化的产物。绵刺属（Potaninia）和曾在李属（Prunus）中分立的扁桃属（Amygdalus）都是适应荒漠旱生化的类型。杉叶藻属（Hippuris）是水生适应的代表。盐穗木属（Halostachys）、盐生草属（Halogeton）是盐土荒漠中保存的类型。锁阳属（Cynomoricm）是干旱区孤立残存的寄生植物类型。透骨草属（Phryma）则是东亚—北美间断分布的残遗属。

根据以上对生态系统及其生物多样性的统计和分析，可以说明内蒙古的生态环境是生物界与无机界协同演化的产物，是在第三纪以来伴随着陆地抬升，气候旱化，沙漠和黄土的堆积，使生物界发生剧烈变化的历史。内蒙古的地形是以高平原为主，并有外缘山地所围绕，构成了相对封闭的内陆干旱与半干旱区。在这一漫长的地质历史过程中，必然演化形成了以草原生态系统和荒漠生态系统及其生物组成为主体的生态环境。在外缘山地上，形成了针叶林、夏绿阔叶林、灌丛、草甸与沼泽湿地的复合型景观生态环境。中国北方民族就是在这一生态地理环境中创造了巍峨雄壮的草原文化。

第　五　章

内蒙古畜牧业的发展及其生态环境

第一节　畜牧业之前的渔猎生产
——依靠森林、草原与大河哺育的内蒙古先人

在人类发展史上，采集食物和渔猎生产是原始社会前期的主要生产活动形式，这是由人类所处的自然环境和适应环境，利用资源的能力所决定的。马克思在《资本主义生产以前各社会形态》一文中说：原始社会形态是由"种种外界的（气候的、地理的、生理的等等）条件乃至人类的自然特征（他们部落的性质）所决定的。"根据生态环境演变的研究和人文史料的判断，原始社会早期，内蒙古地区的先人所遇到的生态地理环境是森林、草原和较大的河流。当时，内蒙古东部的大兴安岭及其东、西两麓地区，中南部的阴山山脉及其南麓地区都是森林—草原景观。在距今十万至五万年前的人类原始社会，主要依靠渔猎维持生活。从旧石器时期"河套人"的发现可以得到证实。20 世纪 20 年代法国地质学家德日进（P. Teilhar De Chardin）和桑志华（利桑 E. Licent）首先在内蒙古鄂尔多斯南部"萨拉乌苏"地区发现了"河套人"的牙齿，50 年代我国地质考古队又在萨拉乌苏发现了"河套人"的顶骨和股骨，70—80 年代又发现了"河套人"化石 19 件。到目前为止，已出土"河套人"化石 23 件，在新发现的化石材料中，有 6 件是在晚更新世原生地层中出土的，因而具有更重要的价值。经 C^{14} 测定，其

年代为距今 3.5 万年。在萨拉乌苏还挖掘出大量晚更新世哺乳动物化石，主要有：纳玛古菱齿象、河套大角鹿、王氏水牛、原始牛、诺氏驼等，还有野驴、披毛犀、水牛的完整化石骨架，统称"萨拉乌苏动物群"。化石证明，在 5 万至 3.5 万年前，萨拉乌苏地区有茂密的森林与草原，有较多的湖泊和河流，当时的气候比现在温暖而湿润。所以，兽、鸟、鱼、虫的种类与数量也比较丰富。"河套人"打制和使用着多种石器，有尖状器、刮削器和雕刻器等，这些生产工具的个体小而精致，显示了"河套人"打制石器的工艺。与石器一起还找到了成堆灰烬、烧骨和"仓厨垃圾"，其中有大量兽骨，绝大多数是羚羊、鹿类的骨骼和角，证明这是"河套人"进行狩猎生产和生活居住的营地。另外，在阴山古代岩画上也可以证明确实"存在着一个狩猎时代"。在众多狩猎的岩画中，有独猎、双人猎、众猎和围猎等。以独猎场面最多，有引弓待发、有盘马张弓、箭头远远对准猎物身躯，有的猎人手持弓箭站在百兽中以示获物甚多。所画的兽类有野马、鹿、岩羊、野猪、野牛、罕达犴、虎、豹、狐狸等。这些阴山狩猎岩画说明了古代内蒙古地区经历了漫长的狩猎时代，到新石器时期达到狩猎鼎盛阶段，其后数千年不衰，一直延续到有文字记载以后。公元前一世纪，汉武帝的郎中侯记载"阴山东西千余里，草木茂盛，多禽兽，本冒顿单于依阻其间制作弓矢，来出为寇，是其范围也"。古代史籍中把生活在黑龙江上游（额尔古纳河与嫩江流域）的各部落统称"室韦"，其中"蒙兀室韦"是蒙古人祖先的部落。室韦一词在叶氏观木堂本《蒙古秘史》中写作"锡窝"，也有的写作"石恢槐"，虽然对"室韦"用汉文转写的不同，而汉音基本一致。学者们认为"室韦"也就是"鲜泉"，是"森林"或"密林"的意思。一些汉文书籍还记载了在于尼河一带有"乌洛侯"人，也属于蒙古人祖先的部落。在《蒙古秘史》中，乌洛侯人部落写作"兀鲁兀惕"部。乌洛侯人所居之地三面临水，西有完水、东有难水、北有尼大水（古代亦称北海即今贝加尔湖），所以把这个地方叫"多水的地方"，多水一词的蒙古语是"敖伦乌素"。其实，"乌洛侯"即"敖伦乌素"。这些资料说明，在公元五世纪以前，内蒙古先人赖以谋生的生态地理环境是森林、草原和大河，主要从事渔猎生产。

原始社会的渔猎生产向原始畜牧业和原始农业生产过渡是历史的必然，从而逐渐结束了单纯依靠渔猎和采集植物谋生的时代。在内蒙古南部生态地理环境优越的森林—草原地区，即现今西辽河流域的赤峰市地区、黄河流域的呼和浩特—包头地区出现了原始农业。在敖汉旗兴隆洼遗址发现的距今5 290±95年的"兴隆洼文化"，在林西县沙窝子遗址发现的距今4 895±70年的早于"红山文化"的沙窝子类型，在赤峰红山遗址发现的"红山文化"，在赤峰夏家店与宁城县南山根遗址发现的"夏家店文化"（青铜时代，夏商时期）以及在包头转龙藏遗址发现的阿善二、三期文化等遗址中，都出现了以种植业为主的发展趋势，谷物收获可能成为生活的主要食物来源。畜牧业以鹿、牛、羊、狗等动物为主，但仍保留着部分狩猎生产。以石刀、石斧、石耙、石铲砍伐林木，割取禾穗，疏松土壤，用石磨、石棒加工谷物，开始建立氏族村落。一部分离开森林西迁至蒙古高原地区的蒙古先民，由于进入草原地带，逐渐向原始畜牧业发展。

第二节　草原是游牧畜牧业的"摇篮"

草原是新生代的地史上自然演化形成的地理景观，主要分布在全球的温带半干旱地区，并扩展到相邻的半湿润区和干旱区，即湿润森林区和干旱荒漠区之间的中间地带。北半球的欧亚大陆是最大的陆地，其温带内陆半干旱与干旱区的面积也最大，所以在亚洲的中纬度地区形成了全球最广阔的温带草原。西自欧洲多瑙河下游起，呈连续的带状向东延伸，经罗马尼亚、俄罗斯、哈萨克斯坦、蒙古直到我国北方和东北松辽平原，东西绵延近110经度，南北在北纬40°—55°之间。内蒙古草原就是亚洲草原的东翼。半干旱区的降水量不足以支持森林的地带性发育，所以草原生态系统的绿色植被是由适应半干旱、干旱气候的多年生草本植物所组成的，这是植物演化史上最进化的植物类群。其中，地面芽植物和地下芽植物是草原的主要植物生活型。因此，草原辽阔无林，草原植物群落是以旱生丛生禾草占优势。在原始状态下，多种善奔跑的有蹄类动物和穴洞生活的啮齿动物栖居草原，成为草原生态系统中生物协同进化的优胜者，为人类从事家畜驯养和游牧生产提供了符合自然规律的资源与环境。

草原景观形成的历史较森林为迟，第三纪初（古新世，距今7 000万年左右），亚洲大陆轮廓与现今有很大不同，一些山地和高原尚未抬升形成，中亚还淹没在古地中海中，亚热带界限在北纬 42°左右，比现在温暖湿润得多，平均气温比现今高出 9℃—10℃，大部分地段是亚热带森林景观，最干旱的地段有稀树草原。到渐新世后期，古地中海从中亚退却，气温下降，气候旱化，纬度北移。从中新世到第四纪，新构造运动使青藏高原和喜马拉雅山、昆仑山、天山、阿尔泰山隆起，阻挡了大西洋和印度洋气流的影响。此时蒙古高原和黄土高原也随之抬升，推进了亚洲内陆干旱与半干旱区的形成。直到距今 10 万—50 万年，才形成了我国目前的地理轮廓。第四纪更新世，经历了多次冰期与间冰期的气候回旋，引起南北之间以及山地上下之间的植物交流。发生在古地中海东岸石质山地上的耐寒、耐旱草本植物在亚洲中部的蒙古高原、黄土高原逐渐代替森林植物，形成草原的轮廓。虽然在间冰期气温有所增高，但始终没有达到亚热带气候，只是出现过暖温性森林草原景观。古地理资料说明，草原始于第三纪末期（距今约 300 万年），在第四纪的荒漠化与草原化交替过程中，草原逐渐扩大并延续至今。

草原环境的特征是开阔起伏的地形，年降水量较低而且年变率很高，河流与湖泊较少。寻求水源成了动物和家畜生存的活动目标。因此，野马、野驴、原羚、黄羊等善于奔跑的有蹄类动物成为草原动物群的特征，也为人类循游放牧牛羊提供了自然参照系。草原的植物组成与动物和家畜的协同演化构成了和谐的生态系统与良好的营养组合。至今，已正式鉴定的，分布在内蒙古的野生种子植物达 2 212 种，而天然草地饲用植物约有 1 000 种之多。由于内蒙古气候环境的地带差异和生境条件的分化，各自形成了不同植物组合的草地类型。按这些植物的生态功能与饲用价值可分为以下几个类群：禾草类、苔草类、葱类、蒿类、豆科草类、猪毛菜类、一年生草类、灌木盐柴类和乔木枝叶类。家畜的放牧饲养对这些草类的饲用性形成了良好的适应，为游牧制度形成和完善提供了资源与环境保障。

禾草类，是家畜采食的基本饲料，在内蒙古东部的森林草原和草甸草原地带，禾草类的优势植物是贝加尔针茅、大针茅、羊草、冰草等，组成了适于牧养牛、马、羊的放牧场，羊草占优势的草原又是良好的割草场。内蒙古中部是大针茅、克氏针茅、羊草、米氏冰草及小禾草占优势的广大草原地带，成为游牧畜牧业的广阔天地。内蒙古中西部的苏尼特—乌拉特草原和鄂尔多斯草原是小针茅、沙芦草、隐子草等小型禾草占优势的荒漠草原地带，是适于养羊的放牧场。在草原地带和荒漠草原地带地下水位较浅的古河道与低洼地上，高大禾草芨芨草（当地名叫"德力松"）形成高达1.5米的草滩，是家畜最好的冬营地。冬季降雪后，特别是大雪，草原上的植物多被雪覆盖，此时高大的芨芨草滩，因地势低洼，利于避风保温，"风滚草"易于堆积，增加饲草储量，各种牧草萌发也较早，在草原游牧制度中，是家畜最好的冬营地。

葱类，在草原上种类较多且分布广，叶肉质多汁。在夏季，特别是秋季结实时，牲畜不但喜食，还能代替一些饮水，由于葱味刺激，加大采食量，有利于抓油膘。所以，葱类植物集中分布的草地适宜夏末秋初放牧。这时，牧民专找生长"牤哥"（葱类植物的一种：山葱）较多的草地放牧，秋后，即可膘满肉肥。这是游牧生产方式中的一项重要经验。

一年生小禾草、一年生蒿类、一年生猪毛菜类，因为是出现在夏季高温雨季的一批牧草，被牧民称作"热草"。在内蒙古中、西部的荒漠草原和荒漠地带是一项很重要的饲草料资源。根据夏季一年生植物出现的多少，可以预断当年家畜膘情好坏。秋季放牧采食"热草"是一项抓膘的重要方式。在干旱年，一年生植物生产量很低，往往成为畜牧业的歉收年。

木质猪毛菜类、蒿类、灌木盐柴类植物，是荒漠地带的重要饲料资源，是骆驼自由采食或羊群放牧的主要饲料，这些植物体内盐分含量较高，是家畜盐分代谢的来源。有些植物种类在青鲜时牲畜不喜食，降霜后可供冬春季放牧利用。

上述草地类型和饲用植物类别的差异，决定了放牧利用价值、利用方式和利用季节的不同，提供了逐水草而迁徙的选择。在游牧畜牧业发展历程中，积累了顺应自然的生产方式和实用技术，形成了与草原环境相适应的生活习俗，创造了富有草原特色的民族文化，使内蒙古成为我国北方游牧文明的重要发祥地。

第三节　放牧畜牧业的形成与早期发展

原始畜牧业与狩猎业具有必然的渊源联系。随着人口的增多并向氏族社会演变，只靠渔猎业生产很难有稳定的食物来源和保障，因为不能把大量易腐烂变质的兽禽鱼肉和皮等贮积起来，留到猎物不足时再食用，更不能作为积累的剩余产品与他人交换。在公元五、六世纪时，蒙兀室韦和乌洛侯人就开始从渔猎生产向经营畜牧业转变。如《蒙古秘史》中记载的合答斤部落传说中的祖先是不忽合答吉（鹿部落），这说明蒙古合答斤部的先人就开始从事养鹿的畜牧业。日本人鸟居龙藏在室韦人和乌洛侯人活动的地方发现有刻在石崖上的"驯鹿图"，也说明养鹿可能是由狩猎向畜牧经营最早的直接转变。因为鹿是森林动物，是狩猎的主要对象之一，在向畜牧业过渡的初期，也成为优先收养的动物种类之一。另据《魏书》、《北史》及新旧唐书等史籍记载，蒙兀室韦"养牛""多猪""少马、无羊"，说明了早期的畜牧业以养牛为先。在公元七世纪时，已有蒙古先人部落开始从森林与大河地区向大漠南北的辽阔草原转移，开启了草原放牧畜牧业的发展历程。经过了若干世纪的岁月，到成吉思汗统一蒙古各部落，建立蒙古汗国时，按拥有的牲畜数量来说，草原放牧畜牧业已得到很大发展。

从公元七世纪西迁时"少马无羊"的部落，到九世纪成吉思汗的十二世祖脱罗豁勒真，已成为牧养很多牲畜的"伯颜"（富人）。单就马而言，他不仅拥有骟马、骒马，还有两匹专供骑乘的骏马。再到1189—1196年的成吉思汗与扎木合的战争中，出动了近十万马匹，可见马的饲养量之多。作为统帅的成吉思汗也深知战马的重要，他说："战中落马之人，何能再战骑士。"[1]《多桑蒙古史》记载的家畜有骆驼、马、牛、羊，尤多马。《元史》上也说："太仆寺之马，始不可以数计。"羊的饲养数量也很可观，1203年汪古部阿剌兀矢的剔吉忽里一次就卖给回回商人阿三1 000只羊。意大利人马可·波罗也记载过，去布哈拉途中，一共走了17天，沿途所见"牛羊遍野、骏马满谷"，说明十二世纪蒙古部落畜产之多。

关于原始畜牧业的起源，蒙古学研究者根据大量考古发现的遗物认为蒙古高原上畜牧业的起源是很早的。现已发掘的大量化石中，即包括马、牛、羊及其祖型等动物类群，约计有百万年的历史。据推断，在蒙古高原的草原地区，把马、牛、羊驯化为家畜，可能是在新石器时期的早期和中期。

《匈奴传》对于公元前2 000多年以前（尧舜以前）的畜牧业生产已有

---

① 〔波斯〕拉施特著：《史集》第1卷第1分册，余大钧、周建奇译，内蒙古大学印制，第284页。

记载："居平北边，逐水草畜牧而转移，其畜之多，则马牛羊"，说明当时已驯养了马牛羊。汉朝时有"云中川（即呼和浩特地区一带）自东山至西河二百里，北山至南山有百余里，每岁孟秋，马常大集，略为满川"的记载。公元前200年，匈奴人在当今的山西大同一带以四十万骑兵与汉高祖刘邦对战，曾以马的颜色分类编队，"匈奴骑，其西方尽白马，东方尽青龙马，北方尽乌骊马，南方尽骍马"，可见当时马不仅数量多，而且毛色也不同，养马业已相当发达。关于养羊也早有记载，《史记》中"（匈奴）逐水草迁徙，城郭常处耕田之业，然亦各有分地。……儿能骑羊，引弓射鼠，久长则射狐兔，用为食"的记述，既表达了养羊，也说明了狩猎与农耕生产的并存。

对于《魏书》《北史》中所记载的"无羊、少马"，我们应该用生态学观点进行解释。因为当时的"蒙兀室韦"部落是生活在森林—草原地带的生态环境中，以狩猎为主，"养牛、少马、无羊"，是对生态环境条件适应的结果。森林中的气候湿润，土壤潮湿、平洼处多积水、蚊蝇也多，不适于羊的生活。羊和马都是草原动物，适应于干爽气候，喜食粗脂肪及粗蛋白含量较高、水分含量较低的旱生草类，是与草原环境协同演化的产物。这也与《元史译文证补》、《史集》的记载和流传的"化铁熔山"的传说相吻合。蒙古先人从额尔古纳河流域的森林中，熔化大山，走向大漠南北的草原。正如《蒙古秘史》中所记述的，养马、养羊的畜牧业是在草原地带长足发展起来的。蒙古部落于七世纪西迁，到九世纪中叶是从狩猎为主逐渐过渡到畜牧业。他们西迁到草原，与突厥人发生交往，在生产实践中学习了畜牧业生产技术。公元840年，回鹘人被黠嘎斯打败后，向天山南北及河西走廊迁移，原来回鹘人占据的三河流域（鄂嫩河、克鲁伦河、土拉河），成了蒙古人的天地。他们继承学习匈奴、突厥、回鹘人的经验，牧养马、牛、羊和骆驼，在民族文化交融之中，草原畜牧业逐渐发展。正如"地豆于国（今乌珠穆沁地区）在失韦（按：室韦）两千余里，多牛羊，出名马，皮为衣服，无五谷，惟食肉酪"[1] 的记载，表述了广大草原地区畜牧业养马、养牛羊的发展状况和生活情景。

---

① 《魏书》卷100《地豆于传》。

从上述历史回顾中可以了解到蒙古高原的畜牧业发展，是依托草原生态环境，利用草原生物多样性资源，提高生产技能和改进经营制度的长期过程。草原的气候环境自然选择了一岁一枯荣的多年生草类，尤以耐旱的丛生禾草为主。各种牧草的粗蛋白、粗脂肪、纤维素、维生素、无机盐类及微量元素等，成为草食动物群的完全营养组合，适宜于养马、养羊，为放牧畜牧业提供了物质基础。但因草原气候是冬严寒、夏温暖，牧草是冬枯夏荣，还须有顺应冬春季家畜饥寒交迫的经营之术。在《蒙古秘史》《史集》等史书上均有不少相关的记载，牧民要根据各种家畜的不同特点，选择不同牧场放牧，为了按不同季节选择适宜的牧草，需要把不同特点的草场划分为四季营地，因而在生产中也出现了某些劳动分工。例如《蒙古秘史》记有牧马人、牧羊人、牧牛人等分工，还有对母羊、羔羊采用不同放牧方式的说明。可见古代蒙古人的原始游牧生产已有一定的规范，表现出牧民已有熟悉和顺应自然规律的经验与智慧。逐水草而居的游牧方式就是适应草原环境与资源条件的历史性创造。

第四节　中世纪的草原畜牧业发展与生态环境

在蒙古高原的草原畜牧业形成与发展中，牧民已经深知利用草原水草资源是畜牧业的根本保障，因此，蒙古牧人非常重视保护草原。为了顺应草原寒暑、干旱、风雪等不稳定的气候变化，防灾避害，扬长补短，他们不断积累和丰富畜牧业生产的经验和技能。《元史·太祖记》中记载：有一群押剌亦儿部的小孩在咩然笃敦家的草场上挖草根为食（注：甘草之类），咩然笃敦之妻见到后，怒曰："此乃我子牧马之所，群儿辄敢坏之耶"，要求"驱车轻出，辗扬诸儿，有至死者"等。还有对合理利用草场，划分季节牧场的记载：莫拿伦家设有专门牧马的牧场。扎木合统治的部落也有牧马场和牧羊场之分。《蒙古秘史》也记载：成吉思汗和扎木合在夏季牧场中，按照丘陵低山牧场的地形条件，在山脚下设帐房居住，在山上牧马，在山涧下放羊，以保证羔羊的饮水之便，说明了季节牧场的倒场放牧和适宜的牧场选择。在牧人的长期实践中也造就了一代又一代的放牧能手。例如史书记载的别力古台、脱忽剌温等都是放马能手。迭该则，善于把每个羊牧养得肥胖，使羊群繁育得满山遍野。书中也记载了一些兽医技术，如针刺医治畜病，为公畜去势技术等。

草原畜牧业生产发展到中世纪阶段，已经选择培育形成了多种适应蒙古草原的家畜地方品种。现将当时牧养的五种家畜及其生理生态学特性、牧草采食特点、生态环境适应特点、利用价值和品质分述如下：

一、蒙古马

蒙古马是在蒙古高原上育成的古老品种，至今仍有饲养，并演化形成相似的不同品系，可代表它的祖型特征。蒙古马体形粗壮，头垂颈丰，胸宽背平，腿不甚长而强劲有力，蹄坚齿健、鬃尾发达、毛色甚多。蒙古马虽不比欧洲马和阿拉伯马的形体高大，但能适应严酷生态环境，可终日生活在野外不需棚圈，冬季能觅食枯草不用补喂草料。冬季遇有雪被覆盖牧草时，能用蹄刨深达一肘的冰雪之下采食枯草。越冬后如以青草为食，很快能恢复强壮的体力。适宜在开阔、平缓、干爽的草原放牧，喜食中等高度或细小的禾草类牧草以及细小苔草、半灌木蒿类、菊科的蓟属植物，只少量采食葱类植物。蒙古马善奔驰，不易疲劳，耐力持久。平步行走，每小时5—6公里，快步每小时达20公里，跑步30公里，奔驰速度可达40公里。蒙古马主要用于骑乘（放牧、狩猎），古时多作战马。在成吉思汗的骑兵中，每个骑士要带2—3匹战马，轮换骑乘。蒙古马喜群居，以数十匹或数百匹的马群放牧，最大的马群可达千匹。一头牤马，可交配15—30多匹母马，马驹生下后不久即可跟着母马入群，马驹可食六个月母乳。马奶能制作"马奶酒"，古人早有饮用马奶酒的习惯。史有记载："马奶初取者太甘不可饮，越二、三日后则变酸不可食，惟取之造酒"，"酒味最厚，俸上敬宾"。仔马一岁时开始打鬃、剪尾或去势。蒙古人对培育马的良种卓有贡献，中世纪时，已出现了不少地方良种。如《魏书》中提到的"乌珠穆沁马""太仆寺马"等。马的寿命约20岁，20岁时牙齿多被磨平，因食量减少不耐饥寒易死亡。成吉思汗爱马，教育臣民爱护马匹，大法中规定，凡无故杀害战马、盗马者，都应受到应有惩罚。战马参战后，需放牧饱食，以保证骑数百里而能耐久战。

二、蒙古牛

蒙古牛也是蒙古高原上的古老畜种，属于黄牛（Bos taurus）族系。根据考古资料判断，早在新石器时期黄牛已有驯养。几千年来，生活在蒙古高原地区的匈奴、鲜卑、突厥、回纥、契丹等北方游牧民族均牧养黄牛。后来蒙古民族培育成一种乳、肉、皮多种用途的畜种——蒙古牛。最早牛可用来食用和祠用，史书有"祠用牛羊皆烧之"的记载，战国时期也有杀牛取血"将以衅钟"和"锥牛而祭"的记载。① 后来蒙古牛主要是肉用、乳用和皮用，成为重要的生活资料。因此，养牛的数量是牧民生活质量高低的一个标志。到成吉思汗时代，牛已广泛役用，但非耕役，而是驾车。《蒙古秘史》中有"豁阿黑臣急忙赶着花脊牛前进，但是车轴断折了"。说明当时已有牛车的记载。游牧倒场的迁移，多用一连串牛车（俗称勒勒车）为运输工具。至于用牛耕地，到明朝才见于史书："今观诸夷耕，与我塞下不甚相远，其耕具有牛有犁。"

蒙古牛的身体中高，皮厚而被长毛，多黄褐色，也称蒙古黄牛，角长而且较直，是耐粗放、抗病力强、能适应严酷环境的畜种。全年在天然草场上放牧，不补喂草料。经过冬季到次年春天已经很瘦弱的牛，采食到青草以后可以很快恢复体力，夏秋与冬春季的体重一般相差20%以上，只有少数病弱牛在冬春季节死亡。蒙古牛群较小，一般数十头至百头。母牛三岁性成熟，四岁开始分娩，为了挤奶，犊牛不跟母牛入群放牧，而是留在毡帐附近，待挤乳后才哺食母乳。蒙古牛产乳量不高，但脂肪含量高，可达7%—8%。由于母牛与挤奶的妇女接触较多，对牧民妇女有较深的感情，听蒙古妇女的歌声后会表现得温驯和泌乳流畅。

蒙古牛喜湿润、半湿润的森林草原环境，牛的食草方式是大口采食中高型牧草，喜食碳水化合物较多（偏酸性）的草类和中生性阔叶灌木与树木枝叶，不适于采食细小低矮的草类和粗硬干燥与盐柴类饲料。在干旱荒漠草原和荒漠地区难以成群地放牧养牛，只能用舍饲喂养方式少量养牛。

---

① 《孟子》卷之一；《论语》卷之一。

三、蒙古羊

蒙古羊在蒙古高原及中亚地区广泛牧养，是粗毛脂尾羊的古老品系。蒙古羊个体较大，体质结实，骨骼健壮。头面部略显狭长，鼻梁隆起，耳大下垂。公羊多有角，略呈螺旋状弯曲，母羊无角或具小角。胸宽背平，四肢长而强健，被毛为白色，头、颈与四肢常有黑色或褐色斑块。蒙古羊尾肥大，尾末端卷曲，公羊尾重约3—5公斤，母羊尾重2—3公斤，富含脂肪，凝脂如白玉。过冬度春时期，可消耗尾部脂肪，维持其生命。南宋时，洪皓的《松漠记闻》一书记载："羊生鞑靼者，大者如驴，尾巨而厚，类扇，白脊至尾或重5斤，含脂，以为假熊……"蒙古羊以肉用为主，肉、毛皮兼用，成年羊屠宰净肉达20公斤。蒙古羊一年剪两次毛，春毛为秋毛产量的1—3倍，毛为粗毛，是制毡、制毡帐的原料，毛皮可制作冬季御寒的皮衣。蒙古羊寿命约10—12年，母羊的牧养年限一般不超过7—8岁。羊肉以二岁羊屠宰最好吃，杀二岁羊可待上宾。大量杀羊在秋末初冬，为冬季与次年储备肉食，并可避免越冬度春期间羊体掉膘的损失，这是经营养羊的一项重要经验。羊的全身产品构成牧民最重要的生活资料。

蒙古羊性温驯，适应性强，耐粗饲，全年放牧。放牧羊群一般可达300—1 500只。蒙古羊适宜于干爽环境，不适应低湿洼地，放牧以平坦或山丘草场为宜，需适时到含盐性植物草场上补盐（舔盐）。喜食细小禾草（针茅、隐子草、冰草、洽草、羊茅等），也可食具蒿味的多年生草和小半灌木（如冷蒿、亚菊），对葱类植物有特殊嗜好，利于增膘。

四、蒙古山羊

蒙古山羊是蒙古高原早期饲养的五畜之一，是现代山羊品种的共同祖先。在史籍中，山羊是文字记载最少的一个畜种，或与绵羊统一被纳入羊的类群中做笼统的记载。历史上，蒙古部落的宗教习俗中，撒满教在做法事和祭祀时常常提到要用多少只黑山羊血驱妖降魔，说明蒙古部落很早就已经牧养山羊了，但山羊的数量一般比绵羊少。据记载，可能只占羊总数的十分之一以下。

蒙古山羊面容清秀，眼大而微突，耳大下垂，额部有一束卷曲长毛，额下有较长的额须。公、母山羊均有角，公羊角长而粗大向上，并向后向外伸展，略呈螺旋状，母羊角细而短。山羊体格匀称、身躯似长方形，后躯稍高于前躯。四肢强健有力，蹄质坚硬，整齐如削木。尾短小，向上。被毛多白色、黑色，也有灰白色、黄褐色的，或有花斑。蒙古山羊体质结实，抗病力强，耐旱、耐寒，能远牧，终年在草场上放牧，不补饲。山羊性格活泼胆大，动作灵活敏捷，善攀登，能走悬崖陡壁，在冬雪覆盖草场时能用蹄刨草取食。山羊繁殖率高，二岁即可分娩，多双羔。因体格小于绵羊，成年羊宰杀可得净肉约10—15公斤。山羊可供肉、乳、皮、毛兼用。羊奶是制"奶酪"的优质原料。元朝以前牧民就有了挤山羊奶做营养食品的经验，并有记载："资粮罄绝，仅余山羊数头，取其乳为食。"明代也有"取羊乳，将牝羊两只其头相对，束缚之使不动，从羊尾后取之"的记载。

山羊对牧草的需求与绵羊相似，喜食细小草类，如丛生小禾草、苔草、葱类和小半灌木蒿类。但其可食牧草种类较绵羊为广。能适应干旱草场、灌木草场、劣质草场，特别是石质山地草场。正如牧民形容的那样，山羊吃草如"镊子夹草"在多刺难采的草丛中能巧妙地选择可食牧草。如豆科多刺的锦鸡儿属灌木、刺叶柄棘豆等坚硬的草丛中，山羊能专门采食其花、叶。其他家畜（马、牛、绵羊）不食或不喜食的苦涩草类山羊也可采食。在饲草缺乏的情况下，山羊能用蹄刨食草根，也能爬到小树上采食枝叶、花果。

五、蒙古双峰驼

据古生物学研究，中新世时（距今2 000万年）在古北大陆上，"二趾原驼"趋向体形增大的"原驼"演化。后通过当时北美与亚洲陆地相连的白令海峡，向亚洲大陆比较寒冷的温带荒漠、半荒漠地区迁移，逐渐演化成古代的双峰驼。另一支向热带非洲荒漠和中东荒漠区迁移，则进化为单峰驼。至今，中国西北的新疆阿尔金山、罗布泊地区、内蒙古额济纳河流域以及蒙古国的外阿尔泰戈壁地区仍有野骆驼的生存，正是蒙古双峰驼的祖型。说明蒙古高原西部是双峰驼的原产地之一。我国古籍中也有养骆驼的多处记载，司马迁在《史记·匈奴列传》中记载"唐虞以北……居于北蛮，随水草而转移，其畜之所多，则马牛羊，其奇畜则橐驼"。中原地区对骆驼以"奇畜"相称，更足以证明"其种大据出于塞外"。《魏书·食货志》记载

"世祖之平统万，定秦陇，以河西水草善，乃以为牧地，畜产滋息，马至二百余万匹，骆驼将半之，牛羊则无数"。宋代《契丹国志》记载："过古北口，即蕃境，时见畜牧牛马，骆驼尤多。"

骆驼是内蒙古地区较早饲养的家畜之一，被列入五畜。据研究，养骆驼可能始于成吉思汗征服西夏的时代。《蒙古秘史》249 节记载了成吉思汗征服西夏（1227 年），西夏王不兜汗征集了芨芨草丛中养育的许多骆驼作为珍贵物品奉献给成吉思汗。从此，养驼业逐渐兴起。骆驼的性能兼备马、牛、绵羊、山羊四畜的若干性能，使役乘挽似马，肉乳产量近牛，生产绒毛像羊。骆驼体格粗壮结实，体高约 2 米，仰头高约 3 米，被毛多黄褐色，偶有白色。骨骼发育良好，股肉丰厚、四肢有力。头短颈长，鼻梁隆起，胸宽，肋骨拱起，双峰高大挺立。驼 4 岁以上交配，2 年分娩。6 岁发育完全，寿命约 30—40 年。骆驼性情温顺，但交配时除外，雄驼配种季节易伤人。骆驼适应性非常强，耐饥渴、耐风沙、能负重、善于行走戈壁和沙漠，在自然条件十分恶劣的情况下能生存繁育。

骆驼采食能力强，食性特点是能吃粗大、多刺、干硬的牧草及木质化程度很高，含盐分的灌木、半灌木，如碱柴、猪毛菜类、蒿类、红柳等，都能喜食。每次采食量很大，故一次食后能坚持数日。各种家畜与采食牧草的关系可用图 5-1 表示。

到 13 世纪成吉思汗时代，畜牧业达到了相当繁荣的程度。生产经营方式及所有制由 11—12 世纪原始畜牧业经营方式的"古列延"体制演变为"阿寅勒"制。按《蒙古秘史》所介绍的"古列延"是"毡帐数面列成环形，氏族长老的毡帐居于中央"。众多的帐幕结成环形圈子在原野上屯营叫"古列延"，即游牧氏族以部落首领为中心，本族成员环绕其周围驿营的形式。11—12 世纪，蒙古社会由氏族制逐渐向奴隶制以至封建制过渡，这一时期作为原始畜牧业经营方式的"古列延"已经不利于生产发展。"古列延"是氏族所有制，草场与牲畜为氏族公有，氏族成员在一起过集体游牧生活。在原始畜牧业初期，经营的畜种和数量都很少，生产力低，放牧和管理经验还很少。若单独以个人进行个体经营，维持不了各自对生活资料的需求和再生产的持续进行。如遇大的天灾，个体难以抗御，更不能承担起防御异族的外来侵略。史实可证明"古列延"是以血缘为纽带组织起来的，后

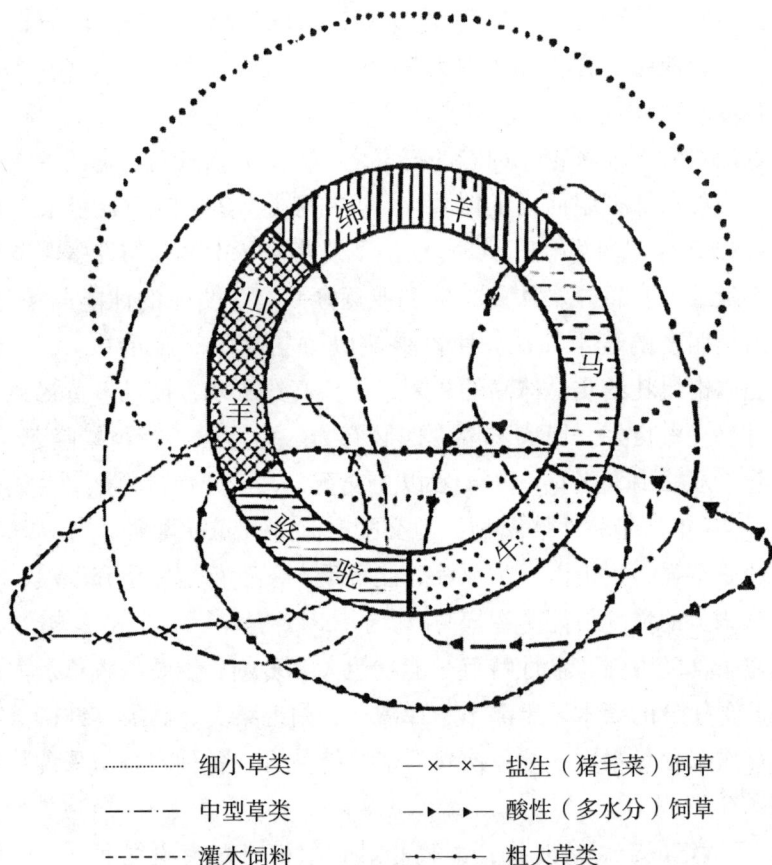

·················· 细小草类		—×—×— 盐生（猪毛菜）饲草
—·—·— 中型草类		—▶—▶— 酸性（多水分）饲草
------ 灌木饲料		—•—•— 粗大草类

图 5 - 1　天然草地环境及饲草与家畜的关系图

来才逐渐淡薄了血缘色彩。这种经营方式在生产力低下时是有利的，随着牲畜的增多，则会限制畜牧业再发展。牲畜的数量多了，原有的水源和草场承载能力是有限的，必须再扩大水源和放牧草场的范围。过去只会寻找河流与湖泊饮水，到窝阔台汗时，才有"做盘营的地方教民穿井"的技能。因此，氏族部落经营方式的"古列延"对畜牧业的发展就不适应了。以家庭为单位的"阿寅勒"私有制经营方式开始兴起，逐渐代替了"古列延"制。"阿寅勒"便于灵活机动地分别进行远距离的游牧，扩展了水源和草场的利用。一般说来"阿寅勒"只包括二、三代人的家庭，人数不多。从成吉思汗的家庭来看，有母亲、庶母、兄弟五人、妹一人及妻，另外有两个那可儿及女仆，总共不过十几个人。"阿寅勒"的游牧方式，通常是一个家庭或二、三个家庭组成的小联合体，这种经营方式进一步促进了游牧畜牧业的发展。从成吉思汗时代到忽必烈建立元朝以后，对牲畜的放牧与饲养管理也有了很大进步。当时已经采用搭盖棚圈、贮备饲草、搭配饲料，进而实行马的厩养舍饲等畜牧业经营方式。

当时大兴安岭北部地区作为元朝皇室的先祖发祥之地，对畜牧业给予特别关注与支持，成为许多家畜优良品种选育的原产地，巴尔虎草原牧民为畜牧业经营创造了许多可贵的技能和经验。漠北草原的畜牧业遇有自然灾害时，元朝官府从中原地区调拨粮食进行赈济，支援畜牧业生产，使蒙古高原广大草原的畜牧业得到长期稳定发展。元朝漠南草原（内蒙古）的牲畜常于秋末冬初就近到华北的农家田野牧养，这些地区农民曾提供养马的粮秸。如 1307 年大都路农家承担饲马 94 000 匹，供应粮食 10 万石，外路饲马119 000 匹。这一年官府发行的盐券向农民换取秸草将近 1 300 万束。另外，还在内地倡导栽培牧草，大都（北京）有上林署，"种苜蓿以饲驼马"，又有"苜蓿园"，"掌种苜蓿，以饲马、驼、膳羊"等。元朝还几次颁布"劝农"条例，其中一条就是规定农村各地"布种苜蓿"，"喂养头匹"，从而使畜牧业生产促进了华北地区的牧草种植业。苜蓿既作为饲料，"亦可接济饥年"。可见，当时畜牧业与种植业已建立了相关的产业链，这是早期农牧结合的形式，改变着全年放牧的原始畜牧业经营方式。

生产体制的转变、生产力的发展是蒙古族各部落的统一和蒙古汗国建立的基础。进而发展成为世界上游牧畜牧业发达的地区，也是养马业发达的国家，最后成为横跨欧亚大陆的蒙古大帝国，对世界游牧文化的发展做出巨大贡献。

草原畜牧业的发展史，实际上是在寻求人类与自然界和谐发展的文明之路。是顺应草原生态环境，利用草原生物多样性资源，提高生产技能和改进经营制度的长期文化积垫，已经形成了一整套游牧文明和生态文明的历史遗产。

第五节　明代的畜牧业与生态环境

1368 年元室北归大漠，并以长城为界形成蒙明对峙局面。随之而来的是经济格局的变化。元代曾在漠南地区形成的以畜牧业为主，农业、商业、手工业并存的局面已逐渐打破，经济处于显著衰退状态。总体来看，整个明代（北元）时期，东西蒙古地区，畜牧业都是基础产业，牲畜是主要财富，维持着蒙古族传统的经济生活，既是数十万蒙古牧民的基本生计，也是蒙古贵族维系统治的经济基础。在明代前期的一百年中，蒙古地区农业绝迹，农牧交换中断，城市荒废，经济又退回到原始粗放畜牧业阶段。

明初的四十余年间，漠南的畜牧业面临着基础薄弱，又有战乱的困难处境。北元与明朝之间数十年的战争，大大地影响着畜牧业的恢复。明军不断北征，使漠南地区无法维持定期有效的游牧，一些部落不得不远距离迁徙他处。牧民大量逃亡到明朝统治的国境之内，使生产力大受损失。据统计，仅明初的二十多年间被俘和降附的蒙古人口不下七八十万。战争（包括北元与明朝间的战争和蒙古封建主之间的内战）造成的伤亡十分严重，漠南地区已是人烟稀少之地，牲畜数量也大幅下降。明军凭借扫荡式的进攻，常常获得"驼马牛羊无计"的战果。据记载，仅1372—1388年间的三次战争，明军即获得了近三十万头牲畜。[①] 辽阔草原曾一度出现"万里萧条，惟见风埃沙草"的衰败景象。

15世纪中后期开始，内蒙古地区已进入一个新的发展时期。政治上的暂时统一减少了内乱；军事上随着明朝的停止出击，漠南地区相对稳定下来，加上南北经济交流的恢复，草原畜牧业得以复苏，并进一步向前发展。

首先是牲畜数量增长，可以通过正统、景泰年间蒙明之间贡市贸易中出现的牲畜数量即可窥见其牲畜数量的增长。按理推知，用于朝贡、交易的马匹、骆驼基本上应当是畜牧业的剩余产品，反映出生产规模的扩大和数量的增长。1440—1453年间，几乎每年蒙古都派出规模庞大的使团赴明朝贡。其中有6次贡马都在2 000—4 000匹之间，最多的一次携带马驼多达40 000匹以上。[②] 但是，这些牲畜是来自东蒙古还是瓦剌（西蒙古）尚不得而知。牲畜数量的增长也可以从人口的增长状况推断。这一时期蒙古的人口也有很大的恢复与增长。《明史》记载，当时"小王子"（乌珂克图汗，约

---

① 曹永年：《蒙古民族通史》第3卷，内蒙古大学出版社2002年版，第106页。
② 曹永年：《蒙古民族通史》第3卷，内蒙古大学出版社2002年版，第183—184页。

1447—1465 年在位）"挖弦人余万"。按每户五口出一骑推算，则大汗直辖人口至少也有五六十万。其余大小封建主也拥有数万骑到数百骑的骑兵。如孛来（1450—1466 年）本部有两万骑，但 1465 年他实际控制的部众曾达到九万骑，约有四十余万人。可见蒙古族人口的增加是明显的。人口增长是以畜牧经济的增长为依托的。《北虏风俗》说蒙古骑士"恒备马三匹五匹，多则八九马"，按此推算，仅战马一项即有数十至百万匹，合之牛、羊、骆驼，牲畜总量相当可观。

其次是漠南牧场的恢复和扩展。正统以后，明蒙间对峙的形势发生变化，明对蒙古采取守势，蒙古转为攻势。战场由漠南草原推进到长城沿线明朝一侧。以前蒙古"不敢近边驻牧"的形势彻底改观。三卫诸部深入到蓟镇宣府边外（今张家口地区）驻牧。河套地区（今内蒙古包头、巴彦淖尔市及宁夏）也为蒙古占据。此前这里曾归明朝控制，但基本是无人区，林深草茂，生态环境良好，是一大片优质牧场。此后则成为漠南蒙古各部重要的生息地。

明代蒙古中期以后，由于战乱减少，社会相对稳定，经济有了明显进步和改善。从全局看，蒙古仍旧保持着游牧经济，畜牧业仍然是蒙古最主要的生产部门。肖大亨说："夷人畜产，惟牛、羊、犬、马、骆驼而已；其爱惜之勤，视南人之爱惜田禾尤甚。"[1] 衣食住行诸生活用品，无不依恃牲畜，自然会受到极端重视。但随着畜牧业达到了更高的水平，农业、手工业等多种经营也有所发展，某些局部地区还颇具规模。

社会的相对稳定，诸部划地而牧，是游牧经济进一步发展的必要前提。1498 年（弘治十一年）秋，总制甘凉边务王越偷袭驻牧贺兰山后蒙古一部落。据他的《贺兰山后报捷书》说，"宁夏贺兰山后，地势旷远，水草便利，六七十年之间兵所不到，七八十里之外虏得自由生养藩息，久安乐土"[2]，他所看到的正是这种和平生活的生动景象。这样的环境大大促进了畜牧业的发展。

限于技术，古代游牧生产一般只能利用大自然提供的地面水草资源。不

---

[1]　肖大亨：《北虏风俗·牧养》。

[2]　王越：《平贺兰山后报捷疏》，《明经世文编》卷 69。

过据《黄史》说，明代兀良哈万户"为井水之开掘者"。也许当时开凿水井并不普遍，但却表示蒙古族劳动人民已经试图开发无水草场。

广大牧民世代积累的生产经验是推动畜牧业经济发展的重要因素，从选择良种、交配、接羔、抓膘，直至马的调驯，都有一套行之有效的成法。肖大亨《北虏风俗·牧养》记录了不少这方面的情况，如人工控制羊的生育期。岷峨山人《译语》也有不少关于畜牧业生产的记载。

诸多的因素推动了蒙古畜牧业的发展。明代中晚期蒙古所拥有的牲畜数量大增。隆庆初，东蒙古近边的一个小部落伯颜打赖部即有"牛马约十余万"①，俺达汗拥有"马四十万，囊驼牛羊百万"②。这是一个非常惊人的数字。1587 年（万历十五年）喀尔喀之阿巴岱噶勒照台吉叩见达赖喇嘛，"呈献貂皮、帐房并币帛、牲畜皆以万计"③。同年察哈尔之阿穆岱洪台吉叩见达赖喇嘛，也"呈献金银币帛等物、驼马皆以万计"。甚至板升汉人头目赵全，也在不到二十年的时间里积累了"马五万，牛三万"④。反映了当时畜牧业的繁盛。

边境互市贸易规模从侧面透露了明代晚期蒙古畜牧业的水平和日益增长的趋势。1571 年（隆庆五年）俺达封贡，互市初开，宣府、大同、山西三镇官易马 7 000 多匹，加上商民等所市马骡牛羊，共 29 000 多头匹。以后逐年增加。1572 年（隆庆六年），老把都诸子未曾到市，三镇亦官市马 7 845 匹。1573 年（万历元年）三镇官市马 19 103 匹。1574 年（万历二年）三镇官市马猛增 27 170 匹。⑤ 1582 年（万历十年）以后宣大三镇市马每年在五万匹以上。⑥ 这是官市马匹，互市中的民市交易仅 1571—1572 年交易牲畜即有近 3 万头只。⑦

---

① 刘寿：《答内阁兵部议处属夷伯颜打赖投降书》，《明经世文编》卷 307；瞿九思：《万历武功录》卷 8《黄台吉列传》。

② 瞿九思：《万历武功录》卷 7《俺达列传上》。

③ 《蒙古源流》卷 7。

④ 方逢时：《云中处降录》，《大隐楼集》卷 16，潜江甘氏刻本。

⑤ 方逢时：《为恳乞议处疏通市马疏》，《明经世文编》卷 320。

⑥ 郑洛：《备陈贡市事宜》，《登坛必究》卷 38《奏疏二》。

⑦ 内蒙古社会科学院历史研究所《蒙古族通史》编写组：《蒙古族通史》中册，民族出版社 1991 年版，第 582 页。

明代漠北喀尔喀的情况几乎不见于蒙汉记载。从内外部条件推测，元朝时期的农业基地如称海、哈喇和林已无存在可能。这里应该是畜牧业的一统天下，但具体情况无从得知。

西蒙古瓦剌的情况与东蒙古的情况类似，过着以游牧为主、狩猎为补充的经济生活。

瓦剌的游牧业主要是经营马、牛、骆驼、绵羊、山羊五种牲畜。其中以马、羊为大宗。牲畜是瓦剌部众的主要财富，"问富强者，以牲畜多寡为对"。富者拥有马驼及数以万计的牛羊，而贫苦牧民则往往只有少量牛羊。瓦剌每次朝贡马驼动辄万计，领主赐给高级喇嘛的牲畜一次可达 5 000—10 000 头，进藏熬茶一次开支就需 10 000 匹马，显示了其畜牧业的规模。

阿寅勒是主要的畜牧经营方式（卫拉特方言称"霍屯"），它由一家一户的蒙古包组成小团体。一般在领主指定的牧场上，随着季节更换营地进行游牧。当然，战争状态下，也曾采取数千人一起活动的大屯营和野营屯牧，谓之"豁里牙"。

狩猎业在瓦剌经济生活中的地位仅次于畜牧业。各部所在地区峰峦起伏，森林茂密，生长着大量野生动物，常见的有豹、狐、鹿、猞猁、水獭、貂、灰鼠、银鼠等。一方面，围捕野兽，可以弥补游牧生活的不足，同时可以获取大量珍贵皮毛，交换其他生活必需品。狩猎于是就成为瓦剌人的重要副业。尤其是遇到严重自然灾害时，蒙古人主要依靠狩猎来渡过饥荒。珍贵皮毛也是朝贡和互市的重要物资。狩猎业之外，靠近河流、湖泊的瓦剌人也从事渔业，主要使用渔网捕鱼。

不过，由于封建生产力和生产关系的制约，当时只能是靠天养畜。除个别情况外，一般都没有水井、储草、牲畜圈棚，无法抵挡自然灾害的侵袭，无法控制畜疫流传。

难能可贵的是，这一时期保护草原的古老意识得到了继承和强化，在喀尔喀和瓦剌（卫拉特）地区还出现了保护草原生态的法规。草原和森林是蒙古族的衣食之源。蒙古族保护草原的习惯早在 12 世纪就已形成，当时破坏草地植被或火烧草原，要杀其全家。他们世代保护着草原，尊重一切生物的"生长之道"。春不合围，夏不群蒐。实在饥饿，也只是少量猎取，以渡难关。只有到秋冬季节，弓劲马强，兽肥隼繁之时，才会大规模围猎。《卫拉特法典》规定了围猎的具体程序，如划定一定范围的禁猎区，不得灭绝野山羊等，违者要被课以高额的财产刑。牧民有保护草场免遭火灾的义务，导致过失性起火者，要受处罚，所有人都有灭火义务。这些法规对合理利用草原有积极的作用。

第六节　明代农耕业及其生态环境

由于游牧经济的脆弱性，明代蒙古地区对农业的需求始终存在。元皇室北迁以后，蒙古地区的种植业虽然面临劳动力、农具、种子等来源的困难，但是，局部的农业生产在一些地方仍然得以延续。迁入天山南麓以及吐鲁番、哈密的瓦剌蒙古族有经营农业的记载，东部兀良哈三卫曾与明朝交换种子、农具，说明他们也从事农业。蒙古地区的农产品消费主要集中在宫廷和军队，也有一些牲畜较少的贫苦牧民从事种植业借以补充食品不足。①

由于蒙古地区长期已有农耕，对农产品的需求已是游牧社会的一个组成部分。原来以狩猎和游牧为主要生产的蒙古人，食物结构虽然仍以肉质食品为主，但对米、粟、荞等植物性食品的依赖也由来已久，使农产品在蒙古社会经济生活方面的作用越来越大。一些地方蒙古牧民已是"食兼荞谷"②。明人陈诚《行纪》中说，蒙古族也"间食米面，希有菜蔬"。

过去来漠南蒙古地区垦种的人，如俘虏、逃亡者、罪犯、驻屯兵等，很多已成为内蒙古地区的常住移民，再加上内地汉人自发性迁移倾向和许多作为雁行式的季节性移民，也对农产品产生巨大的社会需求。在和平时期实行茶马贸易，内地的粮食、茶叶等农产品显然都在交换之列，证明蒙古人对农产品的依赖有日益增长的趋势。元末明初的战争，使历史上形成的农业基础毁于一旦，灌溉系统大部分被毁灭，耕田被荒弃，以致农业较为发展的"兀良哈等处告饥，愿以马易米"。

连年的战争和封建化的加深，也加剧了社会财富分配的失衡，进一步增强了农产品的短缺。明边官吏在向朝廷的汇报中说，"虏富者什二，贫者什

---

① 色音：《蒙古游牧社会的变迁》，内蒙古人民出版社 1998 年版，第 2—3 页。

② 参见岷峨山人：《译语》。

八"，"虏富能以马易缯"，而"贫者无从得食"。

解决蒙古地区的农产品短缺问题，一是要恢复和扩大与中原内地的经济联系，一是在蒙古草原地区继续发展农业生产。前者更多地取决于蒙古地区生产物品的实际交换能力，以及北元政权与明朝的关系和交通运输条件，这在当时的历史条件下，是非常困难的。因此，在蒙古地区经营农业生产，就成为解决蒙古地区农产品短缺的主要途径。达延汗以后所实行的"画地住牧"，实际上也为农业的发展提供了必要的前提。但是，大规模恢复和发展农业经济，却是从16世纪中后期开始的。

阿勒坦汗时期（明嘉靖年间），蒙古地区相对安定，而明朝政治腐败，社会矛盾加剧，大批汉族农民和反明士兵流入蒙古漠南地区，至16世纪末仅土默特地区就达十余万人。由于这些流入的汉族农民的辛勤劳动，土默特万户领地内已经"开良田千顷"、"村连数百"，农作物的种植出现了繁荣景象，使土默川经济在短短几十年内，发生了较大的改观，农业基本满足了当地对谷物的需求。在鄂尔多斯、喀喇沁、兀良哈三卫、内喀尔喀五部、察哈尔等部的领地内也有大量汉民流入。他们向蒙古领主租佃土地，利用废弃墩台的砖石烧制砖瓦，修建板升（房舍），开垦荒地，种植谷物和蔬菜，向领主交纳粮食。因此，农业也得到蒙古领主的支持和保护。

内蒙古地区的农作物的种类以麦、谷、豆、秫、荞为主，继承了元代的品种，仍未超出原始农业的范畴。同时还经营园艺业，栽培瓜、瓠、茄、芥、葱、韭等蔬菜和果树。蒙古地区农业的比重虽然不大，但作为物质生产部门，蒙古族在长期的生产实践中已经积累和掌握了基本技能，也必然能培育出适应蒙古高原地区气候和土壤条件的农业品种。

内蒙古地区的农业生产力水平与明朝北部地区比较接近。经营方式为"春种秋敛，广种薄收"，说明蒙古地区农作物的耕作技术还很粗放，水利和农具的使用也比较简陋。耕地主要使用耕牛，农具有犁、锄、镰和其他小农具，仍以手工劳动工具为主。地多人少，耕种方式粗放。板升内还饲养猪、鸡、鹅、鸭家畜家禽。农产品加工使用臼、磨等。虽然，农业耕作粗放，而且农业生产力受蒙古封建领主制的制约，整体发展程度不会很高，但在部分地区，如丰州川（土默川）的农业生产，其相对发展水平是很高的。

由于蒙古封建领主采取鼓励发展农业的政策，劳役和赋税都比内地轻微，年长日久，即可"配有妻室，积有财物"，故能吸引内地大批贫苦农民纷纷举家迁居长城以北的蒙古地区，前去耕种。自黄教传入后，寺院也拥有土地，或租给贫苦农民，或由沙毕纳尔耕种。①

经过蒙、汉两族数十年的辛勤耕耘，在漠南一些较适宜农业种植的地区，出现了许多农业定居点，在古老的蒙古草原呈现"耕种市廛，花柳蔬圃"的景象。明末少数较发达的半农半牧区还能输出粮食。总之，随着农业的发展，蒙古地区农产品短缺的矛盾逐渐得到缓解。

农耕业的发展，也使蒙古族的生活习俗悄然发生变化，许多蒙古族和汉族把农业和畜牧业结合起来，生活很快富裕，过上了"产畜饶富"的殷实生活。②

在漠西瓦剌地区，也有从事农业生产的记载，在《卫拉特法典》中就提到锄头。明朝晚期，这一带农业已有相当的发展，不仅一般牧民，甚至蒙古上层人物也都参与农业活动。并从俄国和不花剌等地引进谷物籽种和农耕能人，与发展养畜和养禽业相结合。迁至天山南部以及哈剌火州一带的蒙古族受当地居民影响，也从事农业。东蒙古农业都是半农半牧式的。蒙古族以畜牧为主，兼事农耕；汉族以农业为主，兼事畜牧。由于农业有较稳定的收益，且能为牲畜提供大量饲料，故兼事农业的蒙古族逐渐增多，久居蒙古且与蒙古族杂居通婚的部分汉人也融入了蒙古族中。

第七节　清代牧业政策与畜牧业的发展

清初，推行保护、扶持畜牧业的政策。先是察哈尔林丹汗对科尔沁和内喀尔喀五部的征伐，接着是林丹汗西征喀喇沁、土默特诸部，最后还有清协同东蒙古各部与林丹汗的大规模战争。由于持续的战乱，内蒙古地区的人、畜大量死亡。1629 年皇太极令蒙古各部出兵攻明巴林部"马多瘠"。③清初

---

①　杨绍猷、莫俊卿：《明代民族史》，四川民族出版社 1996 年版，第 96 页。

②　内蒙古社会科学院历史研究所《蒙古族通史》编写组：《蒙古族通史》中册，民族出版社 1991 年版，第 584 页。

③　祁韵士：《皇朝藩部要略》卷 1。

的旱灾也使牧业生产受到打击，"青草不生，牛羊倒闭不尽"。鉴于这种状况，清初统治者对内蒙古的牧业实行倡导、保护政策，有些则以法律手段强制执行。

定牧制度。清初统治者鉴于历史上蒙古各部封建主为争夺属民和牧场而干戈扰攘的教训，在入关前即开始划定游牧界限，严令不得越界游牧，"既分之后，倘有越此定界者，坐以侵犯之罪"①。这种划定牧界的制度，可称为定牧制度。它包括两个方面的内容，一是旗界定牧，二是旗内定牧。不仅越过旗界不可，在旗内也有定界，不得擅越。② 这一规定显然有助于保护牧丁的利益，避免王公贵族的过度侵越。违禁游牧者，王公台吉要罚马、罚俸；平民则罚牲畜。③ 在牧业生产中，定界后，牧民可按季节有计划地使用牧场。清朝定牧制度是从便于管理的角度制定的。作为最高统治者，清廷当然要把调整牧场的权力握在自己手里。

保护牧场和牲畜。清代在法律上是禁止开垦牧场的。1655 年颁布了内地民人"不得往口外开垦牧地"的禁令。④《理藩院则例》中有"私牧开垦封禁牧场，加等治罪"⑤。这些禁令在清前期是执行得比较好的。但清廷并非要在内蒙古禁止农业，而是意在防止其妨碍牧业。

在畜牧业经济下，牲畜既是生产资料，也是生活资料，同时也是牧民最主要的财富。因此牲畜的保护在蒙古法中占有极为重要的地位。清初，蒙古地区偷盗成风，严重影响牧业生产和社会安定。清朝统治者决定从重打击窃犯，照例正法。所谓"欲复蒙古生业，必严盗禁，不严则不能弥盗"都是为了保护牧业生产秩序。

多方面鼓励、扶持畜牧业生产。首先，鼓励牧民"有一二牲畜，择水草善地畜牧，能耕田者勤于耕种，则各得生理"⑥。其次，限制蒙古王公的恣意剥削，减轻牧民负担。清代蒙古地区有王租而无国赋。对王租（即王

---

① 《清太宗实录》，天聪八年十一月壬戌。

② （康熙）《大清会典》卷 142《理藩院·丁册》。

③ 王建革：《游牧圈与游牧社会》，《中国经济史研究》2000 年第 3 期。

④ （光绪）《大清会典事例》卷 166。

⑤ （道光）《理藩院则例》卷 10。

⑥ 《清圣祖实录》，康熙二十二年七月辛未。

公对属民的征敛）也做了明确的限制性规定。当然这些规定能执行到什么程度还难以判明。再次，通过赈济方式，帮助牧民恢复生产。在牧民区建立了以富济贫"共出牛羊协济"的养赡制度。

清王朝保护、扶持畜牧业生产的政策和措施对清初畜牧业的恢复和发展起了一定的作用。虽然史料中没有关于牲畜头只增长的可比较资料，但从清朝对蒙古地区牲畜的采购上也可以看出。雍正年间察哈尔八旗牧场总管觉罗和托一次就在当地采购羊 10 000 只。另外，克什克腾旗王公也曾一次向康熙帝献上 10 000 只羊。这都说明内蒙古地区牧业确实有了发展。

兴办官私牧场。清初，在给蒙古各部划定牧场的同时，于蒙古地区设置了大批的官办牧场。从性质上说，这些牧场不属于各盟旗王公，但其牲畜由各部蒙族牧丁牧放，共用内蒙古的草地资源，也就构成了内蒙古畜牧业经济的一个特殊部分。这些官私牧场或分属于清朝国家机关的不同部门，或分属于满族王公，分布在内蒙古各地。东部地区有三大牧场，即大凌河牧场、盘蛇驿牧场、三陵养息牧场，是专为政府牧养官马和提供祭牲的牧场。

内蒙古中部的牧场主要在独石口、张家口和杀虎口外的察哈尔地区、锡林郭勒盟境内。先后设置了御马场、礼部牧场、太仆寺左右翼牧场、察哈尔八旗牧场等，另外还有一批满蒙贵族私人牧场。

王公牧场、私人牧场是自清初分赐的份地延续下来的，比较大的有十五处：和硕庄亲王牧场、和硕诚亲王牧场、和硕和亲王牧场、和硕怡亲王牧场、信郡王牧场、和硕仁亲王牧场、简亲王牧场、贝勒丰素牧场、齐弩浑公牧场、果毅公纳亲牧场、侯波隆代牧场、副都统莫尔浑牧场、副都统汪扎尔牧场、提督阿吉图牧场、戈什哈牧场。这些私人牧场的规模大小不等，有的还不止一处，如信郡王牧场就有两处。

除此而外，还有汇宗、善因二寺喇嘛牧场，分布在多伦诺尔西 40 里的插汉布拉克。它不是由察哈尔牧丁牧放，而是由章嘉及各活佛所属的沙毕纳尔（庙丁）牧放牲畜。[1]

内蒙古西部地区主要是位于杀虎口边外的右卫八旗马场和坐落于大青山

---

① ［俄］阿·马·波兹德涅耶夫著：《蒙古及蒙古人》第 2 卷，刘汉明等译，内蒙古人民出版社1987 年版，第 207、208、372 页。

以北的绥远八旗牧场，分别供当地驻防八旗牧放军马使用。

清朝的官办牧场取得了很大成功。康熙帝不无得意地说："朕屡以太仆寺之厂马并茶马，赏给京师兵丁及各处驻防兵丁，所以兵丁无赔马之苦。历观宋明之时，议马政者，皆无善策。牧马惟口外最善，今口外马厂，滋生已及十万，羊至二十余万，若将如许马与牛羊，驱至内地牧养，即日费万金不足。口外水草肥美，不费饷而马畜自然孳息。前巡行塞外时，见牲畜弥满山谷间，历行八日，犹络绎不绝也。"①

第八节　清代的经济与社会变迁对农牧业的影响

清初，内蒙古地区社会进入安定时期，原有的农业孑遗也开始复苏。当时，土默特地区仍然是内蒙古的农业中心。这一地区从事种植业的主要还是汉人，"明末鼎革之际，籍隶山陕之官绅，起兵抗拒清军。兵败后无所为，则挈家至塞外避祸，荒山僻野，耕稼其中。或有招捕急而入蒙籍者。迄今绥人尤有能指其后裔者焉"②。在东部，喀喇沁地区仍一定程度上保留着三卫活动时代的农业基础。但是这些农业现象只存在于历史上有耕作基础的少数地区，而且耕作方式原始落后，远远不能满足蒙古各部日益增长的对农产品特别是粮食的需求。

一、粮食需求及其出路

内蒙古地区所处的气候和生态环境，注定了这是一个多灾的地区，而游牧经济也必然有其天然的缺陷，特别是在抵御严酷灾害方面。蒙人"其职业逐水草游牧，富牛马驼羊，千百成群，或备驮，取衣食，然不知稼穑，每遇天灾，则牲畜倒毙，相望于路，富者恒贫，且有菜色"③。不但有财产损失，更有生计之虑。较之平时，灾荒之际，粮食的需求更加迫切。据乾隆六年理藩院的统计报告："自康熙二十年至六十一年赈济蒙古等四十余次。雍

---

① 《清圣祖实录》，康熙四十四年闰四月乙未。
② 《清末绥远的开垦》，《满铁调查报告》第12号。
③ 李廷玉：《游蒙日记》，《满蒙丛书》。

正元年至十三年赈济内札萨克旗分人等十五次、喀尔喀等三次。乾隆元年至今赈济内地札萨克、喀尔喀等共十四次。"① 平均每年赈济蒙古一、二次，像有的研究者所说，"蒙古各旗，几全赖清朝为之养赡"②。而且受灾面积大，人口多。受灾 4 旗以上的有 20 次，8 旗以上同时受灾的特大灾害 6 次。受灾人口在 3 万以上的有 3 次，甚至达到六七万人。游牧经济的脆弱性暴露无遗。据统计九十余年间清朝花费了大量的物力拯救内蒙古灾民，其中有明确数额记载的就包括银 377 840 两，米 82 840 石，茶 45 680 斤。其中 377 840 两赈银中除一部分是用来购置牲畜外，大部分是用于买米救命的。清朝在内蒙古地区和沿边设置的所有仓米都曾动支过。有时边仓储粟不敷使用，不得不调发京米。内蒙古地区的粮食短缺已经足以影响到社会安定。

除了蒙民生活中需要粮食外，清初大规模的军事行动，也使粮食需求问题凸显。清初对蒙古的几次大规模的军事行动都是在草原荒漠中进行的，粮秣挽输即是一大难题。当时内蒙古沿边地区没有粮源可供就近采买，此时河套平原尚未得到大规模开发，土默川产粮有限，清军只能从山西筹粮。不仅临时性的军事行动需要大批粮食，清廷在内蒙古沿边驻防的军队也需要有稳定的粮源作为支持。因此从军事角度看，在内蒙古发展粮食生产也是有重要意义的。

从各方面看，当时解决内蒙古粮食问题已经提上了日程。要解决粮食问题，只能通过两条途径：一是贸易交换，取自内地；二是发展当地农业，就地解决。

通过交换方式解决，需要沿边地区有比较发达的农业，提供足够需要的剩余粮食。而当时陕西、山西、直隶各省沿边地区恰恰是本省最贫瘠的地区，不可能提供大量的余粮。东北则在封禁之中，粮食主要依赖关内供给。如此大范围的经常性交换也不是地方能够胜任的，没有国家的协调组织难以实现。但是，清朝出于政治上的考虑，最不希望蒙汉民族接近，限制还来不及，安能大开方便之门。因此，依靠贸易交换解决，实际上已无可能。清朝

---

① 《清高宗实录》，乾隆六年七月丙申。

② 何耀彰：《满清治蒙政策之研究》，日本关东大学中国学者著作奖助委员会 1967 年版，第 132 页。

统治者考虑的，也正是如何发展沿边和当地农业以解决需求。

二、康雍时期的农牧业政策

从康熙初年起，逐步开始有步骤、有计划地采取一些措施，发展内蒙古的农业。康熙皇帝对内蒙古的经济政策，主要是"教养蒙古"和赈济灾荒。实际上康熙帝的措施归纳起来包括：①开垦塞外闲田；②遣人教养蒙古；③适度引进汉族劳力和技术；④建设仓储积谷。

康熙帝的农业政策应该说取得了一定成效。在东部区"农作非蒙古本业，今承平日久所至多依山为田，即播种后则四处游牧，秋获乃归"①。一部分蒙古人已改操半农半牧经济，甚至有的弃牧转农，"蒙古佃贫农，种田得租多，即渐罢游牧，相将艺荞禾"②。康熙年间一次调往新疆种田的土默特蒙古农民就有千名之多。③从农业政策的实际作用来看，不仅解决了部分地区的粮食需求，而且还能输出内地。"今河南、山东、直隶之民，往边外开垦者多，大都京城之米自口外来者甚多"，由于价格便宜，"京师亦常赖之"。④另一方面，汉族农民的数量也远远突破了清朝的限制，仅内蒙古东部，"山东民人往来口外垦地者多至十万余"⑤。

雍正朝不仅继承了康熙朝的农业政策，而且有所发展。其政策重点是在口外大规模开垦。首先是设立民政机构，对各蒙古地方的移民加以管理。由于康熙末年内蒙古卓、昭二盟和归化城地区的移民迅速增加，雍正元年（1723年）先在东部和西部建立厅，管辖蒙汉交涉事务。东部的热河直隶厅设在避暑山庄旁（今承德市）。西部的归化城厅就设在土默特部的政治中心归化城。厅的设立，既是口外农业经济发展的结果，同时也成为进一步推动内蒙古移民和开垦的一大动力。因为厅的职能主要是管理汉族农民、调查户籍、维持治安、处理蒙汉纠纷，在一定程度上可以保护汉族农民利益。且看管理机构的增加速度：雍正七年（1729年），热河地区再设八沟厅，管理喀

---

① 《钦定热河志》卷75《山田诗序》，康熙三十三年。
② 《钦定热河志》卷92《山田诗》。
③ 《钦定热河志》卷92《山田诗》。
④ 《清圣祖实录》，康熙五十一年五月壬寅。
⑤ 《清圣祖实录》，康熙四十八年十一月庚寅。

喇沁三旗商民事务。归化城地区，雍正十二年（1734 年）在萨拉齐、和林格尔、托克托三地设协理笔帖式，办理各地蒙汉事务。察哈尔地区，雍正十年（1732 年）析张家口厅东北境，在多伦诺尔置多伦诺尔厅。雍正十二年复析张家口东境，置独石口直隶厅。同年在察哈尔右翼地区设立了丰川卫和镇宁所（今丰镇市），又设立了宁朔卫和怀远所（今凉城县）。不必赘言，每一处管理机构的新设，都意味着农业人口的增加和耕地面积的扩大。

当然，康熙朝确定的对移民的限制政策并没有取消。继续执行的限制性规定有：垦民须造册登记，移送户部；不得占垦游牧之地；不准带妻子前往；春种入口，秋收出口，情愿在口外过冬者除外等。① 但其中有一点变化必须注意到，即原来限制出口人数，现在改为手续上的登记备案，"将出口种地民人记档，以备核对。嗣后再有出口种地之民，俱一面按插，一面移咨本籍查无过犯逃遁等情，准其耕种，年终造册报部"②。人数限制一经取消，内地汉民之出口势如决堤之水，察哈尔迅速农业化也就不难理解了。

应该说，康熙、雍正鼓励发展农业的政策，是在解决粮食压力的情势下采取的权宜之计。康熙对扶植蒙古人发展农业一直是矛盾的，"是云务近利，而致失本道"，"赢此边外垦，稍救乏业黎。亦知非远图，权以医燃眉"。③ 蒙地不能没有粮食，无粮就会影响社会稳定，又不能完全仰赖汉人进入蒙地生产，否则会导致蒙汉接近，不利于统治，也会影响畜牧业。由蒙古自己发展农业，一时难以奏功，如此发展下去的，仍然是"渐失本道"，弃牧就农，违背清廷初衷。清代蒙地农业政策始终走不出这一怪圈，其具体措施前后矛盾、捉襟见肘当不足为怪。

三、农牧业的继起与经济格局的变化

乾隆以后迄至清朝覆亡的一百七十余年中，农牧业政策有两大变化，其一是乾隆初年的禁垦政策，其二是光绪年间的放垦政策。

几乎所有的研究者都注意到了清廷对内蒙古地区的农牧业政策，在乾隆

---

① 《口北三厅志》卷之一《地舆》。
② 《清世祖实录》，雍正五年二月庚辰。
③ 《钦定热河志》卷 92《物产》。

朝发生了重大变化，即由康、雍时期的鼓励政策一变而为限制（抑制）政策。其标志是 1749 年的禁垦令或回籍令。

康熙时期农业的快速发展，导致内蒙古地区出现了一些新的问题。一是蒙古人的弃牧就农；二是土地占有两极分化及随之而来的地权转移；三是农业发展过快，"游牧地窄，渐失本业"。

农业发展过快，农田挤占牧场成为突出问题。归化城土默特地区牧场已不足 1/5。当时内蒙古东部的农业已经早早地越过西拉木伦河，到达巴林左旗和阿鲁科尔沁旗。更为重要的是，农业正在成为蒙古人的基本生计方式。

土地占有两极分化和地权向汉族农民手中转移，正在成为一个新的社会问题。它直接影响了社会安定和统治秩序，引起了清朝统治者的关注。这一问题较早出现在归化城土默特地区。不久，同样问题也在喀喇沁出现了。于是以土默特清理民典地方案为蓝本，1748 年颁布了"撤回民典地令"。

归纳起来，乾隆朝禁垦政策是由一系列法令组成的。主要包括：汉人回籍令；撤回典地、禁止出典、禁止增垦令；禁止汉人出口令。这些禁令都作为永久性法令纂入了《大清会典事例》。

乾隆帝虽然对开垦牧场持严厉态度，但并未取缔内蒙古的农业，也没有将全部汉族农民移出内蒙古。相反，还从其他方面强调了农业的重要性，如强化仓储制度。

从政策的角度看，内蒙古的农业政策经过乾隆朝的调整，禁垦政策一直延续下来，直到光绪年间改弦更张、放垦蒙地为止。这一个半世纪有的学者称为绝对禁垦时期，笔者以为并不确切，毋宁说是请旨招垦时期更为准确。因为有些地区恰恰是在这一时期完成开垦的，如哲里木盟各旗就是从乾隆朝才开始开垦的。其中最早的是科尔沁宾图王旗（1784 年）、郭尔罗斯旗（1791 年）。在开垦方式上，除请旨招垦外，私垦也不少。对私垦，清廷一直是禁止的，乾隆以后就相继颁布过《禁止出边开垦地亩令》（1806 年）、《私募开垦地亩已未得受押荒银钱及称名揽头分别治罪专条》《蒙古民人写立租契影射出典地亩分别治罪》（1839 年）法令。结果却是屡禁不止，越禁越垦。

1902—1911 年是清廷放弃封禁政策，蒙地开垦全面解禁的时期。清末放垦蒙地，一般都以 1902 年清廷任命贻谷为督办垦务大臣为标志。并且认为清廷接受了岑春煊《筹议开垦蒙地》折中提出的放垦蒙地主张。其实，早在岑春煊之前数年，清廷朝野上下都在议论开放蒙地问题。1901 年岑春煊则从清朝最迫切的财政收入角度谈起"查晋边西北乌兰察布、伊克昭二盟蒙古十三旗，地方旷衍，甲于朔陲……若垦十之三四，当可得田数十万顷。光绪二十五年，前黑龙江将军恩泽奏请放札赉特旗荒地，计荒价银一半可得四五十万两。今以鄂尔多斯近晋各旗论之，即放一半亦可三四倍……何可胜言，是利于国也"。利字当先，数百万两银子的进账是推动清廷大规模放垦蒙地的最主要动力。我们还可以看一看 1902 年以后的放垦土地统计：

西部地区：伊克昭盟、乌兰察布盟和察哈尔右翼四旗，共放垦土地 757 万亩。[①]

东部地区哲里木盟七旗放垦 2 450 余万亩。[②] 另据统计，哲里木盟八旗丈放 4 548 662 垧。[③]

这段时期从放垦蒙地中征收的押荒银两缺乏全面统计，但下列数字仍足以说明问题：

1902—1908 年，归绥地区征收押荒银 273 万两。[④]

1902—1908 年，察哈尔地区放地 38 438 顷，收银 1 194 308 两。[⑤]

1905—1908 年，札、杜、郭后三旗征银 2 059 262 两。[⑥]

1905—1908 年，科右三旗及杜、札二旗征银 1 642 080 两。[⑦]

另据统计，嘉庆到清亡的百余年间，哲里木盟共开荒 6 438 354 垧，设置三府一州三厅十二县，面积 288 149 平方里，约占哲里盟总面积的 20%。1908 年民籍户口有 282 656 户、2 203 170 口，约 5 000 个村屯。[⑧] 总之，经过清末放垦，内蒙古可耕土地已开垦殆尽，接近当今内蒙古农地的规模。

经济格局的变化。自康、雍之际内蒙古的农业发轫以来，农业的成长日

---

①　卢明辉：《清代北部边疆民族经济发展史》，黑龙江教育出版社 1994 年版，第 122 页。
②　中国社会科学院民族研究所：《蒙古族简史》，内蒙古人民出版社 1985 年版，第 277 页。
③　田志和：《清代东北蒙地开发述略》，《东北师大学报》1984 年第 1 期。
④　《内蒙古近现代王公录续编》，《内蒙古文史资料》第 35 辑。
⑤　鹿傅霖撰：《蒙垦续供》，清宣统元年印，第 36 页。
⑥　田志和：《清代东北蒙地开发述略》，《东北师大学报》1984 年第 1 期。
⑦　田志和：《清代东北蒙地开发述略》，《东北师大学报》1984 年第 1 期。
⑧　（光绪）《大清会典事例》卷 978。

盛一日，日益改变着内蒙古的经济类型和产业结构。由清初单一的畜牧业经济向农牧并存格局过渡。经过了一个半世纪的缓慢发展和积累，特别是经过清末大规模放垦之后，情况发生了很大的改变，形成了新的经济格局。

内蒙古的区域经济出现了三种基本的经济类型。即畜牧业经济型、半农半牧经济型和农业经济型。畜牧业经济是在清前期游牧型经济基础上延续发展起来的。但是与清初相比，已经有了一些变化，如生产方式的变化。清末以来由于牧场缩小，同时也受农业影响，游牧方式发生变化，"牧而不常游"。有人称之为"半游牧"，也可称为定居放牧，简称定牧。为了长期定居，游动放牧，牧民一家一户迁到地势好、水草丰美的地方定居下来，作为定牧场所。牧户之间相隔或二三十里，或四五十里。[①] 在经营管理上开始重视打井、搭盖棚圈，保护牧场，提高畜产量。另外，畜牧业中某些专门行业分离出来，如在乌盟、锡盟出现了附属于商业贸易的骆驼运输业，沿察哈尔军台也有驿递运输业。尽管总体上看畜牧业萎缩了，但内涵却更丰富，生产方式也在进步。半农半牧型经济，是因农业增长，从游牧业中分化出来的一个经济类型，一般是既营畜牧，又事农业，农闲时多经营放牧。这种结合型经济，既解决了农业所需的畜力问题，又充分利用了农业的剩余物资，因而成为多数农民的选择。农业型经济以汉族为主，也有部分蒙古族转而经营。它以农业种植为主，精耕细作，而以畜牧业作为家庭副业。在清末，纯粹的农业经济也占了相当比重。

从人口、地域各方面来看，清末内蒙古的经济布局已与今天内蒙古的经济格局基本相同。换言之，今日内蒙古的区域经济、地理结构在百年前已经形成。

应该说，内蒙古的三种经济类型并存格局和分布结构是与内蒙古生态环境的要求相适应的，基本上达到了"地尽其用"的农牧业配比。

第九节　垦殖对生态环境的影响

农耕生计是以对自然生态系统进行改造性利用为前提的。在这方面，它

---

① 中国科学院民族研究所：《黑龙江省蒙古族社会历史调查报告》，1958 年，第 15 页。

与游牧业"借自然之利，养自然之物"有显著的区别。除了系统中的光、热等要素是自然性利用外，对水资源、土壤等要素都必须投入大量的劳动。另外，由于农业属于劳动力密集型生产，作为生产力的人本身要维持生存，也必然要伐木筑室、樵采薪爨，需要人口较多，衣食住行都要取之于自然界。所以，农业对生态环境的影响是巨大的。这种影响包括两个方面：一方面，改造后的自然环境可以为人类提供更多的收益；另一方面，它又是对自然资源的重大消耗，其中有些资源可以较快地通过自身修复机制再生，有些则需要较长的时间，甚至无法再生的。一定意义上说，过度的农业垦殖获得的重大收益是以牺牲生态环境为代价的。

大体上，清代内蒙古的农业垦殖对环境的影响可以从下述几个方面来看。

一、水资源的利用和改造

水是农业的命脉。清代内蒙古的农业首先是在水资源丰富的地区发展起来的。如东部区的嫩江水系、西辽河水系、西拉木伦河水系、老哈河水系和大小凌河水系，中部的滦河—上都河水系，西部的黄河沿线及大小黑河水系等流域成为农业的温床。比较起来，东部区河网较发达，雨量较为充沛，因之农民对水资源的利用多属自然利用，用人工加以改造的不多。而西部地区，降水稀少，蒸发快，地表水资源分布不均衡。主要发展以引黄灌溉为主的农业，因此对水系的改造投入力量极大，表现了人民的伟力。

"自来开辟西北，他务未遑，首选经划水利为惟一之要政。"① 乾隆年间丰镇地区就开挖了涌金渠和浑源渠，筑涌金坝，以利耕作。但大规模的水利工程莫过于河套灌溉渠系。

黄河后套地区的开垦始于乾隆年间，"初亦不过择不甚畏旱之地播种，以为糊口之计"。后来受到塔布河自决成河，水过之处皆成膏腴之地的启发，仿行开渠。渠工的倡导和组织者主要是来自山西的地商。他们本是旅蒙商，因乌拉特、达拉特旗封建主借款数额巨大，无力偿还，遂以旗地许其佃种 5 年。以此为契机开始投资渠工，转租渠地。由于河套地区土质含碱的特

① 王文墀总纂：《中国方志丛书·塞北地方绥远省临河县志》；1930 年。

性，必得河水灌溉才能耕种，收获甚丰。如不得河水，则弃为不用。"水田一亩之入，可抵关内山田四十亩。"① 投资渠工有极大的收益。地商们创造了一种合伙经营的体制，即地商出财股（土地、经营资金），农民出身股（用水数、耕作权及农具等等），形成一个集体。有人称为"水利共同体"。"卒开大干渠九道（后淤一道），小干渠二十余道。而已成之渠，又必每岁深浚其身，厚培其岸，故流益冲畅，渐至溉田千百顷，厥功亦甚伟矣。"② 这八大干渠是永济渠（缠金渠）、刚目渠、丰济渠（中和渠）、沙河渠、义和渠、通济渠、长盛渠、塔布渠。大小渠道纵横交错，总长二千里以上，灌田数万顷，极大地改变了这一带地区水资源分布格局。

二、林木资源的消耗

清代前期内蒙古地区林木覆盖率虽然总体上不高，但在一些地区仍分布着原始森林和次生林，但到清末由于各种人为原因，林木资源大为减少，有的地方甚或绝迹。

东部各蒙旗，开垦前尚有丰富的林木，但放垦后逐渐减少。《科尔沁部调查报告书》中对索伦山森林资源的情况有较详细的记述："索伦山西南与科尔沁右翼前旗，东南与后旗扎赉特旗接壤，为黑龙江西布特哈总管属境，周围千余里，产松最盛，有高至六七丈无一曲者，……运木之车以洮南府境为是多处，农商渐兴，土木之业亦因之发达也，其右翼三旗及扎赉特旗，遇有建筑亦由此外拉运。"③ 设治移民不久，便大为减少，农安县（郭尔罗斯前旗地）"自日俄战争后森林砍伐殆尽，四望荒芜，风沙满目"④。

喀喇沁、土默特山区原本山深林密，系天然猎场。乾隆中期，塔子沟城（今凌源）犹能见到"离峰积翠"，月华山"古木阴翳"，"榆林晚牧"之美景。到民国初年的《凌源方域统计资料》中不得不在"山产"项下写上"无"字。喀喇沁右旗"在昔时人烟绝少，全境多系森林。迨康熙年间实

---

① 参见《五原厅志略》。

② 《调查河套报告书》，民国督办运河工程总局，1923 年，第 175 页。

③ 内蒙古林业部林野调查队：《科尔沁部调查报告书》，《森林总说》，1950 年，第 13 页。

④ 《景星设治局详送修志资料清册》，《黑龙江通志采辑资料》（上），黑龙江省地方志研究所，1985 年，第 71 页。

行移民政策，内省农民源源而来，土地日扩，所有山林，斧斤不时，任其滥伐。以致原有大好森林逐年减少。至光绪初年所谓古树乔木，殆无存焉"①。

翁牛特、克什克腾、巴林三部交界地带曾分布着茂密森林，康熙年间三部因争夺所有权曾讼至理藩院。清廷指令"翁牛特、巴林、克什克腾交界地方林木，行文三旗，各令本旗协理台吉、管旗章京副章京等共同验勘，分为三分，明立界线。如有越界砍树木者，治罪。将分定界线各造印簿，送院备考"②。可知当时已在伐采。克什克腾旗境内西拉木伦河源地在古代有著名的八百里平地松林，到清末已是八百里沙荒。

邻近内蒙古的围场地区，在清代前期是严厉封禁的，其中"树木茂盛，内多千年古松，木兰秋弥所获禽兽不可亿计"③。乾隆中期为修建承德庙宇和圆明园砍伐良材 365 549 件。光绪末年修建张家口—恰克图电报线路，两次砍伐 15 000 根木料。

内蒙古西部的森林主要集中在大青山、木纳山（乌拉山）和贺兰山地区。

大青山，当地人认为其得名"实因山上林木甚多，远望则呈青色，因以得名山。后官民砍伐，日渐稀少，至乾隆初年建绥远城后，遂成童山"④。

阿拉善旗所属贺兰山林木，嘉庆年间已有偷贩木植的情况⑤，但尚不严重。大量砍伐主要是民国以后。"贺兰山林木，清季归'绿营'监理，民国后归阿拉善旗政府管理，未予积极保护，任人随意砍伐，大部已被摧毁，故贺兰山已无古代树木，仅存留小木。伐木者多系汉人，每年仅向旗府缴纳砍山税款数元，即可任意伐取，运往定远营及宁夏销售，据定远营木商估计，每年伐木约十万株，三分之二销于宁夏各地，三分之一者销于定远营。"⑥

---

① 吴椿龄：《热河省宁城县志》，《宁城县史料》1983 年第 1 辑本。

② 《大清会典实例》卷 973。

③ 《钦定热河志》卷 16。

④ 金启孮：《清代蒙古史札记》，内蒙古人民出版社 2000 年版，第 5 页。

⑤ 《清仁宗实录》，嘉庆十年二月己卯。

⑥ 《西蒙阿拉善旗社会》第 10 章《林产》，第 64—65 页。

三、垦殖对草场、土壤及野生动植物资源的影响

从生态环境来看，受垦殖影响最大的是草场。在自然经济条件下，由于受管理、技术及习惯诸条件的制约，农牧业之间往往表现为经济上互补而生态上对立的尴尬局面。垦殖所至，牧场皆变为农田。如热河以北喀喇沁地区，到嘉庆初年已是"山场平原，尽行开垦"①。接着迅速向北推进，赤峰地区"自嘉庆以来，（齐鲁之人）纷纷扶老携幼，挽独轮车，不惮险远，跋涉数千里，北适朔漠，披草莱叶，斩荆棘，从事垦荒，以蓄田庐而长子孙焉"。民国初年已是"阡陌纵横，庐舍相望"②。清末姚锡光统计，东四盟已垦 12 部 21 旗，未垦者 8 部 15 旗，西拉木伦河以南已全部放垦。③ 西部地区在放垦中牧场缩减更快，贻谷直言"不垦牧地，则无可垦矣"。清代的蒙地开垦，构成了中国历史上第三次农牧交错带由东向西和由南向北的推移。

滥垦和耕作方式不当造成了许多地区天然植被破坏和土壤沙化，使生态系统失调。如内蒙古中部地方，自然条件较差，一遇荒年，新垦区造成人亡地荒。光绪时，俄人波兹德涅耶夫曾目击了兴和地区因连续三年荒歉，数百座村庄居民走空，房舍拆光，土地也先垦后弃。

生态环境是一个能量与物质系统，人为地盲目改变其原有结构，必然会破坏其平衡，生态系统的原有植被破坏，引起系统失调。农耕面积从"农牧接触界线"的外围区开始逐渐向草场内扩张，从外向内吞噬草原。这种农田侵占草场的现象从清末开始变得越来越严重。清末农耕面积的扩大是从东北和西北两个外围区向草原扩张的。

垦殖还使大量的野生动物失去生存环境，因之大量减少。这方面至少可以举出两个例子。其一是喀喇沁、围场地区。这里曾是野生动物的天国，喀喇沁王旗所居为东围场，因"地与木兰围场相毗连，故平素虎、豹、熊、狼、猞猁狲、野猪、狐狸甚多"。该旗专门设有自己的虎围。但到清末，"深可惜者，近三十年来，围场各处砍伐树木，开垦荒地，户口日繁，麋鹿

---

① （光绪）《大清会典事例》卷 158。
② 《赤峰县乡土史土地沿革》，《编修地方志档案选编》，第 407 页。
③ 姚锡光：《筹蒙刍议》，广文书局 1933 年版。

潜踪。至于今日，熊豹鹿麤时有所见，惟虎之一种，绝迹无影矣"①。其二是布特哈地区，一直是打牲贡貂之地，但到清末，由于周围生态环境的恶化，竟至无貂可打。每届贡期均呈请缓期。"布特哈等处官兵应纳贡貂，又届限满，无处采捕，仍请缓期呈进。"② 到 1908 年放垦后，祖祖辈辈打猎的鄂伦春人竟有被迫种地者。

　　历史是一面富有教益的镜子。明清以来内蒙古地区畜牧业和农耕业生产的交替发展和农牧交错带的逐步形成，对社会变革和生态环境的强烈影响，都给我们提供了正反两方面的丰富经验。粮食短缺足以影响社会安定，沿边驻防的军队也必须有稳定的粮源。因此，发展农耕往往势在必行，但是内蒙古地区的气候、土地和生态环境又严格限制了农耕的发展。历史上，每当盲目扩大农垦规模时，就会发生环境恶化，土地沙化，灾害频发，生态失衡。要以史为鉴，依靠科学，正确认识内蒙古地区半干旱与干旱气候条件的波动性与严酷性，以钙质土为主的土地条件的局限性，地下水资源的相对贫乏等环境与资源的限制。按照因地制宜，合理配置资源，把畜牧业和农耕业有机结合起来，才能寻求农牧业可持续发展的优化模式，实现人与自然和谐发展的目标。

---

① 校注《蒙古纪闻》，第 56 页。
② 《清德宗实录》，光绪三十二年正月丙子。

第　六　章

内蒙古农牧交错带的形成与环境变化

第一节　农牧交错带的形成

我国北方农牧交错带的主体分布在内蒙古地区，这是农耕产业与牧养产业交汇的地带，是长期历史上两种文明相互交融所形成的特殊的民族经济地理区域，具有其自身的自然—人文景观特点，反映了北方各族人民在经济文化等诸多领域中民族融合的历史进程。早在新石器时代，北方先民就开始有原始种植业和畜牧业生产。先秦时代的华夏地域由中原向北向南逐渐扩大，战国时代即扩展到阴山以南，铁制农具与农耕生产也随之向北推广。历史记载的商鞅："坏井田，开阡陌"，"辟草莱"表明了当时开垦土地、扩大耕作的农业发展形势，黄河中游已开始进入农耕为主的社会。《史记·货殖列传》也记载了战国至汉初农耕与畜牧生产的地域交错分布，描绘出关中盆地是"沃野千里"，"好稼穑，殖五谷"的农业景观。其北方的泾、渭、北洛河上游的天水、陇西、北地、上郡地区仍是"畜牧为天下饶"的区域，向东经龙门山沿着燕秦长城形成了农业与牧业的地理界限和双方的交流与拓展。

秦汉时期，中原势力向北扩张，许多汉民迁入边疆。公元前214年，秦始皇派蒙恬征匈奴，占领鄂尔多斯高原的"河南地"及河套地区，北至乌加河，设置郡县。这里原是游牧民族聚居的"草木繁茂多禽兽"的草原地带，迁入汉民三万户实行移民戍边，把农耕生产推向阴山南麓，从而形成农牧交错的格局。秦始皇死后至汉初，在农民起义过程中戍边人多返回中原，匈奴人南渡黄河，恢复牧地，使农牧分野与战国时代大体一致。直到汉武帝继位，再次向外扩张，公元前127年汉将卫青重占阴山以南的土地，包括朔方、五原、云中、雁门诸郡。汉将霍去病又于公元前119年打败匈奴，直抵乌桓的上谷、右北平、辽西、辽东诸郡，即今日的老哈河及滦河上游地区。从此至西汉末年，汉族人口逐渐大量北迁务农，据《汉书·地理志》记载，人口达三百一十万之多，在现今的乌兰布和沙区北部（磴口县内），也发现了汉代农垦遗址。可见，汉武帝以后，阴山以南，长城沿线一带的农业与鄂尔多斯的草原沙地畜牧业构成了稳定的农牧交错地带。东汉时代，因匈奴南侵放弃了晋北至阴山南麓诸郡，民族矛盾加剧，直至东汉之末黄巾起义，汉族"百姓南奔"，"塞下皆空"，匈奴人及羌、胡、乌桓、鲜卑等各族杂居，并入居至渭河流域。到三国及西晋时期，关中地区已形成了"戎狄居半"和民族间同化的趋势。因北方地区许多农田荒芜，成为牧地，各游牧民族仍事畜牧，但又趋汉化，改事农耕，使农牧并存的交错地带更趋定型。从南北朝至隋朝时期，又先后在河套和大同等地区有屯田劝农之举，并在发展农牧业生产之中促进了民族的融合，也使农牧交错地带成为"勤于稼穑多畜牧"的地域。

至唐代，因多年耕作，使黄土与沙地出现了退化与环境恶化的趋势，有些土地已不宜耕种，开始在陕北设立许多牧监，兴办畜牧业。当时的鄂尔多斯地区先后为突厥、党项所据，按照《新唐书·地理志》的记载，库布齐沙地已出现"库结沙"、"普纳沙"等沙化土地，毛乌素沙地已有"广长千里"的流沙，故不能耕作，"所业无农桑，事畜马牛羊橐驼"，只能由游牧民族营畜牧业为主。但邻近的黄河沿岸，当时的胜州（今准格尔旗十二连城一带）"地甚良沃"，"人至殷繁"，当以农耕为主。

宋代与辽金时期，西夏政权东占鄂尔多斯，西有阿拉善，北至大漠，南与宋朝为界，从事畜牧业的党项族仍以畜牧为主，境内的汉族则从事农耕，在黄河平原继续开发水利，经营灌溉农业。契丹与女真族先后建立辽金王朝，占据北方疆土，在汉族文化影响下，发展农业，并保持畜牧业的经营，从西拉木伦河到克鲁伦河，建立起农牧交错区。金朝又将农业推进到嫩江及洮儿河流域，使大兴安岭以东成为种植业发达的农牧交错区。

　　13 世纪初，铁木真统一蒙古各部，在蒙古高原建立了大蒙古国，使游牧畜牧业成为社会经济的主要产业。蒙古民族继而创建了多民族统一的大元帝国，推进了北方畜牧业经济的新发展和农耕生产的经营，改进畜牧业生产技术和经营制度，实行牧户赋税政策，官府牧地及官营畜牧业逐渐兴盛。农业也推行屯田以济军需民用，在蒙古高原上利用河谷与湖盆湿地开发零星分布的耕作土地，相关的手工业既有私营也出现官办。在漠南地区渐渐形成了以畜牧业为主，农业、手工业、商业并存的格局。14 世纪中期，元室北归大漠，以长城为界蒙明对峙交战，使漠南地区牧民迁徙，经济衰退。明初的数十年间，北元与明军之间的战乱使漠南的畜牧业基础削弱，在开平（今正蓝旗上都河一带）、土默特等地设立屯田卫所，但因鞑靼、瓦拉、兀良哈逐渐占据长城以北地区，明朝的卫所撤散，修建边墙，使农业也趋荒废，农牧交融中断，农牧交错带的形成与发展一度受到破坏。直到明代中晚期，随着社会的相对稳定和南北经济交流，内蒙古地区又进入一个发展时期。畜牧业得到恢复与发展，牲畜数量大增，农耕生产也有新的进展，又促成了农牧交流互补的形势。清代统一了长城内外，内蒙古地区的社会走入安定时期，对畜牧业实行倡导和保护政策，用法律手段禁止扩大开垦牧场，保护牲畜，并大批开办官办牧场。随着社会对粮食需求的扩大，晋陕农民来内蒙古中部开荒耕稼，清政府户部发放准垦凭证，以便控制过度开垦。清乾隆以后，山西、河北的农民出长城者日众，山东农民出山海关或渡过渤海到辽宁地区垦种，内蒙古东部的喀喇沁与西辽河地区的农业得以扩大经营，使东、西部的农牧交错地带逐渐连接。光绪年间，为陕北、晋、冀的农民到内蒙古境内务农，在河套与黄河沿岸一带实行"开放蒙荒"的政策，1902 年在呼和浩特设立垦务总局，派遣蒙旗垦务督办大臣，大量开荒垦种，使河套与沿河成为耕地集中的地区。清代从康乾到光绪的二百年间，受粮食民需军需增长和民族关系的影响，对农业牧业的政策几经反复，给农牧交错带的结构和范围造成一定变化。

　　总之，经过明清两代的社会演变，北方农牧交错带逐渐成为今日的状况。由于时代的限制，虽然农牧交错地带逐渐形成了农牧兼营的经济结构，但是只限于分别经营的农业耕作生产和放牧畜养业生产，历史上不可能形成植物生产与动物生产高效和谐的有机整合。时至今日，经过长期的广种薄收，粗放耕作，超载过牧，对土地和草地的投入不足、保护不善，已使绝大多数耕地，特别是旱作耕地的生产力严重衰退，草地牧场也严重退化，各种自然灾害频繁发生，生态环境日益恶化，以致农牧民贫困化的局面出现。为此，必须深入研究农牧交错地带生态系统与地理环境发生变化的过程，探索其演变规律。根据资源与环境的特性和承载力，积极调整结构，加强生态建设与环境整治，寻求科学发展的道路和模式。

第二节　农牧交错带的基本特征

内蒙古地区横跨我国三北地区，沿嫩江、西辽河、长城及阴山山地南北一线，东至大兴安岭东麓的嫩江流域，西至阴山西段及黄河中上游流域，构成了北方农牧交错带的主体部分，面积约占北方农牧交错带总体的70%。内蒙古地区的农牧交错带完整地代表了我国北方农牧交错带的基本特征。

农牧交错带最突出的景观生态特点是在温带草原生物群域（Biome）的背景上，星散分布着粗放耕作的农田与城镇村落等景观单元。农田的分布格局主要是相对集中在山麓地带、河流沿岸的滩地与阶地、丘陵谷地及盆地中，由此向周围扩展，逐渐稀疏分布，有些耕地已扩展到丘陵与低山坡地及高台地上。历史上形成的这种景观生态结构在现代卫星遥感图像上表现得十分清晰。

内蒙古的农牧交错带正处于中温带的半湿润、半干旱和较干旱气候区，由东向西气候的湿润度递减，由北向南热量递增。东部的年均降水量约400毫米，中部广大地区平均降水量约300—350毫米，西部约200—250毫米上下；湿润系数由东部的0.5下降到西部的0.22；最西部的河套平原，年均降水量不足200毫米，成为灌溉农业地区。农牧交错带北部的嫩江流域全年≥10℃的积温约2 000℃—2 300℃，西辽河流域及阴山山地中段两麓的积温约2 300℃—2 800℃，西部的黄河沿线及阴山（狼山）两麓的积温约2 600℃—3 200℃，上述各地的水热组合条件决定了农牧交错带实行旱作及一年一熟的农业耕作制度。在历史上，当地的农牧民为了追求较高的、较稳定的生产力，所以多从水资源相对较多的山前洪积地带、河谷地带进行垦殖开发，随着人口增多，才逐渐开垦到丘陵坡地。总之，农牧交错带的水、土资源及气候等生态环境因素是经营旱作一年一熟制农耕生产的极限条件，灌溉农业只限于在河流冲积平原的特定地区，土地面积有限，又必须建设水利灌溉工程。因此，由于历史条件（经济实力、科技、文化等）的限制，农牧交错带的农耕生产必然是粗放经营、广种薄收，丰歉波动的局面。

20 世纪的后半世纪，在全国和内蒙古地区经济发展的带动下，农牧交错带的经济也有很大的发展，人口也有较快的增长，农牧业生产的科技水平与经营策略虽有不少进步，但在很大程度上是以满负荷和超负荷地开发利用自然资源及环境承载容量的基础上发展生产的，是以损坏生态环境、突破水、土、生物资源的循环再生机制为代价所取得的眼前收益。因此，注定是不可持续的发展。目前所出现的：土地肥力消耗殆尽，风沙侵蚀与水土流失的加剧、滩川地的盐碱化、草地的普遍退化以致沙化，沙尘天气与沙尘暴的频发，生物资源的锐减，虫鼠病害的流行等都是超限度开发利用资源所造成的后果。可见，近一个世纪以来农牧交错带的发展，在很大程度上是走了一条"饮鸩止渴"的资源锐减、环境恶化、灾害频发、居民贫困化的发展路子。

第三节　农牧交错带生态地理环境的演变

内蒙古农牧交错带的形成是我国北方民族文化与社会经济发展的历史产物，但必然引发和促进自然界的环境因素与生态系统的演变。使区域生产条件和资源，包括局域气候与水、热条件，土地结构，生物多样性组合等都有多元化的变异，成为环境变化十分敏感、自然灾害频发的地带。

一、内蒙古阴山山脉以南的黄河中上游农牧交错区

该地区是畜牧与农耕生产在历史上反复进退最显著的农牧交错地带。根据历史资料和自然因素的科学观测与分析，可以推断百年和千年时间尺度的演变过程。张兰生等人在本地区的古地理学研究中取得了环境演变的许多重要证据。包括古土壤、古黄土与古风成物层状交替分布的取样分析结果，湖盆沉积物相变与理化性质的变化，孢子花粉谱相的研究，以及考古资料的利用等。并对古老的松柏树木年轮指数进行分析，作为百年尺度的环境指标，

推断降水、温度等气候条件的变化。再参照旱涝灾害的历史记载，推算了自公元 13 世纪至 20 世纪的旱涝指数和气候干湿变化。①

根据上述资料和信息，可以认为内蒙古阴山山脉以南的鄂尔多斯与土默特地区在公元前 5 000 年的仰韶文化时期就有了原始农耕与畜牧业，是农牧交错带的初始形成。此后，从龙山文化时期起，在漫长的华夏文明发展中，本区一直处于农牧交替的时空格局中。因此，生态环境也始终是反复多变的不稳定状态。气候干湿波动明显，并趋向于旱化，在相对湿润期，降水量高出最近 30 年的平均值约 30%—40%，在相对干燥期，降水量比现代平均值约减少 40%，所以历史上本区旱灾相当频繁。气候的波动性也表现为水热组合的变异，在千年时间尺度中多有湿暖干凉与干暖湿凉的交替。草原沙地的固定与沙化，同阶段性气候干湿变化是相对应的，与农耕及放牧强度也是相关的。植被退化是本区环境变化过程的主要标志，原生的暖温性本氏针茅草原和黑垆土已在长期的农牧业生产活动中消失殆尽。孢粉谱的分析说明了植被地带和土壤地带的分布都在千年的时间尺度中发生摆动。秦汉以前，森林草原带和草原带占有广大的地域，既含有松类花粉，又有蒿类、藜类花粉。随着气候旱化的进程，荒漠草原带的范围有所扩大，藜类、蒿类花粉增多。土壤地带也有明显摆动，当然滞后于植被地带的变化。经历了长久的环境变迁，本区已逐渐丧失了暖温性草原的原生景观，成为水资源匮乏，植被退化，土地沙化，环境恶化的地区。

二、内蒙古农牧交错带中部的岱海与黄旗海盆地

湖泊环境变化是区域性整体环境演变的重要标志。两湖盆地属于古老的内蒙古地台的一部分，长期处于隆起剥蚀状态，中生代末期形成了河湖相沉积物，受燕山运动影响发生了一系列断裂，控制着本区地貌的形成和演变。第三纪渐新世至上新世，沿着断裂带产生大规模玄武岩喷发，随着新构造运动的加剧，沿北东向断裂带发生块体抬升，形成峦汉山及其东延山地，南部有玄武岩台地构成的马头山地，中部是受断裂控制的岱海—黄旗海断陷盆

① 周廷儒、张兰生等：《中国北方农牧交错带全新世环境演变及预测》，地质出版社 1992 年版，第 1—12 页。

地。刘清泗等人对本区的沉积特征，泥炭层、淤泥层、古土壤层的堆积系列，黏土矿物、碳酸钙、有机质含量的分析，古冰缘气候产物，湖泊水文系统，孢粉组合，微体化石，古植被，古文化遗址等进行了综合研究，说明了气候与景观的演变。[①] 认为两湖的湖面变化与气候波动密切相关，在秦汉以前的全新世中期，湖面水位最高，是处于暖湿气候时期；东周至汉代经历了约800年的暖干期，当时旱灾多有发生；汉代末年以后又转为冷湿时期，湖面水位也有上涨。《水经注》对当时岱海的湖景曾有记载："池水澄停渊而不流，东西30里，南北20里"[②]；隋唐进入冷暖交替的干旱期，持续约600年；宋辽至元代为冷凉湿润期，湖面扩大；明清又转入冷干时期。上述的气候变化与灾害的发生对农耕生产的扩展和收缩发生很大影响，也对畜牧业生产的起落与经营规模具有调节作用，从而改变着农牧交错带的格局。在河湖相沉积层的孢粉组成中，具有丰富的水生、湿生草本植物，蒿类植物，松、云杉、冷杉、桦、栎、椴等属的乔木。反映出在暖湿气候期，夏绿乔木的数量增多，成为森林草原与湿地景观，有利于农耕生产；气候冷干时期，成为草原与灌丛草原景观，适宜于畜牧业经营。

三、内蒙古西辽河流域农牧交错带

西辽河流域农牧交错带是松辽平原与蒙古高原衔接的地区，北有大兴安岭山地，南接燕山山地，构成了我国东部季风区和高原内陆干旱区的界限，其地理环境与景观生态格局错综复杂而多变，成为环境演变的敏感地带，也是西辽河地区文明发展的依托。早在8 000年前，这里的先民就用石器开启了原始农业文明。伴随着历史的进程，又相继出现了乌桓、鲜卑、契丹、女真等民族创造的游牧与农耕文明，进入了北方多民族文明和中原文明相互交融的发展历程，形成了中原农耕区与北方游牧区的过渡地带——农牧交错带。考古学界所发掘的兴隆洼、赵宝沟、红山、小河沿、夏家店下层等文化，代表着早期的原始农业文明。公元10世纪初期契丹人创建的辽代王朝

---

① 周廷儒、张兰生等：《中国北方农牧交错带全新世环境演变及预测》，地质出版社1992年版，第16—49页。

② 郦道元：《水经注》。

及 200 年后女真族建立的金朝，继承着古老的文明，营造出西辽河文明的辉煌篇章，其中也饱含着中原文明的光华，这是西辽河后代文明发展的根基。时至今日，当全球人类在发展中面临着 20 世纪的诸多环境问题时，我们也不得不关注属于半干旱气候区的西辽河流域环境演变的过程及其利弊。

武吉华等学者在西辽河上游的山地、沙地、湿地与草原进行了埋藏（古）土壤和现代土壤以及孢粉的系列取样分析和多处剖面观测，研究了本区的环境与农牧业的演变。① 此项研究表明，在本区的低山、丘陵、沙地、河谷阶地与低湿地等环境中，不同类型的古土壤剖面年龄与结构特征，可以反映出全新世的气候变化。

从距今 8 000—5 000 年的泥炭层剖面结构来看，当时的气候温暖湿润，降水丰沛，湖沼与草甸广为分布。同时期的低山丘陵土壤剖面有深厚的腐殖层，表现出森林土壤和草原向森林演化的特征。距今 5 000—3 000 年间的古土壤有类似于黑垆土的特征，反映了气候旱化向草原演变的过程。距今 3 000—1 000 年的土壤发育又显示了向湿润气候转化的特征。距今约 200 年以来，气候较为干旱，湖沼萎缩，成为零散的小泡子与盐碱甸子等。

与全新世气候波动变化密切相关的古植被也呈现出灵敏的反应和演变历程。从古孢粉组合及现存植被类型与特征可以推断出暖湿气候时期的景观是森林草原，山地的显域性植被有白桦、山杨、蒙古栎等组成的夏绿林和云杉、油松、落叶松组成的针叶林，平原与台地形成草原，沙地上发育成疏林、灌丛、草地复合植被，低湿地为沼泽与草甸植被。气候干旱化时期，草原植被明显扩展，中生与湿生植物减少。

本区农牧业的发展与地理环境、社会政治文化、民族关系的演变是密切相关的。已发现的新石器时代（7 000—4 000 年以前）巴林左旗与林西县河谷沿岸的文化遗址十分集中，并有许多细石器文物，这一时期气候暖湿，河湖水量丰足，森林繁茂，出土的石犁、石锹、石磨盘、刮削器、夹沙陶器、多种骨器等说明这时原始农业已相当发达，兼有渔猎生产。3 000 年以前属于夏家店文化的铜矿冶炼和青铜器铸造等遗迹颇多，同时也发现了羊骨、鹿

---

① 周廷儒、张兰生等：《中国北方农牧交错带全新世环境演变及预测》，地质出版社 1992 年版，第 55—69 页。

骨、猪骨等遗物，这时畜牧业规模当有增加，居住在这里的乌桓、鲜卑、契丹人都是游牧生活的民族。公元 907 年，契丹建立辽王朝，辽太祖耶律阿保机随即推行"弥兵轻赋，专意于农"① 的政策，促进了农耕业的发展。自此及其以后诸帝引掠汉民与渤海人（革末革曷人）到西拉木伦河流域上京道临潢府诸县开垦河谷宜耕土地，并保护草原游牧生产，形成了"上京地沃宜耕种，水草便畜牧"② 的经营格局。金王朝建立后，随着人口增加，气候旱化，农牧业趋于衰落。元、明两代到清代早中期，西辽河地区气候冷暖变化不利于耕种，此期的战乱不多，保证了蒙古牧民游牧生息的延续。清代晚期，开始蒙地屯垦，为了管理西拉木伦河以北的垦务，专设林西县，直到民国初期，继续迁出蒙族牧民，使林西县成为农业耕作集中区域。

西辽河流域的农耕与畜牧业在长期的交互发展中，形成了稳定的农牧用地交错分布的景观格局。以西拉木伦河北岸一线为例，西端的克什克腾旗西半部属于蒙古高原，是典型草原牧区；经棚—林西是以河谷为中心的农耕区；往东，巴林右旗南部的台地是草原牧区；再往东北延伸，进入巴林左旗的农耕区。这一分布格局在卫星图像上清晰可见。

第四节　农牧交错带生态经济类型区的分化

内蒙古农牧交错带是长期历史演变形成的跨越经度约 19° 和纬度约 14° 的广大地域。因此，地区间的差异十分显著，其形成与演变过程、生态环境、自然资源与景观结构各异，社会人文条件和经济结构也有很大不同。经过长期自然演化和人类活动的影响，各地区都发生了不同的生态环境问题。在当今的形势下，根据《全国生态环境建设规划》（1999 年 1 月国务院颁布）、《全国生态环境保护纲要》（2000 年 11 月国务院颁布）和实施西部大开发战略的要求，针对农牧交错带的问题提出了：天然林保护工程、草原保育建设工程、"三北"地区等重点防护林建设工程、退耕还林还草工程、环北京及北方风沙区防沙治沙工程、自然灾害的防治与减灾工程、水资源合理

① 闵宣化：《东蒙古辽代旧城探考记》，冯承钧译，中华书局 1956 年版，第 37 页。
② 《钦定热河志》。

调配利用与节水工程、生态移民工程等，这些工程都是为了把内蒙古建设成为我国北方最重要的生态防线。这是我们当代人对历史演变中带来的环境问题与社会矛盾进行深层次认识，走向科学发展道路的历史使命。

农牧交错带是环境变化最剧烈的地带，是植被退化、土地沙化、景观结构破碎化、多种灾害频发最严重的地区。因此，在我国北方生态安全防线的建设中应成为重点地区之一，这些生态与环境建设工程的实施对于优化资源配置，改善生态环境和区域经济社会可持续发展必将是最根本的保障。

为了因地制宜地落实各项生态环境保护与建设工程和经济结构调整的任务，促进地区经济的持续健康稳定发展，必须根据地区和历史演变的特点划分不同的生态经济类型区。为此，应遵循以下几项原则：

类型区的划分应突出考虑长期演变过程的特点，当地资源与环境优势，生态系统功能特征，存在的主要生态环境问题，地区经济结构的历史基础，民族文化传统与特色等，以便吸收和借鉴历史经验，科学地认识与安排生态环境保护建设及产业发展的目标和工程措施。

对区域生态经济系统长期承受的社会压力，系统的稳定性、波动性、脆弱性和易损性进行分析评估，作为区域划分的一项重要依据，以利于坚持保护优先、保护与建设相结合的原则。

继承和发扬游牧文明的精髓，科学合理配置水、土、光、热、生物资源，使植物生产与动物生产有机结合，达到有利于发挥生态区域间、生态经济系统间与系统内不同组分间的耦合效应，便于建成林草农牧复合系统，并实现外引内联的农牧工商及产供销一体化新型产业体系的战略目标。

按照蒙古民族的生态传统和现代生态科学理论，利用区域景观生态多样性、异质性的有利格局，优化景观结构，发挥各景观单元的生态系统多项功能，形成生态经济系统健康安全保障体系。

为了便于组织落实各项生态环境保护与建设工程，实现产业化发展的目标，生态经济区的划分应以保持自然社会区域的完整性为原则，这也往往是历史选择的结果，具有不可逾越的合理性。按照上述原则和标准，应在内蒙古农牧交错带区分以下几个生态经济类型区：

嫩江流域低山丘陵农林牧交错区

科尔沁草原沙地农牧交错区

浑善达克草原沙地农牧交错区

阴山北麓草原农牧交错区

黄河中上游内蒙古区段农牧交错区

下面分别对各个生态经济类型区的区域范围，环境与资源变化特征，经济类型与结构，生态建设和环境治理的方向与模式，产业化对策的设想，科学发展的目标等做简要说明。

第五节　嫩江流域低山丘陵农林牧交错区

嫩江流域和大兴安岭地区，从公元 10 世纪到 13 世纪，是契丹和女真族相继建立辽、金王朝统治的地区，也是蒙古民族的祖先"蒙兀室韦"兴起的摇篮。这里的森林、草原与江河是先民们从事渔猎生产并逐渐兴起畜牧生产和农耕生产的优越环境，成为狩猎与农牧林业兼营的地区。本生态地理区域范围在东经 119°46′—126°04′，北纬 45°14′—51°37′之间，按照现行的行政区划，包括呼伦贝尔盟的鄂伦春自治旗，莫力达瓦旗，阿荣旗，札兰屯市；兴安盟的札赉特旗，乌兰浩特市，科尔沁右翼前旗，科尔沁右翼中旗和突泉县。

本区是大兴安岭东侧的山地丘陵森林草原地带，是嫩江及其各支流的主要发源地，两岸有一系列支流汇入嫩江。发源于大兴安岭山地的主要支流有：诺敏河、雅鲁河、绰尔河、洮尔河、霍林河等。因此，本区是嫩江水源涵养区的主要组成部分，发挥着保障当地及松嫩平原生态安全的重要功能。本区气候较湿润，年均降水量 350—400 毫米。因河网水系较密，水资源丰富。森林土和草甸黑土分布较多，构成良好的宜林宜农土地资源。这一地区在内蒙古农牧交错地带中是生物多样性最丰富的地区，水、土、生物资源为林业、农业、草业、畜养业的综合发展提供了有利的环境条件。本区是农牧交错地带最寒冷的地区之一，历史上常有冷冻灾害的发生，并限制了喜暖的农作物与家畜品种在本区生产，北方民族也创造了适应本区环境的生产经营格局。

近一个世纪以来，林木资源曾遭到日本侵略者的疯狂掠夺，新中国建立后，为满足国家建设的需要，森林过量采伐，林木更新不足，现有林木覆被面积仅占总土地面积的27.6%；土地垦殖过多，现有耕地面积达79.76万公顷，约占总土地面积的8.03%。仅1998—1999年的一年间即新增耕地近4万公顷，约增加5%。农田土壤肥力也在下降，仅阿荣旗一地土壤有机质含量普遍下降6.8%—16.6%；林间草地正在退化，草地生产力下降幅度约在26%—48%。因此本区水土流失已相当严重。由于山地森林与其他植被的水源涵养功能受损，成为嫩江发生水患的生态根源。本区原是生物多样性指数很高的地区，随着人口增长，经济发展和资源开发利用，缺乏有效的保育对策，目前已造成生物多样性的衰减和森林生物资源的丧失。

本区在历史上曾是以林产经营及民族狩猎业为特色的地区，进入20世纪以后，随着移民戍边和日本帝国主义的侵略，本区农业垦殖不断扩展，70年代以来，土地开垦规模继续增大。目前农业经营粗放，种植结构单一，畜养业不发达，农业与林草业及畜养业未形成复合经营模式。特色产业尚未形成社会需求的规模。

实施天然林保育工程，进行山地森林更新抚育和封育，把扩大森林覆被率作为本区生态建设的重要主攻方向。瘠薄土地与陡坡地要退耕还草还林，林间草地加强保护封育、营建人工草地与饲料基地，为畜养业的发展创造条件。改善农田生态环境，营造农田防护林，推行草田轮作的经营模式。

林业应以山地造林、封育、更新及营造防护林为主导方向，建立不同层次的生态农业经营模式，建立草田农作体系，建立饲草料生产基地，发展以养牛业为主的多种饲养业，形成农业畜产复合生产系统。以邻近的黑龙江工业城市为依托，把农林畜产品加工与大市场的连接作为重要的产业发展目标。创建天然林保育工程技术体系和经营管理模式。测算林草覆被对水源涵养、保障生态安全的服务功能价值，制定本区扩大林草覆被率，发展林草业的战略目标与规划。

建立农林畜产综合经营试验示范基地，创立适宜本区的技术体系和优化生态产业模式。运用现代化手段查清本区生物多样性本底，进行生物资源保育及可持续开发的预测研究。以林产资源和野生生物资源的保育及可持续利用为基础，建立新型特色产业的科技开发研究。

第六节 科尔沁草原与沙地农牧交错区

科尔沁草原是红山文化、兴隆洼文化等新石器时代古文化的发祥地，从考古发掘的古石器类型可以认为本地区在距今 5 000—6 000 年前已有原始古老农耕生产。本地区与嫩江流域也同是中世纪辽、金王朝统治的地区，契丹和女真族推动了北方地区的社会进步，创造了灿烂的文化，对农耕与畜牧产业发展做出了重要贡献；并与中原地区进行着经济、文化的密切交流，促进了中国统一多民族国家的发展进程。这一地区的范围在东经 116°46′—123°50′，北纬 41°48′—45°40′之间，包括通辽市各旗县区与赤峰市各旗县区，并与辽宁西部的蒙古族混居地区相连。

本区是西辽河流域的草原区，西拉木伦河与老哈河汇入西辽河，流贯全区。河流以北是大兴安岭南段的山地和山前丘陵平原，成为森林草原和草原自然景观，其中有沿河分布的沙地景观。西拉木伦河与西辽河及其各支流构成较密集的水系，是本区的重要水资源。因此，大兴安岭南段山地及山前丘陵的林草植被也具有极其重要的水源涵养功能。西拉木伦河与西辽河以南是东西连绵约 500 公里的科尔沁沙地主体部分，沙地东部（大青沟以东）属于半湿润地区，年均降水量达 400 毫米以上，沙丘上形成栎、槭、榆、刺榆等多树种及灌木的疏林草地，沙地中西部属于半干旱地区，年均降水量 300毫米，分布着榆树疏林草地和灌丛草地，都是优质高产的天然牧场资源。科尔沁沙地还分布着许多沙丘间滩地（低湿地），是发展人工草地与饲草料基地的良好土地资源。本区的景观生态多样性与异质性为发挥生态系统耦合及补偿效应并形成产业综合经营体系提供了有利环境与资源条件。

目前，本区低山丘陵地区的草原植被因过度垦殖及超载放牧利用已普遍发生退化。以巴林右旗、巴林左旗为例，近三十年来天然草地面积减少了38%，耕地面积增加了 3.8 万公顷，新增面积约占 9.8%；天然草地生产力约下降 35%—58%。随着植被退化，山地与丘陵坡地的水土流失面积正在扩大，科尔沁沙地的沙漠化也在急剧扩展。与 20 世纪 70 年代末相比，虽有一些局部地区经过治理恢复了林草植被，但有更多的地方仍进一步沙化。例如翁牛特旗北部、科尔沁右翼后旗均可从卫星影像上看到沙化扩大的明显趋势，其中，在农牧民聚居的村落周围都形成了严重沙化的景观团块。沙丘间滩地多因不合理开垦耕种与牲畜践踏也广泛发生了退化与盐碱化。因本区正处于京津以北地区，由于植被的普遍退化与土地沙化，已成为北方沙尘暴的策源地之一，直接威胁着首都及华北地区的生态安全。

本区是内蒙古经济较发达地区，在经济结构中第一产业的生产总值约占38.5%，第二产业占28.6%，第三产业占32.8%，赤峰市与通辽市的国内生产总值分别占内蒙古全区的第三位与第五位。工业化的进程也较快。但是农林牧业的结构不尽合理，对环境的压力已超越了承载阈限，特别是农林牧业深度结合的复合经营体系未能形成。虽然也创建了一些有发展前景的农林牧业复合经营模式，但尚未推广。结合治沙与治理水土流失的生态产业有待于广泛兴起。

本区北部山区应长期坚持实行天然次生林封育工程，不断增强其水源涵养功能。水土流失严重的丘陵坡耕地积极进行退耕还草还林，以乔、灌、草结合的结构恢复林草植被，水土流失严重的地方应安排重点工程，以林草生物措施与工程措施相结合的方式建立防护体系。科尔沁沙地应成为我国北方防沙治沙工程的重点地区之一，把防沙治沙的科学技术体系与沙区生态产业建设结合起来，以恢复与营建沙地的疏林草地、灌丛草地和滩地人工草地及饲料地为主攻目标，全面进行植被建设。把科尔沁沙地建设成为功能强大的防风固沙生态屏障，并为沙区生态产业发展创造有力的物质基础。

在科尔沁草原沙地必须调整农牧林业结构，改善生产经营制度，改变对土地资源、草地资源、生物资源超负荷利用的状况，以确保资源再生机制和可持续性为前提，充分发挥生态保护功能和资源多样性的耦合效应，依靠科学进步与知识创新，积极开创新型集约化高效畜牧业经营模式，使科尔沁草原沙地成为以养牛为基础的新型家畜育肥产业带。赤峰、通辽位于我国华北与东北经济区和消费大市场的边缘，以肉、乳、粮、油为基本原料，发展食品工业也将会创造本地区的产业优势。

本区的山地天然次生林封育与经营管理技术体系的创立，包括林草复合植被体系的营建，山地林草生态系统优化结构与动物饲养（例如养鹿）的合理配置。山前丘陵地带的植被恢复与保育及农田规范化建设，丘陵平原区的饲草料基地及家畜饲养育肥基地建设。

科尔沁沙地疏林草地恢复营建及其产业发展的模式，包括乡土乔灌木树种的选择与配置，林草植被的生物生产力及其再生能力的阈限，沙地及滩地生态安全的土地利用格局，沙地生物生态产业结构的模式等。科尔沁草原沙地区河川地表水系的水资源调配与节水途径的研究。在农牧林产业结构调整，转变经营机制，探索集约化经营模式中与第二、第三产业发展的产业链形成密切关联。

第七节　浑善达克草原与沙地农牧交错区

浑善达克沙地及草原是历史上漠南农牧交错带的核心部分，是蒙古王国与元朝在北方谋求发展的重要舞台。占有东经 111°56′—118°50′，北纬 41°24′—44°41′之间的地域。包括锡林郭勒盟的西乌珠穆沁旗、锡林浩特市、阿巴嘎旗、苏尼特左旗、苏尼特右旗五旗（市）的南部及正蓝旗、多伦县、太仆寺旗、正镶白旗、镶黄旗、化德县等旗县的全境。

本区是内蒙古高原草原区的中心，在阴山山系以北，由东南向西北渐趋倾斜下降，平均海拔 1 050—1 350 米。其中，沙地是晚第三纪以来在草原化气候的历史环境中长期沉积而成的风成沙区。全新世以来，仍以风成沉积为主，兼有河湖相沉积，二者彼此交错镶嵌，并交替沉积，叠覆而成互层。由古风成沙与现代风成沙组成的沙垄、沙垄—梁窝状沙丘与丘间低地相间排列，并有岛状湖沼镶嵌分布。

本区的气候条件具有温带内陆半干旱气候的特征，年均降水量 220—380 毫米，湿润系数 0.22—0.40，全年≥10℃的积温 2 000℃—2 380℃。因位于内蒙古高原的内流区，所以河流稀少，地表水系不发达，除上都河为滦河上源属外流河之外，仅有乌拉盖河、锡林河、吉林河、高格斯太河等几条内流河。因此，本区水资源的贫乏是各项产业发展的限制性因素，必须把合理配置水资源，坚持节约用水，作为本区发展战略的重要一环。

以风积沙土为母质，因土壤的发育程度不同，形成了沙质土的演替系列。在流动沙丘上，土壤发育程度微弱，有机质含量很低，但水分含量较高。在沙蒿半灌木群落覆盖的固定与半固定沙丘上，发育成原始栗钙土。冰草占优势的群落多形成较稳固的沙岗，可发育成沙质栗钙土。在沙丘间洼地上可发育成沙质草甸土。

生于沙丘上的团块状榆树疏林与黄柳灌丛以及稀疏的山杏灌丛，成为草原区独特的沙生木本植物群落。沙丘与沙岗坡地上发育的沙蒿半灌木群落与稀疏的小叶锦鸡儿灌丛是沙生植被系列中分布最多的植物群落类型。以冰草为优势种组成的群落，在沙地植被演替序列中具有沙质草原的稳定特征。沙蓬、虫实、猪毛菜、黄蒿等一年生植物组成沙地的先锋植物群落。在沙丘间低地上随着土壤水分含量的生态差异，分别发育着繁茂的柳灌丛、柴桦灌丛、拂子茅草甸、杂类草草甸、芦苇沼泽草甸、苔草类沼泽与香蒲沼泽等，形成多样化的生态梯度系列。这些沙地与低地植物群落的生态分异，反映了浑善达克沙地景观生态多样性和景观结构的复杂性。所以，浑善达克沙地在草原区内部是一个相对稳定有序的景观生态区域，是在沙质土壤及其母质上形成的生态演替系列，其生物生产力与能量转化效率一般高于典型草原生态系统，并具有资源的多元互补优势。因此，在中世纪的历史上是蒙古民族聚居的优美草原和疏林草地，不仅成为畜牧业和农业繁荣的地带，也是元代的一个文化政治中心，元上都就设置在这一地区的上都河流域，至今还保存着元上都的遗址。

近百年来，随着人口与畜群头数的增长，显著地加大了草地利用强度，因此浑善达克沙地中东部已出现许多局部的沙漠化与土壤、植被退化现象，其表现形式有：在沙蒿类半灌木群落、冰草群落等分布的固定、半固定沙丘与沙岗地上，超负荷持续放牧，逐渐退化演变为一年生先锋植物群落的流动与半流动沙地（裸沙地）。在榆树疏林分布的沙垄与沙丘上，多年超负荷放牧，使林下与林间草本、半灌木植被衰退以至完全消失，但榆树仍保持较好的长势，形成单一乔木层片的固定、半固定沙地。流动、半流动沙地因多年强烈风蚀，使埋藏的古土壤呈斑块状出露，成为疮疤式残破的裸沙地景观。在固定半固定沙地上，因局部放牧强度过重，或因人为挖药、樵采造成植被破坏，成为侵蚀破口，这是扩展为大范围风蚀作用的起点。在草甸、沼泽草甸植被覆盖的沙丘间滩地上超负荷地放牧或连年割草引起植物群落的退化演替和土壤碱化。由沙柳、柴桦等组成的沙丘间低地中生灌丛，因过量樵采，引起木本植物群落向杂草类群落演变和土壤碱化。浑善达克沙地西部，因气候更为干旱，超载放牧严重，目前已发生大面积的沙漠化，流动、半流动沙地已占土地面积的 35% 以上。

本区是以草地放牧畜牧业为基础的农牧交错区，农田相对集中分布在多伦县、正蓝旗、太仆寺旗和正镶白旗。向北越过浑善达克沙地本部，进入了草原牧区。所以本区是一个经济结构比较单一，产业化发展十分不足的地区，在一些城镇中也缺乏第二、第三产业的发展。目前在国内生产总值中，农牧业仍占 54%。

鉴于本区的环境恶化、植被退化与土壤沙化的趋势已相当明显，应加强生态系统保育，发挥沙区的水、土、生物资源优势和生态系统的耦合效应，以养牛养羊业为中心，实行林草农牧复合经营模式，积极推广封育、飞播、喷播及滩地人工草地的营建等防沙治沙生态工程，恢复沙地的林草植被，改善沙地的总体环境质量，使浑善达克沙地走上可持续发展之途已是当务之急。

由于沙地土壤基质的不稳定性和生态环境的脆弱性特征，必须在测算生物生产力和土地承载能力的基础上，进行景观生态设计，在逐步向集约型转变的林草农牧复合经营模式中，进行以下各项基本的生态产业建设：

对榆树疏林和多种灌丛植被积极进行抚育更新，实行规范化管理和合理利用，这是保护沙区生态环境的重要保障，也是畜牧业和农业生产的重要资源。保育现有的各种草地资源，利用沙丘间滩地建设人工草地和饲料地，并形成沙区内的饲草料生产、加工、储备体系。以养牛、养羊为主，实行暖季轮牧与冬季补饲、舍饲的集约化经营模式。

加强农畜副产品及畜粪类有机肥料的积累加工和施用，实行人工草地轮作制等，以保证耕作土地的持续健康经营。

浑善达克草原与沙地区已被列入当前"环北京防沙治沙工程"的重点治理地区。围绕这一战略性生态环境建设工程，要进行本区气候条件及大风运行规律的研究；掌握区域间地表物质的粒径组成与结构；运用卫星遥感信息技术测算下垫面生物覆盖的不同类型、分布及其防护功能的参数，以利于各项防沙治沙工程的合理布局与设计，并把防沙治沙与产业发展结合起来。

在浑善达克沙地东部、中部、西部分别建立畜牧业产业化试验示范基地，以沙丘封育恢复植被，滩地营建人工草地与饲料地为基础，以养牛业为主，实行夏牧冬饲，探索集约经营的途径，把草原沙区建设成确保生态安全的新型畜养业基地。

第八节　阴山北麓草原农牧交错区

阴山北麓草原农牧交错区是漠南农牧交错带向西延伸的一部分，经历了长久的农业耕作史，为军需民需粮食供应做出过重要贡献。也是长期保持畜牧业经济的地区。在东经108°02′—114°50′，北纬40°43′—42°18′的范围之内，包括乌兰察布盟的化德县，察哈尔右翼后旗，察哈尔右翼中旗及四子王旗的南部，呼和浩特市的武川县，包头市的固阳县及达茂旗南部，巴彦淖尔盟的乌拉特前旗北部及乌拉特中旗东南部。

本区是阴山山地北坡及其山前地带，是由于山地效应所形成的半干旱草原地带。年降水量约250—350毫米，湿润系数0.25—0.38，原生土壤以栗钙土为主。本区属高原内流区，地表水系不发达，只有一些发源于阴山山地的季节性河流。

长期的农业垦种，使本区成为农田与草地交错分布的景观。目前，大面积连片分布的草地已经很少，生产力也不高。农田耕地也多是风蚀沙化、地力衰退的中低产田，在乌盟的上述几个旗县中，适宜于耕种的滩川地仅占现有耕地的6.7%。总之，本区是人口承载力较低的地区。

本区最早的农业垦殖已有数百年的历史，但长期以来一直是以粗放经营、广种薄收为特征。到20世纪50年代，畜牧业与农业生产的水平尚可维持当地农牧民的生计，并可提供一些商品粮。近四十年的发展中，土地开垦继续扩大，并已发展到一些陡坡地的开垦。草地资源减少，生产力退化。随着农垦指数的增长，草地放牧压力加大，人口增多以及粗放耕作的长期延续，使生态系统中能量的输出大于输入，因此耕种土地的生产力普遍下降。本区是大陆性气候强烈而又多风的地区，所以土地经多年耕种已广泛发生风蚀沙化，目前已经成为北方沙尘天气策源地的一部分。土地退化与沙化和人口压力的加大必然导致本区农牧民的贫困化。

本区的经济结构以畜牧业和种植业为主，第二、第三产业相对滞后。鉴于本区的草地退化、土地退化与风蚀沙化是最突出的生态环境问题，因此必须积极进行生态保护与治理，灌草植被的恢复与建设应成为生态工程的核心内容。乌兰察布盟所推行的建设稳产基本农田,不宜耕的土地退耕还草还林还牧的治理对策,就是农田建设、植被建设和发展畜牧业相结合的模式。积极进行灌草乔相结合的防护网络建设和推行多元种植结构的耕作制度也是本区生态环境建设所必需的措施。由于本区的人口压力已超越了地区资源与环境的承载力,所以生态移民工程与人口适度向城镇转移也是改善生态环境的重要举措。

由于本区的生态环境恶化与产业基础薄弱,所以应该把植被的恢复建设作为产业发展的基石,在产业结构调整中要扩大畜牧业的比重,就必须以生态建设与草地生产力的提高为依托。总之,本区产业化发展的基本对策应是:大力进行植被建设,积极改革耕作制度,逐步扩大畜养业比重。

水资源的高效利用和节水方式的探求是本区植被建设的主要保证,要把降水、季节性地表水、地下水进行统筹调配,要加强土壤保墒与保水剂的研究,提高土壤水分的利用率,这是本区生态建设的重大课题。

在充分研究本区土地类型、土地生产力与土地适宜性的基础上,进行土地合理利用与改造的规划,为退耕还草的生态治理对策提供科学支撑。开展乔、灌、草等植物种类生态适应性的研究,并进行因地制宜的配置,是本区植被建设的关键性技术。

在多年来中国农业大学及内蒙古农牧业科技人员实验研究工作的基础上进行农业多元旱作种植结构的新探索与推广应用。本区人口、资源承载力与环境容量测算的研究也是经济结构调整与生态移民的重要依据。

第九节　黄河中上游农牧交错区

黄河以北的河套平原及南岸的河滩平原有经营灌溉农业的悠久历史,可上溯到战国与秦汉时代、隋唐至五代,农业灌溉曾不断发展,逐渐形成富饶的河套及黄河沿岸的农产基地。在内蒙古境内的东经 106°29′—114°04′,北纬 37°34′—41°18′之间,包括呼和浩特南部各旗县,包头及土默特右旗,巴彦淖尔市的乌拉特前旗、五原县、临河市、杭锦后旗、磴口县,鄂尔多斯各旗县与乌海市构成了民族文化多元化的农牧交错地带。

本区是阴山山脉以南内蒙古境内的黄河流域地区,是景观生态类型与结构十分复杂的一区，东部属半干旱地区，西部属于干旱地区。可以划分为阴山南麓山前洪积平原景观单元，黄河沿岸阶地与冲积平原景观单元，黄土高原北缘黄土丘陵景观单元，库布齐沙地景观单元，鄂尔多斯中部剥蚀高平原景观单元，鄂尔多斯西部沙砾质高平原与山地景观单元，毛乌素沙地景观单元等。这些不同景观单元的生态环境与自然资源具有很大的异质性，不仅资源与环境优势各异，而且生态系统受损与灾害性因素也很不同。

阴山南麓洪积平原的土地资源比较瘠薄，但具有恢复草原植被的生态地理条件。黄河冲积平原与阶地具有良好的农业土地资源，并具有引黄灌溉的水利条件。黄土高原北缘的黄土丘陵水土流失区及鄂尔多斯高原东部基岩侵蚀区应停耕还草还牧，恢复灌草植被。鄂尔多斯西部荒漠区拥有多种残遗分布的古老特有植物，应建立生物多样性保护区。库布齐沙地是向黄河输沙量很大的沙地，急需进行治理，减少向黄河输沙。毛乌素沙地的草地与生物资源多样性有利于畜牧业的集约化经营。

由于本区开发历史比较久远，人口比较集中，呼和浩特、包头、乌海三大城市均位于本区，所以生态环境问题也比较复杂。最突出的问题是风沙侵蚀与水土流失，并成为向黄河输入泥沙量的主要区域。黄河南岸的库布齐沙带，东西绵延约330公里，其中的一系列干河谷（孔兑）构成了面向黄河的洪积区。以准格尔旗、东胜区、清水河县、和林格尔县为中心的丘陵区是水土流失最严重的地区。黄河北岸的冲积平原（包括河套平原）由于长期的引黄漫灌，造成土地次生盐渍化的扩大。毛乌素沙地也因牲畜数量的增长，放牧压力加大，造成草地退化与沙化。此外，三大城市的大气环境污染，水环境恶化，黄河的水质污染等也是本区的重要环境问题。

本区是内蒙古工农业及流通领域的经济最集中的地区，京包、包兰铁路贯通本区，又建成了与铁路基本并行的北京—呼和浩特—包头—乌海—银川高速公路，成为交通枢纽，构成了最繁荣的沿黄经济带。本区范围内的国内生产总值占内蒙古全区的55.3％，其中，第二、三产业的生产总值占全区的60.8％。表明了本区的工业化进程也居于全区的最前列。

本区的风蚀与水土侵蚀已构成了经济与社会发展的严重障碍，并对我国北方地区的生态安全造成了许多威胁。例如对黄河下游的泥沙淤积和断流，对华北地区的沙尘危害等都已引起广泛关注。为此，必须把水土流失与风蚀沙化作为本区生态环境保护与建设的主攻方向。应长期不懈地坚持黄土丘陵与基岩侵蚀区的治理，小流域综合治理的经验与成果应继续发扬，退耕还林还草应成为最基本的生态工程。库布齐、毛乌素沙地的治理已被纳入全国生态环境建设规划及防沙治沙重大工程项目，要持之以恒地把沙地林草植被建设作为改善生态环境和畜牧业产业化发展的根本任务。按照国家对黄河流域水资源的统筹管理要求，进行本区水资源的合理调配和保护，这是一项带有根本性的系统工程，也是本区生态环境保护与建设的重大项目。

本区的农牧业产业化具有十分有利的保障条件，有大中城市的经济依托，有广大市场的引导，有较强的科技支持。因此最基本的对策就是从生态环境的治理与植被建设入手，发挥资源与环境优势，改善生态系统的结构与功能，不断增强科技支撑力度，向集约型增长方式转变，因地制宜地建立各种形式的农林牧复合经营模式，并与第二、三产业及大市场紧密连接。

鉴于本区是人口与经济集中的地区，对资源与环境已造成强大的压力，按照可持续发展战略的要求，必须对区域生态环境与可再生资源的承载力做科学的测算，为今后西部大开发中各项建设的合理布局与资源优化配置提供科学依据。

本区是生态环境保护与治理的重点地区，必须建立起环境变化与治理效果的动态监测与综合评估系统。要积极探索并建立黄土与基岩侵蚀区林草植被恢复与小流域综合治理工程技术体系与模式；库布齐沙地孔兑治理的工程措施与生物措施相结合的技术体系与模式；毛乌素沙地植被建设与畜牧业集约化（夏牧冬饲）经营的技术体系与家庭牧场的示范模式；黄河冲积平原农业区水资源高效利用途径与节水技术体系。

第　七　章

内蒙古草原退化与生态保育

　　草原是发生在温带大陆半干旱、干旱及半湿润地区的陆地生态系统。自晚第三纪以来，在长期的古地理环境中形成草原的物质代谢与能量平衡及生物生产的运行机制。草原是由一岁一枯荣的旱生多年生草本植物组成群落，成为生态系统的第一性生产者。草原高等动物群落由啮齿类和有蹄类的草食哺乳动物与小型杂食或食虫鸟类以及食肉的鹰类猛禽所组成。草原生态系统的生物生产对半干旱与干旱气候的年际波动和季节差异与冬季严寒有高度适应能力，这是生物演化史上高度进化的植物与动物生态类群。植物以地上器官冬季枯死，靠地面芽或地下芽休眠越冬，啮齿动物以挖掘地下洞穴储备食物御寒过冬，形成草食为主的短营养链。所以，草原生态系统是以集约的能量转化效率维持其生态平衡，并形成巨大的土壤碳库。因此，草原生态系统是第三纪中新世以来长期适应气候波动、环境严酷、水分限制的历史产物。

　　据考古研究，人类在草原上经营草食家畜的放牧饲养大约已经历了万年的历史。在早期，人类的知识和利用自然资源及调控环境的能力不高，主要是被动适应外部环境。所以，早期人类利用草原放牧养畜是在草原生产力及能量平衡阈限之内的行为，没有打破草原生物生产的运行机制。在人类文明的发展中不断积累对草原天时地利的知识与利用草原的经验，也逐渐驯养出适应草原环境的家畜品种，进而创造了以游牧的方式保持畜草平衡的一套经营制度，这的确是人类文明史上的杰作。随着草原地区人口和家畜数量的增长，有些地方突破草原生产力阈限形成低能量效率的系统结构，就是草原生态系统的退化。其中包含着生物种类消长更替，植物光合效率下降，生态系统的结构与功能受损，以致丧失其生产力及维护环境的功效。草原栗钙土是水分与养分含量较低的土壤类型，其肥力一般不能长期保证现有的各种农作物持续生产。因此，在草原地区开垦土地，只能利用隐域性草甸进行开垦耕作，或有可持续的水资源作灌溉保障并充分施肥，才能在栗钙土上种植中生性农作物，这已是大量实践证实的科学结论。历史上多次盲目开垦草原，都已引起草原的破坏与生态系统退化，是值得记取的教训。

第一节　退化草原的实地监测

草原退化的实质是在生态系统自然过程中遭受人为扰动的生态演替。为了揭示草原退化演替过程及其内在机制，我们在 20 世纪后半期先后进行了近四十年的草原退化与恢复演替的动态观测。这些生态过程的观测结果可以说明草原生态环境的演变，也有助于追溯草原人类文明的发展历程。[①]

1962—1965 年，在内蒙古草原地带典型半干旱气候条件的锡林河中游 N43°38′E116°42′海拔 1 187 米的地段，对保持原生状态的大针茅+羊草草原群落连续四年进行植物群落组成和地上生物产量的定位测定。当时这一草原群落是处在较轻度放牧的利用状态，尚未显示出明显退化的特征。植物地上现存生物量到 8 月下旬可达 226—282 克/平方米，在群落组成中，大针茅（Stipa grandis）和羊草（Lyemus chinensis）占明显优势，这两个优势种的生物量占群落总生物量的 63.2%—70.7%（表 7-1）。

此后，在这一草原地段，约有 250 只羊的一个畜群常年固定在约 200 公顷的草原面积上连年持续放牧。经过 18 年以后，到 1982 年，由于放牧强度过重的影响，已使植物群落进入放牧退化演替过程中，成为冷蒿+糙隐子草群落，这是典型草原群落退化演替的生态变型。原有的优势植物和恒有植物明显衰减，冷蒿（Artemisia frigida）、糙隐子草（Cleistogenes squarrosa）成为优势植物，变蒿（Artemisia pubescens）、星毛委陵菜（Patentilla acaulis）、

---

① 刘钟龄等：《内蒙古退化草原恢复演替的实验研究》，《沙尘暴成因及综合防治》，内蒙古人民出版社 2004 年版，第 242、243 页。

瑞香狼毒（Stellera chamaejasme）等植物的数量增长。到 1983 年春，对这一退化草原地区的中部实行封育，围栏面积 30 公顷，从此开始对退化草原群落变型——冷蒿+糙隐子草群落的恢复演替过程进行定位监测。

表 7－1 内蒙古锡林河中游大针茅+羊草草原 60 年代前期与
80 年代初期植物群落组成的比较

1962—1965 年植物群落的物种组成与生物量			1982 年植物群落的物种组成与生物量		
群落恒有植物种	存在度	平均地上生物量（g/m²）	主要植物种	存在度	平均地上生物量（g/m²）
大针茅 Stipa grandis	1.0	67.7	大针茅 Stipa grandis	0.2	3.3
克氏针茅 Stipa krylovii	0.2	6.2	克氏针茅 Stipa krylovii	0.4	4.8
西伯利亚羽茅 Achnatherum sibiricum	0.7	14.4	西伯利亚羽茅 Achnatherum sibiricum	0	0
羊草 Leymus chinensis	1.0	60.3	羊草 Leymus chinensis	0.2	3.4
米氏冰草 Agropyron michnoi	0.9	11.2	米氏冰草 Agropyron michnoi	0.3	3.0
糙隐子草 Cleistogenes squarrosa	0.6	6.5	糙隐子草 Cleistogenes squarrosa	0.9	14.5
洽草 Koeleria cristata	0.7	4.5	洽草 Koeleria cristata	0.2	1.1
黄囊苔 Carex korshinskyi	0.9	7.6	黄囊苔 Carex korshinskyi	0.1	1.0
细叶葱 Allium tenuissimum	0.8	3.8	细叶葱 Allium tenuissimum	0.3	1.8
山葱 Allium senescens	0.7	4.0	山葱 Allium senescens	0	0
双齿葱 Allium bidentatum	0.7	4.7	双齿葱 Allium bidentatum	0.1	1.0
黄花葱 Allium condensatum	0.6	2.8	黄花葱 Allium condensatum	0	0
野韭 Allium ramosum	0.6	2.0	野韭 Allium ramosum	0	0
囊花鸢尾 Irisventricosa	0.5	3.7	囊花鸢尾 Irisventricosa	0	0
冷蒿 Artemisia frigida	0.7	3.0	冷蒿 Artemisia frigida	1.0	23.2

（续表）

1962—1965 年植物群落的物种组成与生物量			1982 年植物群落的物种组成与生物量		
群落恒有植物种	存在度	平均地上生物量（g/m²）	主要植物种	存在度	平均地上生物量（g/m²）
变蒿 Artemisia pubescens	0.5	3.5	变蒿 Artemisia pubescens	0.7	7.0
麻花头 Serratula centauroides	0.8	5.8	麻花头 Serratula centauroides	0	0
狗哇花 Heteropappus altaicus	0.7	2.6	狗哇花 Heteropappus altaicus	0.8	2.4
扁蓿豆 Melilotoides ruthenica	0.5	2.0	扁蓿豆 Melilotoides ruthenica	0	0
小叶锦鸡儿 Caragana microphylla	0.8	8.2	小叶锦鸡儿 Caragana microphylla	0.9	10.6
菊叶委陵菜 Potentilla tanacetifolia	0.6	3.2	菊叶委陵菜 Potentilla tanacetifolia	0	0
星毛委陵菜 Potentilla acaulis	0.5	1.8	星毛委陵菜 Potentilla acaulis	0.7	3.5

1983—2000 年，在这一退化草原中选定的标准实验样区内，每年从 5 月中旬—9 月下旬，按 15 天的周期，分为 9 期，每期做 20 个规则排列的 1×1 平方米样方测定，包括分种测定群落地上现存生物量、高度、密度（株、丛、枝数）、盖度、生育期等。目前，此项监测工作继续进行，已建立数据库，作为中长期草原演替过程及环境变化的基础性研究。

第二节　草原退化和生态地理环境变化

草原退化是草原生态系统在多年连续放牧的人为影响下发生的逆行演替过程，必然导致多方面的环境变化。其中，主要包含着草原地面环境的变化、土壤理化性状的变化、草原植物组成的变化、草原生产力的衰退、草原生态系统物质与能量收支平衡的失调等多项重大变化。根据上述定位监测的结果和对内蒙古各地退化草原的有关调查资料，分别对草原退化演替中造成的各项环境变化进行简要的阐述。

一、退化草原地面环境的变化

在草原退化演替的地面环境变化中，首先可以看到草原地面覆被的变化，即植被盖度、高度、密度都在减低，使地面裸露度加大。随之，在大风季节，近地面风力作用增强，使物理性粘粒和细沙粒的搬运量增大。地面长波辐射增强，近地表气温升高，水汽通量增大。这些变化的效应主要包括：地表风蚀作用加强导致表土粗粒化（表7－2）；地表辐射热升高使植物呼吸消耗增加；因植物盖度、高度、密度变小，则能量转化（光合）效率降低，蒸腾耗水减少，但地表蒸发加大，使土壤水分循环出现新平衡点；地表温度升高能加速植物枯枝落叶的分解过程等。这些效应又将引起一部分敏感植物种群衰减。可以看出，草原退化出现的地面环境变化将对草原植被发生多方影响，使过度利用而退化的草原群落适应变化的环境，构成各演替阶段的生物群落结构与生态系统功能的状态。其中，以冷蒿占优势的退化阶段就是和这种地面环境变化相适应的生态演替变型。因为冷蒿是一种可匍匐生长并生出不定根的植物，在地面侵蚀增强的条件下，代替了直立生长的禾草类优势植物。在较大的区域中，随着退化草原面积的增大，由岛状分布向网状，乃至向大片连续分布扩展，地面环境的作用产生更广泛的影响。如风力对地表作用的增强，大气中粉尘量的增加，区域性地表辐射热增高和气温变幅增大等区域性气候变化趋势往往与地表裸露程度的增加相关联（表7－2）。

表7－2　退化草原的不同群落与未退化群落地表沉积物的比较

地表物质 \ 不同群落	未发生退化的群落 羊草+大针茅群落	Ⅲ度退化群落 冷蒿＋糙隐子草群落	Ⅳ度退化群落 星毛委陵菜群落	半裸地，一年生群落 猪毛菜群落
植被盖度（%）	42—66	15—28	10—30	5—18
植物高度（cm）	40—60	10—20	2—5	5—30
砾石含量（%）	3.8—4.4	4.8—5.0	4.5—6.6	7.4—11.2
粗砂含量（%）	4.2—5.6	4.5—6.7	5.5—7.3	7.7—10.8
中细砂量（%）	14.6—19.0	16.3—21.7	16.8—22.8	18.0—22.4
枯落物量（g/m²）	18.0—38.5	4.6—12.5	3.2—9.0	2.4—6.0

二、退化草原土壤环境的变化①

草原发生退化以后，土壤的物质组成和理化性状也会逐渐出现相应的变化。土壤是草原生态系统的重要资源库，一些作为限制性因子的资源均在土壤中进行分配和周转。由于土壤在草原生态系统中的稳定性高于植被，在尚未退化到土壤结构发生明显变化，资源储备与周转功能尚未明显衰退的条件下，土壤中的资源对于退化草原生物生产力下降的植被而言是相对充裕的。即显著减少了生物量的植物群落不能充分利用土壤中现有的全部资源。因植被的退化，生物生产力下降，植物对土壤养分的消耗量会趋于减少，所以土壤退化常常滞后于植被的退化。根据本实验样区不同处理的土壤养分测定，可以认定土壤养分含量的变幅不甚显著（表7-3）。

表7-3　退化草原不同实验处理中的土壤养分含量

实验处理	土壤养分含量					
	有机质 （%）	全　氮 （%）	全　磷 （%）	NO_3^--N （mg/100g）	NH_4^+-N （mg/100g）	速效 P （mg/100g）
退化群落	1.5163	0.1224	0.1076	0.4469	0.2056	0.1820
退化群落恢复10年	1.7478	0.1491	0.1155	0.4393	0.1569	0.1863
耙地处理后10年	1.8371	0.1594	0.1121	0.4018	0.2163	0.1741
耕翻处理后10年	1.2604	0.1248	0.0964	0.3231	0.1135	0.1861
补种羊草的群落	1.1406	0.1319	0.1208	0.5250	0.1297	0.1861

土壤中的水资源量与大气降水相关，植被退化不足以影响区域大气降水，因而并不减少大气降水对土壤水分的补给，但随着植被退化，地表裸露度的增大，土壤水分蒸发强度趋于增高，但因植物生产量的下降，其蒸腾量也必然减少。

在地下水位较高的地段，草原退化可能会导致土壤盐渍化，盐化的土壤对植物产生的胁迫可使不耐盐的植物种群衰退。沙质草地的退化则使基质流

———————

①　陈敏等：《治理退化草地与建立人工草地的研究》第1章，内蒙古人民出版社1998年版，第12页。

动性增强，沙生植物可能逐渐侵入。长期放牧的退化草原，因牲畜的活动往往会引起表层土壤结构变化，使表土紧实及容重增大，从而也会影响到土壤蒸发作用及植物生长。

三、退化草原生物组成的变化[①]

退化草原的生物组成的变化趋势取决于利用方式和强度，并受气候等生境条件的制约，退化草原植物组成总是适应于一定的放牧压力。例如在典型草原区，在过度放牧的条件下，家畜选择性采食使饲用品质差的植物种群逐渐扩大，以致成为群落中的主要植物，而饲用品质好的牧草日益减少，乃至消失；在割草利用方式下，由于割草作业必须保持一定高度的留茬，连年割草的结果使高大的牧草衰减，低矮的禾草增加，从而使割草效率降低，单位面积收割量减少。在沙质土地、盐碱化土地上过度利用的后果是沙生、盐生植物的增长和繁殖。这些植物是在过度利用和特定生境因素的胁迫条件下发生的，往往饲用价值降低。退化草原土壤库中资源尚未枯竭，退化植物群落又不能充分利用这些资源，致使一、二年生植物与先锋植物得以侵入或大量发生。例如典型草原放牧场、割草场上出现的黄蒿（Artemisia scoparia）、猪毛菜（Salsola collina）、刺穗藜（Chenopodium aristatum）；荒漠草原中出现的栉叶蒿（Neopallasia pectinata）、冠芒草（Enneapogon borealis）、画眉草（Eragrostis pilosa）、三芒草（Aristida adscenionis）；沙地草场出现的沙竹（Psammochloa villosa）、沙蒿（Artemisia spp）；碱化草地上的虎尾草（Chloris virgata）等。

植物组成的变化是草原退化的明显标志，也是草原生态系统反馈调节的途径。退化草原植物的饲用品质下降对草原生产性能的影响是深刻的。例如狼毒大量生长的退化草地，尽管其生物产量下降不十分显著，但利用价值明显改变。

草原退化对野生动物种群也有明显影响，随着草丛变矮、隐蔽性下降、枯落物减少等因素影响到草原鼠类种群的消长，在退化草原上布氏田鼠明显

---

① 陈敏等：《治理退化草地与建立人工草地的研究》第 1 章，内蒙古人民出版社 1998 年版，第 12 页。

增多，取代了黄鼠和鼠兔的地位。因草原退化出现的东亚飞蝗又为草原百灵等鸟类生存提供了丰富的食物来源。

四、退化草原生产力的衰退

草原退化最重大的变化是植物生产量的下降。在内蒙古典型草原带，未退化的草原在正常的年份，地上现存量可达到300克/平方米，气候条件较差的年份可下降到200克/平方米左右，平均为250克/平方米左右。退化群落恢复8—10年以后，生产力已接近未退化群落，据测定，4年平均224克/平方米。而三度退化群落的测值仅达到74克/平方米，大约是未退化群落的30%。

适口性差、嗜食率低的植物在退化草原群落中占了较大比例。在夏季家畜不喜食的冷蒿、变蒿占群落地上现存量的38%；利用价值较低的糙隐子草占12%，带刺的小叶锦鸡儿占4%，而饲用品质较好的羊草、大针茅和冰草仅占15%。以冷蒿为主要优势种的退化群落中至少有50%的地上生物量是由家畜不喜食、不可食或难以采食的植物所组成，而在未退化群落中这些植物仅占14%。

当草原退化成为冷蒿群落时，其生产性能约为未退化群落的 $1/3 \times 50\% = 16.7\%$。显然已是可利用性很低的草地。退化草原继续放牧利用，可维持在当前利用强度下退化群落的相对稳定状态。当然，减轻放牧利用强度，群落的恢复使退化草原的可用性增强。在退化草原上放牧，家畜采食强度与恢复进程处于动态平衡中，则群落保持相对稳态。

初级生产力的衰退是草原退化的基本特征，是草原生态系统以反馈方式调节过度利用强度的调控机制，生产力下降包含着植物产量下降和植物饲用品质恶化。

草原初级生产力衰退的原因是过度利用，目前对草地资源的利用方式均有一定的选择性，例如家畜的选择性采食，割草因留茬而选择刈割高大草本植物等。群落中高大的草本植物通常既是优势植物又是草地中利用价值最优的植物。或者说草原与家畜协同进化过程中，作为优势种出现的高大禾草成为家畜最丰富和适口性良好的食物源，但过度放牧使高大禾草最容易衰退。高大草本植物是构成草原初级生产力的主体。在地上，高大草本植物在单位面积上光能利用率最高；在地下，高大草本植物可以利用较深土壤层次中的资源。例如在未退化的羊草及大针茅群落中，羊草、大针茅和西伯利亚羽茅三个种的生物量就占了群落生物量的75%。可见，高大草本植物的衰退使群落中的可利用资源空间显著缩小，主要利用浅层土壤资源的低矮植物繁盛，不能扩大利用资源空间，也是草原初级生产力衰退的机制。

随着草原退化出现的环境变化和土壤状况的变化，对草原初级生产力衰退也是相关的制约因素，在沙质草地、盐化草地上更为突出。环境和土壤状况构成胁迫使一些不适应的种群消退，促进了生产力衰退。

五、草原生态系统的物质与能量收支平衡的失调

草原植被是生态系统中的能量固定源，土壤是物质运转的营养库。当草原生态系统在原生状态时，系统内各单元间物质能量贮量设为一常数，即各单元的瞬时波动变化量。为了增加经济收益，常常要扩大家畜牧养的数量，放牧采食强度加大引起植被随之发生变化，使能量的流速增大，即植物生物量减少。此时能流以负反馈方式作用于植被固定太阳能的输入流，其光合面积减少。因植物稀疏、植株矮化，优势种群更替，迫使能流变小。在土壤库未受破坏的条件下，退化的草原植被具有一定的恢复能力，即家畜取食量等于草地植被的恢复时，新的草畜平衡关系确立，一个新的有别于原有生态系统的平衡系统得以建立，成为低能量效率的退化草原生态系统。显然，此时系统间各生物单元的物质、能量贮量低于原生状态，单元间的能流量有所减少。因此，系统进行自我维持自我调控的能量水平有所下降，较原生系统低了一个量级。

可见，草原利用方式不同（如割草或放牧），生态系统的自我调节的形式也不同，导致草地植被变化途径不同，系统最后所处的状态必然有差异，名为不同的退化类型。在相同的放牧利用方式下，家畜的数量不同，使能量流和反馈流的强度不同，系统趋于相对稳定时的能量水平也不同。这些处于不同能量水平的平衡态表现为不同的退化程度。

通过上述讨论可以认为草原生态系统因过度利用而失衡是草原退化的内在根源。系统在低能量水平下重新实现平衡是有条件的，条件是利用强度与恢复能力相等，且土壤库未遭破坏，否则新的相对平衡又会被突破。在不同

的历史阶段，由于广大草原上畜牧业的规模和分布格局发生变化，曾发生的草原退化在合理利用与保护条件下可以得到恢复。

草原农垦耕作，是对自然生态系统的直接改造与破坏，是利用长期积累的草原土地肥力（土壤营养库的物质与潜能）和天气机遇（合适的降水节律与降水量等良好年景）取得几年短期农业生产效益。由于草原栗钙土肥力的有限性，表层土壤结构的不稳固性和气候年景的不确定性，必然使草原栗钙土的农垦不能达到能量平衡，不可能得到长期稳定的成功，常常在几年之内不得不弃耕撂荒。弃耕以后，又进入了撂荒地向草原恢复的生态演替进程。历史上，内蒙古草原农牧交错带的多次变迁，就包含着草原土地开垦与弃耕恢复的反复过程。直到 20 世纪，在呼伦贝尔草原、科尔沁草原、鄂尔多斯草原都有几次较大规模的草原开垦，除低湿草地和引水灌溉经营的土地以外，大多已放弃耕作，草原盲目开垦的不良后果已十分明显。到 20 世纪末，国家和内蒙古自治区政府已在推行退耕还草还林工程，这是完全符合草原生态演替规律的科学决策。

草原土壤资源库的结构、性质、物质含量，既是提供水分、养分的营养源，又是草原生态系统的环境因素。例如盐、碱离子库存较高，地下水埋深较浅，具有潜在盐化特征的草地生态系统常因植被盖度降低而加剧盐化过程，土地盐化的结果为植被增加了逆境生态因子，使植物必需的矿质养分吸收量降低。再如沙质草地因植被盖度降低而地表易于风蚀起沙，使土壤结构受损，功能减退，以致成为流动沙丘，几乎成为生物稀少的物理系统，即生态系统的崩溃。

第三节　草原退化的生态演替

一、草原退化演替的动力因素

草原退化演替是不合理的管理与超限度的利用在不利的生态地理条件下所造成的草原生产力衰退与环境恶化的过程。从生态学规律来认识，草原退化属于逆行生态演替。草原退化又是多因素叠加耦合作用的复杂过程。其主要表现是草原生物组成与植被退化、土壤退化、水文循环系统的恶化、近地表小气候环境的恶化等。过大的牧压和超负荷的利用，突破了草地一些植物的再生能力和群落自组织力，使植被的生物量减少，植物群落稀疏矮化，优良的草群衰减，劣质草种增生。随着植被退化，动物种群（如鼠类、昆虫、土壤动物等）也发生消长。总之，草原退化是土地荒漠化的重要表现形式和类型，也是草原生态系统健康阈值的衰退。

水分因素是温带的干旱、半干旱区以及半湿润地区的偏干旱区（以下统称"广义干旱区"）生物生产的限制因素。因此，某地区的气候干燥度往往决定该地区草原生物群落自我维持的阈限，超越这一阈限必然打破草原的再生能力，导致退化。

风力是广义干旱区频率与强度很高的自然地理营力。地表植被的衰退（稀疏矮化）往往使风力侵蚀作用增强，引起土壤养分、水分流失和土壤结构恶化。这种土壤退化过程又会加剧植物与生态系统的退化。

水热组合的季节差异与年际波动是草原生产力的制约因素，草地利用与管理必须适应或设法弥补这一波动效应的限制作用，一旦突破其限度，也会引入草原退化过程。

过度利用与各种不合理地利用草地资源，使草原第一性生产者——绿色植物的生物量减少，饲用品质恶化，以致丧失利用价值。这是草原生态系统自我调控功能和机制的受损，是利用方式对系统进行扰动的反馈与响应。过度放牧利用往往使家畜不可食、不喜食的植物比例增加；割草导致低矮的植物种占优势等都体现了这种反馈调节。因此，退化草地所处的系统状态尚处于系统调节阈限之内。但是随着退化程度的加剧，系统的稳定性尤其对系统内部环境的适应能力将下降。强烈的地理营力可能导致系统的结构与功能受损，以至系统的崩溃（System breakdown）。草原生态系统的退化最终将趋向于崩溃的系统。

从草原植物群落演替趋势来讨论草原退化，可以看出：草原利用方式，利用强度不同，生境不同，退化演替的方向，退化群落的性质和特征各有所不同。即沿着不同的轨迹发生演替，成为不同的群落。例如，地带性典型草原过度放牧可形成以冷蒿、糙隐子草占优势的退化群落；长期持续割草，导致洽草（Koeleria cristata）等矮小禾草的相对生物量明显增长；在地下水埋深较浅的草甸上，过度放牧往往向盐生群落发生退化演替。在相似的生境和相同利用方式下，因利用频率和每次利用强度的差异也会导致演替趋势的不同，例如典型草原群落的退化可能分别形成以米氏冰草（Agropyron michnoi）、冷蒿、星毛委陵菜、双齿葱（Allium bidentaum）、瑞香狼毒等物种占优势的不同群落。

总之，草原生态系统退化，使其物质与能量流程及收支平衡失调，打破了系统自我调控的相对稳态，下降到低一级能量效率的系统状态，是草原退化的生态学实质。

二、草原退化演替类型①

草原退化是与其经营利用密切相关的一种生态演替过程，即草原有效生产力的衰退。退化草原是对正常的原生草原而言的。在超负荷的利用与不合理的经营管理条件下，由于某些限制性生态因子的作用，导致草地生物产量与品质下降的演变过程。因此，衡量草原退化的基本标准应是植物产量与草群组成的质量。不同类型的草原植被与草原生态系统，其生态环境与植物群落组成均有不同特点，草原的利用管理方式与利用强度又有差异，所以退化草原的演替模式与退化程度不尽相同，因而分化出许多不同的退化草原类型与退化系列。

草甸草原的退化系列与类型：草甸草原是生产力最高的草原类型，其主要群落类型是贝加尔针茅草原与羊草+杂类草草原。放牧退化演替序列可以概括为：

贝加尔针茅草原→贝加尔针茅+克氏针茅+冷蒿群落→冷蒿+糙隐子草变型。

贝加尔针茅草原→贝加尔针茅+寸草苔群落→寸草苔变型。

羊草+杂类草草原→羊草+寸草苔群落→寸草苔变型。

以上的退化演替序列，既表现出不同的草原类型因为过度放牧利用，循不同轨迹发生退化的不同特点，也显示了退化演替的趋同现象。冷蒿是一种广泛适应于草原的地上芽植物，具有很强的耐牧性，成为草原放牧演替过程

---

① 郝敦元等：《内蒙古地退化与生态安全》，《沙尘暴成因及综合防治》，内蒙古人民出版社2004年版，第229、230页。

中的"优胜者"。

典型草原的退化系列与类型：典型草原是分布范围最广的草原类型，生产力也较高，主要代表性的群落类型是大针茅草原、克氏针茅草原、羊草草原等。在强度放牧利用下，各自出现不同的退化演替序列，但趋同于冷蒿（Artemisia frigida）占优势的草原变型，可用下式作简明表述：

大针茅草原→大针茅+克氏针茅+冷蒿群落→冷蒿+糙隐子草变型。

克氏针茅草原→克氏针茅+冷蒿群落→冷蒿+糙隐子草变型。

羊草草原→羊草+克氏针茅+冷蒿群落→冷蒿+糙隐子草变型。

长期高强度放牧利用，可使冷蒿群落变型向严重退化的星毛委陵菜（Potentilla acaulis）或狼毒（Steellera chamaejasme）占优势的群落变型演替，成为完全丧失放牧利用价值的草原变型。

荒漠草原的退化系列与类型：荒漠草原是生产力最低的草原类型，主要群落类型是小针茅草原、短花针茅（Stipa breviflora）草原。持续强度放牧利用，小亚菊（Ajania achiloides）和冷蒿种群增长，其退化演替序列是：

小针茅草原→小针茅+小亚菊群落→小亚菊+无芒隐子草变型。

小针茅草原→小针茅+冷蒿群落→冷蒿+无芒隐子变型。

短花针茅草原→短花针茅+冷蒿群落→冷蒿+无芒隐子变型。

再强度的放牧利用可使小亚菊群落、冷蒿群落趋于阿氏旋花（Convolvulus ammanni）群落变型。

第四节　退化草原的基本特征

一、退化草原的分布

根据1999年的TM卫星遥感调查，按草原地带类型来看，荒漠草原地带（锡林郭勒盟西部、乌兰察布市北部、巴彦淖尔市北部）的退化草原所占面积比例最高，典型草原地带次之，森林草原地带退化草原比例最低，反映了自然环境的严酷性也是发生退化的基本因素。表7-4的统计是三个草原地带草原退化的分布面积，其中最干旱的荒漠草原退化面积达76%以上。

表 7 - 4　三个草原地带退化草地的分布面积（1999 年）

（单位：$10^4 hm^2$）

草原地带	草地总面积	退化草地面积	退化草地占总面积比（%）	Ⅰ度退化		Ⅱ度退化		Ⅲ度退化	
				面积	占退化草地比（%）	面积	占退化草地比（%）	面积	占退化草地比（%）
草甸草原	476.4	244.8	51.38	82.4	33.66	83.3	34.03	79.1	32.31
典型草原	1 223.2	688.6	56.29	204.6	29.71	244.2	35.43	239.8	34.86
荒漠草原	822.5	627.6	76.33	200.4	31.95	235.1	37.50	191.7	30.55
浑善达克	355.3	192.4	54.10	59.4	30.88	63.8	33.16	69.2	35.96
合　计	2 877.4	1 753.4	60.90	546.8	31.11	626.4	33.17	579.8	35.72

注：hm^2 = 公顷。

二、退化草原的水分与矿质养分状况

根据羊草草原退化变型——冷蒿群落的动态监测，讨论退化草原的物质资源状况。

水分状况常在植物水分生态类型的组合中反映出来。通常在相对湿润的条件下，中生性植物所占比例较大；相反，生境越趋干旱，旱生植物的比例越大。本文所研究的群落包括四种水分生态类型，即旱生、中旱生、旱中生和中生类型。在恢复演替过程中，从群落内不同水分生态类型植物地上现存量的动态中可以看出，旱生、中旱生植物在群落中占优势，多年生中生植物的比例很小。但是中生性一、二年生植物在退化群落恢复演替初期所占比例较大，至第六年以后变得很少。表明了退化群落因生物生产力低，多年生植物未能充分利用水资源。然而大气降水并未因群落退化而明显减少。退化群落的多年生植物未充分利用的水分成为冗余的水资源，保证了一、二年生植物在停止放牧的条件下充分得以大量生长。因为一、二年生植物结实量大，种子繁殖能力强，可抢先利用冗余的水资源，占领退化群落的生存空间。

根据退化草原的土壤养分测定的资料（表 7 - 3），可以看出退化群落的土壤养分含量未表现出明显的减少。退化群落的生物产量与经过 15 年恢复演替的群落相比，仅为 1/3，退化群落对土壤养分的利用也不充分。

水分和氮、磷等养分资源是制约草原群落生产力的限制因子。显然，这些冗余的资源是退化群落恢复演替的物质基础。当草原退化为冷蒿群落时，土壤肥力并不立即显著下降，说明了土壤退化大大滞后于植被退化。这种滞后是草原放牧退化后资源有余的原因。

按照随机生态位假说，认为群落结构中的物种生态位就是该种在资源线段上分割的一段。因此，各个物种的生态位不重叠。在群落演替进程中，一些正在增长的植物种群多聚生形成斑块，这是种间竞争的有效组织形式，有如"战阵"的作用。斑块占据了一定的空间资源，其外缘是种间竞争的界面，斑块内部的个体则减缓了直接竞争，从草原植物种群的聚块规模来看，斑块边缘的个体（植株）往往少于其内部。这种分布模式的群落组织形式是各种群以占据空间的方式割据资源，以斑块为单位的种间相互渗透与以个体为单位的种间作用相比，其作用过程需要更长时间，所以聚块结构又有延缓演替进程的作用，即形成演替中的"亚稳态"。

三、退化草原的物种丰富度

在退化草原中，连续20年的定位监测所做的2 280个样方共记录到种子植物71种，每一年的样方所记录的种数波动在35—55种之间，1983年共记录了45种，1998年记录了44种，在记录的71种植物中，有30种在每年的样方中均有出现，是连续20年的恒有成分；还有20种植物在演替过程中出现频率较高；其余10种也是退化群落与原生群落共有偶见成分。可见草原退化群落未达到Ⅳ度退化以前，其物种丰富度与原生群落是比较一致的。但是群落优势种、亚优势种的种群数量却有显著变化。退化群落中，冷蒿是主要优势种，糙隐子草是亚优势种，在原生群落中成为次要成分。羊草、大针茅、冰草在退化群落中属于次要成分。据此可见，放牧扰动不易改变群落的基本组成，只是引起种群的数量消长，也表明了放牧退化草原的恢复演替不同于次生裸地的次生演替。不仅演替起点不同，演替轨迹也各异，在当地观察到草原垦殖多年以后又停耕的弃耕地，从次生裸地为起点未演替到冷蒿为主要优势种群落，也不会遵循退化草地恢复演替的轨迹运行。

种—面积关系是研究群落物种多样性常用的方法。根据定位监测数据，既可以看出随着测定次数累加而使测定面积逐渐扩大对种数的影响，也可以反映出随着演替进程出现的种群变化。

从每年生长季的每次测定所登记的种数来看，7、8两个月测定可以登记较多种数，因为在生长季早期（5、6月）有一些种尚未萌动。生长季晚期（9月），部分种群已进入休眠或已死亡。生长季早期出现频率很低的种可举出野韭（Allium ramosum）、扁蓿豆（Melilotoides ruthenica）、木地肤（Kochia prostrata）以及一、二年生植物；休眠较早的种有渐狭早熟禾（Poa attenuata）、二色补血草（Limonium bicolor）、细裂白头翁（Pulsatilla tenuiloba）、尖叶瓦松（Oraostachys fimbriatus）、盾叶瓦松（Oraostachys malacophyllus）等。

第五节　退化草原的恢复与更新

一、退化草原的恢复进程

草原植物群落的结构与外貌通常以优势种和种类组成为特征。因此，优势种的更替可成为群落演替阶段的标志。我们衡量和判别优势种的指标是种群的地上现存生物量。因为植物种群的高度、密度、盖度、频度等数量指标均与生物量之间存在函数关系，所以依据种群生物量指标即可反映出恢复演替过程中优势种的更替。据此对典型草原的退化群落恢复演替进程进行分析，按优势种的变化可划分出不同的演替阶段[1]（图7-1）。

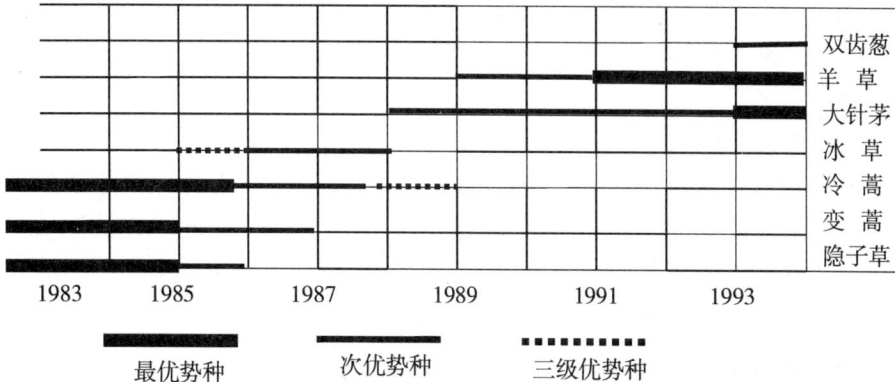

图7-1　退化草原恢复演替过程中主要优势植物更替

---

[1] 刘钟龄等：《内蒙古退化草原恢复演替的实验研究》，《沙尘暴成因及综合防治》，内蒙古人民出版社2004年版，第248、249页。

冷蒿优势阶段（退化群落变型阶段） 以冷蒿、变蒿和糙隐子草为优势种所组成的退化群落，是典型草原最有代表性的退化演替变型，可作为研究恢复演替的起点。这一阶段的群落由于冷蒿的优势作用突出，所以群落生长季呈灰绿色。小叶锦鸡儿（Caragana microphylla）植丛构成暗绿色镶嵌分布的小灌木层片。群落中的植物矮小，当群落达到当年最大地上现存生物量时，三个主要优势种冷蒿、变蒿、糙隐子草的平均高度分别为 13.0、16.7和 12.3 厘米；小叶锦鸡儿的平均高度仅 18.5 厘米。冷蒿的平均单株干重仅0.25 克/株，与原生群落的草层高度相比，显然是非常矮小的。因此，群落中的地表裸露度较大。因植物营养体生长受抑制，各种群的生殖器官生长也不强，故季相变化不显著。总之，这一退化群落是适应于一定牧压，在较低能量水平上自我维持的群落。封育后是一、二年生植物大量繁生时期。

冷蒿+冰草阶段 恢复演替初期第 1—3 年，冷蒿仍是主要优势种，冰草开始取代了糙隐子草的优势地位，又逐渐超过变蒿，成为仅次于冷蒿的优势种。这个阶段，各种群有冗余资源的保证可迅速拓殖，生长季内最高地上现存生物量迅速增长，种群的高度增大，株丛生物量也逐渐增高。表明了冗余资源已开始转化为群落生产力。种间的相互作用也随拓殖而发生拥挤，下层的糙隐子草已处于衰退状态；冷蒿、变蒿因具有大量的营养体，在争夺资源的过程中仍处在优势地位。因为在恢复演替初期阶段，冷蒿、变蒿等优势种群对群落资源的利用是不充分的。故拓殖能力很强的先锋性一、二年生植物种群可大量发生。

冰草优势阶段 冰草在前一阶段的基础上进一步发展，成为群落中生物量最大的种群。羊草也在缓慢增长的过程中。冷蒿、变蒿种群趋于衰退，一、二年生杂草也大大减少，群落中种群地位的更替以渐变方式实现。优势种的更替反映出群落资源已开始被重新分配，表明了恢复演替从上一阶段以争夺过剩资源为主，转变成以重新分配资源为主的过程。在此阶段，群落生产力水平未表现出明显提高，对资源的利用仍不完全。由于冰草、冷蒿均有形成聚块分布的趋势，使一些种群开始以斑块形式割据资源空间，不同种群斑块间的反差造成很不均一的群落外貌。由于优势种缺乏华丽花色，所以以双齿葱（Allium bidentatum）为主的葱属植物可在 7 月份形成开花季相。

羊草优势阶段　封育的第五年以后，羊草开始成为群落的优势种，冰草也保持着优势地位，冷蒿、变蒿以及糙隐子草在群落中占的比例很小。伴随着羊草种群的崛起，群落生产力水平得以跃升，群落年最大现存生物量开始沿 200 克/平方米的水平上下波动。至此，群落已基本上可以充分利用前述几个阶段尚未能完全利用的资源，但资源的重新分配尚未完成，群落结构的种群斑块化仍在加剧。由于一定规模的种群聚块有助于稳固地割据资源空间，因而种间关系形成了一种相持的"阵势"。随着羊草已在群落中占优势地位，植丛高度、密度增大，死地被物的积累已开始变得明显。群落的季相变化也表现出来，但不像未退化群落那样色彩斑斓地出现华丽的外貌。

大针茅优势阶段　这是向原生的典型草原趋近的演替阶段，大针茅作为缓慢增长的种群已成为优势种，与羊草种群间也以聚块形式发生竞争与消长。冰草作为恒有种也稳定下来。而且群落中较多种群的地位也有调整，西伯利亚羽茅（Achnatherum sibiricum）、麻花头（Serratula centauroides）、沙参属植物（Adenophora spp.）、葱类（Allium spp.）等种群有增长趋势，各植物种群的空间分布格局及种群斑块割据的态势逐渐改变群落空间结构的均匀化过程开始。

二、退化草原恢复过程中生产力的增长

根据 20 世纪 80—90 年代在锡林郭勒草原的退化草原恢复演替过程中每年生长季的群落地上现存量达到最大值的测定，将此时各植物种群的地上现存量加起来计算，即可反映出退化草原及其主要植物种群在恢复演替过程中的生产力变化轨迹，并表现出恢复演替过程中群落生产力的阶梯式跃变与亚稳态阶面。

群落生产力变化轨迹表明了从退化群落阶段的最大地上现存生物量提高到平均 250 克/平方米共经历过两次跃变和三个阶面：第一阶面是退化群落生物量，反映了放牧退化群落的生产力水平。第一次跃变发生于群落生物量从 70 克/平方米提高到 160 克/平方米，上升到第二个阶面。恢复中的退化群落在这个阶面上停留几年，其生物产量维持在 160—170 克/平方米之间。4—5 年后发生第二次跃变，使群落进入第三阶面。其生物产量在 240 克/平方米的平均值上下波动，接近于未退化群落的生产力水平 250 克/平方米。

在两次生产力跃变后，阶面上的群落生产力年度变化相对较小。随着恢复演替过程中主要种群的更替，显然形成了两个阶面的群落亚稳态。

恢复演替过程中群落初级生产力跃变与形成亚稳态的内在原因在于群落中植物种群拓殖率的变化，特别是优势种群的更替。

第一次初级生产力跃变是退化群落解除牧压后各植物种群利用群落中过剩资源迅速拓殖的结果，是种群的简单增长。第一个亚稳态的形成是在群落恢复演替初始阶段及冰草优势阶段，这时冷蒿、米氏冰草和变蒿三个种群的生物量平均占群落总生物量的40%。这三个种群在放牧压力下植株矮小，不是高产植物，所以群落生产力限制在第一个亚稳态的水平上。

第二次初级生产力跃变是羊草、大针茅等比较高大的植物成为优势种。连同优势种群生物量增大，使群落初级生产力发生了明显的跃升，达到240克/平方米的产量平均值，进入第二个亚稳态阶面。第二个亚稳态与第一个相比，群落初级生产力的年际波动性明显增强，这种波动性与气候的年际波动相关。与此相对比的草原未退化群落生产力动态监测数据表明了群落地上生物量的全年最高值大约在250克/平方米的水平上下波动。可见，恢复演替的第二个亚稳态阶段，生产水平已接近于未退化群落。由于恢复中的群落内诸多种群聚块分布的空间异质性构成了种群对资源空间分割占据的态势，而斑块内部，只有少数植物种共存，使资源利用尚不充分，所以群落初级生产力尚低于结构较均匀的未退化群落。斑块是种间竞争的"阵地"，它将竞争场所推至斑块边缘，斑块内部个体死亡后的空隙仍为同种个体所拓殖。因种群斑块是具有相对稳固性但未能充分利用资源的群落组织单元，所以形成了恢复演替过程中的这一亚稳态。

上述分析，使我们确认恢复演替过程中群落初级生产力的提高是以跃变和亚稳态相交替的形式实现的。

三、恢复过程中群落初级生产力与水资源的关系[①]

水分是草原群落初级生产力的制约因子。地带性典型草原植物群落获得

---

① 刘钟龄等：《内蒙古退化草原恢复演替的实验研究》，《沙尘暴成因及综合防治》，内蒙古人民出版社2004年版，第252页。

水资源的唯一途径是大气降水。根据每年生长季从 5 月 1 日开始到群落达到最大地上现存量时的降水量与当年的群落最大地上现存生物量（表 7－5），讨论降水量对退化群落的恢复演替以及亚稳态和初级生产力跃变的意义。

将生长季降水量与群落地上现存生物量的比值作为衡量植物群落利用水资源效率的指标，对于群落演替时间序列上动态过程的研究具有可用性。

根据表 7－5，可以看出群落中水资源的丰歉未成为制约群落恢复演替过程中优势种更替的直接因子。

表 7－5　恢复演替过程中群落生物量与降水量的动态

测定时间 （年、月、日）	直接有效降水量 （mm）	群落地上现存生物量 （g/m²）	比　值* （mm：g）
1983.08.03	188.7	74.13	2.55
1984.07.25	175.5	161.60	1.09
1985.08.15	237.3	164.20	1.45
1986.08.29	275.0	171.92	1.60
1987.08.30	221.7	164.92	1.34
1988.08.29	247.6	166.01	1.49
1989.08.30	158.6	131.54	1.20
1990.09.01	401.2	250.90	1.60
1991.09.01	256.0	182.99	1.40
1992.08.04	303.8	246.39	1.23
1993.08.14	243.8	217.01	1.12

＊比值＝有效降水量/群落生物量。

退化群落（冷蒿优势）阶段的分析　表 7－5 的数据表明了退化群落生产占用的水量达 2.55 毫米/克，而演替次年仅为 1.09 毫米/克，可见退化群落中的水资源是过剩的。按照干物质生产用水量的最小值是 1.09 毫米/克，故群落利用水资源最有效的值约可定为 1.10 毫米/克。按此值衡量，退化群落生产 74.13 克/平方米干物质仅需 81.5 毫米的降水量，退化群落在过度放牧压力下，植物生长繁殖受抑制，降水量增大也不能使群落生物量显著增加。因此退化群落阶段的生产力首先受牧压的制约，而与降水量的相关性不明显。

第一个亚稳态时期的分析 在此时期生长季降水量的极差为 99.5 毫米，群落生物量的极差仅 10.32 克/平方米。例如 1988 年与 1993 年的生长季降水量非常接近，但群落生物量差值却达 51 克/平方米之多。从而可以大体确定这一时期群落生物量在生长季降水量大于 175 毫米的条件下，通常处于166 克/平方米（±3.82）的水平上。降水量再增大，群落生物量的变化也不显著。这一时期的群落生物量主要取决于群落优势种群的生产能力及资源利用规模。即使降水量很大，冷蒿、米氏冰草、变蒿等优势种群在放牧压力下也不能充分利用。因为这些优势种的植株较矮小，耐旱性较强，生物积累效率较低，耗水较少，所以水资源过剩的现象在这一时期依然存在，是进一步演替的物质基础。总之，这一时期的群落生物量与较大的降水量相关性也不显著。干物质生产最小用水量以 1.10 毫米/克来衡量，这一时期的平均群落生物量 166 克/平方米只需要降水约 183 毫米。这一时期，多数年份的生长季降水量都大于需要量。

第二个亚稳态时期的分析 这一时期群落生物量与降水量有明显的相关关系，生长季降水量较少时，随着降水增加，群落生物量也有较大幅度的提高；当生长季降水量很高时（如大于 300 毫米），群落生物量的提高趋于缓慢。例如 1989 年降水量 158.6 毫米，群落的干物质生产用水量为 1.20 毫米/平方米（表 7-5）略大于推算的 1.10 毫米/平方米。1993 年的降水量为243.8 毫米，水资源的利用效率最高。1990 年降水达 401.2 毫米，生物量可达到 250.9 克/平方米。如果生长期内降水量大于 400 毫米，使群落生物量的增高趋于停滞。因此推断这一亚稳态时期生长季降水量与群落生物量间的关系为一钟形曲线，中值约为 400 毫米，群落生物量约为 250 克/平方米。从 1990 年以后群落干物质生产用水量逐年变小，反映出群落对水资源的利用效率逐年提高，朝着更适应于群落生境条件的方向演替。综上所述，群落生产力跃变与亚稳态的形成是恢复演替自身的规律，并非完全与降水量始终保持必然联系。

四、恢复过程中群落密度的变化

尽管演替的资源比率理论在论证空间亚分离状态时只强调了成熟个体占据的面积为一个位点，并未考虑其生活型，但是由于植株计数方法因种而异

（不同种须分别按株、丛、枝计算），故群落密度在种群更替的恢复演替过程中显得不具有可比性。为了取得可比性数据，需对种群密度进行标准化处理，即将各种群按地上现存生物量折合为相当于羊草单枝密度的单位，可称为"羊草单位"。因此，标准化群落密度与植物种群结构，在恢复演替过程中实测的群落密度大体上沿着多年平均值271.5株（丛、枝）/平方米的直线上下波动，当密度超过这一平均值时，群落发生拥挤，从而导致某些种群自疏；低于这一平均值则因资源空间有余，使群落趋于加密，而每一植物着生的位置是一个位点，群落平均密度值构成了位点常数。在恢复演替过程中，随着种群的更替，植物个体分布的空间格局也发生变化，例如相邻个体的间距，基丛的大小等变化也反映了种群竞争的关系。

种群竞争是群落演替的内在原因，并且以争夺资源空间的形式表现出来。每一种群的根系和枝叶系统因生物学特性的差异，在土壤—大气界面所占据的范围也不同，反映了种群占据资源空间的能力。由于种群间相互作用发生于邻体之间，故植株常维持一定的距离，从而使群落中植株着生位点数有一常数。每一位点足以保证植株生长的资源空间，因此根据位点常数对实测的群落密度可以做比较分析。

群落密度变化与恢复演替的节奏性规律，恢复演替过程中群落密度有波动性的规律，有密度低值的年份，低值年之后可能出现主要优势种的更替。例如，冰草取代冷蒿成为优势种，羊草取代冰草的优势地位，并使生物量增大成为建群种。可见，在群落密度的低值年，资源空间未被植物充分占用。次年，各植物种群的拓殖率增高，使群落密度随之加大，以致越来越拥挤，因而种间竞争越加激烈，使种群拓殖率趋于下降，个体死亡率增高，群落密度减低和资源空间有余，又出现新的低密度年，使拓殖能力强、繁殖体数量大的种群得以迅速增殖，在群落中占据优势地位。如此周期性的密集拥挤—自然稀疏—密集拥挤的交替和优势种的更替，使群落演替表现出节奏性的特点。

恢复演替的节奏性变化中，首次出现的拥挤现象是在去除放牧压力后各种群争夺冗余资源而大量繁殖的高峰期中形成的同生群。随后，群落密度的每一次增高都与优势种群拓殖高峰是一致的。因为群落的拥挤使邻体间的竞争加剧，加速了竞争劣势植物的死亡和竞争优势种的拓殖。看来，节奏性拥挤与自疏促使种群死亡率与拓殖率变大，所以群落从恢复演替开始到羊草、大针茅成为主要优势种，经历了四个优势种的更替。其次，恢复演替过程中群落生产力的波动也有节奏性规律。例如1991年的群落生物量低于1993年的对应值，但1991年的生长季降水量却比1993年多（表7-5），其原因是该生长季正处于群落自然稀疏状态。总之，节奏性的密度变化与种群更替是群落恢复演替进程中的自然规律。

第六节　草地退化与恢复的诊断

草原在适度放牧利用条件下，植物各类组成是比较稳定的，年度间的生物产量虽然因年降水量及其季节分配的变异而有一定波动，但是也保持在一定的变幅之内。然而在草原退化过程中，不仅植物总产量明显下降，而且植物种群也要发生消长变化，乃至某些植物种群濒于消失，另一些植物种群逐渐增长。在一定的历史时期还会发生逆转变化。根据植物种类数量变化、生物产量变化、优势植物的更替、生态演替指标植物的变化、植物群落结构的变化、环境指标的变化等多项指标可对草原退化与恢复过程进行诊断，并对草原退化程度做分级评定，也可反映出草原环境的演变。①

在内蒙古典型草原带中部的锡林河中游，从1983年起连续进行草原退化序列的监测，并根据对我国北方草原区草地退化的调查与测定，概括提出草地退化程度的分级标准（表7-6）。

表7-6　草原退化的分级

退化指标＼退化程度	Ⅰ度退化	Ⅱ度退化	Ⅲ度退化	Ⅳ度退化
植物群落的生物产量下降率（％）	20—35	36—60	61—90	>80
优势植物种群衰减率（％）	15—30	31—50	51—75	>75
优质草种群产量下降率（％）	30—45	46—70	71—90	>90

---

① 刘钟龄等：《内蒙古草原植被在持续牧压下退化演替的诊断》，《草地学报》1998年第4期，第245页。

（续表）

退化程度 退化指标	Ⅰ度退化	Ⅱ度退化	Ⅲ度退化	Ⅳ度退化
不可食植物产量下降率（%）	10—25	26—40	41—60	>60
退化演替指示植物增长率（%）	10—20	21—45	46—65	>65
植丛高度下降（矮化）率（%）	20—30	31—50	51—70	>70
植物群落盖度下降率（%）	20—30	31—45	46—60	>60
轻质土壤侵蚀程度	10—20	21—30	31—40	>40
中、重质土壤容重、硬度增高	5—10	11—15	16—20	>20
可逆性与恢复年限（年）	2—5	5—10	10—15	>15

按优势植物种群的衰减与更替进行诊断，例如，羊草草原、大针茅草原、小针茅草原等在过高牧压下，羊草、大针茅、小针茅等优势种群逐渐衰退，在Ⅰ度退化阶段，衰减率一般在30%以下，Ⅱ度退化草地减少50%以下，Ⅲ度退化草地减少70%上下。表7－7所列数据是根据一系列典型样地调查测算的结果。

表7－7　三种草原群落退化过程中优势种的消长率

草原群落	优势植物	Ⅰ度退化 种群（±%）	Ⅱ度退化 种群（±%）	Ⅲ度退化 种群（±%）	Ⅳ度退化 种群（±%）
羊草草原	羊　　草	－28.3	－48.2	－68.6	－94.5
	大针茅	－32.2	－55.0	－77.6	－96.0
	糙隐子草	+5.5	+6.3	+1.8	+2.6
	冷　　蒿	+21.5	+37.2	+66.4	+68.7
大针茅草原	大针茅	－30.55	－52.6	－75.8	－95.4
	糙隐子草	+8.8	+10.5	+6.2	－5.4
	冷　　蒿	+22.8	+33.3	+61.4	+67.1
小针茅草原	小针茅	－31.0	－49.6	－49.6	－81.7
	无芒隐子草	+10.6	+8.2	+8.2	－20.4
	小亚菊	+24.0	+41.4	+41.4	+68.2

注：表内数字以未退化群落为基数按生物量比率计算。

按草地退化指示植物的出现率进行诊断，在典型草原放牧退化系列中，冷蒿、星毛委陵菜、阿尔泰狗哇花、狼毒等因具有特殊的耐牧适应性，常在退化加剧的过程中趋于增长，成为退化过程的指示者。在荒漠草原的退化系列中常用的指示植物有小亚菊、女蒿、冷蒿、无芒隐子草、多根葱、阿氏旋花、骆驼蓬等。在草甸草原的退化群落中寸草苔是耐牧性很强的退化指示植物。根据这些植物的比率可以判断草地退化的程度。根据实地调查资料进行概括，列入表7－8。

表7－8　草原退化指示植物在退化系列中的存在度

退化程度 指示植物	典型草原				荒漠草原				草甸草原			
	Ⅰ度退化	Ⅱ度退化	Ⅲ度退化	Ⅳ度退化	Ⅰ度退化	Ⅱ度退化	Ⅲ度退化	Ⅳ度退化	Ⅰ度退化	Ⅱ度退化	Ⅲ度退化	Ⅳ度退化
冷蒿	＋	＋＋	＋＋＋	＋＋	＋	＋＋	＋＋	＋	＋	＋	＋＋	＋
星毛委陵菜	＋	＋＋	＋＋	＋＋＋					＋	＋＋	＋	
糙隐子草	＋	＋＋	＋＋	＋								
阿尔泰狗哇花	＋	＋	＋						＋	＋	＋	
百里香	＋	＋＋	＋＋＋	＋＋								
狼毒	＋	＋＋	＋＋	＋＋								
小亚菊					＋	＋＋	＋＋＋	＋＋＋				
无芒隐子草					＋	＋＋	＋＋	＋				
多根葱					＋	＋＋	＋＋＋	＋＋				
阿氏旋花			＋			＋＋	＋＋＋	＋＋＋				
寸草苔									＋	＋＋	＋＋＋	＋＋

注：存在度：优势＋＋＋，亚优势＋＋，常见＋。

按草群植物组成的放牧饲用性进行诊断，放牧家畜对草地植物的嗜食性与饲用品质是不同的，由于强度放牧采食，在退化过程中，优质牧草在草群中的比率逐渐减少，劣质牧草比率增大，不可食及毒害植物也有增长。对不同退化程度的草原植物组成按饲用品质分为优、良、劣、不可食四个等级进行评定，也是诊断与评价退化草原的有效方法。现以羊草草原的退化系列为代表，进行植物饲用性的评定（表7－9）。

表7－9 羊草草原退化群落的饲用性诊断

（生物量单位：g/m³，所占比例：%）

草群类型		I度退化		II度退化		III度退化		IV度退化	
		生物量	所占比例	生物量	所占比例	生物量	所占比例	生物量	所占比例
优质饲用植物	根茎型禾草	71.2	26.8	58.8	26.1	20.2	14.2	7.6	11.5
	高大丛生禾草	55.5	20.7	45.5	20.0	21.6	15.1	8.2	12.4
	葱类植物	14.4	5.3	7.7	3.4	3.6	2.5	1.8	2.7
	豆科植物	12.2	4.8	8.2	3.7	3.1	2.2	1.2	1.9
	合计	148.3	55.3	120.2	53.3	48.5	34.0	18.8	28.5
中等饲用植物	小禾草	15.0	5.5	12.6	5.4	11.5	7.8	8.5	12.6
	苔草类	10.6	4.0	7.5	3.3	4.2	3.0	0.5	0.9
	小灌木类	12.5	4.9	11.5	5.0	10.8	7.2	4.1	6.2
	合计	38.1	14.2	31.6	14.1	26.5	18.0	13.1	19.9
劣质草	蒿类植物	30.6	11.9	34.4	15.0	32.5	22.7	28.2	42.7
	杂类草	36.5	13.5	31.4	14.0	28.5	20.0	2.2	3.3
不可食植物		9.0	3.8	7.8	3.5	6.6	4.7	3.8	5.9
总生物量		267.7	100	225.4	100	142.6	100	66.1	100

第七节 草原退化原因的分析

关于草原退化的原因，通常归结为以下几点：即气候变暖、干旱与大风频繁，人畜增加造成超载利用，草原虫鼠害频繁发生，草原建设（特别是水利建设）投入不足，管理不善等，这多种相关因素的作用需要做进一步的分析。

与20世纪50年代相比，近二十年来草原的气温确有增加，据内蒙古草原区一些地点的记录显示，年平均气温增加了0.66℃—1.10℃。但根据我们在锡林浩特对草原进行22年的定位监测，永久样地内的原生草原群落生产量未发生明显改变，生物生产的年际变化属于正常的随机波动，同时，一块严重退化的样地在禁牧13年后已基本恢复，群落结构、生物生产力与永久样地的原生群落几乎完全一致，可见气候变化并不是造成目前草原退化的主要原因。

以锡林郭勒草原为例，与 50 年代以前相比，牲畜头数从 130 万头增加到 1 610.6 万头，增加了约 11.4 倍；人口由 22.1 万增到 99.7 万，约增加了 3.5 倍。牲畜大量增加，必然使草原负载加重。目前，在典型草原区，畜均草地约 10 亩（0.7 公顷），单位面积产草量为 1 500—2 000 公斤/公顷鲜草，适宜采食的部分占鲜草量的 60%—70%，每只绵羊日食量为 4—5 公斤/日，草地长年被牲畜采食，其结果首先导致优质牧草的更新再生受到抑制，而劣质牧草得以增长，造成草原退化，目前典型草原生产力已下降 40%—70%。荒漠草原区畜均草场约 20 亩（1.3 公顷），亩产鲜草 600—900 公斤/公顷，绵羊日食量 3—4 公斤/日。牲畜长年采食导致草原沙化，是我国北方草原荒漠化的主要高危地区。草原沙地在游牧时期是牲畜越冬的冬营地，由于人口和牲畜的增长，这里变成了常年牧场。由于超量采食沙丘沙岗地的植物，使许多沙丘活化成为流沙，变成了直接威胁京津华北地区的沙尘源。

从锡林郭勒草原退化过程分析，80 年代末，草原退化面积占 35% 左右，当时全盟牲畜头数约 900 万头（只）；90 年代以来，牲畜头数达到 1 500 万头（只）以上，退化面积已占 60% 以上。可见，牲畜头数增加与草原退化进程是基本同步的。

草原建设投入不足，特别是牧区水利建设投入不足，与草原退化的关系也需做仔细分析，当前，牧区水利建设主要有两个目的，其一是人畜饮水问题，这样便于利用无水草场进行放牧。目前，这类无水草场多已作打草场使用。其二是在河道或丘间盆地打井建立人工草地，种植饲草料。这当然可以减轻天然草地的压力，并可补充冬季饲草的不足，但从事物的因果关系来讲，应是牲畜头数增加导致饲草不足，为解决饲草不足需要加强牧区水利建设，在水利建设未能满足牧草需求的情况下，依然维持或增加牲畜头数，从而加剧了草原退化。

由以上分析可认为，牲畜头数增加、草原超载是草原退化的直接和主要原因。

忽视草原对生态环境保护的功能，是造成草原退化的认识论根源。长期以来，草原一直被人们视为无价的生产资料，认为草原就是用来放牧的。草原对生态环境保护的重要价值尚未被充分认识和重视，这是造成草原退化的更深层次的根源。牧民追求经济收益的首选途径是多养牲畜，当牲畜多至天然草原不堪负载，或预见到不堪负载时，想到了草原建设，划区轮牧等合理的经营措施，这些行为的目标仍是多养畜，多收益。目前，草原区已普遍落实了草原的使用权和有偿承包责任制，调动了牧民建设草原、保护草原的积极性，但对牧民利用草原的强度和维护草原的义务没有明确的要求。典型草原区每个牧户有草场 6 000—8 000 亩（40—55 公顷），荒漠草原区每个牧户有草场 10 000 亩（60—70 公顷），对如此巨大面积的草地和植被作为生产资料使用，而忽视其生态环境效益，使用者在利用这片草原时未能承担起维护草原生态环境的责任，所以很难确保草原不发生退化。

　　未能按照草原气候与环境的限制因素科学合理地利用与管理草原。草原气候是大陆性半干旱与干旱气候，在年季间与季节间，气候条件的差异悬殊，典型草原地带的丰雨年，降水量可达 400 毫米以上，干旱年不到 200 毫米，冬夏的热量差异也很大。草原生物群落就是与这种气候条件协同演化的产物。草原生物在长期选择过程中形成了高度适应草原气候环境的自组织功能，气候不利的年份生物种群间相互补偿，实现其最高生产能力。人类对草原的利用就必须限制在生态系统生产效率的低限之内。多年来，已经是满负荷、超负荷的利用草原，不仅突破了草原生态系统自组织功能和水、土、生物循环再生机制的低限，甚至超越了丰年的高限，所以草原必然出现不断退化的严峻局面。

　　草原气候的波动性、环境的严酷性、生态系统的脆弱性与生产力的有限性都是草原固有的本性，对此我们只能认识、只能顺应、不能"责怪"、更不能对抗。应该依靠科学分析，进行规划与设计，确定草原利用与经营管理制度。先进国家严格按照土地、草地生产力制定生产经营限额，并以法律形式进行监管就是遵循这个科学原理。干旱年终归要出现，雪灾、风害等都会发生，我们的生产计划中就应该有充分的估计和准备。一是运用科学手段加以抗御，二是计划要留有余地，不要超越不可抗御的限额。所以，一般情况下，经营利用和管理草原的对策不足与不当，是生态环境恶化与草地退化的根源，不应简单地归结为自然气候原因。

第八节　草原生态保育

一、把草原生态保育工程列为首要任务，为可持续发展奠定基础

内蒙古草原地域辽阔，在长期的历史上，是秀美山川的一部分，由绿色植被组成完好的大地覆盖，既是北国江山生态安全的重要保障，也是合理经营畜牧业的重要基地，成为北方民族文化的发祥地。时至今日，草原退化、环境恶化已成为不可回避的现实。我们是唯物主义者，要勇于面对现实，用大自然敲响的警钟进行自我警示教育。对草原退化与环境恶化的原因和机理进行科学的剖析，确立起草原的首要功能是生态保护功能的观念。在此基础上，把草原生态保育的各项工程列为当前的首要任务。江泽民同志曾指出："改善生态环境是西部地区开发建设必须首先研究和解决的一个重大课题。如果不从现在起，努力使生态环境有一个明显的改善，在西部地区实现可持续发展战略就会落空。"[1]

创造条件，实行休牧与轮牧制度。为使天然草场得以恢复，在发展人工饲草料生产的基础上，实行轮换休牧制度，并设定每年的禁牧期，以利牧草返青和正常生长，使草原的更新机制不受损害，保持草原生产力的水平。[2]

在环境极度恶化地区实施休牧转移。草原沙地和荒漠草原是地域辽阔，植被稀疏，草地生产力低，人口少，牲畜多的地区。荒漠化正在扩展，某些环境极度恶化的地区必须立即停牧，恢复植被，把畜群和居民转移到环境条件较好的地区，并可为异地育肥和北繁南育体系的建立与推行创造条件。生态移民 3 000 人左右，可使 10 000 平方公里的草原得到保育。实施休牧转移应与草原区的城镇化和产业化发展目标紧密结合。

---

① 《人民日报》，1999 年 6 月 19 日。
② 李青丰等：《退化草地恢复和生态环境劣化治理对策》，《沙尘暴成因及综合防治》，内蒙古人民出版社 2004 年版，第 408 页。

二、加强牧区水利建设并制订相应的政策

水利设施是建立人工饲草料地的必备条件，而人工饲草料地是减轻天然草场压力使之得以休养恢复的前提，也是草原区环境得以保护，畜牧业持续发展的物质基础。草原区水利建设面对的困难是水文条件与水资源的勘探不足，地下水埋深往往超百米，工程投资大（机、电、井造价都高），运行成本高（电路损耗大），投资效益低。

我国已建立了地下水信息中心，希望对草原地区水资源的合理利用给予关注和指导。并且需要国家投资给予运行费用的补贴式优惠，以利于调动地方政府和农牧民加快草原区水利建设的积极性，使他们建得起，用得起。

三、逐步开发适宜土地，建立人工草地与饲料地①

利用河谷滩地、湖盆洼地、沙丘间低地等地下水位较高的适宜土地（约占草原总面积的8%—10%），建立各种模式的人工草地与饲料地是草原生态环境建设和草原畜牧业集约化经营的主要措施，是一项具有长远意义的生态—产业工程，需要长期坚持不懈地以产业化的方式推行这一项建设。当前，锡林郭勒盟提出的"种植一点，改良一块，保护一大片"的思路是符合当前实际的草原建设的模式。

四、强化草原的法制与管理

草原区应根据地域分异的特点，以国家法律、法规为指导，各旗县制定适合当地草原情况的草原保护、建设、使用的细则。对牧户使用的草场限定适当的使用强度，设定维护目标，切实做到草原使用权和草原生态环境维护义务要同时落实，并建立草原生态环境监测体系，作为法制管理的科学依据。要建立草原维护奖惩机制，牧民保护草原不仅保护了自己的生产生活条件，同时也具有公益性，可使周边地区的环境得以改善。对围封禁牧式维护自家草场效果良好的牧民给予金钱奖励以抵偿少养牲畜而减少的经济收益，

---

① 赛胜宝等：《内蒙古北部荒漠草原带的严重荒漠化及其治理》，《沙尘暴成因及综合防治》，内蒙古人民出版社2004年版，第263页。

或把恢复草原植被的工程任务交由牧民完成，达到预定标准后，给付报酬。为防止超载过牧，可考虑制定适当的牧业税征收新办法，对超载的牲畜征收较高的税费。当前，草原区各级政府和群众正在行动，对草原保护和建设制定了可行或试行的办法，正在积极探索可持续的畜牧业经营模式。国家已对草原生态环境进行大规模治理。我们认为草原地区实行"休牧轮牧，建设草地，夏牧冬饲，异地育肥，增加投入，集约经营，优化管理，确保安全，系统开放，持续发展"的产业化发展模式，在发展畜牧业经济的同时保护好草原生态环境的目标是可以实现的。

五、建立草原自然经济文化保护区

参照联合国的有关国际组织所创议的"生物圈保护区"、"自然遗产保护地"、"文化遗产保护地"的原则和目标，应根据草原地区不同生态经济类型区的特征，建立一些适应我国可持续发展战略要求的"自然经济文化保护区"。目前，国务院有关部门（国土资源部、环境保护部、林业部、农业部等）已联合发出通知：要求各地在自然保护区事业发展的新阶段，坚持依法管理，以质量效益为主要目标，并坚持规模数量和质量并重的方针。为此，要把"草原自然经济文化保护区"的建立作为北方草原生态安全带建设的一项重要措施。

六、发挥系统耦合效应，构建草原新型农牧业体系

草原牧区，既有经营放牧畜牧业的草地资源和传统，又有地方优良家畜品种资源。目前正在推行休牧、轮牧等合理利用与保护草原制度，并可大力营建多种形式的人工草地和饲料地。可以按照集约化经营的模式实行夏牧冬饲，把牧区建成家畜繁育基地可成为主导方向。牧区以南以东的农牧交错区，兼有种植业和牧养业的资源与环境，具有种养结合，进行家畜育肥的有利条件。

牧区与农牧交错区优势互补，实行系统耦合，可以开创集约化、产业化的新型农牧业生产体系。并应按照统筹城乡经济社会发展的目标，建设新型草原产业带。稳步推行城镇化、工业化，全面建设草原小康社会。草原地区具有独特的农牧业资源、环境和传统，又有煤炭、石油、天然气、风能、太

阳能等多元化能源优势。还有金属、非金属矿产和多种原材料的独特资源。许多生物资源也有待合理开发利用。内蒙古草原又有重要的陆路口岸城市。因此，草原地区依托大中城市的支持，扩大开放，必将成为工农业经济全面振兴的新型产业基地，在我国全面建设小康社会的战略任务中做出草原地区的独特贡献。

第　八　章

保持草畜动态平衡，实现生态
安全与持续发展

　　在内蒙古草地畜牧业的长期发展历程中，特别是经历了五十多年的探索和建设实践，已经取得了许多正反两方面的宝贵经验和科学认识。目前，已开始了由传统草地畜牧业向现代化草地畜牧业转变的历史阶段。传统畜牧业所创造的游牧文化，是一项十分丰富可贵的历史遗产。其中，蕴涵着至今仍有重要意义的基本原则及合理内核，是人类可持续发展道路的一种模式。但是，由于历史条件的局限，作为自然、社会历史的产物，是在能量、物质与技术投入很低的条件下粗放经营的低产出的畜牧业生产。在长期的生产实践中，积累了放牧饲养管理的许多宝贵经验，选择了适应性很强的耐粗饲的家畜地方品种和保护草原的对策与制度。但不能完全适应当代草地畜牧业向现代化发展的要求。目前，草地畜牧业的波动性、季节性依然存在，由于草原退化，草畜矛盾尖锐，人口逐年增加、资源衰减、环境恶化和日趋激烈的市场竞争，都向草地畜牧业提出了严峻的挑战。当前草原牧区的工业化与城镇化程度还不高，尚未形成反哺和拉动畜牧业的更强大动力。因此，必须按照历史经验和现代化的要求，坚持草畜平衡，保持资源、环境和产业化进程的相互协调，由粗放型经营逐步向集约化经营转变，才能实现草地畜牧业的持续发展。

第一节 传统草地畜牧业的脆弱性与波动性

内蒙古草原是地球上面积最大的欧亚大陆草原的组成部分，处于温带内陆高原地区，海拔多在 700—1 500 米之间，是我国国土资源地理空间的第二高度阶梯，自然条件比较严酷。东南海洋季风的作用不强，属于半干旱与干旱地区，降水量较少，而蒸发量大。年均降水量一般不超过 400 毫米，最低只有 120 毫米，平均在 250—300 毫米左右，而且降水的时空分布不均。年蒸发量大多在 3 000 毫米以上，湿润度大约为 0.13—0.5，地表水和地下水资源贫乏。各地的年平均气温约在 -5℃—7℃ 之间，全年活动积温约在 1 800℃—3 000℃ 之间，无霜期平均 100—120 天上下，但日照时间长，太阳辐射强烈。草原土壤多为沙质土，肥力不高，土地易沙化。风多、风力大、风速不稳。旱灾、雪灾、风灾等自然灾害频繁。这些不利的自然条件是无法回避的，往往给草原畜牧业带来破坏性打击。所以，在历史上内蒙古牧区的畜牧业很不稳定。

据不完全统计，从新中国成立后到 80 年代初期，内蒙古草原牧区每年因灾害死亡的牲畜平均约 400 万头（只），约占总头数的 8%，牲畜死亡累计数大致相当于出售累计数或更多一些。历史资料表明，自公元 15 世纪以来的五百多年间，大致是十年中有 7—8 个灾年。新中国成立以来，大致也呈现出"三年一小灾，五年一中灾，十年一大灾"的现象。如锡林郭勒盟，从 1953 年以来的四十多年间，全盟共发生旱灾、雪灾 27 次，其中 7 次严重的雪灾共死亡牲畜 549 万头（只），平均每次死亡 78.4 万头（只）。最严重的 1977 年大雪灾（1977 年 10 月 26 日至 29 日），锡林郭勒盟广大地区普降大暴雪，平均达 35 毫米，降雪中心的锡林浩特地区高达 58 毫米，整个草场完全被冻雪覆盖。之后，又陆续降雪十余场，使积雪不断增厚，局部地区雪深达 1 米以上。大部分地区积雪层为雪冰交错结构。数百万牲畜长时间不能出牧，又缺草料补给，造成大批牲畜死亡，使全盟牲畜由 861.3 万骤降至 523.7 万。之后，用了十余年时间，到 1988 年才恢复到 1977 年的水平。可见，历史上微弱的防灾抗灾能力，难以改变草原畜牧业因频繁严重的自然灾害而发生大起大落的波动。

草原牧区常见的自然灾害有旱灾、雪灾和其他突发性的疫病与虫鼠灾害。在长期的历史上，冬季缺草、缺水、缺圈舍的生产条件，必然使畜牧业受灾。旱灾发生的几率最高，造成的危害也最大。春季干旱，影响牧草返青，甚至返青的草干枯，有时干旱天气持续到7、8月份，造成夏季牧草枯黄，牲畜因缺草体弱而大量死亡。冬季干旱，牲畜不能进入无水草场，虽有枯草，但无雪可舔，缺少饮水，称之为"黑灾"。冬季雪大，虽然对春季牧草返青有利，但冬季牧草被大雪深埋，家畜采食困难，对于没有饲草贮备或贮备不足的牧户，也将造成受灾的打击。同时，降雪过程中或降雪后，大多伴随"白毛风"，风雪交加，家畜往往因设施差，或来不及躲避，导致冻饿而死，这种情况称之为"白灾"。即使到春季，灾害也时有发生，一场骤冷雨雪，就会使瘦弱牲畜冻死。

近几十年来，尽管各地都普遍进行草原畜牧业各项基础建设，生产条件有了改善，90年代开始走上初步稳定发展的道路，但远未具备完全主动抗御自然灾害的能力。传统草原畜牧业生产的主要障碍仍然是草原退化和自然灾害，靠天养畜的局面没有得到根本性改观。历史经验表明，单一的防灾抗灾手段虽然可以减少损失，但并未能从根本上克服草原畜牧业的脆弱性。只有不断增加饲草料产出水平，建设牲畜圈舍，改传统的放牧方式为放牧加舍饲，实行科学的经营管理，将各种措施组装配套，才能克服其脆弱性与波动性，为稳定、高产、优质、高效畜牧业奠定物质基础。

第二节　草地畜牧业季节性的历史局限性

长期以来，草原牧区几乎是全年在天然草地放牧，对自然条件依赖性很强，这种生产方式的突出问题是牧草的供给和家畜的需求之间存在着年份和季节的不平衡。受天然草原"一岁一枯荣"的影响，家畜呈现出"夏饱、秋肥、冬瘦、春乏"的季节性特征。在全年放牧条件下，草原提供饲草的动态变化可分为三个阶段：

第一个阶段：早春时节，牧草刚刚萌发，还不能满足放牧家畜的需要，但牧草返青的气味诱使牲畜不爱吃干草，又吃不到多少青草，四处觅食，体力消耗大，掉膘快，死亡率高，俗称"跑青"或"春乏"。通常降雨量累计达 20 毫米时，这一阶段才算结束，家畜才可"饱青"。早春生长的幼嫩青草被家畜采食的几率特别大，这时放牧，不利于牧草生长，超出一定放牧强度会导致全年牧草生长不良。

第二个阶段：夏秋两季，牧草处于生长旺期，一般在水热条件较好，放牧适度的情况下，牧草的增长量可满足家畜对饲草的需要量，是放牧畜牧业的黄金季节。但到晚秋，牧草开始向根部贮存养分，此时超出利用强度，也不利于次年牧草返青，而且还会影响牧草品质。

第三个阶段：到了冬季，牧草停止生长，饲草供应的质和量都要逐月急剧下降。内蒙古农业大学在四子王旗的实测数据可以说明这一趋势（表 8 - 1）。

表 8 - 1 冷季放牧场草群的营养成分

（单位:%）

样品	时间	吸附水	粗蛋白质	粗脂肪	粗纤维	无氮浸出物	粗灰分	钙	磷
混合矮草	10 月	4.49	6.65	3.53	30.78	42.76	10.67	0.51	0.61
	11 月	6.02	6.39	4.16	31.83	42.56	7.88	0.82	0.34
	1 月	8.92	5.32	3.17	29.54	42.95	9.14	0.72	0.21
	3 月	7.06	3.74	1.55	41.46	43.84	3.59	0.49	0.28
	4 月	9.29	4.65	2.61	30.58	46.22	6.65	1.30	0.52
	5 月	8.35	12.17	2.45	29.01	28.47			

表 8 - 1 表明 3 月份粗蛋白质、粗脂肪、粗灰分的含量分别为上年 10 月份含量的 56.2%、43.9% 和 33.6%，这些营养成分的损失率高达 40%—60%。若与 8 月份的营养成分相比，其损失率更高。而粗纤维含量比例增加，3 月份粗纤维含量相当于上年 10 月份的 134.6%。许多资料表明，冷季草场上枯草维生素含量几乎全部丧失，如胡萝卜素损失率达 90% 以上。此时如单靠放牧，就很难满足家畜的营养需要。以肉牛为例，3—6 月龄所需日粮的粗蛋白质含量应为 16.5%，7—9 月龄应为 15%，10—12 月龄为 12%，13—18 月龄为 11%，而冷季天然草场所提供的粗蛋白质含量尚不足需要量的一半。由于冷季饲草供给的质和量远不够家畜本身维持其基本代谢，加之天气寒冷，热量消耗大，家畜不得不消耗其体内贮存的物质来维持

生命，势必形成"冬瘦"。大量观测资料表明，整个冷季放牧绵羊掉膘率平均为20%，其中掉膘最多的是当年羔羊，其次是成年母羊，成年公羊掉膘最少。当年羔羊和成年母羊以3—4月份掉膘最多，分别为12%和8%（表8-2）；牛的掉膘率一般为25%—30%。

表8-2　各类绵羊冷季体量变化

时　间	组别及其平均体重					
	成年母羊		成年羯羊		当年羔羊	
	kg/只	%	kg/只	%	kg/只	%
11月	43.25	100.0	45.85	100.0	22.15	100.0
1月	41.35	95.6	43.65	95.2	22.95	91.2
3月	39.75	91.9	39.65	86.4	21.70	86.2
4月	36.30	83.9	38.60	84.1	18.70	74.3
5月	34.75	80.0	40.68	88.5	21.70	86.2
体重下降率（%）	19.7		15.9		25.7	
总下降量月平均	3.3		3.2		5.1	

家畜随季节变化呈现出的"夏饱、秋肥、冬瘦、春乏"的季节波动性，是草原畜牧业的历史性特点。由于冷季牲畜掉膘，使产品损失严重（表8-2）；影响繁成率、仔畜品质和母畜生产能力；难以形成合理的畜群结构；制约牲畜良种化，使畜产品价值不高；畜产品也不能均衡上市。总之，不能满足草原畜牧业产业化的要求，今后应依靠科技进步引导草原畜牧业走向稳定持续发展。

一、掉膘使产品损失严重

冬季家畜掉膘损失是惊人的，以锡林郭勒盟为例，1994年末牲畜存栏折合羊单位1409.6个，按每个羊单位平均活重45千克，掉膘率20%计算，则每个羊单位掉膘损失9千克（活重），全盟合计损失12.7×10^4吨，等于281.9×10^4个羊单位牲畜死亡，占全盟当年存栏牲畜数量的20%和出栏牲畜数量的65.8%。按当年市场价格计算，折合人民币6.35×10^8元。1994年全盟畜牧业年产值（现行价）13.5×10^8元，以此相比较，掉膘损失相当于畜牧业产值的47%。6.35×10^{8}元的掉膘损失按牧民人口均摊，则每个牧民达到3 100元，比1994年全盟牧民人均纯收入1 932元多60%。锡林郭勒盟每年的牲畜掉膘损失与1977年发生的特大雪灾所造成的牲畜死亡损失接近，但性质完全不同。特大自然灾害，从一定意义上讲具有不可抗拒的自然因素，但掉膘损失是可以人为控制的。如果能够实行暖季放牧，冷季补饲或舍饲，让牲畜吃饱、住暖，我们就完全可以用很小的代价换回较高的经济效益。据测算，自由放牧的牲畜需要用60天的青草期（相当于五分之二的牧草生长期）才能恢复到掉膘前的体重。如果采用补饲，按冷季放牧时能获得一半采食量计算，则每天补饲1千克青干草，在保证住暖的情况下，整个冷季共补饲212千克即可保证少掉膘或不掉膘。如果采取综合措施，进行舍饲育肥，则每个羊单位冷季大约需要青干草340千克，复合饲料84千克，整个冷季增重约20千克，在自由放牧家畜复壮期还可以增重12千克左右（表8-3）。

表8-3　不同放牧方式冷季绵羊体重变化情况

（单位：kg）

项目 方式	期初体重	冷季体重变化 （±）	青草期（60天） 体重变化（±）	期末的体重
自由放牧	45	+9	+9	45
冷季补饲	45	0	+12	57
冷季舍饲	45	+20	+12	77

冷季舍饲还可以使繁殖母畜体壮奶多，有利于提高繁成率和仔畜发育。同时还可以有效地保护草原，特别是减轻早春季节的利用强度，也有利于克服家畜"跑青"和"春乏"。

二、影响繁成率、仔畜品质和母畜生产能力

自由放牧条件下，母畜怀孕后的前3个月，正值秋季青草期，而且胎羔在体内增重较少，母畜所提供的营养基本上能满足胎羔正常生长发育的需要。在怀孕后期的两个月，胎羔生长发育迅速，大约90%的重量是在这一时期增加的。而此时正值冬季枯草期，单纯依靠放牧已不能满足母畜的营养需

要，致使胎羔的发育受到很大影响，羔羊产下后，由于先天不足，初生体重小、体弱、抵抗力低，母畜瘦弱，泌乳量小，后天营养不良，生长发育缓慢。

据新疆细毛羊分两组实验测定，一组母畜怀孕后期每只羊每日补饲混合精料500克及少量干草；另一组完全放牧未加补饲，所产羔羊初生体重平均相差近1千克（表8－4）。

表8－4 不同饲养方式羔羊初生体重

（单位：kg）

项目 方式	单 羔		双 羔	
	公 羔	母 羔	公 羔	母 羔
补饲组	4.98	4.99	4.09	3.99
放牧组	4.02	3.52	3.40	2.96
定比（±）	+0.96	+1.47	+0.69	+1.03

另据资料表明，绵羊配种时体重大小与羔羊初生重之间呈正相关，相关系数大约为0.638。母羊体重40千克以下，所产羔羊初生重平均为3.51千克；母羊40—55千克，所产羔羊初生重3.53—4.12千克；母羊55—64千克，所产羔羊初生重4.35—4.63千克。母羊40千克以下无双羔；母羊40—55千克，所产双羔初生重2.63—2.94千克；母羊55—64千克，所产双羔初生重3.33—3.58千克。这组数据充分说明母羊体重对羔羊初生重的影响。

哺乳期母羊的体质状况对羔羊的生长发育影响更大。饲草料充足，母羊膘情好，泌乳量多，羔羊生长发育快，断奶时体重大，体质好。据测算，乌珠穆沁羊怀孕期、哺乳期进行舍饲，母乳充足，羔羊初生重4.5千克，1月龄平均日增重220克，2月龄平均日增重320克，3月龄平均日增重200克，6月龄平均日增重190克，体重达43千克，6个月平均日增量210克。而全放牧条件下，初生重4.2千克，6月龄体重39千克左右，6个月平均日增重193克。

冷季饲料不足，严重影响母畜再生产能力。全放牧条件下，母畜在怀孕期、哺乳期因得不到充足的营养供应，至哺乳期结束后，身体已虚弱到极限，整个青草期都基本处于复壮阶段。在未完全复壮的情况下又进入了下一个生育周期，周而复始，恶性循环，严重影响受胎率和仔畜发育。有关资料表明，繁殖母羊配种时体重与繁殖力的关系为：配种时体重不足40千克，受胎率为 68.6%；体重 40—61 千克，受胎率为 72.9%—82.5%；体重在 61 千克以上的受胎率为 100%。繁殖母羊配种时体重与产羔率的关系为：母羊体重 40 千克以下，没有产双羔的；母羊 40—46 千克，双羔率为 3.9%—6.1%；母羊 46—55 千克，双羔率 25%—29.8%；母羊 55—60 千克，双羔率 55.6%—64.3%。

繁成率低所造成的损失也是很大的。例如在锡林郭勒草原，乌珠穆沁羊繁成率应达到 105%，实际只达到 90%；内蒙古细毛羊繁成率应该达到 115%，实际只达到 85%；蒙古牛繁成率应该达到 65%—80%，实际只达到 51%—55%。1994 年日历年度全盟存栏混合畜 825.9×10^4 头（只），母畜比重 53.4%，繁成率 85%，繁成仔畜 340×10^4 头（只）。如果繁成率能达到上述要求，则可多繁仔畜 88×10^4 头（只），是当年繁成仔畜的 26%。

三、难以形成合理的畜群结构

最佳的畜群周转模式应当是与牧草的消长规律相一致，在牧草生长旺季多繁多养，在枯草期留下基础畜和后备畜，其余全部出栏，这样才能充分发挥草原的优势，扬长避短。但在传统经营水平下，由于季节间饲草供应的不平衡，加之个体生产性能低，大部分当年仔畜无法出栏，只能是两三岁以后出栏。因而导致母畜比重很难提高，冷季饲养规模也居高不下，造成恶性循环。因畜群结构不合理，导致草场利用效率差，很难实现养畜规模与饲草产出之间的动态平衡。按冷季载畜量确定饲养规模，则将造成大量的暖季草场浪费，按暖季载畜量确定饲养规模，则将造成冷季严重超载。在生态环境日益恶化，草场质量不断下降，资源日趋紧张的情况下，这一矛盾更加尖锐，恶性循环，愈演愈烈。

四、制约牲畜良种化，个体生产性能低，畜产品工业价值不高

为了适应恶劣的气候环境和季节间饲草供应不平衡的状况，大部分牧区饲养的家畜多为耐粗放的地方品种，地方良种不多，引进良种一时又难以适应当地环境。所以家畜个体生产性能与饲草料报酬率低，出肉率、产毛率、生长速度都不如改良畜。我国同草原畜牧业发达国家的差距，主要不在家畜数量上，而在质量上，等量的畜群规模，其生产力水平直接受品种优劣所左

右。而良种化在很大程度上又依赖于饲养条件的改善，特别是均衡地供给家畜所需的各种营养，这样才能最大限度地发挥出应有的生产性能而不至于引起品种退化。同时，由于饲草供给不平衡、营养不足以及品种的差异，还会导致牛皮厚薄不均，羊毛的细度、长度不够和有明显的饥饿痕，从而降低了畜产品的工业价值，影响了畜产品在市场上的竞争力和经济效益。

五、畜产品不能均衡上市

目前，全国大部分牧区牲畜出栏都集中在秋末冬初，一年一次出栏，不能均衡上市。其主要原因就是夏秋季节正值抓膘期，其他季节牲畜膘情差，无法上市。不能均衡出栏，一方面导致畜产品加工企业因原材料供应的季节性而难以均衡生产；另一方面不能满足消费者对鲜肉的常年均衡需求，严重影响经济效益。

由此可见，传统草原畜牧业因天然草场一年四季饲草产出水平的巨大差异给其自身的发展带来了严重的影响。但是，这个薄弱环节蕴藏着巨大的发展潜力。可以说，今后草原畜牧业的发展将在很大程度上取决于季节性问题的改善。使畜产品均衡供应上市，是传统草原畜牧业向现代草原畜牧业过度的关键一环。要想从根本上解决草原畜牧业的季节性问题，必须大力提高冷季的饲草供给水平。冷季营养供应充足了，家畜就能够均衡发展，母畜比重、出栏率、商品率、周转速度、畜产品产出水平相应地就能够大幅度提高，草原畜牧业的生态效益、经济效益和社会效益都能得到充分发挥。而提高冷季饲草供给水平，在天然草原严重退化、草资源日趋衰竭的情况下，出路只能是推行轮牧与休牧制度，实行冬季舍饲与补饲，发展人工草地为中心的草业建设和有计划地调控家畜数量的增长。

第三节　草畜矛盾的发生与加剧

当前，内蒙古的草畜矛盾已成为制约草原畜牧业发展的最主要障碍，这是 20 世纪草原畜牧业发展中的历史性产物。一方面，草地环境恶化，资源衰减，天然草场植物以惊人的速度退化、土壤沙化，使全区草原畜牧业出现了前所未有的生态危机，长此以往将难以为继，问题十分严峻；另一方面，广大牧民致富愿望强烈，部分牧民还没有摆脱贫困，到 21 世纪，绝大部分牧民要与全国各族人民一道全面实现小康，牧区地方经济需要加快发展，在牧区主体经济仍是草原畜牧业的情况下，畜牧业的发展，还可能导致牲畜数量的增加，进而使草畜矛盾进一步激化。如何妥善解决尖锐的草畜矛盾，直接关系到草地资源的永续利用，直接关系到牧区的经济社会发展。这个问题不仅仅是一个产业经济问题，更是一个生态环境问题和社会问题。

草原畜牧业主要是在天然草原上采取放牧方式经营的畜牧业。因此，天然草原的优劣及丰歉程度决定着草原畜牧业的兴衰。新中国成立初期，我国牧区草地状况相对良好。60 年代，牧区开始出现一定范围的草原退化现象，随后愈演愈烈，直到 20 世纪末仍没有得到遏制。

所谓草原退化是指草原生态系统中能量流动与物质循环的输入与输出失调，结构受损，功能下降，稳定性减弱。广义的草原退化包括草原植被退化、土地沙化、土地次生盐渍化和水土流失。狭义的草原退化专指草场植被退化，即草地产草量降低，草群质量变劣。草场退化一般分为四级，轻度退化、中度退化、强度退化和严重退化。轻度退化是指草群优势植物没有变化，但产草量约下降 30%，仅可用于季节放牧。中度退化是草群优势植物种群发生变化，出现了劣质草类，产草量约下降 40%—50%，只能在冬春季节利用，在生长季需休养生息。强度退化与严重退化是指产草量下降 60%—70% 以上，优势植物已发生更替，不可食用的草类大量生长，甚至成为优势植物种群。据有关资料表明，我国草原退化面积累计已达 $8\,667\times10^4$ 公顷，平均每年有 133×10^4 公顷草原不同程度地发生退化。据 1990 年 8 月公布的 1989 年内蒙古自治区环境状况公报中提供的资料，内蒙古草原退化面积为 $2\,992\times10^4$ 公顷，土地荒漠化面积为 $3\,260\times10^4$ 公顷，占草原总面积的 37.6%，土地次生盐渍化面积为 52.5×10^4 公顷，占草原总面积的 0.6%，水土流失面积为 $1\,866\times10^4$ 公顷，占草原总面积的 21.5%。

草原退化的主要标志：一是产草量减少。自 50 年代以来，全国天然草原平均单位面积产草量下降 30%—50%。内蒙古草原 50 年代平均每公顷产鲜草 1 912 千克，年均饲草贮藏量为 $1\,273\times10^8$ 千克，到 80 年代平均每公顷产鲜草仅为 1 050 千克，年均饲草贮藏量为 669×10^8 千克，全区草原产草量下降 40%—60%。据内蒙古锡林郭勒盟 1985 年草地普查资料表明，由于草地退化，全盟天然草地平均可食干草产量由 60 年代初的每公顷 768.6 千克下降到 80 年代中期的每公顷 508.2 千克，即在四分之一世纪内减产三分之一。

二是草原植被结构变劣，载畜能力下降。草原退化过程中，伴随着产量的下降，植被结构也发生明显变化。草群中建群植物和优良牧草减少，甚至消失，而一些抗逆性强的杂类草和一年生植物，以及适口性差的植物与有毒植物增多，草群高度与覆盖度明显降低，生物量减少。草地资源在数量上和质量上均显著出现衰退和恶化的状况。例如，锡林郭勒盟羊草草原放牧地，在过度放牧影响下，群落发生逆行演替。结果群落的种类组成发生变化，种的株（丛）数、分盖度和地上生物量等群落特征指标均明显下降（表 8 - 5）。在强度退化阶段，群落中原有的建群种羊草和优势种大针茅、克氏针茅从群落中濒临消失，而冷蒿与劣质植物星毛委陵菜和有毒植物狼毒明显增长，并成为退化草地的优势成分，严重影响了草地的利用价值。

表 8 - 5　锡林郭勒羊草草原退化群落的比较

植物名称	I 度退化				II 度退化				III 度退化			
	羊草+克氏针茅群落				羊草+冷蒿群落				冷蒿+狼毒群落			
	盖度(%)	株(丛)数(m²)	鲜重		盖度(%)	株(丛)数(m²)	鲜重		盖度(%)	株(丛)数(m²)	鲜重	
			(g/m²)	占群落总重(%)			(g/m²)	占群落总重(%)			(g/m²)	占群落总重(%)
群　落	37	245	189.5	100	25	261	151.7	100	12.2	118	108.0	100
羊　草	16	114	88.0	46.4	5	98	36.8	24.3	0	0	0	0
针　茅	8	28	46.0	24.3	5	39	23.1	15.2	0	0	0	0
冰　草	5	33	21.0	11.1	4	19	17.3	11.4	0.2	4	2.1	1.9
糙隐子草	5	22	12.0	6.3	3	16	5.5	3.6	1	11	4.4	4.1
冷　蒿	2	22	18.5	9.7	3	36	36.0	23.7	2	40	22.5	20.8
杂类草	1	26	4.0	2.1	2	6.0	6.0	3.6	1	18	2.0	1.9
狼　毒	0	0	0	0	3	27.0	27.0	17.8	8	45	77.0	71.3

资料来源：《锡林郭勒草地资源》。

再如乌兰察布盟达茂旗境内的芨芨草（Achnatherum splendens）盐化草甸，其群落地上生物量以 1959 年最高，在长期过度放牧影响下，到 1973 年尽管降水量比 1959 年偏高，但地上生物量最低，仅为 1959 年的 36.4%（表 8－6）。据调查，茇茇草盐化草甸目前已普遍严重退化。

表 8－6　达茂旗茇茇草群落地上生物量年度动态

年　份	茇茇草群		茇茇草群落		降水量（mm）
	干　重（g/m²）	占最高年份的比例（%）	干　重（g/m²）	占群落的比例（%）	
1959	727.2	100	586.2	80.6	300.6
1962	259.8	36.4	205.7	79.2	118.3
1973	246.2	35.7	219.3	63.5	325.8

资料来源：乌兰察布盟达茂旗退化草场调查报告，《内蒙古草原》1996 年第 2 期。

由于优良牧草锐减，天然草场的承载能力和家畜个体生产性能明显下降。草原退化除降低载畜能力外，还严重影响牲畜个体生产性能。我国北方牧区，80 年代与 50 年代相比在纯放牧条件下，平均每头牛体重减少 25—50 千克。又如同为蒙古羊品系的地方良种乌珠穆沁羊和苏尼特羊因草场类生产力不同，生产性能也悬殊很大。在天然草原全放牧条件下，6 月龄乌珠穆沁羊比同龄苏尼特羊体重多 6 千克左右，6 个月平均日增重相差 30 克（表 8－7）。

表 8－7　不同草原类型绵羊生产性能比较

（单位：kg）

项　目 分　类	草原类型	初生重		4 月龄		6 月龄		6 个月平均日增重	
		公　羔	母　羔	公　羔	母　羔	公　羔	母　羔	公　羔	母　羔
乌珠穆沁羊	草甸草原	4.34	4.12	32.8	31.4	42.3	40.5	0.21	0.202
苏尼特羊	荒漠草原	3.7	3.3	24.4	23.4	36.2	34.3	0.180	0.172
定比（±）	—	+0.64	+0.82	+8.4	+8.0	+6.1	+6.2	+0.030	+0.030

三是自然灾害日趋频繁。草原退化，生态系统受损，进而加剧了自然灾害的发生。灾害出现几率加大，持续时间长，气候趋于干旱。据内蒙古近三十年气象资料分析，全区年平均降水量随年代顺延而递减，60、70、80 年代分别为 309.0 毫米、307.1 毫米、289.4 毫米。同时，干旱周期缩短，1937 年、1947 年、1957 年大旱，干旱周期十年；1957 年、1965 年发生大

旱，周期八年；1966 年、1970 年发生大旱，周期四年；1971—1982 年发生大旱 4 次，周期缩短为三年。

草原干旱，伴随而来的是风蚀严重，土壤沙化、砾质化、碱化、昆虫灾害时有发生。根据内蒙古土壤侵蚀遥感制图统计，内蒙古风蚀区面积 27.35×10^4 平方公里，占 23.6%。风蚀带集中分布于西部，水蚀带集中分布于东南边缘地区。如按行政区统计，土壤风蚀以阿拉善盟、乌兰察布盟、伊克昭盟和锡林郭勒盟西部最为突出，受风蚀面积都在 50% 以上。全区水蚀面积达 17.17×10^4 平方公里。二级以上土壤侵蚀区总面积为 49.28×10^4 平方公里，占全区总土地面积的 44.05%。在草地土壤强烈侵蚀作用下，草地生态系统结构与功能受损，从而出现了较大范围的荒漠化发展趋势。

由于草原生态环境发生变化，导致生态系统的食物链缩短，食物网趋于简单化。草原上害鼠、害虫的天敌，如鹰、雕、蛇、刺猬、蜻蜓、螳螂、瓢虫都急剧减少，相反，鼠、虫大量繁衍，泛滥成灾。鼠害固然是草原的危害，但它有时间性和地区性。草层高、密度大，鼠类不容易活动，可有效抑制草原鼠害的暴发；而草原退化，草层变矮、变稀，鼠害也会发生。草原退化不完全是鼠害引起，但它可以加剧退化。目前，有草原鼠害的面积约 4 000 万公顷，每年消耗饲草 50 亿公斤，相当于 1 000 万只羊的食草量。草原虫害面积约为 1 200 万公顷，仅草原蝗虫成灾面积常年达 800 万公顷，严重地区的虫口密度每平方米在 100 头以上，牧草被啃光。总之，人类对草原生态系统长期的超载利用和严重干扰，导致草原植被遭到破坏，生态环境逐渐恶化，使草原植物生产力下降以至丧失。在草畜矛盾的恶性发展中，必须寻求草原合理利用、管理与生态保育的科学对策。

第四节　制约草原畜牧业生产力的生态与环境因素

草原畜牧业生产力包括第一性生产力和第二性生产力。第一性生产力是指牧草的总体产出水平，其实质是牧草对光能的利用率；第二性生产力是指畜产品总体产出水平，其实质是指家畜对饲草的转化率。

一、第一性生产力的差距主要是缺乏人工草地的建设和草地利用方式不合理

草原植物生长的能量来源是太阳辐射。绿色植物的叶绿素利用太阳能通过光合作用把空气中的二氧化碳与土壤中吸收的水分化合成碳水化合物。光合作用就是将太阳能固定下来转化为化学能。所以牧草（包括其他植物）产量，首先取决于对太阳辐射能的利用效率。产量的高低实际上就是固定太阳能的多少。因此，牧草对光能的利用率可以反映第一性生产力高低。

内蒙古草原天然草场的第一性生产力，与同类型的国外草原比较基本相似。与发达的草原畜牧业国家和地区相比，草地生产力的差距，主要在人工草地上。人工草地叶面积指数高，草群层次结构合理，光合作用能力强，呼吸率低，光能转化率高，生长迅速，因而第一性生产力远远高于天然草原。据国内外研究结果表明，温带草原高产人工草地光合有效辐射利用率可达2%以上，约相当于每公顷产 2.3×10^4 千克干物质。发达国家人工草地光能利用率一般都在 1%—2%，约相当于每公顷产 1.2×10^4 千克干草（折 1 亩人工草地饲养 1 个羊单位），是较好的天然草原产草量的 10 倍。如美国现有 $3\,000 \times 10^4$ 公顷人工草地，其面积虽不到长期牧场总面积的 10%，但相当于全部天然草场产草量。目前，新西兰人工草地面积已达到 75% 以上，产草量每公顷达到 1.0×10^4—1.5×10^4 千克。加拿大人工草地的面积已占到长期牧场总面积的 27%。人工草地的建立从根本上解决了这些国家的草畜矛盾，从而促进了这些国家草地畜牧业现代化的实现。我国北方牧区自然条件不如这些国家，但从各地的实践来看，人工草地比天然草场的产量要高出几倍，甚至十倍。如内蒙古锡林郭勒草原南部地区旱作人工草地干草产量可以达到6 000 千克/公顷，是天然草场产草量的 8 倍；东北平原种植羊草使草原产草量提高 2—3 倍；内蒙古荒漠草原地区通过灌溉、施肥、种植苜蓿，每公顷产干草 7 500 千克，比天然草场产草量提高近 20 倍。

国内外的经验告诉我们，解决草畜矛盾的根本出路在于建立稳定、优质、高产的人工草地。天然草原受大自然的制约，产草量低而不稳，只有不断扩大人工草地面积，才能成倍地提高第一性生产力水平，提高饲草的总体产出水平，为畜牧业的发展奠定丰足的物质基础，改变单纯靠天养畜的被动

局面。国外发达国家实现草地畜牧业现代化无不是建立在大力发展人工草地基础之上的。

受立地条件和水资源的限制，草原牧区并非所有的土地都适合建设人工草地，但在局部水土条件好的地块，经过改造完全可以旱作种草。据专家推算，在荒漠草原带、典型草原带和草甸草原带，可分别选出 5%、15% 和 30% 的土地具备人工种草的条件，这类地块至少占全部草原面积的 15%。若开发水利进行灌溉，面积会更大。如果 10% 的适宜地块能够开发成人工草地，产草量按平均提高 5 倍计算，等于又增加了近一半的天然草原，当前的草畜矛盾会大大缓解。

人工草地与旱作农田相比，立地条件要求并不过高，而且人工草地具有较高的水分利用率和稳产特点，能更有效地利用干旱地区有限的天然降水。从河北省坝上张北旱作农业实验区叶家村建立的混播草地实测数据来看，其水分利用率明显高于小麦（表 8-8）。

表 8-8　人工草地与小麦对生长季降水的利用率

生长季降水 （5—8 月）	产量（kg/hm²）		水分利用率（kg/mm·hm²）	
	人工草地	小　麦	人工草地	小　麦
1988 年（434.2mm）	6465	1714.5	15.00	3.90
1989 年（108.4mm）	3570	280.5	33.00	2.55

由表 8-8 可以看出，人工草地能有效地利用生长季的自然降水，在雨水偏多的 1988 年，该地区每毫米降水可生产干草 1 千克/公顷，为小麦水分利用率的 2.85 倍。在干旱的 1989 年，人工草地的水分利用率是小麦的 11.9 倍。可见人工草地具有较强的水分利用效率和相对稳产的特点。同时，人工、半人工草地不易引起风蚀沙化和水土流失，可以大规模开发。

从上面的分析可以看出，大力发展人工草地是提高草原畜牧业第一性生产力的根本途径，也是发展稳定、优质、高产、高效草地畜牧业的根本出路。从一定意义上讲，人工、半人工草地的开发建设水平可以代表一个地区草地畜牧业的现代化程度。

除牧草产出水平低外，牧草的不合理利用也是导致第一性生产效能低的主要原因。突出表现在两点上：

　　放牧制度不合理。前面已经讲过，目前我国北方大部分牧区仍继续沿用自由放牧制度，家畜在牧场上放牧停留的时间没有严格的规定，很多畜群常常是在一个地段内整季或全年连续不断地自由采食和践踏。特别是80年代以来，随着草原牧区定居进度的加快，放牧对草原的破坏性更大，严重影响着第一性生产力水平的发挥。各国的成功经验表明，按照牧草生长发育规律，实行合理的划区轮牧制度，是迄今为止最合理、最科学、最有效的放牧制度。据专家推算，组织不同食性的畜群在不同的时间内充分合理地利用草原，并使牧草有较好的生长发育和繁殖的机会，则可以在现有基础上提高20%载畜量，能增产30%的畜产品。从自由放牧和分段轮牧向划区轮牧过渡是实现草原畜牧业现代化的客观需要。

　　牧草刈割、运输、贮存、饲喂过程中机械损失严重。牧草的可消化营养物质含量随生长发育阶段而变化，开花期营养最高。此时我国北方牧区正值伏末雨季时节，由于受机械设备、晾晒、烘干等条件的限制，一般要等到雨季过后打秋草或打霜黄草，而且打下的草在打草场晾晒时间较长，致使牧草主要营养成分大量损失。根据甘肃农业大学的研究，随着牧草在野外存放时间的延长，其养分的损失量：粗蛋白质为66.00%，粗脂肪为55.03%，甚至一些品种的牧草由于晾晒的时间过长，不及时进行调制，营养成分几乎全部损失掉，只剩下一些难以消化的粗纤维。日本畜产大学也有同类的研究结果，牧草刈割后在打草场晒干，其干物质损失22.1%，可消化蛋白质损失34.6%。另外，研究结果表明，牧草的刈割利用比放牧利用可提高30%—35%的收获量，如果能创条件扩大牧草的刈割利用，则可增加近30%的载畜量。

　　牧草在饲喂过程中的机械损失也是很严重的，这种损失主要源于不加切割粉碎的粗饲整喂。这种饲喂方式浪费极大，利用率一般只有60%左右。如果粗加工一下，做到"长草短喂"，利用率就可以提高到90%以上。内蒙敖汉旗种羊场通过加工，使饲草利用率由原来的70%提高到99.5%。内蒙古伊克昭盟种柠条，开始时直接饲喂，利用率只有30%，加工成柠条粉后利用率提高到90%。用加工的柠条粉喂羊，冬季130天中，每只绵羊增重3.42千克，山羊增重1.88千克，不加工直接饲喂柠条的减重4.3千克，山羊减重2.3千克。由此可见，表面上损失的是草，实际上损失的是皮、毛、绒、肉、乳，造成经济效益的下降。

据我国著名草地学专家任继周先生推算，我国草原生态系统，在现有科学技术的支持下，通过各个转化阶段的集约经营措施，可使第一性生产力提高 3.6—7.2 倍，包括：合理利用草地植物资源，实行划区轮牧，可提高产量 20%，牧草的合理刈割、贮运和科学饲喂大约增产 50%，改良植被、发展人工、半人工草地，牧草产量能在现有的基础上提高 1—3 倍。

二、第二性生产力的差距主要是个体和畜群生产力低

家畜生产能力表现为个体产出水平。据联合国粮农组织（FAO）统计资料，1990 年我国出栏肉牛胴体重 109 千克/头，发展中国家平均 166 千克/头，发达国家 244 千克/头；我国出栏绵羊胴体重 11 千克/只，发展中国家 14 千克/只，发达国家 16 千克/只。如以中国为基数，相应比值为 1：1.55：2.24 和 1：1.27：1.45。美国出栏肉牛、绵羊胴体重达 297 千克/头和 29 千克/只，分别是我国个体产肉量的 2.7 倍和 2.6 倍。新西兰绵羊毛（净毛）个体产量为 4.66 千克/只，而我国仅为 1.08 千克/只，新西兰 1 只绵羊产毛量相当于我国 4 只，出栏绵羊胴体重也比我国高出 45%。从以上数字我们可以看出，我国牲畜个体产出水平不仅远低于世界先进水平，而且也低于发展中国家平均水平。

畜群生产力低更值得关注。联合国粮农组织（FAO）统计，1990 年我国饲养肉牛群体生产水平为每头存栏牛年产肉量 11.59 千克，发展中国家为 18.88 千克，发达国家为 86.28 千克，美国高达 106.59 千克；我国绵羊群体生产水平为每只存栏绵羊年产肉量 4.76 千克，发展中国家 4.81 千克，发达国家 6.85 千克，美国高达 14.52 千克。即以我国为基数，其比值相应为，肉牛群体产肉量：1：1.63：7.44：9.20；绵羊群体产肉量：1：1.01：1.44：3.05。我国与美国相比肉牛个体产肉量为 1：2.77，而群体产肉量却为 1：9.20；绵羊个体产肉量为 1：2.46，而群体产肉量却为 1：3.05。1990 年新西兰饲养绵羊总数为 5 833.4×10^4 只，仅为我国 1.135×10^8 只的 51.4%，而净毛总产量却高达 27.2×10^4 吨，比我国高出 1.2 倍。由此可以看出，我国草原畜牧业畜群生产力和牲畜个体生产能力远低于世界先进水平。值得注意的是，目前牲畜个体生产能力低已普遍得到重视，而畜群生产力低并没有引起全社会的广泛关注。

　　导致我国草原畜牧业第二性生产力低的主要因素是：家畜个体品质差，良改畜比重低，良种畜与土种畜个体产出水平上的差距是非常悬殊的。如世界著名的肉牛品种海福特牛，在温带优质草场全放牧条件下140天内，平均日增重为1310克，12月龄体重达415.6千克，经过短期育肥，18月龄可达720千克，饲草转化率高达13.3%。而蒙古牛在同等条件下，18月龄仅能达到172千克，饲草转化率只有3.2%。改良种与土种家畜之间个体生产性能的差距也很大。内蒙古自治区阿巴嘎旗引用安格斯牛改良当地蒙古牛，在天然草原全放牧条件下，18月龄安蒙杂交一代，平均比同等情况下蒙古牛净肉重多48.7kg，饲草转化率达到5.3%（表8-9）。

表8-9　安蒙杂一代牛与蒙古牛生产性能比较

（单位：kg）

项　目 品　种	活　重	胴体重	净肉重	净肉率 （%）	饲草转化率 （%）
安蒙杂一代牛	286.2	136.1	110.5	38.6	5.3
蒙古牛	171.8	79.8	61.8	36.0	3.2

资料来源：《锡林郭勒盟家畜品种志》。

　　尽管近十几年来，我国广大牧区已开始普遍重视提高牲畜个体生产能力，牲畜良种化的速度在加快，但良改畜在畜群中的比例仍然较低。在我国北方牧区，内蒙古自治区的良改畜比重属于较高水平，1993年年末，全区良改畜比重，大畜仅为38%，羊为61%。发达国家几乎完全实现了良种化。

　　畜群结构不合理，家畜周转慢，个体生长增重是随年龄而减缓的，因而在饲草料转化率上有明显的差异。畜群周转越快，饲草报酬率越高，饲养成本越低，经济效益也就越好。据锡林郭勒盟的研究成果，乌珠穆沁羊的一岁羊当年饲草料转化率最高，时间越长，饲草转化率越低，人力和资源浪费越大，对草场的压力也会加重。当年出栏的羔羊，饲草转化率分别比饲养到2岁、4岁和6岁的成年羊高出1.5倍、5.2倍和8.5倍，年均畜牧业产值分别高出36%、150%和220%（表8-10）。所以，合理的畜群年龄结构对畜牧业的效益有重要意义。

表 8 - 10 不同年龄的乌珠穆沁羊生产性能

（单位：kg）

项 目 年 龄	活 重	产肉量	累计 产毛量	消耗饲草 （干草）	饲草转化率 （%）	经济效益* 产 值	经济效益* 年均比值
10 月	36.3	13.8	0	293	12.3	217.8	1
24 月	51.2	21.8	2.0	1040	4.9	321.20	0.74
48 月	52.7	25.8	4.5	2688	2.0	347.70	0.40
72 月	59.9	28.8	7.0	4440	1.3	408.40	0.31

* 按1995年锡林郭勒盟市场价计算。

资料来源：《中国重点牧区草地资源及其开发利用》，中国科技出版社1997年版，第353页。

以畜群规模400只绵羊为例，按合理的畜群结构和周转模式运行结果与目前我国北方牧区水平（锡林郭勒盟1994年水平为例）对比，我们可以看出因畜群结构不同，畜群生产力上存在着显著差距（表8-11）。

表 8 - 11 不同畜群结构的个体羊生产能力

（单位：只）

项目 结构	畜群 规模	繁殖母羊 数量	繁殖母羊 比例	后备母羊 数量	后备母羊 比例	种公羊 数量	种公羊 比例	后备公羊 数量	后备公羊 比例	繁成仔畜 数量	繁成仔畜 繁成率	出栏畜 数量	出栏畜 出栏率
合理结构	400	304	76%	80	20%	12	3%	4	1%	304	100%	304	76%

项目 结构	畜群 规模	繁殖母羊 数量	繁殖母羊 比例	其 他 数 量	其 他 比 例	繁成仔畜 数量	繁成仔畜 繁成率	出栏畜 数量	出栏畜 出栏率
目前结构	400	224	56%	176	44%	204	91%	185	45%

形成合理的畜群结构和周转模式之后，我们不仅可以真正做到多繁少死快出栏，大力提高第二性生产力，而且也十分有效地抓住了暖季天然草原牧草生长的黄金季节多养畜，冷季枯草期多出栏，减轻了草场压力，向效益畜牧业和生态畜牧业迈出了一个大步。从今后一个时期来看，草原牧区在适当扩大畜群规模的同时，致力于大幅度提高畜群生产力，将成为草原畜牧业再上新台阶的根本出路。

饲养制度不合理，经营管理粗放，这是当前制约草原畜牧业第二性生产力发展的根本原因。改革开放以来，随着草畜双承包责任制的落实，这种状况得到一些改观，但还没有真正走上科学养畜、集约化经营的轨道。比如前面所说的冷季掉膘损失，大部分牧民都认为牲畜冷季掉膘是天经地义的，不去考虑只要让牲畜吃饱、住暖后就可以减少掉膘损失或做到不掉膘。推广良改畜也是如此，好的基因必须通过好的管理才能发挥好的效益。一些良种畜推广后，品种很快严重退化，究其原因主要是不按系谱进行管理，没有配种网，经营粗放以致畜群混杂、乱交乱配。再比如大部分牧民对饲草料就缺乏"营养"这一概念，只看到有形的草，认为牲畜吃饱就行了，而想不到无形的营养。打草等到草黄时再打，打完以后晒很长时间再收，岂不知这样一个环节至少60%的营养就损失掉了。锡林郭勒盟正蓝旗一位牧民说了一句很形象的话，冬天牛吃了青贮玉米以后肚子比过去小了，但看上去很精神。在这里起决定性作用的不光是饲草的量，更是饲草的质。在畜群周转问题上也是如此，牧民只注重牲畜个体的"大"，而忽略群体的"快"，缺乏效益意识、成本意识，仅单纯认为体重越大，卖的钱就多，而不去考虑消耗多少牧草，更不去考虑用这些牧草还可以多养多少牲畜。

据任继周先生推算，在第二性生产中，家畜改良可以使生产水平提高30%—50%，累积量提高到4.68—10.8倍；优良的家畜品种优化组合可提高生产水平40%—50%，累积量可达到6.55—27倍。如果发挥牧草生长季的优势，实行季节畜牧业又可提高生产水平300%—1100%。最终累积量相当于初始生产水平的26.2—297倍。由此可见，草原畜牧业蕴藏着巨大的生产潜力。

三、科技含量低，草原畜牧业技术进步缓慢

据资料介绍，目前科技进步在推动草原畜牧业增长的各个因素中仅占20%—30%，而在发达国家经济增长中科技进步因素已达到60%—80%。一大批适用技术如划区轮牧、人工草地、胚胎移植、伏草青贮等都没有在牧区得到大面积推广；牧业机械化水平低，作业量不到10%，除打草外，其他牧业工序的机械作业量很少；科学管理方面更加落后，经营十分粗放；科技力量薄弱，专业人员严重缺乏，如内蒙古平均 1.1×10^4 头牲畜有1名兽医，每 2×10^4 头牲畜有1名畜牧技术人员，每 16×10^4 公顷草原有1名草原技术干部，其他牧区专业技术人员更少；再加之由于传统观念、社会环境和近几年畜产品消费市场趋于旺盛等因素的影响，牧民不注重质量，对科技进

步没有内在的迫切需求，还没有认识到科技进步对草原畜牧业的决定性作用，还没有形成讲科技、学科技、用科技的良好风尚，导致许多常规的适用技术等都没有得到有效推广。20 世纪 80 年代，我国草原畜牧业的发展主要得益于体制改革和制度创新，通过生产关系的变革解放了生产力，使草原畜牧业焕发了生机和活力，创造了前所未有的经济增长。经过十余年的高速发展，到 90 年代以后，这种依靠政策威力的做法，已经最大限度地调动了劳动者的生产积极性，长期受束缚的生产力已经达到了传统草原畜牧业状态下的较高水平，今后草原畜牧业的发展，必须在进一步深化改革之中，从发展生产力的角度去寻找出路。"科学技术是第一生产力"已经被实践所证明，草原畜牧业的发展也毫不例外，必须把工作重点转移到依靠科技进步和提高劳动者素质的轨道上来。特别是在建立社会主义市场经济体制的新形式下，草原畜牧业的根本出路就在于运用现代科学技术成果，从而大大提高草原畜牧业的生产力水平，实现对传统畜牧业的改造。

据国家统计局抽样调查分析，目前，在农村劳动力中，文盲、半文盲占总数的 22.5%，小学文化的占 38.7%，初中的占 31.4%，高中的占 6.8%，中专文化程度的占 0.45%，大专以上文化程度的仅占 0.08%。牧区也是如此，如锡林郭勒盟，1994 年牧业劳动力中，文盲、半文盲占总数的 13.64%，小学文化的占 25.66%，初中的占 26.83%，高中的占 6.43%，中专的占 0.33%，大专以上的仅占 0.11%。半数以上的牧业劳动者只有小学文化程度，与迅速发展的时代形成了明显的反差。在这种文化素质下，约有 70% 的适用技术得不到推广，即使已推广的一些技术也常因使用或操作不当带来负效应；实行科学的经营管理举步维艰，在一些领域如草地经营、成本核算上几乎是空白；新知识、新技术接受速度缓慢，形成了文化素质低——生产力水平低的恶性循环。

据国外经济学家统计，从事农业生产的小学、中学、大学毕业生，可分别提高劳动生产率 43%、108%、300%。有关专家做过分析，我国劳动力素质每降低 1 分，总收入减少 33.33 元。实践证明，劳动者素质越高，吸收现代科技成果的积极性越高，消化现代科学技术的能力越强，劳动生产率提高越快，产生的经济效益越大。据江苏省 1988 年农业专业户资料分析，在达到万元户的机会上，高中文化程度比文盲、半文盲农民高出 29 倍以上。

从锡林郭勒盟来看，已经实现小康的牧户中，户主或主要经营者基本上是三类人：一类是过去集体经营时的嘎查（村）干部，一类是复员军人和初中以上毕业生，还有一类是与外界联系频繁或曾经在外地工作过的牧民。这些人员文化素质都较高，懂经营、会管理，接受新事物、掌握新技术快，因而成为畜牧业发展的带头人。

在牧区，制约劳动力素质提高的主要原因除普通教育水平低外，更重要的是职业教育滞后。职业教育是经济与科技紧密结合的纽带，要培养造就一支具有较高科学文化水平和先进生产技能的劳动大军，就必须发展职业教育。所以说，职业教育的发展水平决定着一个地区的发展水平。我国教育制度承袭前苏联的模式，是计划经济的产物。虽然近几年改革步子很大，但总体模式上，仍是统一计划、统一教材、统一考试、统招统配，关门办教育，还没有做到社会需要什么人才就培养什么人才，与经济严重脱节。统招统配导致的结果是学生上学不是为了学知识、学技术、学本领，而是为了争取"全民"就业指标，结果"千军万马过独木桥"，绝大多数过不了"桥"的只好带着失落感走向社会，到了社会以后，因为在学校没有受过专门的职业训练，不具备良好的劳动技能，很难在生产一线发挥出应有的作用。

草原畜牧业以放牧为主的特点决定了难以大规模集中经营，目前适宜于以家庭为基础的经营。而分散经营则必然不利于专业化分工，也很难与社会化大生产相衔接。尤其是在当前我国牧区交通不便、信息不灵、资金缺乏、基础薄弱、劳动者素质差的情况下，分散经营更容易导致"小而全"，严重制约草地畜牧业生产力的发展。一家一户小生产如何避免"小而全"，如何与社会化大生产相衔接，这个问题自从推行"草畜双承包责任制"以来，各地都在进行探索。从发达国家和地区来看，社会化服务是连接家庭经营和社会化大生产最有效、最快捷的桥梁和纽带。通过建立健全社会化服务体系为牧民提供产前、产中、产后的各种服务，可以促使草地畜牧业进行专业化分工和规模经营，架起通向大市场的桥梁。各地的实践证明，哪里的社会化服务搞得好，能够进行配套、及时、有效的社会化服务，哪里的生产力水平就高，专业化、社会化和商品化程度就高，经济与社会发展就快。可以说，社会化服务水平的高低已经成为草地畜牧业发展水平的重要标志。

从目前来看，广大牧区的社会化服务体系还很不完善，服务水平还很低，除传统的兽医、防疫、配种、生产资料供应服务普遍搞得比较好外，其他如草地建设、饲草料加工、牧业机械、技术培训与科研科普、信息与经营管理、产品销售、资金融通等方面的服务都未能配套，有的几乎空白。有些地方即使有一些机构，挂了牌子，而实际上只是流于形式。由于社会化服务跟不上，牧民的生活与生产有很大的困难，"小而全"就在所难免，这给草原畜牧业的技术进步和生产力水平的提高带来了严重影响。

综上所述，我们可以得出这样的结论，草地畜牧业经过改革开放以来十几年的发展，草原牧区养畜规模已经达到或超过草原自然生产力的极限，群体生产能力已接近传统生产能力的极限，牲畜个体生产能力也接近大群放牧条件下个体产量的较高水平，传统生产的潜力已经不多了。在继续发展过程中，不仅存在基础脆弱、后劲不足和季节性波动的老问题，而且又遇到了草原严重退化、资源日趋衰竭、人口压力增加、草畜矛盾日益尖锐的新问题，更主要的是传统生产经营方式潜力殆尽与牧民强烈致富要求之间的矛盾更加突出了。这些矛盾和问题，依靠传统的方法和手段，已经无法解决。在这种情况下，草原畜牧业应该如何从自身特点出发选择一条适合自己的发展道路，已经成为一个必须认真思考、探索的重大现实问题。

以上我们分析了草地畜牧业遇到的许多不容回避的问题，这些问题仅靠传统的生产经营方式难以彻底解决，必须选择集约化发展的道路。

第五节　总结历史经验，继承优良传统，借鉴先进制度

我国草原畜牧业经历了长久的发展历史，拥有丰富的经验和优良的传统，是十分宝贵的文化与科技财富，对此已有不少论述。在当今寻求现代化发展途径和科学经营模式的历史任务中，必须挖掘其精髓和科学内涵，在继承中求创新求发展。全世界共有土地面积 130.8×10^8 公顷，其中长期牧场（Permanent pasture）达 34×10^8 公顷，占世界土地面积的 26%，是土地资源的重要组成部分。据世界粮农组织 1989 年统计，在世界各国中，澳大利亚牧场面积最大，为 4.2×10^8 公顷，占世界牧场总面积的 12.4%；其次为中国，为 4×10^8 公顷，占世界牧场总面积的 11.8%；第三是苏联 3.7×10^8 公顷，占世界牧场总面积的 10.9%。在世界草地畜牧业发展历程上，大多数畜牧业

发达国家也都经历过草地自然利用、过度放牧、草地退化，一直到加强草地管理和建设的过程，也遇到过同我国目前面临的基本相似的困难和问题。但他们最可贵的是，在历史教训和来自各方面的挑战面前，能够及时总结经验、吸取教训，依靠法制、科技和建设，为草地畜牧业寻求可持续发展道路。

一、重温历史传统，注重生态效益，依法保护草地资源

配套草库伦的基本形式是在围栏内营造防风林灌草带，兴修水利，整地施肥，播种优良牧草或草料兼收作物。这种配套草库伦可放牧，又可专门留作打草场或饲料地，冬春季还可作为过冬牲畜的抗灾基地。1994 年，全国四大牧区围栏面积累计已达到 $674×10^4$ 公顷，占可利用草场的 3.3%。如地处锡林郭勒草原南端的正镶白旗经过八年艰苦奋斗，在严重退化、沙化的草原上建起四五配套草库伦 3 681 处，总面积 3 000 多公顷。近三年来，五配套草库伦内，以水浇青玉米为主的青贮饲料单产连年在 3 500 千克以上，相当于草库伦外自然草场产草量的 80 多倍；旱作优良牧草，每公顷产量也在 3 000 千克以上，相当于自然草场产草量的 5 倍。近年来，全旗每年打贮草 $1×10^8$ 千克左右，其中 55% 来自四五配套草库伦，年产草量已超过全旗 5 000 平方公里天然草场上的产草总量。现在，全旗建有家庭小草库伦的牧户占 50% 以上，走上了夏秋放牧、冬春舍饲发展畜牧业的新路子。1994 年牧业年度，全旗大小畜已达 $80×10^4$ 多头（只），每平方公里载畜量达到 175 头（只），超出全盟平均水平 1 倍以上。阿鲁科尔沁旗到 1995 年上半年，累计封育草场 $30×10^4$ 公顷，占全旗可利用草场的 28%，草场产草能力明显增加，已基本达到畜草平衡，生态环境大为改善，推动了畜牧业稳定发展。自 1989 年以来，全旗大小畜数量一直保持在 $130×10^4$ 头（只）以上。巴林右旗从 20 世纪 80 年代后期起大搞生态治理不松劲，到 90 年代中期，退化、沙化严重的草场植被已恢复 90% 以上，产草量提高 1 倍。

发达国家对草地利用的科学管理，是从依法保护草地资源开始的。如 20 世纪初，美国联邦和地方州政府针对草原大面积退化的实际，开始制定各种草原法规。1916 年制定了《家畜饲养土地法》；1934 年内政部土地管理局通过了《泰勒放牧法案》，其中对草地利用强度、放牧家畜种类以及草地改良等内容都有具体规定；1969 年又颁发了《联邦土地政策和管理法》；

1978 年通过了《国有草地改良法》。政府有关部门对草地资源的利用情况经常进行监督和检查。全国由农业部协同各有关部门组织草地指导委员会，推行补播、除草、灭鼠等草地保护技术等。各国还十分重视草地利用与改造的规划工作，根据不同类型的草地分别制定利用和改良方案，并从资金和政策导向等方面鼓励改良草地和人工草地的发展。

二、合理利用及管护草地资源，普遍实行划区轮牧

1985 年 6 月 18 日，六届全国人大常委会第 11 次会议通过的《中华人民共和国草原法》，总结了我国建国以来草地工作正反两方面的经验，针对存在的问题和今后科学管理草地的要求，对草地的所有权和使用权，草地的保护、利用和建设，草地管理机构及其执法、奖罚职能等都作了明确规定，从而结束了长期以来我国草原无法、管理无责、破坏无罪的历史，开辟了依法管理、利用和建设草原的新局面。《草原法》颁布之后，各地可以坚持依法办事，以草定畜，严禁乱垦乱牧。同时，各地普遍采取防除鼠害、草原灭虫、灭除毒草和强化草原防火等措施，注意加强天然草场的保护。

随着生产的发展，科技的进步，一些草原牧区逐年改变了混群放牧的粗放经营方式，根据牲畜的数量、品种、性别、年龄以及绵羊改良的世代、等级等不同情况，分别组群放牧，分类饲养管理。科学组群、领群放牧、倒场轮牧已逐渐成为一些草原牧区的放牧方式。

发达国家以强化放牧管理作为保证草地合理利用的重要手段，采取分散居住点、合理布局饮水点和草地上设供盐点、饲料点，引诱家畜均匀采食等方法，达到畜群的均匀分布；利用人工草地的牧草返青较早、枯黄较晚，天然草地夏季水草丰富等特点，早春和晚秋季节在人工草地上放牧，夏季在天然草地上放牧，形成互补系统。普遍实行划区轮牧，利用永久性固定围栏，根据畜群大小，草地产草量等条件，划分放牧小区，遵循牧草再生规律，科学测定每区放牧周期，从而保证牧场的草资源既能充分利用，又有充足的再生条件。如美国在 0.4×10^8 公顷森林牧地上设置 8×10^4 平方公里围栏，围起 1.16×10^4 个放牧单元进行轮牧；新西兰投资 400×10^4 新元，在全国设置围栏 80×10^4 平方公里；丹麦和荷兰的家庭牧场全部实现了围栏化。上述种种方法，为保护和合理利用草地资源提供了有效途径。

三、重视草地改良，大力兴建人工草地

20 世纪 80 年代以来，随着大规模防灾基地建设的开展，人工半人工草地建设也逐步得到重视和发展。到 1990 年，全国人工半人工草地保留面积累计达到 $1\,090\times10^4$ 公顷，约占全国草场面积的 3%。内蒙古人工种草发展最快，到 1990 年人工半人工草地保留面积累计已达到 305×10^4 公顷，占可利用草场面积的 4%。

我国飞播牧草是从 1979 年开始的，先在内蒙古科左后旗、巴林右旗、乌审旗等地进行试点，接着在各地陆续推开。1994 年，内蒙古自治区飞播牧草保留面积累计达到 50×10^4 公顷。全区牧草飞播区已有一半以上的流动、半流动沙丘得到基本固定。科左后旗 5 年飞播国家共投资 82.6×10^4 元，按有苗面积折算，平均每亩费用 16.3 元。从第三年开始，播区生产的畜产品、青干草及草籽三项纯收入为 271.2×10^4 元，相当于国家投资的 3 倍多。陕西省榆林县飞播牧草，全县林草覆盖达到 42.6%，风速降低 24% 左右，沙暴威胁明显减轻。

为了提高草地产草量，发达国家普遍重视草地改良和牧草栽培，人工草地和改良草地的面积占长期放牧地面积的比例都比较大。如新西兰为 75%、加拿大为 27%、美国为 59%、荷兰为 80%。有关资料表明：近三十年来，发达国家通过栽培草地，使单位面积干草产量提高一倍左右。草地改良，一般在不动原有植被的基础上进行补播，消除毒草、害草、消除鼠害、兽害，施用微量元素或相应肥料，以及开辟水源等，以提高饲草产出水平。近年来，在发达国家，草地保护和改良技术已得到广泛应用。如用除莠剂消除毒草、害草以及家畜不喜采食的杂草，随后播种优良牧草，这项技术可使有饲用价值的禾草不受损害，并防止土壤受到侵蚀，比用翻耕的方法更为经济和节省劳动力。在美国，经清除蒿属植物等低劣草层和播种优良牧草后，牧草产量提高五倍。对人工草地，发达国家普遍使用复合肥料，采用喷灌节水灌溉技术，选用高产牧草种子，以提高牧草产量。

在积极提高草地生产能力的同时，发达国家还特别重视对饲草的有效利用。青、粗饲料保存和加工调制技术，使用蚁酸添加剂的高蛋白青贮料、干草场、秸秆加工，利用微生物分解纤维素等新技术都得到推广，大大提高了

牧草的利用程度。

四、发挥农牧结合及暖季优势，实行季节性畜牧业和易地育肥

内蒙古锡林郭勒盟实行领导、技术人员和牧业大户三结合，政、技、物三位一体的集团承包责任制，有效地加快了畜种改良步伐。到1994年，全盟改良畜的比重，大畜已达到20%，绵羊达到61%。但这一成绩还有待巩固和发展。

为了减少冬春牲畜掉膘损失和降低死亡率，一些牧区充分发挥草场暖季优势，发展羔羊当年育肥，当年出栏，过冬基础畜群实行舍饲半舍饲。这样既减轻了冬春草场压力，又提高了适龄母畜比重，加快了畜群周转速度，增加了畜产品，收到良好成效。如新疆阿勒泰地区，充分利用地方良种阿勒泰大尾羊耐粗饲、耐行走、个体大、成熟早、增重快等优良特征进行育肥生产。一只大尾肥羔羊，夏秋放牧3个月，可增重30千克以上，平均日增重200—300克。目前，阿勒泰大尾羊已占该地区牲畜总数55.5%。从1980年起，每年出售肥羔25×10^4只以上，出栏率高达42%，为同期我国11片重点草原牧区之冠。近年来，许多牧区已认识到育肥当年羔羊的经济效益，不少地区建立了羔羊育肥领导机构、试验基地和专门育肥放牧场，实施肥羔羊群放牧，优化管理，得到了良好效果。

我国牧区大多处在祖国边疆，但与内地农区接壤，大牧区内多数也有一些小农区或半农半牧区。采取牧区繁殖，农区育肥的易地育肥策略，不仅减轻牧区草场压力，而且可以有效地发挥农牧结合，城乡结合，草原与农田、城郊系统结合的综合效益。甘肃临夏回族自治州，把甘南、青海等牧区的"架子牛"买来，经过短期（一般为3个月左右）育肥，牛平均日增重达0.95千克，每头牛增收200元。该州广河县还进行"架子羊"快速育肥试验，日增重在150克以上，育肥3个月，每只羊增收81元。内蒙古锡林郭勒盟从20世纪80年代起提出实施"农牧结合，北繁南育"战略，并逐步在全盟范围内推广。南部农区、半农半牧区，从北部牧区购买羔羊和"架子牛"进行易地育肥，收到了良好的经济社会效益。

20世纪80年代中后期，内蒙古牧区针对实行"草畜双承包"责任制后，出现了家庭五畜俱全，牧户上规模的状况，出台了大力扶持畜牧业专业

户、重点户，向以专业化生产、规模化经营为主要特征的家庭牧场方向发展的政策。牧区"草畜双承包"改革起步最早的内蒙古，专业化生产和规模化经营也位居全国牧区前列。1987年内蒙古从实际出发，在全区范围内重点推行"一场三户"经营模式，发展畜牧业专业化生产和适度规模经营，即在牧区扶持发展家庭牧场，在农区、半农半牧区扶持发展牧业专业户和农牧结合户，在全区各类地区普遍发展科技示范户，取得良好效果。到1994年，全区"一场三户"达到41万个，已占到全区牧民总户数的12.4%。其中，作为全区主要草原牧区之一的锡林郭勒盟，已培育家庭牧场1 268个。

锡林郭勒盟发展草地畜牧业的实践证明，家庭牧场的形成，是由小而全家庭经营向专业化生产、规模化经营转变的主要标志，是一个不断积累的发展过程。一个普通牧户发展成为家庭牧场，在家庭经营的基础上是至少要实现经营管理、基本建设、适用技术"三配套"；在机械化、规模化、专业化和科学管理水平四个方面大幅度提高；在人工草地、家畜改良、繁殖成活、短期育肥、冬春舍饲五个方面进行突破。"三配套、四提高、五突破"的实现，能够使家庭牧场抵御自然灾害威胁和市场波动风险的能力大大增强，使生产经营建立在稳定而可靠的基础上。因此，高标准、高效益的家庭牧场是牧区先进生产力的代表，是实现草原畜牧业现代化的先行力量。

我国家庭牧场历史虽然很短，所占比重还比较小，总体数量也还远远没有达到应有的规模，而且绝大多数初具雏形，内容还需充实完善，但已初步表现出一些明显的趋势，如实行规模化经营、专业化生产，机械化作业水平、科学管理水平和牧场主素质都比较高，有稳定可靠的社会服务组织做依托等。

五、采取综合技术措施，实施科学化标准化建设

发达国家采取的综合措施，目前较普及的是在草地围栏化基础上的畦田化和水、草、林、机、肥、路标准化建设。高产人工草地一般都有干渠、毛渠等，使块块草场水渠相通。各牧场都有水井或成套的喷灌设备，保证了主要草地的供水。许多人工草地都像农田一样施肥250千克/公顷，所以牧草长得快、产量高。发达国家牧场的机械化程度都很高，一般牧场都有卡车、拖拉机、播种机、割草机等多种机具。草地内各种牧道和牧草运输道路分布合理，并有林网进行保护。围栏、牧道、林网、水渠统一设计，形成了科学的现代化草地利用方式，极大地提高了草地产出能力。

对高产优质品种，注重应用遗传学理论和繁殖生物学的新成就在质量上不断选育提高，在数量上加速繁育推广，从而有效地提高了畜群生产力。如澳大利亚，各家庭牧场所有公畜全部从专业育种场购买，每头种羊价格相当于商品羊的 8 倍左右。澳大利亚对种羊的选育标准要求非常严格，全国虽有 $6×10^4$ 多个牧场，但在育种协会注册的种羊群仅 2 000 个。如果种畜群中发现一头家畜含有不纯血液，马上关闭牧场。这样严格选育和精心培育种畜，保证了后代遗传性能稳定和质量不断提高。

在注重应用生理学、生物化学和营养学对家畜进行科学饲养的基础上，又进一步研究了各类牲畜在不同生产目的和各种生理状况下的营养需要。对饲料配方的研究，更详细到原料质量、蛋白质含量、维生素及微量元素等优化配合，并在生产实践中普遍运用科学化饲养标准。这是发达国家牲畜优良品种好、个体产值高的重要原因。

在牲畜经营管理方面，发达国家注重各种增产要素的优化组合，饲养管理大都实行机械化作业、自动化管理，大大提高了劳动生产率。如美国，现已广泛使用自动挤奶机，新型的管道式挤奶机可以根据乳流情况自动调节各奶杯的真空压力，挤完奶后自动脱落。电脑在畜牧业中普遍使用，大型养牛场利用电脑选择廉价而有效的饲料配方，详细记载生产性能、体重、泌乳量、饲料用量以及发情期等。

在美国，人工授精和胚胎移植已经在种畜繁育体系中普遍应用。如 BBC 公司生产的种公牛精液和牛胚胎，出口范围遍及五大洲半数以上的国家。这家公司联合了美国所有人工授精合作组织，拥有 70% 经后裔鉴定的种公牛，其中包括在其他国家（如德国、以色列、波兰）鉴定的种公牛，精液质量符合国际标准。

美国从 1950 年开始牛胚胎移植实验，1970 年在实践中应用，现已普遍采用，处于世界领先地位。目前，一年从 1 头母牛中获得 36 个胚胎。美国的胚胎移植协会，不仅出口胚胎，同时还出口移植胚胎所必需的化学剂和设备。

六、社会化服务体系的建立

20 世纪 80 年代后期，内蒙古牧区在充分发挥政府管理职能，组织协调经济管理部门、科技服务部门为牧户提供及时有效服务的同时，注重发挥已有服务机构的力量，以苏木（乡）综合服务站为骨干，着力组建纵横交错，覆盖盟（专区、州）、旗（县）、苏木（乡）、嘎查（村）四个层次的服务网络。1986 年以来，内蒙古在稳定完善以家庭联产承包和草畜双承包为主的责任制基础上，把加强以苏木乡镇综合服务站建设为重点的社会化服务体系建设，作为深化农村牧区改革的重点，到 1994 年全区 1 594 个苏木乡镇，已有 1 328 个建立了综合服务组织。苏木乡镇综合服务组织通过与农牧户签订合同，提供产前、产中、产后服务，形成了"风险共担，利益均沾"的经济共同体，扩大了服务领域，增强了服务功能，为农牧民走向市场创造了条件。

在服务内容和服务项目上，各地虽各有侧重，但总的趋势是以科技服务为重点，变单项服务为综合服务，为畜牧业生产提供产前、产中、产后系列化全程服务。内蒙古锡林郭勒盟四级服务网络形成后，在畜种改良、疫病防治、草原建设、防灾基地建设、抗灾保畜、科技培训、适用技术推广、兴修水利、机械化作业、改土施肥、引进良种、市场管理、参与流通、建立健全基层财务管理制度等方面，为牧民提供了及时而有效的服务，发挥了十分重要的作用。如内蒙古牧区社会化综合服务先进典型苏尼特左旗白音乌拉苏木，从牧区实际出发，突出抓了如下几项服务。

信息服务 牧区通讯设施落后，信息传递缓慢，牧民耳目闭塞。为了改变这种状况，该苏木积极与有关部门联系，筹集资金 10 多万元，开通了嘎查与苏木和旗里的直通电话。与此同时，该苏木还狠抓了风能利用和广播电视收视。目前全苏木风力发电机、电视机普及率已达 95% 以上。不仅方便了生产经营活动，同时也大大活跃和丰富了文化生活，缩小了边疆与内地的距离，牧民生产生活有了现代化色彩。

生产服务 在白音乌拉苏木，牲畜夏季药浴、秋天驱虫由苏木综合服务站统一组织；畜牧业生产资料由苏木统一购置；冬季抗灾保畜的饲草饲料由苏木嘎查统一调运。1992 年遭受严重白灾，该苏木及早动手，赶在大灾形成前为牧民调进饲草 150 万公斤，打贮草 6 万公斤，为全苏木战胜白灾奠定了基础。与此同时，该苏木还选择经济实力比较强，有青贮条件的白音塔拉嘎查，投资 14 万元建立了饲料加工厂，与加工厂配套建起了饲草料基地。近年来加工厂每年为牧户提供配合精饲料 8.5 万公斤，饲草料基地每年为牧民提供饲草料 10 多万公斤。苏木综合服务站还建立了冬羔育肥中心，每年育肥冬羔 1 000 只左右，对全苏木大力推广冬羔育肥新技术起了示范引路作用。

科技与管理服务 为适应现代生产生活的需要，白音乌拉苏木特别注重对牧民进行文化培训和科技服务。从牧业机械和家用电器在全苏木广泛使用的实际出发，苏木综合服务站专门设立了牧业机械和家用电器维修组，上门巡回服务。苏木还专门设立了文化技术培训组，对牧民进行科技培训和咨询服务。近年来，利用举办实用技术培训班等形式，每年培训青年牧民 100 多人（次），如今该苏木的青年牧民普遍接受培训两次以上，基本上掌握了风力发电机的维修、饲草料种植与贮存、家畜改良和一般疫病防治等实用科技知识。

政府对畜牧业的服务主要是通过农业部门来实施。农业部门对畜牧业的服务主要有两个途径：一是组织协调科研、教学机构来研究畜牧业生产中的高科技问题和教育、科研如何同生产结合的问题。如引进、选育世界上最优良的品种问题，研究牲畜的基因型问题，研究各类牲畜的营养配方问题，研究畜牧业管理水平问题。另一途径是请农业专家直接面向农牧民服务。下面简要介绍加拿大萨省南部（畜牧业集中地区）的经验。

加拿大萨省按每 40 平方公里划为一个服务区域，共划 298 个区，聘任兼职技术推广员进行服务，省农业部门官员进行指导。同时省农业部门官员每人联系 1 000—1 600 户进行生产、技术咨询等服务，并对农牧民进行实用技术培训。加拿大政府还授予农业部门专项法律监督职能，特别是对纯种、疫病等监督十分严格。

加拿大的农牧业民间服务组织网络十分健全，而且服务范围广、内容多、效果好。政府的许多服务工作也要通过这些组织去实现。他们按产业分设畜牧、农业、林业等协会，按品种分夏洛来、海福特、小麦、大麦等协会。这些协会都是民间组织，协会的组成人员由农牧户选举产生，每个农牧户缴纳一定的会员费，以供协会开展各项服务活动。协会的主要职责是研究如何在世界范围内提高本产业、本品种的竞争力。以此为主题，开展各项专业性服务。政府对这些协会活动予以指导和扶持，同时赋予协会一定的权力。比如，纯种牛鉴定必须由各种协会发放证书才能得到社会承认，出口必须有协会签证。

加拿大的农牧业地区也有各类专业化的公司，他们的服务形式主要是和农牧户签订生产合同，收购农牧户的产品和进行技术服务，这种服务形式是市场行为，自主性很大。公司服务的内容大致是提供优良品种、生产环节指导、技术培训、信息咨询、市场服务。如各类乳品加工公司，直接同奶牛户签订合同，奶牛户将牛乳定时送往乳品公司。公司负责质量检测，及时将牛乳的各种成分含量反馈于牧户，并提出指导性意见，牧户根据反馈意见及时调整营养配方。关于产品价格问题，因国家执行配额制，基本保持平稳。此外，公司还在各地分设许多小的服务性站所，其管理形式也是公司化的管理。

除上述几种服务形式外，加拿大农牧民自我服务能力特别强。绝大多数家庭牧场主从开车到电脑控制，从种地养畜到营养配方，从疫病医治到选育品种等主要环节，均由自己操作。这在很大程度上减少了对社会服务的依赖，使家庭自我服务由"补充性"的服务变为"基础性"的服务。

需要通过各类服务组织为农牧业提供服务的项目如：①农牧业信贷服务与保险服务，可提供短期贷款及用于购买土地、改良土壤、开发水利、技术改造、项目更新、修建房屋棚舍等中长期贷款。②农牧业技术推广咨询服务，主要包括新品种、新饲养技术的推广、植保及防疫新技术的应用指导等。主要服务方式有巡回指导，集中培训，广播、电视、出版宣传，登门咨询。③农牧业供应服务，主要包括农牧机械设备、化肥、农药、石油及其他农用石化制品、种子等农业生产资料的供应。政府监督保证供应质量，通过多渠道经营服务，可以满足分散经营的农牧户需求。④农畜产品购销服务，主要完成检验分级、包装、贮运、销售等活动，使农畜产品到达最终消费领域。农畜产品购销服务受市场支配，同时政府出于保护农业之目的也进行调控。国外农畜产品购销服务由初级市场、各级集散市场、中心市场组成完善的市场体系，多渠道流通保证了农畜产品迅速进入流通及消费领域。⑤法律及会计服务，科学技术实验与测试服务等。

这些国外的成功经验，已经在内蒙古各地进行介绍和借鉴，特别是在草原地区因地制宜地得到有效的实施，在今后的新农村、新牧区建设和草原生态保育的事业中创造新的模式。

第六节 草地畜牧业可持续发展和
集约化经营模式的探索

一、草地畜牧业集约化的历史渊源

草地畜牧业的实践，为我们提供了启示，在实现草地畜牧业现代化过程中，必须致力于改变粗放经营方式，要保护与合理利用草地资源，注重草地改良与合理利用，兴建人工草地，保护生态环境，实行家畜良种化、科学化饲养、专业化生产和规模化经营，提高科技含量、机械化程度与社会化服务体系的完善等。只有这样，才能从根本上克服靠天养畜、受制于自然的状况，才能大幅度提高劳动生产率，使草原畜牧业逐步走上可持续发展的道路。

从我国草原牧区近半个世纪的发展历程来看，尽管还没有从根本上改变传统畜牧业的面貌，还没有形成一整套发展思路，但各地也都创造了许多很有价值的经验，这些经验概括起来就是建设养畜和科技兴牧，改变传统的、粗放的、靠天养育的被动局面，以草原生态建设为基础，以科学养畜为中心，以家庭牧场建设为龙头，以完善社会化服务体系为依托，优化草原畜牧业生产流程，使草原畜牧业走上稳定、高产、优质、高效的轨道。总之，通过国内外的实践，我们不难得出这样的结论，草原畜牧业现代化的基本途径是改变粗放经营的生产方式，依靠建设养畜和科技兴牧，将各种生产要素优化组合、合理配置，走集约化经营的路子。通过集约化实现草原畜牧业的现代化，可以说是草原畜牧业发展进程中带有方向性、战略性的问题。近几年来，锡林郭勒盟在草原畜牧业改革和发展过程中，道尔吉帕拉木同志对集约化草原畜牧业的路子提出了有益的构想。

集约化经营，就是把一定量的生产资料和活劳动，集中投入到较少的土地上，以提高单位面积产量的经营方式。集约经营可以按生产要素成分分为劳动集约型（Labour Intensive）、资金集约型（Capital Intensive）和知识集约型（Knowledge Intensive），正如马克思指出的"资本集中在同一土地上，而不是分散在若干毗连的土地上"。

农业集约化的具体表现主要是实行机械、电力作业，发展水利灌溉，增施肥料，改良土壤，使用良种，采用先进的农业技术，以提高单位面积产量。集约化程度，受自然地理条件、社会环境、人口状况和科学技术水平等影响，但总的还是取决于社会生产力发展水平。反映集约化程度和水平的指标有单项指标和综合指标。单项指标包括单位面积上占有的农具和机器的数量、耗电量、肥料量、劳动量等生产资料数量。综合指标包括单位面积上占用的资金额、固定资产额、生产成本等费用。反映集约化经济效果的指标有单位面积用地上所获得的产量、产值和纯收入，以及单位投资所获得的产量、产值和纯收入等。集约化要求减少对自然资源的消耗，通过适当增加投入获得更多的生产成果。因此，集约化的思路适合于各种产业和经济部门。①

中共十四届五中全会上，党中央针对我国国民经济中存在的投资大、消耗高、科技含量低等问题，提出了要实现经济增长方式从粗放型向集约型转变的指导方针，第一次把集约化经营提到具有指导全局意义的高度，也把集约化经营的含义进行了充实和扩展。

二、集约化草原畜牧业的构想

畜牧业集约化经营是指在一定的草场、土地或建筑面积上，集中投入较多的生产资料，采用先进的科学技术进行农畜饲养的经营方式。具体表现为：建立饲草料基地和饲料工业，采用良种，实行机械化、电气化、工厂化饲养和先进的饲养管理技术，以提高畜禽个体产量和群体生产水平，提高劳动生产效率水平。与畜牧业集约经营相对应的粗放经营主要表现在没有广泛应用机器设备等先进生产手段和科学技术，其主要生产要素是天然草原、单一的饲草和手工劳动，增加畜产品产量主要靠扩大牲畜自然繁殖。粗放经营

---

①　于光远主编：《经济大辞典》，上海辞书出版社 1992 年版，第 2334 页。

是一种落后的畜牧业经营方式，是生产力水平低下的产物。[1]

畜牧业按地区类型可分为农区畜牧业、牧区畜牧业、半农半牧区畜牧业和城市郊区畜牧业。因为家畜品种、饲料种类、来源和饲养方式不同，实现集约化经营的环节和类型也有所不同（表8-12）。

表8-12　不同地区实现畜牧业集约化经营方式的比较

地区类型	主要家畜	主要饲草料		饲养方式	实现集约化经营的主要环节	实现集约化经营的类型
		品　种	来　源			
农　区	以猪为主	农作物	农　田	舍饲为主	舍饲、饲料精加工	劳动集约为主
半农半牧区	以育肥牛、羊为主	饲草农作物	天然草原人工草地农田	放牧加舍饲	舍饲人工草地	劳动集约与资金集约相结合
牧　区	牛、羊	饲　草	天然草原	放牧为主	人工半人工草地、划区轮牧的家畜良种化、科学饲养、短期育肥	资金集约与技术集约相结合
城　郊	奶牛、猪、禽	复合饲料	自加工或购入	工厂化饲养	饲养空间和营养物质高度集约化	技术集约与资金集约相结合

草原畜牧业既有别于以舍饲和耗粮型家畜为主的农区畜牧业，又有别于高度集约的工厂化城郊畜牧业，也不同于有农作物依托的半农半牧区畜牧业，它最基本的特点和最大的优势是家畜的营养物质大部来自于天然草原的放牧。因此，草原畜牧业集约化必然有自己的特色与内涵。草原畜牧业集约化既要维持基本的经济属性，以充分发挥其生产成本低、规模大、劳动消耗少的优势，又要选择直接决定草原畜牧业产出水平的重要流程和主要环节进行集约经营，以克服影响草原畜牧业发展的制约因素，从而强化人类能动地利用自然、改造自然的能力，使草原畜牧业逐步走上稳定、高产、优质、高效和草地资源持续利用的发展道路。草原畜牧业集约化最突出的特点是抓特有的主要环节寻求集约化的方式。

通过近几年锡林郭勒盟的实践和道尔吉帕拉木同志的构想，集约化草原

---

① 　农业部畜牧兽医司：《畜牧业经济管理手册》，农业出版社1993年版，第9页。

畜牧业就是指通过采用先进的技术手段和科学的经营管理方法，对直接决定草原畜牧业产出水平的主要环节，集中投入较多的物化劳动和活劳动，使各种生产要素优化组合，以获得更高的草地生产率、畜群生产率和劳动生产率的一种内涵型畜牧业生产经营方式。其实质就是通过创造各种有利条件，实现草地资源的持续利用，不断提高家畜的个体质量和群体生产性能，能最大限度地提高畜产品总体产出水平。

集约化草原畜牧业是由生产经营方式（集约化）和经济属性（草原畜牧业）两个方面构成的整体，忽略任何一方，都会破坏概念的完整性。草原畜牧业是最基本的经济属性，集约化经营是最主要的生产经营方式，用集约化来界定，表明不是一般意义上的草原畜牧业，而是把畜牧业经济活动纳入集约化体系之中。因此，集约化草原畜牧业的内涵涉及畜牧业生产产前、产中、产后的各个领域，涉及草原区经济社会活动的各个方面，集变革与建设于一体。发展集约化草原畜牧业的过程实际上就是草原畜牧业生产经营体制发生变革的过程。生产方式、经营方式、管理方式要变革，组织形式、运行机制也要随之变革，各种生产要素都要重新进行合理组合。

集约化草原畜牧业是一个历史性的概念，是一个由低级到高级，由个别到普遍的动态发展过程。不同的历史时代，不同的国家和地区，集约化草原畜牧业的内容和标志是不同的。随着社会生产力水平的不断提高，集约化草原畜牧业的内涵和标准也不断向广度和深度发展，总的发展趋势是劳动集约型向资本集约型和技术集约型转化，从个别环节的集约化经营向主要环节全面优化方向发展。

草原畜牧业集约化与现代化二者概念之间外延基本相同，都属于生产力范围，二者都符合草原畜牧业经济本身内在要求，是牧区社会进步的标志，是科技进步的必然，也是建立社会主义市场经济体制的根本需要。但内涵各有侧重，一是现代化代表了生产力发展水平，而集约化则反映了生产力的实现形式，是一种经济增长方式，也就是说集约化是草原畜牧业实现现代化的现实途径，而现代化则是草原畜牧业的发展目标。二是现代化以生产工具、生产装备作为主要目标，而集约化则以经营方式为主要衡量指标，突出强调投入产出，讲求经济效益。三是现代化是就整体而言的，强调整体发展水平，而集约化则可以在个别生产单位或局部地区首先实现。从我国草原牧区目前的实际情况看，实现现代化需要相当长的历程，但实现集约化可以首先在局部地区，在几十年、十几年，甚至几年的时间内就可以达到集约化程度。因此，在牧区突出强调草原畜牧业的集约化更具有现实意义。集约化具有更直观、更具体、操作性更强、与现实贴得更近等特点，对于我国目前牧区的生产者来说，在实践中掌握发展道路，比笼统地只提发展目标意义会更大，指导性会更强，更易于把握和实施，有利于推动草原畜牧业生产力水平不断向前发展。

三、集约化草原畜牧业的基本内容和主要标志

集约化草原畜牧业包括六个方面的基本内容，一是在草场经营管理方面，主要是在部分适宜的土地上发展人工、半人工草地，提高草群质量和牧草产量，同时对天然草原采取划区轮牧、打草场轮刈制和合理安排放牧强度等科学利用方式，以提高牧草总体产出水平，从而改变只靠天然草场和对天然草场被动利用、单纯索取的状态，实现草地资源的持续利用。二是在牲畜个体生产性能方面，通过引种和选育改良畜种，提高饲草转化率，提高个体产量和质量。三是在牲畜群体生产能力方面，通过改进饲养放牧方式（枯草期与返青期舍饲、半舍饲，牧草生长旺期放牧），合理调配营养，提高母畜比重、繁殖率和出栏率，实现成本核算，加速畜群周转，增加畜产品产量，提高群体经济效益。四是在生产手段上，主要运用先进的科学技术、生产设备和工艺，把生产过程的重体力劳动和复杂劳动转移到依靠以机械、自动化为主的操作上来，并实现与之相适应的科学管理，大幅度提高劳动生产率，提高产品附加值。五是投入方面，主要针对草原畜牧业生产过程中的主要流程和主要环节进行密集的物质、技术和劳动投入，因地制宜地把科技、资金、人才等因素组装配套，集中投放、集中使用，发挥综合效应，重点突破，使潜在生产力、单项生产力变为现实生产力和综合生产力。六是在经营机制方面，打破封闭自守、小而全、分散经营的格局，按照产业化的路子，加强社会化服务体系建设，推进草原畜牧业向专业化和规模经营方向发展，提高经营管理水平和参与市场竞争的组织化程度；解决经营规模小与现代化之间、分散经营与大市场之间的矛盾，促进草原畜牧业市场机制的形成与发展。

　　由于草原畜牧业包括第一性生产力和第二性生产力两个生物生产领域，并涉及产品加工、生产服务体系、流通体系等非生物生产领域。所以，在生产实践中，集约化草原畜牧业各生产要素之间表现出复杂的相互制约、相互促进、互为条件的关系。因此，集约化草原畜牧业包括畜牧业生产经营全过程的发展水平，是由一套完整的指标体系构成的有机整体。草原畜牧业集约化的主要标志包括以下几方面。

　　草地经营科学化。对于草原畜牧业而言，自然再生产的关键在于合理利用天然草地资源，维持其可持续利用的能力。集约化草原畜牧业是把维护草地资源、以草定畜、保护生态环境放在首位，努力做到在生态系统不受损的前提下，增草增畜，谋求最佳的经济效益。草地合理利用主要包括：一是实行科学放牧、划区轮牧、春季返青期休牧；二是实行打草场轮刈制，科学地调控刈割时间和利用次数；三是掌握好草牧场放牧强度、确定合理载畜量、安排放牧时间和配置畜群结构；四是依法治草，认真贯彻《草原法》及其配套法规，加强对草原监理；五是在科学合理利用天然草原的基础上，按照"适地适草"的原则，在条件适宜的地区地块，大力种植优质牧草和饲用植物，不断扩大人工、半人工草地面积，并适当发展饲料基地。人工、半人工草地建设水平是集约化草原畜牧业的核心标志，也是草业的主攻方向。

　　家畜冬季舍饲化。是指遵循草原畜牧业季节性规律，扬夏秋青草期之长，避冬春枯草期之短，改单纯依赖天然草场全年放牧为夏秋放牧加冬春舍饲、半舍饲。从根本上改变产出期短、消耗期长、掉膘损失严重，以及母畜比重、牲畜繁成率、保育率低和个体产量低、群体周转慢的状况，使草原畜牧业彻底走出大灾大减产、小灾小减产和"夏饱、秋肥、冬瘦、春乏"的恶性循环轨道，这是克服草原畜牧业脆弱性的根本途径。

　　个体品质良改化。是指改良畜占整个群体的绝大多数。良种畜具有初生品质好、增重快、饲养期短、饲草转化率高、畜产品质量优良、工业价值高的优点，改良畜和地方良种畜具有耐粗饲、适应性强、饲养成本低等优点，它们都能够大幅度提高经济效益。集约化草原畜牧业生产流程中极为重要的一环是通过不断优化家畜个体品质，提高牲畜的个体产量和群体质量，这是内涵扩大再生产的主要措施，也是畜产品数量与质量双增的有效途径。

　　主要环节机械化。是指草原畜牧业主要工序和辅助工艺过程中用牧业机械或牧业机械体系代替手工劳动，改善劳动条件，减轻劳动强度的程度。它直接反映了畜牧业的生产力水平和集约化程度。重点包括割草、储草、青贮、饲草料加工的机械化，配套草库伦、饲草料基地生产建设的机械化，家畜改良、疫病防治装备机械化，畜产品生产、加工、贮运机械化，水利、圈棚、生产设施的机械化等。

经营管理企业化。是按照企业的运行机制组织畜牧业生产。在生产经营过程中，讲求投入产出，对生产的劳动消耗、物质消耗和经营效果进行精心核算，最大限度地节约物化劳动和活劳动，争取最好的效益。重视价值规律和供求规律的作用，以市场为导向，努力提高畜产品质量和商品率，实现生产要素合理配置，提高资金使用效益和资源利用效率。

生产分工专业化。是指不同区域或生产单位专门从事某种（某些）畜产品生产或者专门从事牧业生产过程中某些工序劳动的日益普遍化程度，包括区域专业化、工艺专业化和产品专业化，它反映了畜牧业生产经营过程中劳动分工的程度。专业化可以合理利用自然资源、人力资源和物力资源，避免"小而全"，节约劳动消耗，提高畜产品质量和劳动生产率。专业化是集约化经营的基础条件，是社会服务、一体化经营的前提条件，因而专业化是集约化草原畜牧业的重要标志。

劳动协作社会化。是指畜牧业在社会分工、专业化生产基础上的劳动、资金、技术等生产要素的社会协作范围和协作程度，包括生产领域的协作和畜牧业生产服务领域的协作，主要表现在社会化服务水平上，它是发展稳定、高产、优质、高效畜牧业的基本保障，也是牧户经营分工，转移剩余劳动力的主要途径，有利于提高生产率和经济效益。随着畜牧业专业化社会分工水平的提高，畜牧业的生产经营和管理对社会的依赖性也越大，协作的社会化范围和程度也越广泛、越深入。专业化和社会化实质上是生产力同一存在形成的两个侧面，二者结合，共同构成集约化草原畜牧业所需要的先进的经济运行方式。

工艺技术标准化。是在整个畜牧业生产、经营管理活动的各个环节，按照科学的技术标准、产品标准、工艺标准、管理标准组织生产和经营，使各环节的生产经营和管理活动保持高度统一和协调一致，高效率地运转，以实现畜牧业生产经营全过程的统一化、规范化和高效化。包括牲畜饲养标准化、牲畜品种标准化、繁育技术标准化、畜产品质量标准化等。这是现代化生产的必要手段，它反映了集约化生产经营管理的质量，直接关系到集约化草原畜牧业的生产效率和经济效益。随着社会主义市场经济的发展，畜牧业生产的高度社会化、专业化，要求生产的标准化也要与之相适应，并不断向前发展。

四、草原畜牧业的产业化与可持续发展的评价指标

草原畜牧业当前的经营单元是牧户，随着草原畜牧业生产力的提高，牧户的生产规模扩大，经营的专业化分工，总会发生分化，出现畜牧业生产及管理的专项：如专营饲草饲料、配种、品种改良、防疫、畜产品粗加工、剪毛、机修、生产资料供应等，成为社会化生产的体系和重要层次，但大部分牧户仍将从事畜牧业。家庭牧场就是在具有一定牲畜数量的牧户基础上，通过加强经营管理、加大科技含量、进行专业分工而发展起来的。其基本特征是牲畜达到一定规模、基础设施齐全、牧业机械配套、经营管理水平和科技含量高、专业化分工精细、草地经营科学、有可靠的社会服务组织做依托。家庭牧场逐渐发展成为具有相当规模的现代化畜牧业企业。

草原畜牧业可持续发展的基础是资源优化配置，形成产业链，就是以市场为导向，以产业集团或骨干企业为龙头，以拳头产品为纽带，贸工牧一体化，产加销一条龙，实行区域化布局、专业化生产、一体化经营、企业化管理、社会化服务。这种方式按照利益一体化机制，将生产、加工、储运、销售等活动有机地结合起来，提高市场的有序性和组织化程度；有利于减少市场风险，切实保护牧民利益，促使牧民进入市场由盲目无序的不稳定状态转入比较稳定状态，提高组织化程度；有利于推动加工销售企业稳定发展，迅速提高畜牧业生产技术水平、专业化程度和生产规模；有利于工牧城乡间生产要素优化配置，促进城乡一体化，促进工牧联盟，充分发挥当地资源、技术、人才等各方面的优势；便于传递信息、交流经验、开展联合与协作，从而有效地提高经营水平，增强市场竞争能力；便于集中服务，扩大发展规模，促使千家万户走向富裕。这种运行机制体现了集约化的方向，符合畜牧业发展的目标，是牧户家庭经营与社会化大生产有效连接的形式。草原畜牧业的可持续发展由集约化程度指标、经济效果指标与生态环境指标进行衡

量。具体指标列下（表8－13）：

表8－13　集约化草原畜牧业评价体系

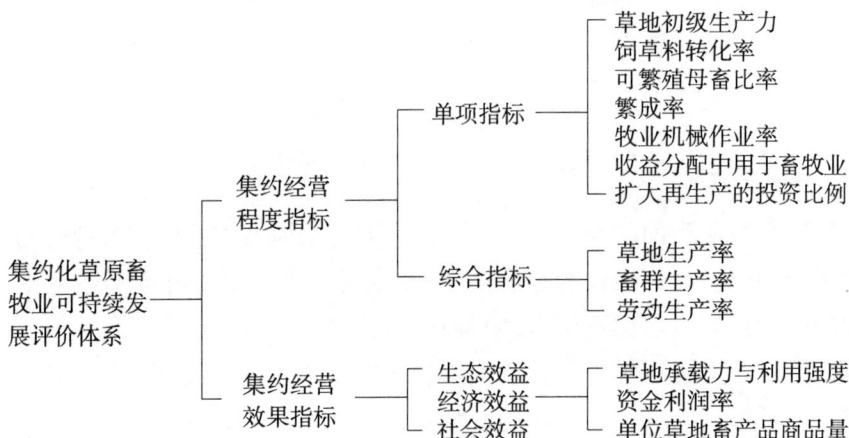

集约化草原畜牧业可持续发展评价体系
├── 集约经营程度指标
│   ├── 单项指标
│   │   ├── 草地初级生产力
│   │   ├── 饲草料转化率
│   │   ├── 可繁殖母畜比率
│   │   ├── 繁成率
│   │   ├── 牧业机械作业率
│   │   └── 收益分配中用于畜牧业扩大再生产的投资比例
│   └── 综合指标
│   ├── 草地生产率
│   ├── 畜群生产率
│   └── 劳动生产率
└── 集约经营效果指标
    └── 生态效益 经济效益 社会效益
        ├── 草地承载力与利用强度
        ├── 资金利润率
        └── 单位草地畜产品商品量

草地初级生产力　指单位面积的天然草地与人工草地产草量。计算公式为：

$$草地生产力 = \frac{饲草产量（干草）}{草地面积}$$

草地生产力反映出草场质量的高低，进而反映出对草场的建设程度和科学合理的利用程度。

饲草料转化率　也称饲草料报酬率或料肉比。指消耗一定的饲草料所获得的畜产品产量。计算公式为：

$$饲草料转化率 = \frac{畜产品产量}{饲料消耗量} \times 100\%$$

饲草料转化率的高低反映了家畜的个体质量和群体生产能力，也反映出良种化程度、畜群周转速度、冷季舍饲化程度和经营管理水平，是衡量草原畜牧业集约化程度的一个重要指标。

可繁殖母畜比重　指同一畜种畜群中可繁殖畜数与日历年度全部家畜数量的比值。计算公式为：

$$可繁殖母畜比重 = \frac{可繁殖母畜数}{全部家畜数} \times 100\%$$

母畜比重的高低决定着畜群周转的快慢和出栏率、商品率的高低与畜牧业的经营管理水平。母畜比重是草原畜牧业集约化的核心指标之一，从母畜比重的高低，我们可以直观地看出集约经营水平。如果饲草供给水平低、家畜对饲草料的转化率低、经营管理手段落后，则畜群周转率速度很难提高，母畜比重相应地也很难提高。

繁成率　指当年出生至断奶的仔畜成活数与期初能繁殖母畜数量之比。计算公式为：

$$繁成率 = \frac{当年出生至断奶的仔畜成活数}{期初能繁殖母畜数} \times 100\%$$

繁成率的高低反映了饲草的供给水平、良改化程度和经营管理水平。

畜牧业机械作业率　指畜牧业生产劳动过程中畜牧业机械代替手工劳动的程度，它反映了现代化工业成果武装畜牧业的程度。计算公式为：

$$畜牧业机械作业率 = \frac{机械操作（非手工作业）工时}{草畜生产过程中全部作业劳动工时} \times 100\%$$

收益分配中用于畜牧业扩大再生产的投资比例　指畜牧业人均纯收入中用于扩大再生产投资的比例。计算公式为：

$$收益分配中用于畜牧业扩大再生产的投资比例 = \frac{畜牧业扩大再生产投资金额}{牧业人均纯收入金额} \times 100\%$$

扩大再生产的投资比例反映了对草场的建设程度和对畜牧业的装备程度，以及小生产向商品化、规模化生产转化的程度。

草地生产率　指作为生产资料的草地生产能力和利用效率。通常用全年单位面积草场的畜产品产量来计算。计算公式为：

$$草地生产率 = \frac{畜产品产量}{草场面积}$$

影响草地生产率高低的因素有：草地的生产能力、自然条件、牲畜的种类、品种、畜群结构及经营管理水平等。建立这项指标，可以促进人们从各个环节进行集约经营，以充分合理利用草地，生产出更多、更好的畜产品满足社会的需要。

畜群生产率　指作为生产资料的家畜生产效率，通常用某畜种全年畜产品产量与年初存栏量之比来表示。计算公式为：

$$畜群生产率 = \frac{全年畜产品产量}{年初存栏量}$$

影响畜群生产率高低的因素有：家畜的个体生产能力、群体生产性能、畜群结构及经营管理水平。同建立草地生产率指标一样，建立这项指标，可以促进人们从各个环节进行集约经营，以最大限度地利用有限的牧草资源，充分发挥畜群生产能力，生产出更多更好的畜产品。

劳动生产率　指人们从事畜牧业生产劳动的效率。一般用平均每个从事畜牧业的劳动者在单位时间内（通常指 1 年）生产的畜产品产量、产值或单位畜产品消耗的劳动时间来表示。下列的两个计算公式均可：

$$劳动生产率 = \frac{畜产品产量或产值}{劳动力数}$$

$$劳动生产率 = \frac{畜产品产量}{活劳动（时间）消耗总量}$$

畜牧业的劳动生产率是一项综合指标，也是集约化草原畜牧业的最核心指标。劳动生产的增长意味着同量劳动所推动的生产资料量增多，表明物化劳动和活劳动的节约，是提高经济效益的基本途径。决定劳动生产率水平的主要因素有：劳动者的劳动熟练程度、科学技术发展水平及其在工艺上的应用、生产组织和劳动组织的合理程度、专业分工和社会化协作程度、生产资料的效能和合理规模以及自然条件等。

草地承载量与利用强度　是指草场资源被利用的程度。一般用实际载畜量与理论载畜量之比来表示。计算公式为：

$$草地承载量与利用强度 = \frac{实际载畜量}{理论载畜量} \times 100\%$$

草地承载量与利用强度是综合反映生态效益与经济效益协调统一程度的重要指标，适度的草地利用强度既可以保证草地更新，生态平衡，又可以充分发挥生产资料的性质，获得较高的经济效益。否则草地利用强度过重，则将造成草地的退化、沙化，生态平衡遭到破坏；草地利用强度不充分，则将造成草地资源的浪费。

以上各项指标构成了完整的指标体系，可以从畜牧业经营活动及资源、环境反映出可持续发展的效果。关于上述指标的量化，受各地自然条件、经济社会发展程度的限制，量化指标也有所不同，并随着社会生产力的发展而不断更新。

第　九　章

内蒙古的自然灾害及其
与生态环境的关系

第一节　内蒙古自然灾害的研究背景

在人类起源之前，地球系统的演变表现在地质构造、地理圈层、自然景观、能量分配、生物演化等自然过程之中，随着人类诞生与文明的发展，各种自然环境因素的变化就会对人类生存的物质基础和环境带来有利或不利的影响。自然灾害就是自然界的一些环境因素对人类的生存与社会发展造成直接或间接的危害，以致危及人类的生命与健康，经济与财产的损失。引发灾害的自然因素多种多样，有些是地球和宇宙演化中出现的对人类生存发生阻碍的因素。例如地质构造运动与地形变化，气候系统的动态，生命进化中发生的有害物种（如病原体）及基因的丧失等。也有些是人类开发利用自然资源，改造自然环境的行为失当，使某种自然因素转化成为灾害因素。例如森林资源的采育失调，不适当地开垦土地，无节制地猎取动物采集植物，过量开采地下水，无序开发矿藏，超越地质基础的大型建筑，违背系统动力规律的重大建设项目等。固有的自然灾害因素和人类活动引起的灾害因素往往是交织在一起发生作用的。人类的发展史就是人类体质的演化和蕴涵着人类智慧与能力的文化科学进步及社会形态发展的历史。在不同的社会发展阶段，人类认识自然规律，利用自然资源，适应自然环境，改善自身命运的能力和智慧是逐渐进步的。因此，在历史长河中，直到现代，许多自然灾害是不可能完全避免的，人类预防和抵御自然灾害能力的进步是社会发展的重要内涵。

一、自然灾害研究的国际背景

各种自然灾害的发生与危害是全球性问题，即使在经济发达、科学进步的国家也不能完全避免。所以防灾减灾是国际上十分关注的重大研究课题和切实行动的领域。据联合国 20 世纪 80 年代的估算，全世界每年大约发生二十起最严重的自然灾害，平均造成经济损失大约 40 亿美元，死亡 83 000 人。20 世纪 70 年代初到 90 年代初的 20 年中，全世界受各类自然灾害影响的人口达 8.2 亿人，财产损失 1 000 亿美元。其中，一些大的自然灾害可能使数百万人受害以至丧生。值得注意的是，自 20 世纪下半期以来，无论在全世界还是在中国，自然灾害都呈现增多的趋势。在全世界，20 世纪六七十年代以来，大范围自然灾害的发生频率增长了 10％。据瑞典红十字会的不完全统计，20 世纪 60 年代全球死于自然灾害的人数是 2 万人，70 年代为 14 万人，80 年代增加到 98 万人。在此背景下，美国科学院前院长、著名地球物理学家普利斯（F. Press）以其远见卓识，于 1984 年向联合国发出"国际减灾十年"行动的倡议。1987 年第 42 届联大通过了 169 号决议，决定把 1990—2000 年定为"国际减灾十年"。1989 年第 44 届联大又通过了《国际减轻自然灾害十年》决议及附件《国际减轻自然灾害十年国际行动纲领》，其目的是通过一致的国际行动，在世界各国，特别是在发展中国家，减轻由地震、风灾、海啸、水灾、土崩、火山爆发、森林火灾、蚱蜢与蝗灾、旱灾与沙漠化以及其他自然灾害所造成的生命财产损失和社会经济失调与动荡。

二、我国自然灾害群发期的研究

中国自古以来就是世界上自然灾害严重的国家之一，有史以来经历了多次自然灾害群发期。大的灾害群发期往往具有宏观天文背景，故又称宇宙期，并出现大量的天象异常、气象异常、地象异常、生物异常和多种自然灾害群发现象。经过考证与科学分析，可以划分的灾害群发期有：夏禹灾害群发期/宇宙期，两汉灾害群发期/宇宙期，明清灾害群发期/宇宙期，清末灾害群发期/宇宙期等。

　　夏禹灾害群发期/宇宙期的主要自然灾害是洪水泛滥，灾害之强，频次之高和时间之长为历史上少见。这时人类抗御灾害的能力很低，但也出现了大禹治水的经验和记载，成为历史佳话。

　　两汉灾害群发期/宇宙期为第二个多种灾害群发期。汉代太阳活动处于衰弱期，故将公元前 200 年至公元 200 年命名为"两汉灾害群发期/宇宙期"。

　　明清灾害群发期/宇宙期的记载资料较多，特别引起国内外许多学者对这一时期的灾害群发现象进行了较深入的研究。徐道一等人（1984 年）引用了美国天文学家 J. A. Eddy（1976 年）发现的太阳活动在"1645—1715 年间处于极度衰弱"和英国气象学家 H. H. Lamb（1977 年）提出的欧洲1400—1900 年处于较为寒冷时期，称之为"欧洲现代小冰川期"。将这两种现象联系起来，结合王嘉荫的研究，即利用中国大量的地震、洪涝、干旱、蝗灾等史料，进行综合研究，认为 1500—1700 年为灾害群发期，由于有着异常天象背景，故命名为"明清灾害群发期/宇宙期"。

　　清末灾害群发期/宇宙期。李树菁（1987 年）将 19 世纪的史料进一步充实，发掘了天象异常、地象异常、气象异常、生物异常的共生现象。如1877 年黄河中下游干旱饿死 1 300 多万人；1870 年长江洪水是过去的 800年中最大的一次；1876—1895 年上海连续年均温度低于 15.1℃；1879 年喀什冻死 10 万人；1883 年印尼喀拉喀托火山大爆发……又因太阳黑子活动处于极弱，到 1900 年前后地球自转率变化尤为剧烈等，可确定为清末宇宙期。19 世纪末到 20 世纪，可认为是又一灾害群发期。

　　中国东濒世界最大的太平洋，西倚全球最高的青藏高原，南北跨度达50 个纬度，东西跨 61 个经度，南北差异和东部沿海地区与西部内陆地区的差异十分显著。中国又地处世界最强大的环太平洋构造带与特提斯构造带交会部位，地质构造复杂，新构造活动强烈。东亚季风气候的大气环流形势使生态环境时空多变。加之我国人口众多，经济社会的特点是曾经长期处于封建制度下的农业大国，工业化程度和现代科学技术水平有待逐步提高，防御自然灾害的能力还比较低。所有这些因素叠加在一起，使我国成为世界上自然灾害种类最多，活动最频繁，危害最严重的国家之一。

第二节 内蒙古自然灾害的类型与特征

一、内蒙古自然灾害类型的多样性与灾害特征

内蒙古地区是自然灾害的多发区，不仅自然灾害类型多样，发生的频率很高，而且常常多灾并发，危害更加严重。根据自然灾害发生的根源和规律性可以划分为气象灾害、地质灾害和生物灾害。这些灾害的经常发生，成为危害本地区居民正常生活和工农牧业生产的自然灾害体系。钱钢、耿庆国主编的《二十世纪中国重灾百录》中，涉及内蒙古的重灾就有20项之多。

内蒙古的气象灾害包括旱灾、水灾、风灾、雪灾、霜灾、雹灾、森林火灾等，这是本区自然灾害体系中的频率最高，影响范围最广的一类灾害。气象灾害是天体系统因素和地球系统活动的反映。例如，旱灾与水灾是在宇宙因素影响下，地球水文循环作用引起降水量的大幅度变化所造成的。雪灾、霜灾与雹灾是地球水文系统和大气热量条件所决定的。风灾是太阳辐射和地表因素引起的大风携带沙尘或雪粒形成沙尘暴灾害、风雪灾害和干热风灾害。这些灾害是当前人力不能主动调控的自然地理过程，只能按照自然规律采取预防和避害的对策。

地震是我国多发的地质灾害，也是内蒙古及相邻地区最严重的灾害。至今，地震科学的手段还不能完全准确及时地预测地震的发生，因而难以事先做防御的准备。20世纪，曾在我区或邻近地区发生几次震灾，特别是世纪之末的1996年，震中在内蒙古包头市的一次大地震，造成了很大的人员与财产损失。

地表侵蚀与堆积作用和泥石流等，对土地的损害以及对工程设施、房屋和村庄的破坏，也属于地质灾害，在我区也不时发生。

生物灾害更是内蒙古常见的灾害，主要是虫、鼠灾和疫灾，尤其是人畜共患的疫病，危害更为严重。内蒙古的农作物、牧草、林木、果树和各种植物都有多种病、虫的侵害。例如草原上流行蝗灾的年度，每平方米的草地上，最多可达百头蝗虫，可使牧草产量损失50%以上。小麦锈病的发生是重大的农田灾害，必然造成严重减产。动物疫情的发生，也往往损失惨重。

内蒙古草原牧区多年以来的牛口蹄疫流行可导致养牛户的破产，近十年的口蹄疫发生已死亡和杀灭约 12 万头牛。目前，国内外对生物灾害的研究已有不少科技成果积累，可作为防治灾害的依据和武器。今后更要依靠科技进步为防灾减灾而努力。

内蒙古地区自然灾害的大量发生和灾害体系的形成，是区域生态环境脆弱性与严酷性的集中表现，也是生态环境恶化的自然因素。盲目开发和超限度利用自然资源的人为活动与多发的自然灾害相叠加，必然加剧生态环境的恶化。

二、内蒙古自然灾害的频发性、普遍性及增多的趋势

灾害的频发性是内蒙古地区自然灾害体系的重要特征，根据历史资料，在清代的 268 年中，内蒙古地区各种自然灾害共发生 460 次，年均 1.72 次，形成无年无灾，甚至一年多灾的严重情景。脆弱的自然生态系统，多变的气候条件以及原始的农牧业生产方式和低下的社会经济发展状况，决定了多种灾害的频发和难以防治。从内蒙古的现实情况来看，以旱灾为例，从 1949 年至 1987 年的 39 年间，有 37 年分别在我区各地发生了轻重不同的旱灾。其中，有 11 年较为严重，据统计，这 11 年的受灾面积达 3.233 亿亩，占 37 年旱灾总面积 5.6165 亿亩的 57%。在 1986 年至 1995 年的 10 年中，由于自然灾害而造成的损失高出 60 年代的 8 倍。现实的灾害也是历史上灾害频发积弊的延续，而且旱灾与雪灾、风灾、水灾等多种气象灾害一直是威胁内蒙古地区的主要灾害类型。

内蒙古地域广阔，拥有林区、草原和荒漠牧区、半农半牧区和集中分布的农区。这些地区的景观特征、气候和灾害类型各有不同，除林区气候在年际之间相对比较稳定以外，其他地区都受多种气候灾害和生物灾害的威胁。例如，降水量极少的旱年，往往是全区的普遍灾害。中国科学院编成的《中国五百年旱涝图集》，是根据各地区的天气史料，将每一年度的旱涝状况统一划分为五度：一度区涝，二度区偏涝，三度区正常，四度区偏旱，五度区旱。图集标示出 1900 年中国北方的"五度区"包括赤峰、呼和浩特、百灵庙、陕坝、鄂托克、大同、太原、北京、天津等 23 个地区。可见，内蒙古的东、西各地都在旱区之内。

历史上，内蒙古的自然灾害一直困扰着居民的生存与社会发展，灾害发生的频次呈现增多的趋势。如清代，以半个世纪为一个统计时段，内蒙古地区各类灾害的发生在 1644—1650 年的 7 年间只有 3 次，年均为 0.43 次；1651—1700 年的 50 年间共发生 52 次，年均 1.02 次；1701—1750 年的 50 年间共发生 74 次，年均 1.48 次；1751—1800 年的 50 年间共发生 97 次，年均 1.94 次；1801—1850 的 50 年间共发生 69 次，年均 1.38 次；1851—1900 年的 50 年间共发生 99 次，年均 1.98 次；1901—1911 年的 11 年间共发生 25 次，年均 2.27 次。总之，各类灾害（主要是气象灾害）显然有逐段增多的趋势。

三、风沙灾害与土地荒漠化已成为内蒙古的环境灾难

20 世纪 50 年代以来，随着内蒙古的人口增长，生产建设中对各项自然资源开发利用的压力不断加大，使生态环境不断恶化。目前，内蒙古受荒漠化威胁的土地面积约 74 万平方公里，占全国荒漠化危害面积的 28.2%，占内蒙古国土面积的 62.6%。仅阿拉善盟土地荒漠化面积就达到 24.46 万平方公里，自 1993 年以来，阿盟连连发生沙尘暴，有 2 万牧民成为生态难民，占全盟人口的 13%。1999 年，阴山北麓的 6 个县 20 万人因土地沙漠化严重，陆续迁徙他乡。

据史料记载，1949 年新中国成立前的 2 100 年中，内蒙古地区平均 30 年发生一次大沙尘暴，1950—1990 年平均每两年发生一次，1990 年以后，每年都会发生沙尘暴。发生的时序间隔越来越短，频率越来越高，波及的空间地域也更广。据统计，20 世纪 50 年代全区共发生 5 次，60 年代共发生 8 次，70 年代共发生 13 次，80 年代共发生 14 次，90 年代共发生 23 次。研究表明，沙尘暴的频繁发生与土地沙漠化扩展是一致的。[①] 50—60 年代，全国荒漠化土地每年扩展 1 560 平方公里，70 年代沙化土地每年扩展 2 100 平方公里，90 年代每年扩展 2 460 平方公里。土地荒漠化造成的直接经济损失，在全国是每年 642 亿元，其中内蒙古就占到 1/3。

---

① 钱正安、宋敏红、李万元：《近 50 年来中国北方沙尘暴的分布和变化趋势分析》，《中国沙漠》2002 年第 21 卷第 2 期第 106—111 页。

鉴于内蒙古地区自然灾害发生之频繁，土地荒漠化的严重加剧，在今后的经济建设中，必须遵循科学发展观，坚持人与自然和谐发展的原则，走资源节约、环境友好的发展道路，把环境治理和减灾工作纳入建设日程，从根本上改变自然灾害与环境恶化对我区经济发展和人民生活的不利影响。

第三节　内蒙古自然灾害的历史演变

古代自然灾害的发生多与气候变化有关，李克让等（1992 年）依据冰川、湖泊、河流地貌的演变和树木年轮等信息，综合研究了历史时期近 3 000 年的气候变化。认为公元前 1 000 年到公元 6 世纪，总体上是处于干冷期，但其间也包含着若干冷暖起伏交替的较短时期，公元前 700—500 年间和公元前 400—200 年间都曾有较暖的经历，公元 2 世纪末到 3 世纪初也有一个短暂的温暖湿润时期；公元 7 世纪到 12 世纪是较温暖湿润时期；从 13 世纪到 19 世纪又进入较干冷的"小冰期"，其间的 1685—1725 年和 1813—1889 年干旱少雨，1726—1812 年较湿润多雨；20 世纪走向变暖和旱化。在这一气候背景下，对内蒙古自然灾害的发生与变化可分为战国秦汉、魏晋南北朝、隋唐五代、宋辽金元、明代、清代六个阶段加以探讨。

一、战国秦汉时期（公元前 475—公元 220 年，共 696 年）

战国时期（公元前 475—前 221 年，共 255 年）记载内蒙古地区与相关地区的旱灾 4 次、其中有两次记载比较笼统，震灾 1 次。秦汉时期（公元前 221—公元 220 年，共 441 年）文献记载内蒙古地区的灾荒共 75 次，其中旱灾 27 次、水灾 13 次、风灾 7 次、雪灾 5 次、雹灾 6 次、虫灾 3 次、疫灾 3 次、震灾 11 次。总之，战国至秦汉各类灾害的记载总计 80 次。其中旱灾最多，为 31 次，水灾次之，为 13 次，两项合计 44 次，占这一时期整个灾害总数的 55%，表明内蒙古地区从战国秦汉时期开始，其主要灾害类型首要的是旱灾、水灾等气象灾害，但也有震灾的记载。

这些灾害中，频数越多的灾害，对于社会经济的破坏也就越大。除旱、水灾之外，风、雪、雹、虫、疫、震等灾，共计 36 次，占该地区该时段整个灾害的 45%，损失十分惨重。

二、魏晋南北朝时期（公元220—589年，共370年）

魏晋南北朝的370年间，在内蒙古地区共发生旱灾39次、水灾21次、风灾24次、雪灾15次、霜灾14次、雹灾1次、虫灾7次、疫灾2次、震灾20次、其他灾害3次，总计146次。其中最严重和频发的仍是旱灾，达39次，占各类灾害总数的26.71%，其次风灾24次、水灾21次、震灾20次，这两三项总计65次，占44.52%。需要特别指出的是，这一时期在内蒙古地区的地震灾害异常活跃，创震灾之高纪录，平均18.5年便有一次震灾。旱、风、水、震四项共计104次，占71.23%。据文献记载，魏晋南北朝时期是内蒙古地区古代风灾最为频繁的一个历史阶段。

三、隋唐五代时期（公元589—960年，共372年）

隋唐五代时期内蒙古地区发生旱灾30次、水灾5次、风灾3次、雪灾5次、霜灾4次、虫灾3次、疫灾3次、震灾7次，其他灾害4次，总计64次。从史料记载统计看，这一时期是内蒙古地区灾害相对较少的历史时期，每5.81年有一次灾害，这与魏晋南北朝时期平均2.53年和后来的宋辽金元时期平均1.24年就有一次灾害相比，确是相对稳定期。其中旱灾最多，达30次，占该期灾害总量的46.88%。这一时期除旱灾之外，其他各类灾害依序是震灾7次，水、雪灾各5次，霜灾4次，风、虫、疫灾各3次，其他灾害4次，总计34次。我们说到隋唐五代时期是内蒙古地区各类灾害相对稳定（少）期，但是旱灾却比以往有过之而无不及。

这一时期除了旱灾之外，其他各类灾害，按记载的数量，依序是震灾7次，水、雪灾各5次，霜灾4次，风、虫、疫灾各3次，其他灾害4次，总计34次，占该期灾害总量的53.12%。

四、宋辽金元时期（公元960—1368年，共418年）

宋辽金元时期记载内蒙古地区旱灾147次、水灾47次、风灾16次、雪灾17次、霜灾26次、雹灾34次、虫灾16次、疫灾1次、震灾26次、其他灾害6次，共计336次。其中旱灾达147次，其次是水灾达47次，这两项计194次，占该期灾害记载总量的57.74%。除旱、水灾害之外依序还有雹灾 34 次、霜灾 26 次、震灾 26 次、雪灾 17 次、风灾 16 次、虫灾 16 次、疫灾 1 次，以及其他灾害 6 次，总计 142 次，占该期灾害记载总量的 42.26%。

在宋辽金（960—1279 年）时期的 320 年，文献记载内蒙古地区的旱灾 96 次，超过了以往历代的纪录，平均每 3.3 年便有一次旱灾，呈现出面广灾重的特点。史料记载"大旱"、"久旱"、"大饥"、"人相食"等随处可见。

而在元代（1271—1368 年）共 98 年，记载内蒙古地区的旱灾达 51 次，平均每 1.92 年就有一次灾害，而且灾情也前所未有。从已掌握的文献记载看，元代强化了赈灾力度，我们亦可以从元代赈恤的钱粮数目判断当时所发生的灾害程度。除严重的旱灾之外，依序还有水灾 47 次、雹灾 34 次、霜灾 26 次、震灾 26 次、雪灾 17 次、风灾 16 次、虫灾 16 次、疫灾 1 次、其他灾害 6 次，总计 189 次，占该期灾害记载总量的 56.25%。

五、明代时期（公元 1368—1644 年，共 277 年）

明代关于内蒙古地区的各类灾荒记载比以往历代相对系统。文献记载显示，明代内蒙古地区灾荒频繁，危害严重。在这 227 年中最严重的仍是旱灾，达 172 次，其次是水灾 67 次、雹灾 50 次、震灾 42 次、蝗灾 25 次、风灾 24 次，再次是霜灾 13 次、疫灾 11 次、雪灾 8 次、其他灾害 29 次，总计 441 次，年均 1.59 次。几乎每年有灾，甚至一年多灾，是一个灾害频繁的地带。当时各类灾害的并发交错，表现为复杂的态势。

六、清代时期（公元 1644—1911 年，共 268 年）

清代，内蒙古地区灾害总计达 460 次，较明代更加繁密。其中有旱灾 185 次、水灾 109 次、霜灾 46 次、雹灾 40 次、雪灾和蝗灾分别为 21 次、疫灾 16 次、风灾 11 次、震灾 5 次、其他灾害 6 次。年均 1.72 次。

清代内蒙古地区旱、水灾害分别为 184 次和 109 次，两项合计 293 次，占整个清代内蒙古地区灾害总和 460 次的 64.78%，表明清代内蒙古地区的最主要灾害是旱、水灾害。霜、雹、雪、蝗、疫、风、震灾害分别为 46 次、40 次、21 次、21 次、16 次、11 次和 5 次，七项合计 160 次，占整个清代内蒙古地区灾害总和 460 次的 34.78%。说明清代内蒙古地区除了旱水灾害外，上述各类灾害也占较大的比例，其危害也很大。

此外，与明代内蒙古地区共发生地震灾害42次相比，清代的震灾明显减少，只发生5次；再依据《中国地震资料年表》所列内蒙古地区在民国时期19年发生36次地震做比较，我们初步认为，清代内蒙古地区地震灾害处于明代与民国两大地震灾害高峰期的低谷时段。

第四节　自然灾害的时空分布与发生规律

生态环境问题的产生、自然灾害的频繁发生必将导致人与自然之间的矛盾尖锐化，不利于人类的生存与发展。全面系统地认识和把握灾害发生的历史规律、分布特征和未来趋势，在当今更显得十分重要，它将对改善生态环境，促进经济的持续发展，实现整个社会的和谐发展发挥重要的作用。

一、自然灾害发生的时间分布

概括地说，内蒙古地区的气象灾害具有频发性和季节与年度间的周期性特征。

在清代内蒙古地区灾荒实况分析中，明显地体现了季节性特征。受季风气候及地形特征的影响，不同季节会有不同的灾害产生。旱灾是内蒙古地区普遍存在的灾害类型，不仅危害周期长，而且影响范围广。其中春旱与夏旱较为严重。春旱常发生在4—6月份，此时降水稀少、气温升高，加之本区大风天气的影响使蒸发强烈。严重的春旱使播种的种子难以发芽，影响农业生产。对于广大的牧区而言，春旱严重地影响牧草返青，给牲畜的饮水和食草造成威胁。夏旱常发生在7—8月份，全区范围内广泛存在，在本区东部的辽河、嫩江流域等降水较多地区也常会出现夏季降水稀少而发生旱灾。鉴于干旱灾害的影响，应在农区注重发展节水灌溉农业，在选种与耕种过程中，注意防御与抵抗灾害的不利影响，因地制宜兴修与完善水利设施，干旱季节适当补充供水。在广大牧区，水草资源的丰美是牧业生产的基本保障。水草资源是可再生资源，对它的开发利用，必须遵循生态环境演变规律，维护生态系统的生产力、恢复力和补偿能力。

受季风强弱和进退迟早的影响，本区降水不稳定，年内分配不均，年际变化大。暴雨常发生在 7—8 月份，由于降水强度大，有可能造成洪涝灾害。本区的辽河、嫩江流域，由于夏季降水的集中，常发生水灾，而阴山以南的呼和浩特、包头等地区，也常会发生由于暴雨天气引起的洪涝灾害。黄河因凌汛、秋汛，也会给周围地区造成水患。由于灾害发生的季节性特征，在本区常会出现春旱夏涝的现象，对农牧业生产危害极大。针对降水的集中性特征，应提早加强防汛，兴修水利设施，防御洪涝灾害。

受蒙古冷高压和寒潮的影响，在冬春秋常发生风、雪灾害，时间大多在 10 月至次年 3—5 月份，11 月份的冬雪及 3—4 月份的春雪过多都可形成雪灾，影响牲畜的采食及春羔的出生。雪灾在本区发生较为频繁，1907—1988 年出现雪灾 34 次，平均 2.4 年一次，雪灾应成为牧区主要防御的灾害。

发生在秋季的霜灾及早秋或春夏之交的雹灾在本区广泛存在，它们有时独立出现，但更多的是作为伴生灾害出现。雹灾在本区 6—7 月最为盛行，霜灾分为早霜灾和晚霜灾，分别出现在 5 月下旬和 9 月下旬。霜、雹灾影响农作物的生长，影响粮食的产量。针对霜雹灾的这种季节特性，应当进行必要的防御，加强预报准确度，采取人工措施，以减少霜、雹灾的危害。

二、自然灾害发生的区域分布

内蒙古地区自然灾害具有分布面广和地区差异显著的特征。

根据清代内蒙古地区主要自然灾害分布图，既可明显感受到普遍分布的状态，又具有不同自然灾害分布的特殊地域差异性。对内蒙古地区灾害的研究，设定了灾害分布的区划方案，归纳出区域性的灾害分布特征，这种区域划分大致符合现今自然灾害空间分布的现实规律性。

受自然条件和历史上人类活动的双重影响，在我区形成了一条独特的农牧交错带。农牧交错带北起大兴安岭两麓，向西南延伸，直至鄂尔多斯高原，呈带状分布。内蒙古东部、东南部及南部边缘地区的农牧交错带，包括 8 个盟市的 36 个旗县和 7 个市辖区，土地总面积为 3 005.08 万公顷，占内蒙古土地总面积的 26.25%。这条农牧交错带也是我区的生态环境脆弱带，抗干扰能力差，恢复原状机会少，极易受到各类自然灾害的侵扰，是自然灾害的易发多发重发区。本区旱灾、洪涝、风灾、霜灾、雹灾等时有发生，自然生态系统严重退化，环境资源衰退普遍存在，水土流失、土地沙化、盐碱化、草原退化等现象十分严重。农牧交错区的沙漠化影响了农牧业用地，威胁着草原、农田、城市、交通等，对土地沙化的治理，任务十分艰巨。目前半干旱草原区的科尔沁西部、锡林郭勒西南部、鄂尔多斯南部为严重沙漠化区，科尔沁东部、宁夏东南部为沙漠化强烈发展区，呼盟草原、锡林郭勒草原中部、察哈尔中部和长城沿线为沙漠化发展区。农牧交错带的人口相对密集，经济发展不均衡，总体生产力水平较低，加之自然灾害的侵扰，使土地生产力及经济发展潜力未得到充分发挥，防灾减灾对于农牧交错带的经济发展具有重要作用。

内蒙古东部的呼伦贝尔市、通辽市、赤峰市、兴安盟经常遭遇水灾侵袭，其中，尤以嫩江流域和西辽河流域为甚，这些地区历史上就是水灾的多发区。呼伦贝尔市所属旗县，包括扎兰屯、阿荣旗、莫力达瓦旗等地，在1949—1987年的39年中，有15年遭受到不同程度的水灾，大约每2—3年就发生一次水灾。现在，这些地区仍然是水灾的多发区。1998年夏，在嫩江和西辽河水系发生历史上罕见的大洪水，有619万人口受灾，农作物受灾面积2400万亩，绝收面积1500万亩，毁坏耕地近330万亩，因灾死亡牲畜36万头（只），各项经济损失共计159亿元。这场洪水说明东部区的防洪不容忽视，今后要加大水利设施的新建和改建，提高天气预报水平，增强防洪防汛意识，有效地防御洪涝灾害的侵害。

内蒙古以牧业为主的地区常受到风雪灾害的影响。阴山以北，大兴安岭以西地区常出现这类灾害，包括呼伦贝尔、锡林郭勒、巴彦淖尔、赤峰与通辽北部一些地区。风雪灾害主要对牧业生产造成危害，致使牲畜死亡。如1977年10月锡林郭勒草原的特大雪灾，积雪深度一般为15—30厘米，局部在50厘米以上，损失牲畜占锡盟牲畜总头数的2/3。

三、自然灾害的群发性与连锁性

在历史上，内蒙古地区的自然灾害具有群发性与连锁性的特征。许多自然灾害的发生往往不是孤立进行的，它们之间存在着一定的相关性，由一种灾害可引发出其他种类的灾害。在同一地区可连续发生不同种类的灾害，形成灾害群聚区。在同一时段内在同一地区或不同地区发生多种灾害，形成灾害的群发期。这种自然灾害的群发现象表明自然灾害之间存在连锁反应，具有灾害链式特征。如干旱灾害可引发蝗灾与鼠害，而暴雨可导致洪涝灾害，并进一步出现泥石流等灾害。

本区灾害的群发现象十分明显，如 1960 年，内蒙古形成西旱东涝的灾害分布，全区 53 个旗县市遭受水、雹灾害，同一年风灾、霜灾、雪灾也在一些旗县发生。本区东涝西旱或南涝北旱的现象时有发生。灾害的群发性特征使危害程度增强，危害范围扩大，灾情连锁升级。今后防灾应注意灾害的群发性及链式特征，如我区干旱→霜冻→虫灾的组合比较常见，因此在防御旱灾时应做好防御霜灾或虫灾的准备，以便有效地减少灾损。为此，应深化对自然灾害群发特征的研究，找出规律，防止灾情扩大。在灾害发生的原因上应重点防止由于人类不合理的活动而引发或放大自然灾害。

四、不合理的人为活动引发灾害、扩大灾情

人类不合理的活动是破坏环境、引发或加重自然灾害所不容忽视的原因。如历史上曾是植被密布的科尔沁、鄂尔多斯等地区，由于人类的过垦过牧过伐等活动，已变得黄沙漫漫。现在，人类不合理的活动仍然存在，如盲目开垦土地，使生态环境恶化，降低抵御自然灾害的能力。乌兰察布市的商都县 1936 年耕地占总面积的 16.6%，1949 年为 23.6%，1980 年则发展到 51.9%。过多地开垦草原，使这里成为土壤侵蚀最严重的地区之一，每遇自然灾害，对农业生产危害更大。鄂尔多斯地区盲目开垦土地，采用流动式的耕作，灾年弃荒，开垦土地都选择优质草场，造成植被的破坏，加之旱灾、风灾经常发生，使土地荒漠化十分严重。超载过牧是破坏草地生产力的人为原因，能够诱发并加重自然灾害。主动调整自身不合理的行为，对于减少灾害，保障经济社会持续发展有重要现实意义。

在社会生活中，自然灾害的危害主要是对人类健康、生命安全、社会财富与经济发展等多方面的影响。历史上，一次灾荒可以造成成千上万人死亡。随着社会的进步，建设事业的发展，虽然防灾能力增强，然而一旦发生灾害，损失可能还要增加。

内蒙古地区经济文化较为落后，据 1981—1987 年各省市自治区平均受灾、成灾、绝收耕地面积的统计结果，我区受灾面积占全国受灾面积的 4%—6%，其中土地绝收率居各省市之首，每年由于自然灾害造成的农牧

业损失达 2 亿—4 亿元。鉴于自然灾害对经济发展的扼制作用，加大减灾的投资力度就显得特别重要。

第五节　内蒙古地区自然灾害的成因

据相关文献史料进行分析，造成内蒙古地区自然灾害的原因既有自然地理环境因素，也有社会制度经济技术的因素，两者相互叠加与耦合，造成许多灾害的发生和加剧。

一、与灾害相关的自然环境因素

内蒙古的生态环境脆弱，对各种扰动因素十分敏感，是一个地理环境和气候条件的敏感地带。

星体位置排列的"行星直列"现象是每隔 179 年出现一次，包括地球在内的太阳系全部行星将大致排列在一条直线上。这种星体位置排列可能影响地磁和大气的平衡，引发干旱、水灾、酷暑、寒冷，甚至影响地下的高能粒子发生变动，导致地震的产生。最近几次行星直列发生在 15 世纪 30 年代、17 世纪 20 年代和 20 世纪 80 年代，都是地球上自然灾害严重的时期，如清代内蒙古地区的水灾比较集中。

太阳黑子活动的周期性、太阳耀斑的大小以及太阳风的强弱与自然灾害的周期性变化相关。当太阳黑子数大于等于 90 年为多年，小于等于 20 年为少年。由多年过渡到少年平均需要 7 年，接着由少年过渡到多年平均需要 4 年，平均周期 11 年左右。地球上的自然灾害与太阳的活动有关。如旱灾、蝗灾每隔 11 年左右发生一次，正好与太阳黑子 11 年的活动周期吻合。在清代的相关时段，内蒙古地区的旱灾、蝗灾大致周期是相符的。

地球自身运动与不同纬度地带的分布与自然灾害也有相关性。如地球自转与西风带的大气运动、地球内应力的变化、地球内部热力的变化和地球重力势能的变化会引起地球各圈层的变化。如大气环流、地球水圈的运动、地极和地幔物质平衡状态的改变与自然灾害的发生有关。地球不同纬度与地带分布的差异也是不同灾害发生的背景条件。例如中纬度带的内陆干旱区多风少雨是沙漠形成的基本条件，是发生风沙灾害的源区。在地球南北纬 15°—

35°之间的副热带高压带为信风运行的区域，是由高纬度带吹向低纬度带的旱风。特别是大陆西岸因信风绕行副热带，使干旱更为加剧。清代以来，内蒙古地区旱灾发生的频率高、强度大和范围广，与同期干旱地带的地理环境是相关的。

内蒙古地处中纬度地带的内陆高原地区，东部的大兴安岭属于湿润、半湿润地带，中、西部是广大的半干旱与干旱区。作为温带大陆性气候区，受热量和降水条件的制约，构成了脆弱而多变的草原和荒漠生态系统，其生物生产力较低，极易受到干旱、多风等不利因素的侵扰，成为易灾、多灾的地区。总之，自然环境的严酷性和气候的年际波动性是本区自然灾害发生的基础性因素。

内蒙古的土壤类型也有很大差异，东部地区的黑钙土，土质湿润肥沃，抗风蚀能力较强，但是水土流失成为主要灾害。北部高平原与鄂尔多斯高原的草原地带，土壤母质以沙黄土和沙质土为主，加之地表植被的破坏，土地风蚀作用强，荒漠化现象严重，成为风沙灾害的多发区。贺兰山以西的荒漠地区，全年多风，风蚀作用十分强烈，是风沙灾害最严重的地区。南部的农牧交错区，耕地土壤冬季裸露，加大了风蚀侵害的可能性，使之成为华北地区沙尘暴灾害的来源。

二、历史考证气候环境的变化与自然灾害的关系

气候条件的历史变迁是许多灾害发生的根源。在距今约 3 000 年到 2 700 年之间的西周时期，气候比较寒冷干燥。到春秋时期（公元前 770—前 481 年）气候又趋转暖，从大量的出土文物考证，当时鄂尔多斯地区的农业、畜牧业及青铜器技术都很发达，故称"鄂尔多斯青铜文化"；赤峰地区出现的夏家店上层文化，出土文物中金属武器突出增多，并发现了以前未有的马遗骸和青铜马器，这一时期灾害记载不多。战国时期（公元前 480—前 222 年），当时生活在鄂尔多斯地区的匈奴族依仗这里草木茂盛的自然条件，大力发展畜牧业，逐步强大起来，称为"林胡"的一支。"林胡"即为林中之人的意思。可见当时鄂尔多斯林草之多，从而可以推测当时内蒙古的气候依然是偏温暖湿润的，因而灾害较少。

秦、汉时期（公元前 221—公元 23 年），内蒙古的气候较温和，雨量适

中。公元前221年秦始皇统一全国，派大将蒙恬征服匈奴后，在这里设置郡县，同时又将内地居民大批迁入，耕田垦殖。可见当时鄂尔多斯高原载畜量较大和畜牧业较为发达，与温暖湿润的气候分不开。西汉统治者认为，"朔方（今鄂托克旗、杭锦旗、乌审旗北部、达拉特旗西部一带）土地肥饶"，"沃野千里"。汉武帝元朔二年（公元前127年）募民迁朔方10万口人，于元狩四年（公元前119年）又将山东等地灾民72万人迁入鄂尔多斯地区。到汉平帝元始二年（公元2年），鄂尔多斯农业人口已达167万之多，尚不包括10多万从事畜牧业的匈奴降民。这种农牧业发展和灾害不严重的状况是与当时相对较温暖和雨水较丰的气候分不开的。

东汉、三国、西晋时期（公元初年—317年），气候寒冷，干旱严重。这个时期发生旱灾的范围广，危害程度深。新王莽天凤二年（公元15年），"五原、代郡兵起，时卫卒二十余万人，久屯塞边三岁不得代，谷粜常贵，仰衣食于县官，岁大饥，人相食，盗贼蜂起"。东汉建武二十二年（公元46年），"匈奴中连年旱蝗，赤地数千里，草木尽枯，人畜饥疫，死耗大半"。可见当年的旱灾与蝗灾给匈奴的危害之重。东汉永元十一年至永宁元年（公元100—119年）气候干旱更为突出，短短20年中竟出现12个旱灾年份，由于接连不断地发生干旱，造成农业歉收，牧草枯黄。到东汉末年，蔡文姬以"处所多霜雪，胡风春夏起"来形容当时的干旱、寒冷气候特点。魏晋时期，文献上还接连出现"四月陨霜"，"七月陨霜杀稼"，"八月大雪"，"八月大寒"等记载。晋武帝太康九年（279年），"夏，郡国三十三旱"，说明旱灾动辄波及十几州镇乃至几十州镇。

东晋、六朝时期（公元317—589年），气候寒冷，但转向多雨。史籍中记载公元421—521年间出现大雪和水涝灾害18次。当时统万城附近林木茂密，水草丰美，气候较为湿润，史籍中也未见有沙漠记载。包括大兴安岭的南端、呼伦贝尔高原、东北平原、内蒙古高原以及黄土高原的西北部，这一时期的天然植被以温带草原为主，鲜有严重的干旱灾害。

隋唐时期（公元589—907年），气候明显转暖。在唐朝统治的289年中，史料中记载北方黄河流域有霜和冻害的只有9年，平均30年出现一次。这时期大风的记载也相对减少，但在气候相对温暖之中也有比较寒冷的年份出现。从史料记载统计看，这一时期是内蒙古地区灾害相对较少的历史时期，每 5.81 年有一次灾害，这与魏晋南北朝时期平均 2.53 年和后来的宋辽金元时期平均 1.24 年就有一次灾害相比，确是相对稳定期。

宋朝（辽、金、西夏）时期，又有寒冷干旱气候的发生。在宋辽金（公元 960—1279 年）的 320 年间，内蒙古地区有 13 年冬天奇寒发生冻灾，比隋唐时期的寒冷干旱年度更频繁而又严重。内蒙古地区的旱灾 96 次，远远超过了以往历代的纪录，呈现出面广、灾重的特点。

元朝、明初气候又转入温暖多雨时期。查阅元代史料，除有十余年"陨霜杀禾"的记载外，未见有奇寒冬天的记载。另一个特点是降水增多，常有不少"雨淋"及暴雨成灾的记录。元朝统治的 98 年中发生水灾的记载就有 47 次，其中暴雨记载达 20 多次。在 14 世纪前 50 年，中国北部的气候已从温暖期向寒冷期转变。元朝前期在上都及更北的口温脑儿的黄山（今查干诺尔南）和应昌府（今克什克腾旗）都有屯田，可见这一带农业是比较发达的。然而到了 14 世纪初（至大元年，1308 年），应昌府的屯田撤销了。

明、清时期，内蒙古地区的气候由温暖变为寒冷。邻近的山西北部、河北北部、辽宁西部在 5—8 月间陨霜、雨雹、风雪记载颇多，充分说明了中国北方气候转寒的事实。进入 15 世纪，与气候寒冷相关的雹、霜、雪等灾害增多，其危害也加大，往往导致稼伤民饥。这种寒冷气候的记载大约持续到康熙五十九年（公元 1720 年）。此后，在清朝的乾隆盛世气候趋于温暖。

三、灾荒发生的社会因素分析

历史上，人类对自然规律的认识和调控能力很低，有许多自然灾害的产生当然是以自然因素为主导原因，但人类社会因素的作用也不可忽视。人类社会对自然灾害的作用体现在两个方面，一是人类不合理的活动诱发自然灾害，二是人类社会因素放大灾害的强度，即承灾能力不同，受灾程度也不同。

封建社会是导致灾荒的制度因素。人与自然之间的矛盾常常是由于人类社会中人与人之间关系的变化引起的。在封建社会中，封建剥削制度是导致人民生活困难，无力抵御自然灾害侵袭，致使灾荒不绝的社会因素。封建统治者的土地兼并，横征暴敛，诛求务尽，扼制了人民抵御自然灾害的能力。

封建社会在宣扬封建迷信思想的影响下，人们缺乏对灾害的科学认识，只能安于天命忍受灾荒。

社会生产力和科学文化水平低下，不能形成防御自然灾害的强大实力。以牧业为主的草原人民从事粗放简单的生产经营活动，周期迁移畜群，实行游牧。面对冬春多灾的威胁，为牲畜存储饲草，筑圈抵御灾害等能力十分有限，遇有风雪干旱灾害，只能被动承受损失。农业生产也是粗放式的经营，广种薄收，承受风险。如西拉木伦河北岸巴林左旗在辽金时期有过少量农业，元明时以游牧为主。清前期蒙古族曾在此从事过原始性的种植，所谓"漫撒子"，即没有固定耕地，地随人走，一年一换。当年种地不用犁，只把种子撒在草地上，让牛群或马群在上面来回践踏，将种子埋入地下，遇雨草苗齐长，中间不管理，称作"凭天收"，这种十分粗放的农业，灾荒来临，难免受到侵害。

人口增长超过草原的承载力，也是引发灾害的内因。清代以前，中国人口一般没有达到1亿，大约在6 000万上下，最多时达到7 000万左右。到了清代，我国的人口迅速发展。康熙以后，人口猛增。乾隆六年（1741年），清廷在内地省份各州县依据保甲门牌统计户口，人口总数达1.4341亿余人，乾隆二十七年（1762年）人口突破2亿，到乾隆五十五年（1790年）又突破3亿。在半个世纪里人口总数翻番，这在中国人口史上是空前的。人口的增长必然导致按人口平均的耕地面积减少，出现人口和粮食供应的矛盾。由于人口激增，打破了社会供养的能力，往往会发生"民变"，加剧了灾害的影响。

康熙年间国内政治稳定，曾提倡开垦荒地，于是直隶、山东、山西失去土地的农民纷纷涌往口外开垦。康熙五十一年（1712年），仅"山东民人来口外垦地者，多至十万余"。随着口外沿线大批牧地被开垦，北部农牧过渡带逐渐向北推移。由于生活所迫的贫苦农民为了生计，纷纷向人口相对稀少的边疆地区迁徙，涌向内蒙古地区的农民也呈上升趋势。加之清雍正初年，直隶、山东等省灾荒不断，更壮大了流动人口队伍。这是加大草原负荷以至局部超过草原承载力的重要因素。

过垦也会加重灾害的破坏力。清末曾一度推行新政，主要内容之一即开垦蒙地，于是农牧过渡带发生了更大的变化。总计在清末新政的十年里，仅内蒙古西部新放垦土地共约 87 000 余顷，土地利用率几近可耕地的极限。这无疑加大了土地的人口承载力，并不可避免地带来了一定的生态环境问题，也为包括耕地沙化在内的各类自然灾害的发生和加剧埋下了重大隐患。

清代内蒙古地区人口的增长，大量土地被开垦，出现了耕地与牧地、林地争地的现象，使本区草场资源破坏严重，尤其清末期清政府在内蒙古地区鼓励开垦，破坏了大量植被，使生态环境变得脆弱，增加了自然灾害的侵害。加之对农业用地的使用不当，大量土地被弃荒后极易受到风蚀、水蚀，破坏了土壤的肥力，以致沙化，为自然灾害的发生和加剧提供了更大的可能。

第六节　自然灾害对社会、经济与生态环境的影响

内蒙古地区发生的各类自然灾害给该地区人民造成的威胁巨大，危害深重。尽管自然灾害种类不一甚至表现迥异，但其影响是多方面的。

一、自然灾害对社会的影响

自然灾害的产生必然给人类社会带来危害。严重的灾荒更给人民特别是缺乏抗灾能力的底层人民带来无法弥补的损害，从而影响到社会的稳定。

在内蒙古广大牧区对畜牧业影响最大的自然灾害莫过于雪（白）灾、旱（黑）灾和疫灾。一旦降雪过大，就会形成大范围的雪灾，直接后果便是造成牲畜因无法在草原上采食充足的食物以及抵挡不住严寒的天气而大量死亡。在各类自然灾害中，因雪灾而死亡牲畜的事件最多，数量也最大。其次是旱灾，春夏雨水不足，牧草就会长势不佳致严重减产，牲畜因缺草而瘦弱饿毙。冬雪过少，又成为黑灾，牲畜因不能吃雪而缺少饮水，也是很大的灾害。疫灾和虫灾的发生，也往往会使牲畜因染病而大量死亡。畜牧业严重减产，必然使得广大牧民生活陷入困境，成为社会问题。

物质财富与生产资料的损失是灾荒造成的社会后果，在自然经济条件下，畜产品的匮乏，使人们丧失了基本生活资料。由于牧业经济的基本生产资料与生产手段主要是家畜（基础母畜与种畜），所以受灾也损失了基本生产资料，使畜牧业生产造成损害，严重影响社会安定。

总之，牧民"逐水草而居"的游牧生产方式对大自然的依赖性很强，对生态环境的变化极为敏感，粗放式的生产经营使其抵御自然灾害的能力有限。由于常常受到干旱、风雪等灾害袭击，加之地广人稀，居住分散，靠天养畜的游牧畜牧业生产秩序也会被打乱，这是对牧区社会生活的严重破坏。

清前期，农耕业在内蒙古地区已经有了一定程度的发展，它作为牧业经济的匹配，可以提供粮食和牲畜的饲料等。但牧业经济向农牧业混合型经济的转变是一个漫长而呈现反复的过程，需要相当时期的磨合。当时的种植业生产亦是粗放式的耕作，广种薄收，很不稳定。内蒙古牧区在自然经济条件下的原始性农耕业生产必然备受多种灾害的侵扰，特别是旱灾与风灾等灾害。受灾的后果也必然造成社会生活的动荡。

自然灾害可能诱发和激化社会矛盾，甚至引起社会动乱和战争，导致改朝换代重大事件，在史书中也不无记载。内蒙古地区自清代实行编旗划界游牧制度后，旗札萨克王公对其所辖土地与牧场拥有世袭封建领主占有制的支配权，社会最底层的牧民称为"阿拉特"，受封建领主的管辖，没有自主经营的自由，受封建领主剥削，生活艰难，一遇灾荒，牲畜死亡，粮食匮乏，受创严重。虽官方对灾区有所赈济，但数量有限，加之官吏盘剥，灾民所得甚少。因此，灾民与封建主及清廷官府之间关系紧张，有时矛盾还会激化。清廷之所以注意对灾区的赈济，其目的主要是以防动乱。对于受到清廷和封建领主重重压迫的草原人民而言，灾荒常常成为反抗饥饿、反抗压迫的助燃剂和导火索。如咸丰元年（1851 年）蒙古科尔沁部佃民抗租起义就是反抗压迫的事例。清代自然灾害对内蒙古地区的损害也同样因为人民生产水平低下和生活贫苦，以及社会组织和阶级矛盾的发生而更为严重。

灾荒发生后，因粮食紧缺，或因富户囤粮不售以待高价，常常会使缺衣少食即将饿毙的饥民被迫抢粮，这无疑是社会矛盾激化的事态。据记载："富户囤粮牟利，四乡饥人有倡为吃大户之说者"，抢粮事件多有发生，其中最典型的可举出萨拉齐厅的自来宝截粮事件。

二、自然灾害对经济生活的影响

各种自然灾害发生后，首先是农牧业歉收，随之必然造成灾区社会经济的严重萧条，人民的生计陷入困境，甚至使生产被迫中断，物价波动，经济秩序混乱。

有关内蒙古地区自然灾害的史料大量记载了口外诸厅等农作区因各种灾害造成农作物歉收甚至绝收的经历，这方面的具体事例之多是惊人的。在内蒙古牧区、农作区长期沿袭着上千年以来自然经济的生产生活模式。这种小农经济一方面表现出十分顽强的社会历史地位，另一方面又是十分脆弱的社会经济形态。一次自然灾害就可能使一批小农牧户破产。在内蒙古地区每当旱灾来临之时，地表土壤龟裂，往往无法下种，或稼禾枯萎而死亡，草原牧草减产。旱灾不但造成歉收，而且还会引发其他自然灾害。例如干旱常常引起蝗灾的发生，蝗虫种群暴发时，大面积地成片蚕食农作物与牧草，造成大面积减产。内蒙古地处高原塞北，气候严寒，所以风、霜、雪等与气候变化紧密相关的自然灾害经常发生。这几类自然灾害中，雪灾对农作物影响较轻，但对畜牧业影响很大，风灾与霜冻都对农作物的生长与收获有重大影响。

自然灾害造成农作物歉收和大量牲畜死亡，使灾区食物紧缺，生活资料不足，从而引起粮价与畜产品价格等上涨。在蒙旗牧区，粮价一般比口外诸厅还要高，物价高涨，灾民缺衣少食，人民的经济生活陷于困境。许多历史文献记载了灾害发生就会出现"收成歉薄，民食不敷"、"岁歉乏食"、"牲畜倒毙，人民无计为生"的情况，甚至出现"人间相食"的悲惨现象。

三、自然灾荒对人口的影响

内蒙古地区土地辽阔，气候多变，人口居住分散，以畜牧业为主的游牧生产，使人们居无定所，"逐水草而居"的草原人民生活在严酷的环境中，易受灾荒的侵害。《清实录》中有许多关于灾荒的记载，并有受灾人口数量的详细统计。如雍正十一年"归化城吴喇成游牧地方雪大风寒，人畜伤损，查明大小共一万五千三百八十五口……"，"乾隆十二年，苏尼忒等六旗蒙古被灾人等，共计三万八百余口……"等。灾荒造成大量人口迁移，在受灾地区与非受灾地区之间以及遭受不同灾害的地区之间迁移。由于无力抗拒或抵御灾害，迁移成为受灾人民逃避灾荒寻求生路的重要手段，特别是清代内蒙古地区发生过大量的人口双向迁移现象。有山东、山西、直隶、陕西等地的灾民大量涌入内蒙古地区，其中有些长期落户成为当地农民，也有内蒙古地区的灾民背井离乡，逃亡内地。

人口的大量流失和死亡，造成灾区劳动力的大量丧失和社会经济的凋敝，这对灾后生产和经济恢复与重建必然产生很大的困难，往往要等待多年无灾或轻灾才能走向恢复。因为每次严重自然灾害常常是多灾重叠并发，造成多方面的危害与影响，涉及社会的许多方面，灾害的发生与后果具有错综性和系列性的特点。而当时的人口素质，反映出社会生产力水平和人的文化科技能力不足，难以抵御严重的自然灾害。

四、自然灾害对生态环境的影响

自然灾害的发生既可能对生态系统造成损害，更不利于自然资源的再生与可持续利用，对人类的生产和生活带来长期不利的影响，以致成为新的环境问题。例如，旱灾与风灾等自然灾害导致水环境的恶化和水资源的匮乏，加剧了草原退化、土地侵蚀沙化、盐碱化等一系列环境问题的发生。

我国北方地区干旱灾害严重，历史上就有"十年九旱"之说，内蒙古地区更是备受干旱的困扰，持续的干旱天气使地表径流减小，甚至河道断流，湖泊干涸，地下水位下降，水资源萎缩。而水资源的缺乏不利于农牧业经济的发展，农业受干旱的困扰，生产力较低，产量不稳定，只在灌溉条件良好的西辽河平原、河套平原、土默川平原等地农业生产较为稳定。本区土地沙化，盐碱化，草场退化，森林资源锐减，这些生态环境问题的存在，扼制了农牧业生产和经济的发展。回顾历史，在内蒙古的大地上，最突出的生态环境问题是土地荒漠化即生态系统结构与功能的恶化。

内蒙古地区大陆性气候条件的特征是干旱多风，土壤结构和质地是以沙质土为主，又有著名的四大沙漠和四个沙地，许多洼地是盐分聚集的土地。全区多风，成为土壤风蚀沙化的动力。内蒙古东部降水偏多（300—450毫米）的丘陵山区，降雨是水土冲刷的动力，大气温度的寒暑较差十分悬殊，成为干燥剥蚀和冻融侵蚀的决定因素，在许多低洼地上强烈的蒸发作用是土壤盐碱化的原因。从内蒙古地理环境的历史演变中可以看出，各地的风蚀沙化，水土流失，干燥剥蚀，冻融侵蚀，土壤盐碱化等多种土地荒漠化现象，始终伴随着长期反复进行的环境演变过程。土地荒漠化是许多自然灾害频发和土地生产力衰退的根源。

对此，在历史文献也有记述，如《张北县志》对侵蚀堆积作用和土地沙化做了描述："洪水中含沙粒夹带石子，在地面积聚大量沙碛石子，农田土质破坏甚大。""边外土地向为沙漠之区，平原辽远，一望无垠，率皆沙底，土壤厚者不过二三尺，其次者约一二尺许，更有不及盈尺者甚夥"，"因接近沙漠，春季多起西北风，其势极猛"，"将地上沙土随风飘扬，久而久之，愈吹愈薄，土壤厚者不过经五六十年，土壤薄者可经二三十年，最薄者仅经五六年，俱变为硗瘠之地，不堪耕种，然口外农民富而不久，居而不长者，此亦为一大原因焉！""狂风一起，势如万马之奔腾，夹带浮沙，天空一片昏暗，轻者拔木偃禾，重则移山崩岳。"对口外农田盐碱化也有说明："起盐碱之原因，口外地势平坦，每遇雨水，因形势格阻，无处泻泄，故洼下之地，累年积水，久浸蒸发，即变成盐碱滩地。初垦种者，盐碱未曾发作，尚能耕种二三年，经耕数次，土壤疏松，日光曝晒，碱气蒸发，土质尽变为灰白色，即种而不苗，苗亦多枯槁。"荒漠化损坏了农田土质，不仅使农田在受灾之时不能利用，而且扩大了荒地面积，以致耕地缩小，进一步加剧灾害的严重性。

内蒙古地区由于气候多变，从古至今，各类灾害性因素始终对内蒙古地区各类生态系统产生侵袭。全年大风日数以阴山以北地区最多，锡林郭勒与乌兰察布草原地区约20—50天/年，东部与南部地区20—30天/年，年内分配以四、五月最多，可占年总日数的60%左右。干旱与大风等动力因素相互叠加作用，对草原生态系统的结构与功能造成损害。土壤的水蚀与风蚀作用，破坏了土地肥力，使农田生态系统的生产力下降。如"托克托城及和林格尔因收成荒歉，无计谋生，亦擎家他适，且有丁亡户绝，有地无人者，遂至黄沙白草，一望弥漫"。另外，草原区的虫灾和农作物病害严重发生也使草场与农田等生态系统的生产力衰减，"蝗蝻等虫类以草禾为食，每当蝗蝻蜂起之时，成片草场被饕餮之虫咀嚼殆尽"，严重地破坏草场。根据历史考证，内蒙古所处的地理位置和固有的环境特征，在当时社会生产力及文化科学与技术条件下，多种灾荒的发生是不可避免的，这也是草原与荒漠生态系统脆弱性的后果。蒙古人民在长期的生产与生活实践和遭受灾害的苦难中，感受到必须顺天时，应地利，遵循生态系统的属性和自然规律，寻求人与自然可以和谐相处的途径，选择了游牧生产的方式和相应的文化，这是维护草原生态系统功能的历史性功绩，它所蕴涵的文明精髓是可供借鉴的历史经验。

面对当今，内蒙古大地的生态系统脆弱性和环境的严酷性依然存在，自然灾害仍有发生，环境恶化与生态安全的形势还很严峻。加强对减灾的投入，积极保护和治理生态环境，促进生态系统的恢复，依靠科技抵御自然灾害的侵扰，把内蒙古建设成我国北方的生态防线，实现人与自然的和谐发展，这是以史为鉴所取得的宝贵经验和认识。

第　十　章

内蒙古的生态文明传统与生态科学

第一节　内蒙古的民族生态文明与朴素的生态观念

内蒙古的广大草原一直是北国秀美山川的一部分,哺育了一代又一代的游牧民族,成为民族经济和文化的摇篮。草原生态系统的绿色植被构成了完整的大地覆盖,草原土壤成为巨大的碳库,默默地维护着蒙古高原和黄河流域以至东亚地区的生态安全。

草原生态系统结构与功能的特征,是在晚第三纪以来的季风气候条件下演化形成的,对大陆性半干旱与干旱气候具有高度适应性。由多年生草本植物组成的植被是第一性生产者,既是草食动物的生物能源,又是良好的土地覆被。草原土壤的发育,构成了区域生物地球化学物质的动态储备库。总之,草原的基本功能就是维持生态系统的能量转化和物质循环的动态平衡,保持生物更新再生的机制,实现生态系统和谐有序的健康状况。只有认识和遵循草原生态规律,才能持久地赢得草原对人类的各项服务价值和美好的生态环境。这是草原地区经济社会可持续发展的根基。

草原的游牧文化可溯源至史前,在有文字记载的历史过程中,从战国至元代之间,当今的内蒙古地区内,较大的民族有匈奴、东胡、鲜卑、柔然、突厥、回纥、契丹、女真等。早期是匈奴在长城以北的广大地区,以游牧为生,兼营狩猎,住毡帐,食肉乳。其畜多马、牛、羊,逐水草而迁徙,无城郭,今日行,明日留,居无定所。东胡、鲜卑自战国到秦汉时期主要游牧于西辽河流域。自北魏以来，直到辽代，西辽河流域又成为契丹人的游牧地区。柔然、突厥、回纥是北魏至唐代居于大漠南北广阔草原上的游牧民族。后至蒙古族兴起，以蒙古高原为主体，包括东起大兴安岭，西至阿尔泰山，北达贝加尔湖，南到祁连山地，在宽阔坦荡的草原环境中，皆以游牧为畜牧业的生产方式。形成了"食畜肉、饮乳酪、衣皮革、披毡裘、住穹庐"的生活方式。在长期发展过程中，蒙古族人民积累了利用自然、保护资源的丰富经验，形成了朴素的生态意识。他们在利用野生植物、捕猎野生动物，放牧家畜、利用牧场和水源的生产过程中，产生了保护自然资源，维护生态环境的观念，对民族经济和文化的发展起到了重要作用。

牧民的游牧，蒙语称作走"敖特尔"，译称"走场"。敖特尔是当时的历史条件下对牧场合理利用，以保持其更新繁衍的生产方式。一般来讲，游牧方式多划分成四季轮用的牧场。春场（也称春营地）选在背风向阳的低洼草地，便于接羔，牧草返青较早，有利于母畜和幼畜的健康。夏场（也称夏营地）一般选在水源较近、地势较高、蚊蝇较少的高草地，保证放牧牲畜的良好采食，促使其抓水膘，以保证家畜健壮成长。秋营地要选在葱属植物较多的草地，有利于牲畜抓油膘，为牲畜过冬度春产仔打好基础。冬营地要求距离储备干草的地点较近，且植物枝叶保留较好的草地，便于冬天放牧和供草，也利于抗御风雪灾害。这些宝贵的生产知识和经验包含了对草地与牧草合理利用和保护的生态生物学原理。如葱属植物的肉质叶，含有大量水分，辛辣的气味有刺激家畜采食的作用，秋季放"牤哥"（山葱 Allium senescens）可以减少饮水，增加采食量，葱籽又富含脂肪，利于抓油膘。这类植物在秋霜后，很快干枯，极易被风吹走，如果秋季不充分利用，很快即在草原上消失，因而，在秋季较多地采食葱属植物是科学合理的。

牧民也有改良草场的传统习惯，从当地野生牧草中选择优良草种，采收其种子。放牧时将收集的优良牧草种子带上，随放牧的畜群撒播草子，经畜群踩压，可使牧草增生，对草原有所改良。

在利用草原植物资源时，特别注意不破坏植物繁殖更新能力。如采集药用植物草乌（Aconitum kusnczoffii）制作蒙药，只用其地上部分，而不采根（内地中药草乌则用其根）。牧民的代茶植物称为野茶（Zherlig chai 或 Hegerein chai）主要用当地野生蔷薇科植物的叶和果，如山荆子（Malus baccata)、秋子梨（Pyrus ussuriensis）、地榆（Sanguisorba offcinalis）、绣线菊（Spiraea mongolica）、欧李（Prunus humilis）、山刺玫（Rosa davurica）、库页悬钩子（Rubus sachalinensis）及其他科的植物黄芩（Scutellaria baicalensis）、榛子（Corylus heterophylla）、单子麻黄（Ephedramonosperma）等也不采根。这些朴素的生态意识已成为代代相传的习俗。在《蒙古秘史》（第2卷74、75节）中记载了铁木真一家曾以捕鱼、打猎、采摘野果、野菜为生的情景。如"帖只额罢"、"帖只额华"、"帖只额仑"、"帖只额占薛惕"等词汇的蒙文含义是"用多种植物为食"的意思。铁木真一家所食用的野生植物，据哈斯巴根等人考证：其中的"翰里儿孙"是山荆子（Malus baccata），"拂亦勒孙"是稠李（Pruns padus），"速教"是地榆（Sanguisorba offcinalis），"赤赤古纳"是鹅绒委陵菜（Potentilla anserina），"合里牙儿孙"是各葱（Allium victorialis），"忙古儿速"是山葱（Allium senescens），"扎下合速"是百合（Lilium pumilum），"豁豁孙"是野韭（Allium ramosum）等。蒙古族民间认为这些植物是神圣的，不能随意过多采收，也反映了蒙古人对植物资源合理利用和保护意识。

古代蒙古人的游牧生活中也包括狩猎活动。"其俗牧且猎"真实地概括了古代蒙古人的生产与生活内容。狩猎既是一种生产，又是军事训练与体育娱乐活动。蒙古人狩猎分个人狩猎和集体围猎两种，对于狩猎的时间和场所都有规定。最重要的是规定所猎动物不准一网打尽，必须保持放生数量的传统习俗，视情况至少放回一雌一雄，幼仔要放走或留下驯养，不猎或少猎雌性兽禽。蒙古族这些传统，有利于野生动物的繁衍生息。此外，蒙古族对蛇、狐、艾虎之类动物也多加以保护，阴雨天，蛇有时进入蒙古包内求暖，牧民通常是将其放生，从不伤害，更无食蛇肉等陋习，保证了蛇类捕食害虫的作用。蒙古族在狩猎活动中注重保护野生动物的行为，是保护草原生物多样性和维护草原生态系统平衡的优良传统。

草原环境为鼠类提供了食物和适宜的生存场所，使草原鼠类分布广，种类多。为了控制鼠类的数量，蒙古族牧民崇信和保护鹰、隼等猛禽类，甚至把饲养鹰类作为一种爱好，并用于狩猎。牧民特别注重保护草原鹰（Buteo hemilasius）、鵟（Buteo buteo）、毛脚鵟（Buteo lagopus）及草原雕（Aquila rapax）等隼形目的食肉猛禽，与这些鸟类和谐相处。草原缺少猛禽栖息时，牧民还在一定距离内的草原上竖立招杆，招引猛禽。这样就自然调控了鼠类种群的相对平衡，不形成鼠类骤增的灾害。

宗教文化也对环境和动、植物保护有深刻的影响。宗教是一种意识形态。蒙古地区统一以前，萨满教占支配地位。蒙古诸部落统一后，又传入了佛教、道教及伊斯兰教，成吉思汗对各种宗教采取兼容并包态度。佛教是梵哲学、文学、艺术、建筑及医学传入内蒙古地区的重要媒介。蒙古族的喇嘛教也崇拜天、地、日、月、山、河、动物、植物等，注重对自然环境和动、植物的保护。寺庙附近，禁止损坏山地风水，包括树木和植物。有些特异的山地，虽无寺庙也被封为圣山（博格达乌拉）。内蒙古现在被保存下来的圣山，几乎每个盟都有。对圣山不但不能损坏其一草一木，甚至不能用手指指点点，否则就是冒犯神灵。在环境不良的地方修建寺庙，还要栽植树木，诸如阿拉善北部的沙尔扎庙（降雨量不足100毫米），鄂尔多斯西北部的罗布召、五加庙（降雨量约150毫米）均栽有高大的榆树或文冠果等，增添了召庙的风光，体现了崇尚自然的精神。坐落在鄂尔多斯准格尔旗阿贵庙（又称瓦盖庙）的"油松王"高27米，胸径1.5米，树龄已达900年，群众称之为"神树"，被林业部命名为"中国第一松"，列入国家古树重点保护范围。坐落在内蒙古大青山前土默川的美岱召（寿灵寺），是喇嘛教格鲁派（黄教）寺庙。俺答汗（阿拉坦汗1507—1582年）于明朝万历三年（1575年）建成。当时在庙前栽植的松柏树：油松、侧柏，虽经400多年的沧桑之变，因为有喇嘛庙的呵护，两棵大树苍劲挺拔，现在也挂牌列入古树保护的活文物之列。

牧民的生活、生产用具如蒙古包、勒勒车、套马杆等，对草原的破坏是最小的。史称蒙古包为"穹庐"、"毡帐"，是移动式毡房，适合于走"敖特尔"，也避免了盖房动土破坏植被的弊端。勒勒车是牧民的重要运输工具，多以白桦木制作车轮，适宜在草原上行走，对草原的碾压面很小，利于草原牧草和生态环境的保护。

总之，在历史上，生活在草原区的北方民族创造了与环境和资源相适应的游牧生产方式，并且形成了完整的游牧文化。当时的人口和家畜的数量尚未对草原造成强大而持续的压力，草原作为畜牧业的经济资源仍有一定冗余，为逐水草而居的游牧方式提供了可再生的饲草、水源和充足的地域空间。这种轮回利用草原的制度，可以保证草原植物的更新和草原生态系统的物质平衡与能量传输，可以有效地发挥草原的生态防护功能，成为北方的生态安全地带。可见，游牧文明的精髓就是要遵循自然规律，坚持人与自然和谐共存的理念，继承和发扬游牧文明的精髓，是有现实意义的。我们在研究蒙古族牧民游牧生活特点的过程中，认识到这是民族文明的历史性创造。其中，蕴涵着深邃的生态观念，具有高度的历史合理性和必然性。在这一民族文明遗产和当代的可持续发展观念之间，我们不难窥见其渊源联系。因此，对于我们今日寻求草原牧区的发展模式和草原畜牧业走向现代化的途径，不无重要的有益启示。让我们对蒙古族游牧生活的历史价值，从草原生态保护、家畜培育、民族的发展和生态观念的形成等几个方面做些有益的初浅探索。

一、游牧生产适应于草原的更新机制

游牧生产方式可保证草原的更新繁育，维护着生物多样性的自然演化与宝贵基因资源的相对稳定性，使草原保持着循游放牧条件下的生态演替顶极（Climax），即接近自然气候顶极状态，成为家畜适度繁育和草原可持续利用的资源保障。

草原是具有可更新机能的自然生态系统，由绿色植物多种群与其他生物多样性成分以及复杂的非生物环境因素组成，是长期历史演化的产物，成为相对稳定的自然演替顶极。在逐水草而迁徙的游牧生活中，家畜放牧采食率比较均衡，对这一自组织系统的顶极状态不足以发生强烈的干扰，因此，系统的自我更新与自我调控机制不被突破，生态系统中的绿色植物种群和其他生物种群占据着各自的生态位而得以繁衍，保持着和谐的群落自组织生态过程。这些绿色植物种群构成了家畜充足的营养源和良好的营养组合。千百年来，"离离原上草，一岁一枯荣，野火烧不尽，春风吹又生"的诗句，形象地反映了草原生态过程自然和谐的演替顶极状态。蒙古族牧民就是依托天赐的草原生态系统创造了符合历史条件的游牧生活方式，牧民的绿色情怀当然也是历史的产物。

二、游牧生产培育了良好的家畜品种

游牧生产锻炼了家畜的生态耐性，适应于寒冷气候和粗放的牧养管理方

式。草原生态系统的协同进化，选择了耐性很强的地方家畜品种，形成了严酷环境和粗放经营的家畜最佳生产力。

内蒙古草原的家畜经历了长期驯养，成为草原生态系统不可缺少的成员。例如呼伦贝尔草原冬季气候严寒，在半湿润与半干旱条件下形成的草甸草原，草群高大密集，成为"三河牛"、"三河马"的原产地。从呼伦贝尔至乌珠穆沁草原，天然草地的牧草营养组合是乌珠穆沁肥尾羊经多年人工驯养而选择成功的地方良种，作为肉用羊，很受阿拉伯世界的广大穆斯林民众欢迎。苏尼特羊是适应于蒙古高原荒漠草原旱生小禾草——小型针茅（Stipa spp.）、沙芦草（Agropyron mongolicum）、隐子草（Cleistogenes songolica）和沙葱（Allium mongolicum）等植物组合的产物，是深受欢迎的涮羊肉的优良品种。阿拉善双峰驼是与古老的阿拉善荒漠协同演化的著名优良品种，应作为生物多样性的重点保护对象，积极采取有效的保护对策。

三、游牧生产提供了民族发展的保障

在长期的游牧生活中，草原和家畜是蒙古族等各族人民生存、繁荣、发展的物质和文化源泉，造就了世界民族之林的一代天骄。

绿色草原养育的家畜，完整地构成了蒙古族等民族衣、食、住、行的基本物质保障。牛羊乳肉成为完全营养的高蛋白洁净食品系列的主要内容；毛绒皮革是制作服装、居住（蒙古包）、交通工具、生产生活用品的重要材料；马牛又是役用、军用的动力资源；畜粪也成为生活中的燃料。总之，草原家畜在蒙古民族的生存与发展中是全部生物能源中最主要的部分。大自然所提供的第一性生产力与游牧方式的第二性生产力紧密结合是人类经营农业发展历史上的一次飞跃，因而也是草原民族文明发展的源泉。广阔无垠的草原景观，塑造了高亢豪爽的音乐艺术风格与民族性格。依托于大自然的生产与生活方式，培育了人间互相友爱、私有观念淡薄和崇尚自然的民族精神。蒙古族的文化传统与民族学、蒙古学的不断发展，无不具有草原风情的烙印。在蒙古族的发展史中，书写了人类文明宝库中值得自豪的绚丽篇章。

四、游牧生活形成了可贵的生态传统

在游牧生活中，蒙古族人民热爱草原，爱护家畜，保护生命，维护环境

的朴素感情是人与自然和谐相处的精神体现，是十分可贵的生态意识，是当今实施可持续发展模式的良好思想基础。

蒙古族人民的游牧生活恰恰构筑了天（气候环境）、地（土壤营养库）、生（生物多样性）、人（人群社会）的复合生态系统，是历史条件下能量流动与物质循环高效和谐的优化组合。游移放牧的完整规范，可以保持草原自我更新的再生机制，维护生物多样性的演化，满足家畜的营养（能源）需要，保障人类的生存与进步。这是草原复合生态系统结构与功能协调有序的耦合效应。存在决定意识，这种优化系统组合必然成为生态观念的客观根据。所以，在草原民族文化中，从意识形态、科学技术、伦理规范、民风习俗、宗教信仰等诸多方面都蕴涵了鲜明的生态观点与环境思维。

在长期的社会实践检验中形成的认识，将永远包含着真理的内核。今日的世界已进入人口剧增、科学暴发、知识经济、信息社会的新世纪，原始的游牧生活已不是当今的民族需要。现代化的目标，可持续发展的理论和实践为人类的前途命运勾画了光明之途。但是，实现人口、资源、环境、经济协调发展的科学道路应是亿万人民的行动，是理论与群众的结合。因此，民族遗产中生态之道的基本认识必将在登上可持续发展的现代化航船中成为有用的阶梯。

第二节　17世纪至20世纪中叶内蒙古
地区的生态地理考察

17世纪以来，欧洲资本主义开始兴起，需要向国外扩大市场，广开各类自然资源，占领殖民地，因而激发了航海事业、国际交往、地理环境与资源的考察活动。西方国家的许多传教士、使节、军人、商人、学者来到东方，对神秘的蒙古大地和亚洲大陆腹地格外感兴趣。特别是俄罗斯横跨欧亚大陆，与蒙古高原相邻接，必然对中国北方和西北地区更加关注。日本自明治维新以来，为了资本主义的发展而深感国土资源的局限，逐渐成为最凶恶的侵略者，把侵华作为首要的目标，以占领满、蒙为侵华的第一步。所以，17世纪以来，欧美、俄国、日本都对我国北部、西部和蒙古高原多次进行资源、环境与文化考察，也窃取了许多宝贵的文物、标本和资料。

近代生态学是伴随着生物地理学而发展的，在区域性的地理探险考察中必然积累着观察生物群落和生态现象的知识素材。因此美国生态学家威沃尔（J. E. Weaver）和柯来孟茨（F. E. Clements）（1929 年）强调生态学是一门野外科学。含有生物与环境内容的地理探险考察活动及其成果在中外各国都有丰富积累。

一、19 世纪中叶以前对内蒙古地区生态地理环境的考察记载

在 17—18 世纪期间，虽然已有各国人士多次来蒙古高原和内蒙古考察，但是对有关生态、生物地理的内容多限于零散片段记载，未形成系统完整的历史性考察成果。

1674 年，由波尔伸尼尼柯夫（И. Поршенниников）率领的俄罗斯商队在恰克图—乌兰巴托（库仑）—张家口—北京一线开辟了商道，成为以后俄国人进入蒙古和内蒙古的重要通道。最先对内蒙古的生态面貌做报道的是西欧的旅行者盖比伦（J. F. Gerbillon）。他于 1689 年、1696 年、1698 年三次穿越内蒙古草原和蒙古戈壁，但是片面地描绘了草原和沙地的荒凉。有记载的最早到内蒙古调查采集植物的学者是德国的密斯柯米特（D. G. Messerschmidt），1724 年他从外贝加尔到内蒙古呼伦贝尔草原采集植物标本。后来植物分类学大师林奈（Carlvon Linne）用这位德国学者的名字给沙引草属（Messerschmidia）植物命名，就是对他的纪念。

进入 19 世纪，涉及生态环境与生物资源的旅行考察内容逐渐增多。1821 年俄国驻北京宗教使节团成员季米柯夫斯基（Е. Ф. Тимковский）从恰克图穿越蒙古和内蒙古草原到北京，写出了 3 卷本的《蒙古—中国游记》，其中介绍了沿路的植物和景观。1828 年俄国使节团又一成员奔秋林（Н. Я. Бичурин）也经恰克图—北京的草原之路考察报道了地理环境的概况。

俄国植物学家图尔钦尼诺夫（Н. С. Тучанининов）、库兹涅佐夫（И. Кузнезов）、基里洛夫（П. Е. Киллов）在 1828—1837 年间对贝加尔湖地区、蒙古北部及内蒙古植物进行了调查和采集，经过整理与标本鉴定，在莫斯科自然科学协会汇报上发表了几篇蒙古植物采集的目录和新种属的报道。1830 年俄国的著名植物学家本吉（А. А. Бунге）带领洛佐夫（Г. Розов）随着第

11 届俄国驻北京宗教使节团到中国，他在沿途及北京地区采集植物标本达 400 多种，当时他是拥有中国北方和蒙古高原植物标本最多的学者。本吉经过多年研究，从 1883 年起陆续发表了 17 个新属和大批新种，编订了植物目录，奠定了蒙古高原植被生态与植物区系研究的基础。

二、19 世纪后半世纪对内蒙古地区生态地理环境的考察研究

1840—1842 年的鸦片战争之后，中国开始沦为半殖民地国家，成为资本主义列强肆意侵略的对象。为了掠夺我国的资源，俄国及欧美各国纷纷派员来华考察，蒙古高原和我国北部与西部成为地理环境与资源考察的重要区域。1859 年，达尔文学说的问世推动了科学的进步，特别是生态科学随之应运而生，1866 年生物学家海克尔（E. Haeckel）确立了生态学的科学范畴。从此，在许多地理考察活动中更不乏生态学内容的积累。

比利时从 1854 年起在内蒙古布设教会组织，进行宗教传播与社会调查活动，其中，神父阿特塞勒（Artselaer）在内蒙古南部采集植物标本，送交俄国的彼得堡植物园，后由植物学家马克西莫维奇（К. И. Максимович）鉴定，陆续发表了若干新种。法国学者达维迪（P. A. David）1862 年随宗教团体来华考察。1866 年到呼和浩特、包头、乌拉山及黄河沿岸一带大量采集植物标本，送给巴黎博物馆与植物园。由法国植物学家弗阮契（A. Franchet）参加整理鉴定，1883 年发表了《达维迪在中国采集的植物》共两部，总计记载了 1 500 多种植物。其中第 1 部是在内蒙古所采集的植物，包括一批新种与新属。

此外，对内蒙古的地质地理环境也有人进行考察研究。1863 年美国地质学家彭拜勒（Raphael Pumpelly）应清政府之请来华考察。他的考察范围包括华北、东北和内蒙古。从华北平原地区出发，穿过内蒙古到西北地区，沿黄河，经黄土高原和长城一线返回北京。1865 年由陆路经蒙古、西伯利亚到彼得堡后结束考察返美。1866 年他发表了在华考察报告《1862—1865 年考察中国，蒙古的地质环境》，这是对我国地质研究的重要文献。考察中他发现我国东部的山脉呈北北东—南南西走向，从地质构造上看，认为是一种特殊现象。他从"黄陵背斜"概念出发，把这个构造线命名为"震旦上升系"，后定为"震旦系"，从此便在我国科学文献中成为重要论点。

1864 年俄国人克鲁泡特金(П. А. Кропоткин) 到我国东北旅行，翻越大兴安岭进行考察。1865 年在《俄国地理学会西伯利亚分会札记》中发表了《1864 年的中国东北旅行》，1875 年又在《俄国地理学会地理札记》第 5 卷的《东西伯利亚山文概况》（附有东西伯利亚南半部，蒙古高原地区，中国东北及库页岛略图）一文中，指出了中国东北和外贝加尔地区曾广泛发生过火山活动。还第一次明确地肯定曾有过冰川作用的事实，论述了亚洲中部和东部的山地发生大规模冰川作用的原因，并不只是气温降低，而且降水量多。当时是气候比现在更湿润的时期，西伯利亚的低地多被水淹没，蒙古戈壁中也存在着许多湖泊。他还认为蒙古戈壁是亚细亚高地之中的低平台原的一部分，分布着许多缓丘和长岗，均呈东北—西南走向，由结晶片岩的褶皱所构成。戈壁的高度介于 2 400—3 000 英尺之间，属于干旱荒漠区，地表覆盖着多种颜色的砾石，其中分布的小型湖泊多是略有苦味的咸水湖。这是对蒙古高原生态地理环境的正确描绘。

1870—1885 年，俄国人普热瓦尔斯基(Н. М. Пржевальский) 的探险考察是 1845 年俄国地理学会成立（早期与俄国总参谋部一起）后的重要活动。从 1870—1926 年，该学会组织了长达 50 多年的亚洲中部考察。1870—1885 年由普热瓦尔斯基主持，分四次到亚洲中部考察。第一次，1870—1873 年考察了蒙古、内蒙古、甘肃、青海；第二次，1876—1878 年到新疆考察；第三次，1879—1880 年考察了西北各地；第四次，1883—1885 年又考察了蒙古、内蒙古、祁连山、柴达木直到黄河源头，后沿藏北高原到昆仑山、克里雅山考察。普氏的四次考察，有三次到过内蒙古，以第一次在内蒙古的时间最长。1870 年他从中俄边境城镇恰克图入境，经乌兰巴托（马尔加），张家口（卡尔干）到北京。1871 年 2 月首先到赤峰的达里诺尔考察，后经多伦、张家口回到北京。同年 5 月又从北京出发，经张家口、呼和浩特到包头的乌拉山（莫尼乌拉），7 月穿过黄河进入鄂尔多斯西北部，后经磴口过黄河，9 月 4 日到巴音浩特（定远营），9 月底登上贺兰山，考察后从北线经狼山、色尔腾山、阴山北麓返回张家口。1872 年春他又走原路到巴音浩特，沿长城南下到甘肃、青海考察。1873 年返回时，6—7 月再次上贺兰山考察，而后从阿拉善东北部返回恰克图。第三次是 1879 年，先到青海、甘肃考察，后于 1880 年 8 月进入阿拉善，考察了腾格里沙漠，8 月 24 日到巴音浩特。8月底至9月初第三次登上贺兰山。第四次1883—1885年是从恰克图出发经过蒙古和内蒙古阿拉善地区，到甘肃青藏高原考察黄河源头。

普氏四次考察后，著有《蒙古和唐古特地区》（1875年）、《从伊宁到天山和罗布泊》（1878年）、《从斋桑经哈密到西藏和黄河上游》（1883年）等书。在书中多有内蒙古生态地理方面的记载。如"阴山高达8000英尺，长满树木，有多处泉水，这是蒙古高原所罕见的，阴山的森林由阔叶树组成，矮小而多节。高山上的草地犹如五光十色的地毯，铺在山巅，美丽非凡，尚无人的足迹。由此望去，黄河在山脚下流过，景色醉人，在这里我初次遇到酷似遥远家乡的森林草原……""鄂尔多斯西、北、东三面被黄河包围，是一片草原，少有居民，四周偶有几条不高的山。鄂尔多斯夏季天气炎热，中午时沙地表面热到70℃，因而骆驼光秃秃的脚掌都难以行走，夏天多有大雷雨（6、7、8三个月约有45个雨天），虽然黄河水流湍急，但水温仍达30℃。""在宁夏城附近有一座高山：贺兰山，山岭上覆盖森林，鸟兽颇多，但很难猎取。山上岩石巨大，峡谷深邃，两壁陡峭，或有风化的碎石隆起，走错一步就会坠入深涧。山里一片寂静无人，偶尔有岩鸽咕咕叫声和红嘴山鸦的尖叫声，红翅膀的旋壁鸟顺着陡立石壁爬行，鹰在高高的云端飞翔。"普氏还记载了贺兰山的一次山洪暴发的情景："山洪的急流卷动着巨石，震天动地涌来，冲击着两侧的岩石，就像火山爆发一样，把谷内的森林、树木连根拔起，断成碎片。只差一英尺，就把所有采集的样品冲走。"

普氏的功绩在于：他第一次搜集到当时世界科学界尚不知晓的亚洲中部蒙古高原的地理、气候、动植物、人种学和社会的新颖资料。普氏在内蒙古采集的植物中发现了4个新属：四合木属（Tetraena Maxim.）、绵刺属（Potaninia Maxim.）、沙冬青属（Ammopiptanthus Cheng f.）、百花蒿属（Stilpnolepis Krasch.）和40个新种，采集的动物有2个新种：贺兰山红尾鸲（Phoenicurus alaschanicus）、贺兰山马鹿（Cervus alphus alaschanicus）和6个新亚种。他确定了贺兰山的动物区系与阴山不同，阴山山地动物是北部的蒙古种为主，而贺兰山则是南部的喜马拉雅种。

俄国人在这一时期及其以后对中国北部和蒙古的考察活动是很频繁的。1871年，俄国人布廷（А. Л. Вутины）兄弟到东蒙古旅行，从蒙古的克鲁伦（今称乔巴山）南下穿越锡林郭勒草原经多伦到北京。在《俄国地理学会东西伯利亚分会会报》第 1 卷 4—5 期发表《沿途见闻》，报道了东蒙古的火山与火山岩的特征及生态环境，指出了侵蚀过程对草原干旱化与准平原化的重大作用。认为河流的干涸及盐湖底部的遗迹使我们有根据地设想这一草原地区在以前曾是富有地表水系的湿润环境，草原是在气候旱化和侵蚀过程中演化形成的。同年，俄国人罗温斯基（П. А. Роуинский）有两次蒙古高原之行。年初，他游历了北蒙古和乌兰巴托（库伦）。秋天，跟着商队从库鲁斯泰边哨经克鲁伦城向南，穿过草原经多伦后到北京，返程经张家口至乌兰巴托。他的游记（附旅行线路图）于三十多年后的 1909 年发表。游记中对察哈尔地区的火山现象及草原沙地均做了描述，认为火山活动曾强烈地出现在蒙古高原地区。他注意观察到沙地的分布是从西北向东南伸展的，是受盛行的西北风的作用而形成的。所以东蒙古分布的沙地较多，在乌兰巴托至二连浩特之间没有裸露沙地。他认为戈壁是不连续的，也是比较稳定的，不是可怕的环境。

1878 年，俄国旅行家彼甫措夫（М. В. Певцов）到蒙古和内蒙古考察。从蒙古阿尔泰山与杭爱山通过戈壁荒漠与草原到达呼和浩特。1879 年又从张家口去库伦（乌兰巴托）经大湖盆回俄罗斯。他以大地测量和地文考察为主，编制亚洲中部地图。在考察中观测记载了戈壁地区的河道、湖泊和山脉。他认为蒙古戈壁区的湖泊和干河床是过去这里雨水丰沛气候湿润的明证。造山作用是后期的现象，河湖萎缩的原因是地壳缓慢隆起，气候旱化，蒸发量增多。彼甫措夫在考察沿途也采集了植物标本送交彼得堡植物园，1883 年他发表了《蒙古与中国北部旅行简报》。

1878 年，俄国驻北京使馆医生布瑞特施耐德尔（E. V. Bretschneider）（德国人）从恰克图至乌兰巴托经张家口至北京。他在任期间（1878—1883年）一面研究中国的植物研究史，一面对北京城的演变和蒙古史进行考证。他的《欧洲人对中国植物早期研究》和《欧洲人在华的发现史》，成为 20世纪前我国近代植物学采集和研究史的重要参考资料。他的《元明西域史地论考》对研究 13—14 世纪亚洲大陆中部和西伯利亚的地理环境及交通条件具有重要价值。他在研究中第一个引用中国旅行家对蒙古高原的观察资料。

在普热瓦尔斯基组织大规模亚洲中部考察前后，俄国人波塔宁（Г. Н.

Потанин）带领着俄国地理学会的另一支亚洲中部考察队先后从 1863 年至 1899 年对蒙古和我国新疆、甘肃、四川、内蒙古等地进行了六次考察活动。其中第三次考察在内蒙古境内时间较长，1884 年 4 月从北京出发到河北保定，过长城去山西五台山，再从大同北上，7 月进入内蒙古，8 月由呼和浩特过黄河到鄂尔多斯考察。后转宁夏、甘肃，10 月到兰州，再去河西走廊。1885 年 4 月由河西走廊的高台、金塔到内蒙古的额济纳河流域，后经蒙古阿尔泰山回俄。1899 年波塔宁组织的第五次考察是对内蒙古的大兴安岭及其西麓的呼伦贝尔草原进行的一次夏季的考察。波塔宁在内蒙古考察中采到了大批动、植物标本，后经马克西莫维奇（К. И. Максимович）和柯马洛夫（В. Л. Комров）鉴定，已确定了 160 个植物新种与 3 个新属和一些新鱼种。他在《中国的唐古特西域边线和蒙古中部》（1884—1886 年）中记载了鄂尔多斯的毛乌素沙地植被遭受破坏的情况。1891 年还发表了论述鄂尔多斯流沙的文章，记载了清代本区居民增加，农民开垦沙地，牲畜增加，在沙地上进行不适度的放牧，使天然植被受到破坏，沙地流动化的情景。波塔宁在《1899 年夏大兴安岭中部纪行》（俄国地理学会汇刊第 37 卷第 5 期，1901 年）中报道了对呼伦湖的湖岸进行了测绘的结果，成为考证该湖湖岸变迁的历史资料，也描述了呼伦贝尔草原丰茂的生态环境面貌。另外，他在考察额济纳时，听当地牧民说河东岸不远有一座黑城废墟，也加以介绍，成为后来科兹洛夫（П. К. Козлов）大力发掘"黑城"的重要线索。

在波塔宁的考察期间，俄国军官喀里纳克（Е. Гарнак）于 1887 年对大兴安岭南部地区进行了考察，采集植物 110 多种。1891 年俄国驻天津军事机关上校普亚塔（Д. В. Путяты）也到大兴安岭南部考察，其路线是喜峰口—承德—大兴安岭南部—达里诺尔—张家口—北京，采集植物近 300 种。1898 年俄国医生札勃洛特奈（Д. К. Заболотный）沿恰克图到张家口的路线采集植物 100 多种。1899 年俄国植物学家帕里滨（И. В. Палбин）从乌兰巴托沿克鲁伦河到呼伦贝尔草原及大兴安岭，又进入中国东北考察，采集植物标本 2 000 多份，并对以上两位军官和一位医生所采的植物标本一起整理鉴定。1902 年起陆续在俄国地理学会编辑出版的《北蒙古植物区系资料》第 1—4 卷发表了研究成果，并于 1904 年发表了《库伦—张家口间蒙古草原植被概论》。帕里滨进行了东蒙古地区考察后，认为大兴安岭山地的特殊形态和谷地的岩石悬崖上有深刻擦痕的现象可以证实大兴安岭经历过冰川作用。他还提出：要确定太平洋季风分布区的确定界线是很困难的，这条界线大体上在大兴安岭以西，当走进这一界线以西的沙地景观区，大气状况就有明显变化。

1884—1890 年俄国旅行家格罗姆、格尔日迈洛（Г. Е. Грум，Г. Е. Гжимайло）兄弟在我国西北和蒙古进行了广泛考察。1889—1890 年，受俄国地理学会派遣到我国东天山、准噶尔、河西走廊北山和戈壁考察。其中，对龙首山的山地植被做了记载：北山中部（龙首山）海拔 2 791 米，有云杉（Picea crassifolia）、桦（Betula sp.）、花楸（Sorbus sp.）、和杨（Populus sp.）组成的云杉林，林下灌木有蔷薇（Rosa sp.）、栒子木（Cotoneaster sp.）、鼠李（Rhamnus sp.）、和柳（Salix sp.）等。格氏兄弟考察后陆续发表了《中国西北纪行》（3 卷，1896—1907 年）、《西蒙古与乌里雅斯台边区》（1914 年），《历史时期亚洲中部荒漠增长与耕地毁灭》（俄国地理学会汇刊第 65 卷第 3 期，1933 年）。

1892—1894 年，俄国地质地理学家奥勃鲁切夫（В. А. Обручев）每年来华考察，对中国地质研究影响颇大。特别是 1893 年参加俄国地理学会由波塔宁组织的蒙古和中国西部地学考察，他从恰克图出发，经乌兰巴托横越戈壁和草原到张家口再到北京。以后又从山西到内蒙古鄂尔多斯考察，向西过黄河，登贺兰山经宁夏至兰州，再沿祁连山向西北到酒泉。1900—1901 年发表了《亚洲中部、中国北部及祁连山》（两卷）。他从内蒙古西部的额济纳河流域至戈壁阿尔泰山进行考察，对戈壁荒漠以新的眼光来评价其荒凉性。在二连附近洼地里发现了第三纪犀牛的化石，说明了许多戈壁中的洼地近期沉积是陆相沉积，而不是人们所说的亚洲内海的海相沉积。三十年后的美国考察队就是根据这一线索在二连附近的若干洼地中发现了大批白垩纪脊椎动物和第三纪哺乳动物化石。奥氏的重要贡献是论证了黄土高原的成因学说"风成说"，他认为黄土是岩石风化作用的产物，是以粉沙状物质被风吹扬堆积成厚薄不等的沉积层，以中国北方的黄土最为典型。中国的黄土高原是由亚洲中部的风蚀风积过程所形成的，由于有草原植被的作用而沉积下来，逐渐形成深厚的黄土层。另一类风积物——风砂土，由颗粒较大较重的粒子所组成，风力不能搬运到很远的地方，所以多在黄土地区以北沉积下来，形成沙漠和沙地。它的分布，东起大兴安岭，南至鄂尔多斯和阿拉善，西达准噶尔和大戈壁荒漠。他还指出了戈壁洼地中一般没有黄土沉积，洼地的底部多出露第三纪和更古老的基岩。

1892—1893 年，俄国人波兹德涅耶夫（А. М. Позднеевы）完成了大规模的蒙古旅行，进行了文化考察。对喇嘛教、蒙古人的历史和史料编纂很有兴趣，1898 年出版了两卷著作《蒙古和蒙古人》（旅行日记）。第一卷是记述蒙古的资料，第二卷是内蒙古范围的资料。其中提供了若干生态地理环境资料，第二卷旅行日记是从北京出发记起，北京—张家口，张家口—呼和浩特，呼和浩特—张家口—承德，承德—多伦，多伦—经棚，经棚—乌兰巴托，重点记述了呼和浩特、承德、多伦。在呼和浩特的记载中描绘了岱海滩的环境。"从天成出发，道路两旁是一片未开垦的草原，翻过韩庆坝，下了山坡，来到岱海滩，蒙古人称为'岱根塔拉'，以前还是察哈尔人的游牧区。汉人见这些土地适宜耕种，就请政府允许，进行开垦，这一请求得到北京政府批准后，许多由山西忻州迁来的汉人就在这里住下来。"岱海滩当时有两个湖，"西南湖方圆至少有 60 俄里，湖畔的碱地多，湖岸平缓，每到夏天雨季湖水泛滥时，田地常常被淹没。东北湖我们未能到达，它被湖岸高地遮住，隐藏在深谷中"。他也对戈壁环境进行了阐述：认为戈壁的土壤多是砾质土和沙质土，在低洼地方，往往成为富饶的绿洲。

三、20 世纪前半期，日本、俄国和欧美国家在侵华活动中的掠夺性考察研究

在 19 世纪的上述多次考察之际，日本帝国的明治维新推动了国内资本主义的发展，因而产生了向国外开辟市场和侵占领土的极大野心。对中国东北和蒙古地区的控制权成为日俄争夺的焦点，1904—1905 年日俄战争以后，日本取代了帝俄在我国东北地区的势力，加紧了对华的侵略。20 世纪前期，日本也大肆开展对满蒙地区的资源与环境考察，但是，俄国与早期苏联对蒙古和中亚的地理考察仍在继续进行。

20 世纪早期，俄国地理学家科兹洛夫（П. К. Козлов）又组织了一轮对亚洲中部的大规模考察。1899—1926 年间，科兹洛夫考察队沿着三个方向多次到各地考察。其中对内蒙古西部的阿拉善、额济纳地区生态地理环境的

考察十分详细。1899—1901 年首先组织了蒙古—西藏考察，从阿尔泰山出发，到内蒙古阿拉善和祁连山东部，中间进入巴丹吉林沙漠，这是首次对巴丹吉林沙漠的科学考察，后去青海、西藏。科兹洛夫在 1905 年出版了《蒙古和喀姆》一书，其中报道了阿拉善地区的自然地理生态环境与社会情况。1907—1909 年又进行了蒙古—四川（西康）的考察。其中在内蒙古额济纳河东岸对"黑城废墟"进行挖掘，发现了一大批西夏的珍贵文物，这一发现使科兹洛夫名声大振，1923—1926 年他在最后一次蒙古、西藏考察时，再次挖掘了黑城废墟并对东、西居延海进行考察。1909 年他在《率领蒙古和西藏的探险考察》一书中对额济纳地区有不少生态环境的记载："外阿尔泰戈壁地区有优美、富饶的额济纳河沃地（绿洲），其中最引人注目的是胡杨林和柽柳灌丛。湿地上有浓密高大的芦苇，还可见到苔草、碱毛茛、海乳草、海韭菜等。较干燥处生长着枸杞、白刺、骆驼刺、甘草、苦豆子、骆驼蓬和芨芨草等。洪水把冲积物堆积在额济纳河谷滩地中，形成了淡黄色的冲积土壤和浑圆的卵石，下面有潜水的蓄涵，有些地方泉水溢出地面。额济纳河沃地的植被非常鲜艳夺目，芦苇占有很大面积，高达 3—3.5 米。胡杨林构成沃地的基本背景（蒙语托来依），林下有许多更新苗和幼树生长。在沃地外缘生长的梭梭，高达 2.5 米，散布在大面积戈壁上。浓密柽柳灌丛成为兽类和鸟类的隐身处，河湖淡水吸引动物来这里喝水，兽类行走的小道，从四面八方向额济纳沃地集中。苏果淖尔湖上有众多鸟类栖息飞翔。"

科兹洛夫考察队成员、地质学家契尔诺夫（А. А. Чернов）在阿拉善地区考察了拐子湖谷地，记载了谷地呈东西方向延伸，长达 80 公里。因潜水的水位离地面仅 1—2 米，潜水外溢形成泉水和径流，所以植物和动物较多，在谷地中形成一些生长芦苇的沙质草地与龟裂盐地，谷地边缘有新月形沙丘。中央戈壁地区大气降水稀少，谷地中的盐渍化程度不重，表明了拐子湖谷地曾经与额济纳河及湖泊是相连接的。考察队成员契图尔津（С. С. Четыркин）和卡兹纳科夫（А. Н. Казнаков）的考察路线是戈壁阿尔泰山—拐子湖谷—巴丹吉林沙漠北部—腾格里沙漠—巴音浩特—贺兰山。他们记载了两大沙漠和贺兰山的一些生态学资料。

科兹洛夫考察队在内蒙古和蒙古采集到大批植物和动物标本，后被生物学家鉴定出许多新种。这些标本资料也成为俄国和苏联学者研究蒙古高原生态学问题的重要基础性依据。

20 世纪初期，还有一些俄国人到中国东北和内蒙古东部进行考察，乌克兰植物学家利普斯基(В. И. Липский) 与利特维诺夫(Д. И. Литвинов) 先后在 1901 年和 1902 年到呼伦贝尔草原及大兴安岭（海拉尔—牙克石—札兰屯）进行植物采集和生态考察。斯科沃尔措夫(Б. В. Скворцов)、伊·科兹洛夫(Инн. Козлов)、高尔杰耶夫(Т. П. Гордеев) 等人 20 世纪前期在我国东北的哈尔滨市组织学会进行植物生态学的相关考察研究，发表了关于内蒙古东部植被生态学研究论文。

俄国著名植物学家柯马洛夫(В. Л. Комаров) 院士对中国东北及内蒙古东部的植物区系有深入的研究，1908 年所发表的《中国和蒙古植物区系导论》成为经典性的著作。

进入 20 世纪，日本帝国把侵略和吞并中国作为最主要的国策，处心积虑地控制和占领中国国土。从 20 世纪之初到 40 年代，曾组织大批人员来华进行资源与环境的掠夺性考察活动。首先是对我国东北、华北及内蒙古地区的自然和人文地理考察，其中也包括对生态环境和生物资源的调查。日俄战争后，日本开始控制我国东北，在大连组建了"南满铁道株式会社"（简称"满铁"），这是全面对华实行经济、文化侵略的桥头堡。

1906—1907 年，日本人鸟居龙藏组织考察队到中国东北和内蒙古东部做地理考察，同时期来内蒙古东部考察的日本人还有白泽、佐滕佐吉、神保、协山三弥等，为以后的调研做了准备，所采集的植物标本交由东京帝国大学矢部吉祯整理。

1909 年，"满铁"派遣矢部吉祯等人到辽河流域进行生物调查，编辑出版了《南满植物名录》（1912 年）。随后由"满铁"相关部门组织完成了《满蒙牧草植物调查》、《兴安北省牧野调查》、《大兴安岭纵断面调查》、《满洲森林》等多项成果。

1931 年"九一八"事变之后，日本在我国东北炮制了伪满洲国，又在长春成立了伪满大陆科学院，在多学科的考察研究活动中，也开始进行生物资源和生态环境方面的调研。先后由北川政夫发表了《海拉尔附近的植物相》（1937 年）、《博克图附近的植物相》（1937 年）、《满洲植物考》（1939 年），由斋藤渡边发表了《满洲产野生饲料植物》等专题报告。

日本人以开拓殖民地为目标的大量侵华活动中，也包括对内蒙古中、东部的多项考察。1933 年日本早稻田大学的德永重康组织了地理学、动物学、植物学、人类学方面的一批学者，成立"第一次满蒙学术调查团"，首先对赤峰市地区进行了综合考察。结果，出版了 6 卷集的调查研究报告，第 4 卷是生态学与植物学的内容。由本田正次、中井猛之进、高桥基生等人报道了新发现的物种以及植被与土壤环境的关系。1934—1939 年间，早稻田大学的满蒙学术调查团还多次到我国东北和华北做调查研究，有些也涉及内蒙古东部地区。1938 年"京城大学蒙疆学术探险队"和"京都大学学术调查队"都到内蒙古东部做过调研。1941 年，"东京帝国大学浑善达克沙地调查队"做了沙区的专项调研，由多田等人写出《蒙疆浑善达克沙地调查报告》。北支经济调查所进行了锡林郭勒草原的生态考察，1943 年出版了《蒙疆牧野调查报告》。书中由岩田悦行写了详细的植被调查结果，划分了羊草群落、贝加尔针茅群落等 12 种群落类型，列出了 258 种植物的名录和描述。

此外，还有一些来内蒙古做考察的日本学者，如三浦密城在内蒙古广泛采集植物，完成了《满蒙植物目录》（1925 年），《察绥植物目录》（1937年），《满洲植物志第 2、3 辑——禾本科、豆科》；佐滕润平发表的《满蒙植物写真辑》（1934 年）、《东乌珠穆沁植物调查报告》（1934 年）等。

除日俄两国的人员来华考察以外，欧美国家的人员也曾在 20 世纪前半期来华进行过考察活动。

1900 年德国学者富特瑞（K. Futterer）来中国西部考察，曾到内蒙古西部区进行植物采集，所采标本由柏林植物园的迪尔斯（L. Diels）进行整理，于 1903 年发表了富特瑞（K. Futterer）采集的植物名录和发现的新种。1910—1917 年间，德国的林普列赫到赤峰地区做生物调查，标本也由德国学者鉴定。

奥地利的维也纳自然博物馆学者汉德·玛兹（H. Handel. Mazzetti）1923—1931 年到中国连续多年做生物学考察研究，他所确定的一批新种和中国生物地理学研究论著中都包括内蒙古地区的内容，把内蒙古西部划入"戈壁蒙古荒漠区"。

美国纽约自然历史博物馆多次进行中国北方的生物学考察，1913—1915年索维布（A. de C. Sowerby）对内蒙古东部做了生物调查，1922 年发表了

《在满洲的一个自然科学家》，其中介绍了内蒙古东部的景观生态环境和生物类群。1918—1919 年和 1924—1925 年博物馆的安德芮（R. C. Andrews）两次率队到华北和内蒙古做古生物学考察，其中由喀奈（R. W. Chaney）根据采集的植物标本编制了植物名录。

美国华府地理学会 1923 年由乌尔森（F. R. Wulsin）主持甘蒙科学考察队进行植物、动物和人文环境的考察，中国植物学家秦仁昌主持植物考察，所采植物送美国纽约植物园做鉴定，1941 年发表了《秦仁昌在蒙古南部所采的植物》。根据调查结果，1935 年美国农业部又派茹利贺父子（N. Roerich & G. Roerich）带领工作队到内蒙古的察哈尔、百灵庙等地调查采集适应干旱的牧草种子和植物标本，中国植物学家耿以礼参加了考察工作，确定了禾本科牧草中的隐子草属等植物类别。从内蒙古采集的冰草带回美国广泛栽培，已成为美国的一种重要牧草资源。

瑞典的地理学家斯文·赫定（Sven Hedin）在 1927—1935 年间组织中瑞西北考察队，对中国西北和内蒙古进行多学科的大规模综合考察。包括地理学、地质学、气象学、古生物学、动物学、植物学、人类学、考古学等广泛的调查研究内容。从 1937 年起到 1962 年共出版了 45 卷研究报告，成为 20 世纪前半期研究内蒙古和西北地区生态地理环境最丰富的成果。

20 世纪前半世纪的中国正是推翻了封建帝制，军阀混战和抗日战争的国难时期，这时民不聊生，文化凋敝，没有民主，鲜有科学。中国学者能对边陲之地的内蒙古做科学考察和生态环境的研究工作，当然只是凤毛麟角，不可多得。

1923 年 5 月，秦仁昌参加美国人乌尔森组织的甘蒙科学考察队，到了内蒙古的东阿拉善，登贺兰山，细心采集植物达数百种，开花植物百种，又经多年整理研究和美国纽约植物园的瓦尔柯合作，到 1941 年在我国《静生生物调查所汇报》10 卷第 5 期上发表了《贺兰山植物采集纪略》，这是我国学者最早对内蒙古的考察研究工作。

1929 年刘慎谔到内蒙古和西北地区做生态地理学考察，他从呼和浩特、包头经河套平原进入阿拉善荒漠区，最后到新疆。考察资料经整理总结，于 1934 年发表了《中国北部及西北部植物地理概论》一文，其中述及内蒙古西部的植被生态特征。

中国植物学家耿以礼 1935 年参加美国农业部的茹利贺调查队，来到内蒙古的百灵庙一带采集植物 200 多种，特别对禾本科植物做专门采集和研究，确立了新属和新种，成为中国人研究内蒙古植物种属分类的先行者。

宁夏林务局 1941 年组织了贺兰山森林与植物生态调查，在冯钟粒发表的《贺兰山森林调查报告》中讨论了植被垂直分布，划分了 4 个森林带，描述了各种林型的生态特征和分布面积，是研究贺兰山植被生态学的重要文献。

以上概述了中华人民共和国成立以前约 300 多年所经历的运用科学方法认识内蒙古地区生态地理环境和生物界的历史过程，也反映了我国自清代以来的社会变迁。从鸦片战争以后，我国开始沦为半封建半殖民地社会。内蒙古作为边疆民族地区，更逐渐进入了贫困落后的历史时期。这里的资源任意被外国人所掠夺，在三百多年的历次科学考察研究中，所取得的科学资料全部由外国人占有。在内蒙古的土地上没有留下一份正规的生物标本，也没有一份报告是为内蒙古人民的建设事业所撰写。当然，我们也不否认，这些长期积累的科学资料对认识内蒙古的生态环境和自然资源是有重要价值的，为今后的研究和发展是打下一定基础的。

第三节　内蒙古自治区建立以来生态科学的发展

1947 年是内蒙古发展史上一个崭新的起点，它在新中国即将诞生之际，率先建立了我国第一个民族自治区。这时，要医治战争创伤，恢复经济，发展生产，各项建设事业均百废待兴。为此，经济、文化、科技、教育、卫生事业的振兴已成为人民的渴望和历史的需要。从我国经济恢复阶段和第一个五年计划期间起，内蒙古自治区的各项建设事业均受到国家的高度关注和切实的支持。先后派遣经济、文化、科学等专家队伍进行资源、环境与文化、科技等考察研究工作，全面安排内蒙古的工农业建设项目。在国家和各地的有关部门及人士支持下，相继建立了内蒙古畜牧兽医学院（现为内蒙古农业大学）、内蒙古师范学院（现为内蒙古师范大学）、内蒙古大学等多所高校以及一批工、农、牧、林业及人文社会科学研究院（所），开创了内蒙古经济文化科学教育卫生事业发展的新纪元。其中，生态科学、环境与资源科学也得到突出的长足发展。

一、李继侗是我国生态科学的开创者，是内蒙古草原生态学的奠基人

新中国成立之初，对发展各项事业还缺乏成熟系统的经验，需要向社会主义国家苏联学习，借鉴国外的先进经验。在科技文教事业中也参照苏联的做法，建立了中国科学院和农林医药等多种科学研究院（所）。为了发展高等教育事业，也仿照苏联的院校建制，进行了院校调整、专业设置和教学改革等项工作。

1953 年中国科学院派出访苏代表团到苏联考察，我国植物学家吴征镒等人作为代表团成员着重考察了苏联的生物科学和地理科学等相关领域的学科发展情况。他们了解到苏联作为世界上国土面积最大的国家，生态科学是富有特色的重要学科领域，并且形成了国际上著名的三个生态学派之一。其中，植物生态学、地植物学、植物地理学在苏联的生物、土壤、地理及相关的科学机构中更占有突出的地位。苏联改造大自然计划的制订和实践中，植物生态学与地植物学家担负着重大的科学任务。苏联的集体农庄、国营农场、林业基地、草原牧场更需要植物生态学与地植物学的工作。代表团在考察报告中介绍了这些情况，苏联的这些成就和经验在当时给予我们很重要的启示。

同年，我国教育部在青岛举行了全国第一次大学理科教学工作会议，会上确定了植物生态学和地植物学应列为大学生物系的专业课程，植物地理学也定为生物系和地理系的专业课程。并委托北京大学的李继侗、南京大学的仲崇信、云南大学的曲仲湘等三位教授（他们是我国当时仅有的著名植物生态学家）编订植物生态学、地植物学和植物地理学教学大纲。会上也酝酿了在北京大学、南京大学、云南大学等高校设立植物生态学与地植物学专科的方案。

地植物学是研究植物群落与环境关系的一门科学，也称植物群落学或称植被生态学，是广义植物生态学的重要分科。将研究植物个体与环境关系的学科作为狭义植物生态学。关于发展植物生态学和地植物学的必要性，也因当时我国各地正在建立许多国营农（牧）场及特种作物种植场和林场等，都需要制作植被图和土壤图等，以便评价土地资源，制订生产计划和方案，

这是当时生产的急需。由于科研、生产、教学三方面的需求，为生态学、地植物学和植物地理学在我国的生根与发展创造了有利的形势。

在我国教育部的统一部署下，从1953年起，北京大学、南京大学、云南大学、兰州大学等相继建立了植物生态学的专科或教研室。北京大学从1954年开始由李继侗招收研究生和指导进修教师，他引用苏联编订的《地植物学研究简明指南》指导高年级学生和青年教师首先在北京市的山区进行地植物学暑期野外实习，编写出《北京小西植被生态考察》①一文，对山地植被做出详细的群落分析。并相继完成了北京市植被的研究，发表了《北京市的植被》②。

1954年，中国科学院植物研究所设立了植物生态学与地植物学研究室，李继侗兼任研究员，并与北京大学联合培养植物生态学专业人员。1954—1955年，李继侗与多位植物学家、土壤学家、地理与地质学家参加了"中国科学院黄河中游水土保持综合考察队"，在黄土高原的实地考察研究中，既完成了植被生态学研究的成果，更锻炼了一批青年植物生态学专业人员。经过数年的努力工作，到1958年，由北京大学和中国科学院植物研究所等单位为我国北方培养出数十位植物生态学中青年学术骨干。这是20世纪后半世纪在我国北方长期坚持生态学工作而成长的一批优秀的生态学者，是新中国成立后生态科学的开拓者。

北京大学于1953年创建的植物生态学科组，在富有远见的李继侗主持下，选定了内蒙古草原作为发展生态学的主攻目标，确立了在我国开创草原生态学的方向。1952—1957年间，他广泛查阅苏联和欧美的文献，多次给研究生和青年教师讲授国际生态学的发展，在此基础上于1958年出版了《植物生态学、地植物学和植物地理学的发展》一书，成为指导青年进入生态学之门的向导。为了开展内蒙古草原植被生态学研究，李继侗翻译了《蒙古人民共和国植被基本特点》《蒙古人民共和国天然草地资源》等书作为重要参考文献。1956年，花甲之年的李继侗亲自带领青年教师和学生，不远数千里，到内蒙古呼伦贝尔草原做生态学考察研究，主持撰写出《草

① 马毓泉文集编辑组：《马毓泉文集》，内蒙古人民出版社1995年版，第37—116页。
② 《北京大学学报》（自然科学）1959年第2期。

原植被生态学研究报告》①，为青年学者做草原生态学研究提供了范例。

1957 年，李继侗接受周恩来总理签署的国务院任命书，担任内蒙古大学副校长。他毅然带领一批教师和研究生来到呼和浩特，为内蒙古大学设计了发展草原生态学研究和培养人才的方案。在乌兰夫主席兼校长领导下，把生态学确定为内蒙古大学的重点学科。由中青年教师李博、马毓泉、刘锺龄等人组成生态学与地植物学教研室，在李继侗指导下，全面展开内蒙古草原与荒漠植被生态学和植物区系的考察研究工作，并在生物系植物学专业内设立生态学与地植物学专科，于 1957 年即按五年制开始招生。自此，四十多年来，内蒙古大学的历届党委和校长始终把生态学作为重点学科着力加强建设。已培养出六百多名生态学毕业生。其中，已有近百人获博士学位或成为研究与教学骨干人员，有些已在国内外的学术单位成为优秀的学术带头人和知名学者。

二、20 世纪 50 年代以来内蒙古生态地理环境和自然资源的科学考察研究工作

新中国成立之后，国家和人民对内蒙古的经济建设和社会改革寄予厚望。曾多次由国家有关单位与内蒙古自治区的相关部门对草原牧区、林区、农区的资源和生态环境进行考察研究，下面做简要说明：

最早的一次考察是 1952 年夏季，由国家和内蒙古有关部门组织的牧区考察团对锡林郭勒草原的资源调查。我国老一辈草地学家王栋教授带领许令妊和生态学家李世英等人从北京出发，经张家口到苏尼特的温都尔庙，再到锡林浩特考察。1955 年发表了考察报告《内蒙古锡林郭勒盟草场概况及主要牧草介绍》。报告中把锡林郭勒草原划分为 5 个类型，并对 40 多种主要牧草的生态特性、营养成分和利用价值做了论述。

随后在 1955 年，我国农业部和内蒙古农牧厅组织内蒙古伊克昭盟草原调查队，由北京农业大学贾慎修教授主持，从东胜往西对郡王旗、鄂托克旗、杭锦旗等地作草地调查。包括伊克昭盟的地理条件、草地类型、草地植被演替、草地评价和草地畜牧业及饲料生产等内容，最后写出《内蒙古伊

---

① 李继侗文集编委会：《李继侗文集》，科学出版社 1983 年版，第 245—284 页。

克昭盟草原调查报告》。以上两项考察研究成果都是新中国诞生后最早完成的内蒙古草原地区草地资源报告。

对内蒙古大兴安岭森林资源也及时进行了调研，1954—1955 年，我国林业部邀请苏联森林调查设计总局的专家与中国学者共同组成综合调查队。全面进行了大兴安岭林区的生态地理环境、森林类型、林木生长量、木材蓄积量、森林更新、林木病虫害等多项调查。划分了 8 个林型，编著出版了 8 卷集的《大兴安岭森林资源调查报告》，作为指导大兴安岭林区开发和森林采伐的重要科学依据。

1956 年北京大学李继侗教授应内蒙古农牧厅的邀请，带领青年教师和研究生及学生到呼伦贝尔草原，为发展草原畜牧业，建立优质种畜生产基地，筹建谢尔塔拉种畜场，进行了呼伦贝尔草原植被生态学调研。经过测绘，编制出草原植被图，完成了植被研究报告。作为草地资源评价的科学资料，提交当地政府作决策依据，这是我国学者最早对呼伦贝尔草原所做出的植被生态学研究成果。同年秋，李继侗又对邻近内蒙古边境的萨尔图草原（现为大庆油田地区）及河北省张北草原进行生态学考察，并在察北牧场系统讲授生态学基础和草原地植物学研究方法，这是为我国草原生态学奠基的重要工作。

中国科学院与苏联科学院联合组成黑龙江流域综合考察队，于 1956—1959 年对我国境内呼伦贝尔地区的额尔古纳河流域和嫩江流域的自然环境与资源作了全面考察研究，考察之后编辑出版了土壤生态学、植被生态学、自然地理学等相关的研究报告和《黑龙江流域综合考察学术报告》文集。

中国科学院黄河中游水土保持综合考察队于 1957—1958 年设立固沙分队，邀请苏联专家彼特洛夫（М. П. Петрово）参加合作，先后到内蒙古鄂尔多斯地区的毛乌素沙地与阿拉善地区的腾格里沙漠进行生态地理考察，取得了沙地与沙漠形成、风沙运动、沙生植物的固沙作用等科学认识，发表了相关的论文。

内蒙古自治区人民政府有关部门也在 50 年代后期开展了草原、森林、土地、生物资源等多方面的考察研究工作。一是内蒙古畜牧厅草原管理局1957—1959 年组织的全区草地土壤、植被、畜牧业的考察。二是内蒙古农业厅土地勘察设计院从 1958 年起所作的土壤普查。三是内蒙古林业厅 1957

年起所开展的森林资源和林业经营的考察。四是内蒙古科学技术委员会1958—1960 年组织内蒙古大学等高校进行全区植物资源考察。三年间，测绘编制了全区的土壤图和植被图草稿，共采集植物标本 1 万余号，初步查清了内蒙古的植物约 2 000 种，有重要资源价值的植物约 600 多种，发表了《锡林郭勒盟区系植物考察报告》《内蒙古草原区植被概貌》《内蒙古的针茅草原》等论文，编辑出版了《内蒙古农牧业资源》与《内蒙古经济植物手册》等专著。这些考察成果为建立内蒙古大学植物标本室和编写《内蒙古土壤志》《内蒙古植物志》《内蒙古植被》与《内蒙古森林》等奠定了基础。根据草原考察资料，计算了全区草地的承载力，这时全区约有 1 200 万公顷草地（占 20%）承载的家畜已经达到饱和。因此，提出建议：必须坚持草原生产力和家畜数量的平衡发展。

1959—1963 年中国科学院治沙队按照国家科学发展规划的要求，在中国科学院黄河中游水土保持综合考察队固沙分队的工作基础上，对中国西北和内蒙古的沙漠与沙地进行综合考察。在内蒙古境内，三年间考察了巴丹吉林沙漠、乌兰布和沙漠、库布齐沙漠、毛乌素沙地和浑善达克沙地。并在乌兰布和沙漠设置了治沙综合实验站，对沙区动态进行观察与测试。几年的考察研究获得丰厚成果，采集了大量的沙区植物标本，为编著沙漠植物志打下基础，还编制了各大沙漠区的植被图、景观类型图、土地利用图等多种图件，共出版了 6 卷《治沙研究》文集。以本次治沙队的研究工作和主要人员为基础，在兰州建立了中国科学院沙漠研究所，为以后的沙漠化研究、沙区生态环境保护与资源利用、治沙工程的实施等创造了科学研究的阵地。

根据国家科学发展规划，从 1961 年起，中国科学院内蒙古宁夏综合考察队正式开始工作，按自然资源、经济和产业门类设立 12 个专业组，当年考察锡林郭勒草原区，1962 年考察西辽河流域的昭乌达盟和哲里木盟，1963 年组成两个队分别考察呼伦贝尔盟与伊克昭盟，1964 年再集中对锡林郭勒盟和乌兰察布盟进行考察，1965 年考察巴彦淖尔盟。在五年的考察过程中写出各项专题报告 150 多篇，并每年及时向内蒙古自治区政府汇报研究结果，对内蒙古的经济发展和建设事业提出建议。正当对五年考察工作进行汇总，逐步完成系列专著和最后成果之际，我国发生了"文化大革命"，迫使工作停顿。直到 1972 年，又重新开始进行成果总结和专题性与补充性的考察。经数年努力，先后在 1976—1985 年完成了内蒙古的地貌、气候、水资源、土壤、植被、草场、畜牧、林业 8 部专著的出版。这是在继承前人考察研究成果和历史资料的基础上，论述内蒙古生态地理环境与自然资源并论及经济与社会发展重大问题的一套最全面的科学成果。在内蒙古的地理科学、生态科学、资源与环境科学的发展中，发挥了承前启后积极创新的重要作用，曾于 1978 年荣获全国科学大会的嘉奖及中国科学院的科技成果奖。

在"文化大革命"动乱期间，当时内蒙古的呼伦贝尔盟、哲里木盟和昭乌达盟于 1969 年分别划归黑龙江省、吉林省与辽宁省管辖。在"文化大革命"的错误方针指导下，黑龙江省决定对呼伦贝尔草原进行大规模开垦，引起科学界的关注和担忧。1972—1975 年，中国科学院地理研究所、土壤研究所与内蒙古大学等单位及当地的科技人员组成黑龙江土地资源考察队，按照土壤学与植被生态指标进行科学考察与土地评价，坚持了农牧林合理规划用地的原则，避免了大规模的盲目开垦。

1958 年，内蒙古大学副校长兼内蒙古自治区科学技术委员会副主任李继侗提出了全面进行内蒙古的植物标本采集与调查，建设植物标本室，积极创造条件，编著内蒙古植物志的重大科学工作任务。并聘请我国著名植物学家刘慎谔和崔友文担任学术指导工作，要求内蒙古大学的马毓泉主持此项工作。经过二十年对内蒙古全区植物区系及植物资源的考察研究和植物标本室的建设，1977 年由内蒙古科委组织内蒙古大学、内蒙古农牧学院、内蒙古师范学院、内蒙古林学院、内蒙古医学院、内蒙古林业科学研究院、内蒙古药品检验所、中国农业科学院草原研究所等单位的专业人员组成内蒙古植物志编写组（1981 年扩大为内蒙古植物志编委会，由马毓泉任主编），正式开始进行编著工作。到 1985 年，《内蒙古植物志》共分 8 卷，全部由内蒙古人民出版社出版。由于受当时内蒙古自治区行政区域缩小所限，致使《植物志》第 2、3、4 卷的植物种类不全。为此，从 1986 年起，内蒙古科委和内蒙古教育厅再次资助经费，继续由原编委会和全体作者开始编著《内蒙古植物志》的第 2 版。到 1998 年，全志第 2 版分为 5 卷以崭新的面貌出版问世。内蒙古的一代植物学和植物生态学工作者与相关学科的学者合作，经过四十年的努力，先后完成的两版《内蒙古植物志》是内蒙古科学史上具有里程碑意义的重大科学成果。

进入 20 世纪 80 年代，在新形势下，学习国外先进科技成果，开始在生态学、环境与资源科学领域采用卫星遥感技术和地理信息系统方法进行考察研究工作。1983—1986 年国家科委下达了"六五"科技攻关项目："内蒙古草地资源遥感调查"，由北京大学与内蒙古大学主持，联合南京大学、北京师大、华东师大、东北师大、内蒙古师大等院校的生态学和地理学的专业人员，分成草地、植被、土壤、地貌、水文、土地利用、气候、地理制图 8 个专业，利用 MSS 卫星遥感影像技术，分区做地面调查解译。这是运用现代技术，作草地与土地资源调查及评价的一次成功的尝试。编写了 80 余篇论文和专题报告，出版论文集 3 卷，编制出版了《内蒙古自治区草地资源系列地图》（8 种）。本项科学成果荣获内蒙古自治区科学技术进步一等奖和全国科学技术进步三等奖。

20 世纪 90 年代，内蒙古草原、森林和整体环境已经严重恶化，为了扭转生态环境恶化的局面，使农牧林业实现可持续发展，1997—2000 年，内蒙古草原勘察设计院运用最新遥感手段 ETM 卫星遥感信息，对内蒙古草地资源现状和草地生产力进行了新一轮调研。所取得的成果在实施西部大开发战略中，是指导草地畜牧业健康协调发展和建设北方草原生态安全体系的重要科学资料。内蒙古林业厅和林业勘察设计院对内蒙古的天然林保育工程和防沙治沙工程也进行了最新科学考察与设计工作。为森林资源保护和自然保护区的建设做出科学支撑。内蒙古环境保护局在多方考察研究和遥感研究工作基础上完成了"20 世纪末内蒙古生态环境信息查询分析系统"。

三、草原、森林、农业生态学，环境保护与资源科学的定位观测及实验研究

内蒙古自治区成立以来，随着经济与文化各项事业的发展，在工农牧林业生产和社会生活中，诸如产业规划布局和重大关键性措施、自然资源合理开发利用、自然灾害的防治、生态环境问题的逐渐发生等，必须寻求正确答案和解决对策。所以对生态、环境与自然资源的动态观测和实验研究提出了迫切需要，因而各高等院校、科研院所及技术与管理部门逐步建立。根据上述需求和历次多学科考察研究结果，由相关业务部门选择适当区域及典型地点，相继建立起多项生态环境与资源动态观测和科学实验台站，取得了丰富

的科学成果，下面做简要说明。

气象观测、预报和气候规律性研究是长期坚持并积极发展的一项生态环境与资源科技事业。内蒙古气象局及其台站系统，半个世纪以来，积累了各台站建立后的完整气象观测数据资料。为我区和国家的各项生产建设、防灾减灾、重大决策、科技文教及人民生产生活等提供了天气预报和高质量的信息服务。内蒙古气象局和国家气象研究单位对内蒙古各地的气候动态特征、气候资源与灾害条件及全区气候区划等进行了多层次研究，完成了气象科技的多种论著及软、硬件成果。

内蒙古的地质矿产部门根据全国的统一计划，完成了全区的地质普查工作，编制了全区地质图和重点地区的专项地质图件。对全区的地质环境和矿藏分布取得了基本科学资料，在水文地质领域，也进行了全区的探测，为农牧林业生产和工矿用水提供了有价值的科学资料，工程地质研究为我区一些重大建设项目提供可靠依据。对于古地理环境变迁和古生物演化史也有不少科学探索的成果，这是认识现代生态环境特征和评价土地资源的基本依据。

20 世纪 50 年代以后，发达国家的环境污染和多种公害已经显现，并逐渐成为人类所面临的全球性问题。1972 年人类环境大会向世人发出警示，我国也及时把环境保护事业提上日程。80 年代以来，内蒙古在经济与社会发展中也日益感受到生态环境恶化和城市环境污染的存在。从而引起政府和各界对环境动态与环境保护的关注。呼和浩特市、包头市、乌海市等大中城市相继开展了环境状况的动态监测，并逐步推广到全区各城市和重点地区。到 20 世纪末，内蒙古环境保护局根据多年的调查与监测资料和卫星遥感信息源，编制完成了全区生态环境动态信息系统。近二十年来，全区科技部门、高等学校和国家相关单位的专业人员对内蒙古的环境恶化、环境保护与治理、环保产品应用等进行了大量的实验研究工作，产生了大批研究成果与论著，出版或发表在各种环境科学与相关学科的学术刊物中。

内蒙古广大草原在畜牧业的发展历程中，从 60 年代开始出现退化趋势。即草原生态系统结构与功能受损和生产力衰退。为此，内蒙古和国家有关单位从 50 年代起，除对草原类型、生物组成、资源价值与生产力测评等开展调研以外，也在草原管理和利用中进行草原动态监测和草地经营制度的生态学实验研究。1958—1960 年，内蒙古农牧学院聘请苏联专家伊万诺夫讲授草地经营学，并协助内蒙古草原管理局和学院在呼伦贝尔草原、锡林郭勒草原、乌兰察布草原、鄂尔多斯荒漠草原、东阿拉善荒漠等 5 种代表性地区建立定位实验站，进行动态监测和草地经营利用的科技实验。这项研究工作由许令妊、彭启乾带领，从 1959 年起持续到 1965 年，积累了六年的植物生产量季节动态数据。对植物种群的物候特征与再生能力，牧草耐牧性与可食性及营养化学组成等项目进行了观测与实验研究。对草地合理利用方式和草地退化的空间序列进行了探索。这是内蒙古的一项开创性的草地生态学研究工作。

内蒙古大学也从 1958 年到 1965 年期间，在锡林郭勒草原（白音锡勒牧场）和呼伦贝尔草原（谢尔塔拉牧场、莫达木吉苏木）建立草原生态实习基地。先后开展了植物区系、植物生理生态、植物群落与种群分析、植被制图、草原退化演替、草原利用与管理制度等多项实验研究工作和学生野外生态学实习。也曾与中国科学院植物研究所合作，进行草原植物水分生态学研究，发表了相关的论文，这是草原生态生理学研究的开拓性工作。

中国科学院治沙队在沙漠与沙地综合考察工作基础上，于 1959 年在乌兰布和沙漠（巴彦淖尔盟磴口县境内）建立了磴口治沙实验站；在腾格里沙漠（阿拉善左旗头道湖地区）建立了半定位观测实验站。1963 年中国科学院治沙队工作结束以后，磴口治沙实验站作为长期定位研究站改由中国林业科学院管理。两站均对沙区生态环境要素进行定位观测。磴口站长期作引种国内外固沙植物与果树等经济树种和治理沙漠的实验研究，经过二十多年的治理，已建成一个生物治沙的典型示范区，该站对沙生植物种群生物学与生态学研究也取得不少成果。头道湖研究站，作为半定位站于 1959—1964 年对各项生态要素进行了五年观测，并对植物群落类型、结构、功能及植物种的发育节律，沙地主要植物群落的水分状况，优势植物的化学成分与土壤的关系等作了实验与测定，取得了研究我国荒漠植物生态特性最早的成果。

1977 年，我国结束了"文化大革命"之后，迎来了科学的春天，全国科学规划大会在北京召开，在制定的科学发展规划中，根据国际生态学发展动态和"国际生物学（IBP）计划"及"人与生物圈（MAB）计划"确定了建立草原生态系统定位研究站的任务。1978 年，经中国科学院生物学部与内蒙古自治区政府协商，决定由中国科学院有关研究所和内蒙古大学联合在锡林郭勒草原区的白音锡勒牧场建立我国第一个草原生态系统定位研究站。1979年正式建站，中国科学院植物研究所、动物研究所、内蒙古大学、内蒙古农牧学院、内蒙古林学院从1980年起对草原地球化学元素、土壤水分和养分、草原生物产量以及草原气候要素等进行长期动态监测。至今，已取得了二十多年的季节与年度间的动态数据。中国科学院植物研究所对草原光合生产力作了长期的系列研究。动物研究所分别进行啮齿动物和昆虫的种群生态与生物学系列性研究。内蒙古大学承担起草原植物区系多样性和植被生态学研究，土壤微生物及土壤动物生态学研究，草原退化与恢复演替研究，割草场动态与割草制度的研究和营建人工草地的实验生态学研究。这些研究项目所取得的成果除在国内外刊物发表外，主要集中在本站编辑，科学出版社出版的《草原生态系统研究》（1—5集）中。

内蒙古自治区政府根据经济建设中需要实施资源转换战略，于1981年责成内蒙古大学组建自然资源研究所，开展相关的研究工作。经过一年的筹划，1982年正式建所。该所针对内蒙古草原畜牧业生产与生态环境所面临的植被生产力衰退、环境恶化及灾害频发等实际问题，于1982—1987年首先承担了国家科委下达的内蒙古草地资源遥感调查研究。随即从1986年至2000年间，连续承担国家自然科学基金资助的生态学、生物学与地理学研究项目共计44项。包括草原生产力动态研究，草原退化与恢复演替机理研究，草原生物多样性研究，草原优势植物种群生态学研究，草原植物与水分关系的生态学研究，草原植物种群间他感作用研究，草原植物、土壤、大气相互作用研究，草原土壤微生物组成与功能研究，草原光照波谱特性与生产力遥感监测研究，草原与荒漠景观生态格局及动态研究，草原火生态效应研究，草原割草场动态及合理利用研究，营建人工草地的实验生态学研究，草原生态服务价值的研究，生态经济与环境经济机制研究等诸多领域的项目。这些研究工作的成果对于我国草原生态学的学科发展和内蒙古草原生态安全体系的建设以及草地农畜产业健康发展，提供了有价值的支持。

1986—1995年，内蒙古农牧学院也在阴山北麓的达茂旗设立海雅牧场草原实验站，对荒漠草原生态系统结构与生产力及草地合理利用方式开展了多年系列研究。取得了完整的成果，对于当地畜牧业经营和生态环境保护具有重要指导作用。

内蒙古阴山北麓半干旱区的农牧交错带，由于人口增长，土地开垦面积扩大，长期进行粗放耕作，农田的投入与产出失调，导致土地退化、环境恶化和居民贫困化。面对这种形势，北京农业大学和内蒙古农业科学院从1986年起，在乌兰察布盟四子王旗设立农业综合实验站，开展旱作农业三元结构的综合实验和退耕还林还草还牧的实验研究。对调整产业结构，促进农业增收，改善生态环境和农牧民致富提出了卓有成效的科学对策，并已成为政府决策的依据。这是面对"三农"（指农业、农村、农民）长期坚持科技工作的典范。

内蒙古林学院根据大兴安岭林区多年来过量采伐，造成采育失调的恶果和国家实行天然林保育工程的需要，作为国家林业局的"九五""十五"科学攻关项目，在大兴安岭北部设立森林生态系统定位实验站，从1995年对兴安落叶松林及其次生林的年龄结构、更新状况与森林水文系统规律等进行了生态学实验研究。这项开拓性的研究成果对于认识大兴安岭森林生态系统功能和森林保育提供了有价值的数据与资料，并出版了专题研究报告。

中国科学院应用生态学研究所自1981年起至今，在内蒙古赤峰市科尔沁沙地西部的乌兰敖都设立沙地生态实验站。二十年来长期坚持沙地生态动态观测和生态治理的实验研究。写出大批研究报告和论文，并培养了几代研究生和青年学者。

1985—1988年，内蒙古林业科学院与日本专家合作在内蒙古毛乌素沙地组建治沙工程和沙地动态观测实验站。使用日本支援的先进仪器设备，持续四年的工作，取得了完整的沙地小气候动态，水文循环过程，植物生长与种群消长等生态学研究结果。还在多年实践经验的基础上，进行灌木—乔木—草本植物相结合的治沙工程试验，提出了可行的沙地综合治理模式。为半干旱区沙地生态保育和资源合理利用树立了典范。

四、生态科学、环境科学和资源科学的教学与人才培养

20世纪50年代，内蒙古自治区成立的初期，即相继建立了内蒙古师范学院、内蒙古畜牧兽医学院（1959年扩建为内蒙古农牧学院）、内蒙古大学、内蒙古林学院等院校。当时，除内蒙古大学设有植物生态学专科以外，其余三所学院也在相关的系、科分别讲授植物生态学、地植物学（植被生态学）、植物地理学和动物地理学等课程，并在草地学、森林学、农学、作物学、畜牧学、土壤学、地理学、治沙科学、环境污染治理、环境保护等专业课程体系中开设许多含有生态学内容的课程，成为我区培养生态科学的教学、研究和实用性专业人才的基地。到 60 年代中期，以上四所院校，已有约 2000 名大学本科毕业生学习生态学或生物地理学等课程，其中有些已成为生态科学与环境科学的相关专业人员。

"文化大革命"结束之后，中国共产党十一届三中全会做出了以经济建设为中心的历史性决断，教育事业和科技人才的培养也进入了一个新的发展时期。当时，发达国家的环境与资源问题已十分突出，生态科学成为异常活跃的学科领域，而且出现了一些国际性的组织和计划，推动生态科学的发展。在欧美各国形成了以生态系统学说为核心的现代生态学理论体系和方法。中国科学院植物、动物研究所和一些高校的学者鉴于生态学已成为国际热门学科，积极呼吁高校应立即设置生态学专业，并建议在李继侗所开创的内蒙古大学植物生态学与地植物学专科的基础上首建生态学专业。

1977 年内蒙古大学响应国家需要，率先招生，开办了全国第一个生态学专业班，同时招收生态学专业硕士研究生。聘请我国著名生态学家阳含熙、陈昌笃、周纪伦、胡式之等几位教授来校为第一、二届生态学专业学生和研究生讲授：数量生态学、动态生态学、生态系统理论、种群生态学和荒漠生态学等课程。保证了本专业一开办，就达到了国内外的先进水平。经过二十多年的教学建设，到 2000 年共有 19 届 376 名生态学专业本科生毕业，52 名生态学硕士生毕业获得学位。1990 年被国家批准为生态学博士学位培养基地，至今已培养 10 名博士生获得学位。1992 年根据学科发展和建设事业的需要，内蒙古大学增设环境科学专业，开始招生，现已有 6 届 114 名本科生毕业。并与生态学专业共同组建了生态与环境科学系，两个专业相互匹配，与自然资源研究所合署工作。经过多年的课程建设已开设了普通生态学、干旱区植被生态学、草地生态学、景观生态学、种群生态学、数量生态学、保育生物学、生物地理学、生态经济学、土壤学、自然地理学、地球科学概论、生物地球化学、环境科学导论、环境保护学、污染生态学、地理信息系统与遥感应用等主干课程。教学与科学研究工作紧密结合，成为内蒙古自治区生态科学、环境与资源科学人才培养和学科建设的重要阵地，为内蒙古和国家的经济、文化、科技需求及生态环境保护与治理做贡献。

内蒙古畜牧兽医学院自 1958 年在畜牧系设置草原专业以来，向我区和全国各地输送了 2000 多名草地科学的专业人才。随后扩大为内蒙古农牧学院，草原专业也扩建为草原科学系，在培养本科生之外，于 1981 年建立硕士点，开始招收硕士研究生，1992 年建立博士点开始招收博士研究生。除草地学的专业课程之外，也开设地理学、土壤学、环境科学、植物学、动物学与生态学等课程，还设立了这些学科的教研室，配合草地学的教学和研究工作。四十年来，对我国草地科学和生态科学作出了巨大的贡献，成为我国草地科学的主要学术中心之一。学院的农学系也在 1984 年设立农业生态学教研室，针对我区农业生产建设和土地保护与利用中所存在的问题开展研究并培养研究生，开辟了具有内蒙古特色的农业生态学工作。学院所培养的草地学与农业生态学人才遍及自治区和全国各地，从事草原与土地管理、教学、研究和领导工作，有些已是著名学者或高层党政领导干部。

内蒙古林学院，在原有林业学校的基础上，1960 年在呼和浩特正式建院，各系科均按四年制招收本科生，成为内蒙古专门培养林学与森林生态学人才的基地。还在林学系设立了全国第一个治沙专业，1981 年发展成沙漠治理系。该系首先在治沙原理与技术、风沙地理学等课程中讲授生态学的内容，从 1979 年开始专门开设植物生态学（包括植物群落学及植物地理学）课程。以后在开设的沙漠学中又包含了景观生态学和数量生态学的内容。总之，林学专业和沙漠治理专业都是以保护和治理生态环境为目标的，两系的学生接受的生态学教育是深刻的。目前，林学院的林业与治沙科学的毕业生也遍及内蒙古全区和全国各地，有些已担当高层领导职务，或成为学术骨干和学科带头人。

内蒙古师范大学的地理系始终按照国家教育部要求在师范大学地理系开设生物地理学课程的规定，采用全国统编教材，由知名教授讲授。多年来已有 2000 多名毕业生到各地任教或从事地理学专业工作，是一批具有良好生态素养的科教人员。地理学是一门以人地关系为中心的科学领域，在人类开发利用自然资源，保持良好的生态环境，防治各种自然灾害，实现人与自然和谐发展的目标中，地理学对人类生活有重要的现实指导意义。内蒙古师大地理系长期承担我区自然环境与资源考察，土地利用规划，编制各种专业性地理图件，编著出版多种地理学专著，资源卫星遥感技术、地球定位系统和地理信息系统（3S 技术）实际应用等科学工作。因而在理论与实际结合中，培养出大批研究生和优秀本科生，输送到国家或我区各科技部门及院校中，有些已成为杰出的地理学人才。

五、生态、环境与资源科学的学术交流及论著与刊物出版

随着内蒙古自治区生态、环境与资源科学的进步，引起国内外学者对内蒙古更加关注。为此，在我区也多次举行本学科领域的国际国内学术会议。

1982 年 10 月，内蒙古科学技术协会主办"全区农业现代化科学讨论会"，其中包括农业生态学、农业环境、农业资源评价与利用等重要内容。会议收到论文 400 多篇，出版了会议文集 4 卷，并向内蒙古自治区人民政府提出了建议。

1984 年 9 月，内蒙古科学技术协会主办全区种草种树综合科学讨论会，这是以治理我区生态环境为目标的一次大型学术会议。会上各地专业人员交流学术论文 380 篇，有力地推动了全区的植被建设事业和林、草、农、牧等生产的进步。

1986 年 7 月，由内蒙古科学技术协会与黑龙江、吉林、辽宁三省科协共同在内蒙古通辽市举行东北三省与内蒙古自治区生态建设战略学术讨论会，到会的四省、区学者 136 人，发表论文 90 篇，出版论文集收录论文 70 篇。会议向国务院和四省区政府提交了《关于加强东北西部地区生态建设的建议》，为地区可持续发展提供了生态建设的科学支持。

1986 年 9 月，中国自然资源学会在包头市举行"第二次全国干旱、半干旱地区自然资源合理利用学术讨论会（第一次会议于 1984 年在新疆乌鲁木齐举行）"。经学者们讨论，在会议纪要中对资源与环境问题提出了富有远见的超前认识和建议。会上交流论文 83 篇，对内蒙古及北方干旱、半干旱地区的资源配置、环境整治与绿洲生态系统建设方略向政府提交了有深远意义的建议书。

1987 年 8 月，国家人与生物圈委员会与内蒙古大学在呼和浩特举办"草地植被国际学术讨论会"（International Symposium on Grassland Vegetation）。这是首次在内蒙古举行的有关生态学内容的大型国际学术会议。到会的学者

有 11 个国家的 151 人，会议上收集论文 94 篇，由科学出版社出版了论文集。

1989 年 7 月，中国自然资源学会和内蒙古自治区科学技术协会在呼和浩特举办全国第二次"干旱区资源与环境国际学术讨论会（International Symposium on Arid Land Resources and Environment）"（第一次会议 1985 年在新疆乌鲁木齐举行）。会议收到论文 110 篇，出版了会议论文集。一些学术报告引起了一批国内外学者对内蒙古地区资源环境问题的兴趣，为下一次在宁夏举办会议创造了条件。

1993 年 8 月，中国农业科学院在呼和浩特市举行"草地资源国际学术讨论会（International Symposium on Grassland Resources）"。出席会议的人员 240 人，中国农业科技出版社出版的论文集收录论文 230 篇。会上对草地生产力遥感监测体系和草地信息系统功能的研讨成为关注的热点。

1994 年 9 月，内蒙古大学举办了海内外学者的现代生态学讲座暨学术研讨会。来自海外的 10 多位学者分别介绍了国际生态学研究前沿的最新进展，围绕生态学发展方向和热点展开讨论，提出了我国我区今后生态学研究的优先领域和重点。这次讲座也提高了研究生和学生对现代生态科学的认识。会后由科学出版社出版了《现代生态学讲座》一书。

1997 年 8 月，内蒙古大学在呼和浩特举行了"蒙古高原草地管理国际学术讨论会（International Symposium on Grassland Management in the Mongolian Plateau）"，吸引了蒙古国的学者前来进行学术交流，给我们提供了可资借鉴的经验与科学成果。由内蒙古大学出版社出版的论文集收编论文 63 篇。

1998 年 6 月，内蒙古自治区科学技术协会在呼和浩特举行"农牧业可持续发展与环境保护中日双边国际学术讨论会"。对于生态农业、灌溉农业、旱地农业、草地农业和农业环境保护等诸多方面都有专项论文交流，特别是针对内蒙古河套地区的水土资源利用和盐碱地改良等生态治理工程，发表了很有指导意义的研究结果。

2000 年 7 月，中国科学院植物研究所在锡林浩特市举行"草地生态系统学术讨论会"，检阅了二十年来内蒙古草原生态系统研究的进展和成果。

20 世纪后半世纪，内蒙古的生态学、环境与资源科学的主要论著列出如下：

额尔敦主编：《内蒙古国土资源》，内蒙古人民出版社 1987 年版。

马玉明主编：《内蒙古资源大辞典》，内蒙古人民出版社 1998 年版。

内蒙古农牧业资源编委会：《内蒙古农牧业资源》，内蒙古人民出版社 1966 年版。

姚玉光主编：《内蒙古农业资源及利用》，内蒙古人民出版社 1983 年版。

中国科学院内蒙古宁夏综合考察队，李世奎等：《内蒙古自治区及其东西部毗邻地区气候与农牧业的关系》，科学出版社 1976 年版。

湖春主编：《内蒙古自治区农牧林业气候资源》，内蒙古人民出版社 1985 年版。

中国科学院内蒙古宁夏综合考察队，马长炯等：《内蒙古自治区及其东部毗邻地区水资源及其利用》，科学出版社 1982 年版。

中国科学院内蒙古宁夏综合考察队，石玉林等：《内蒙古自治区与东北西部地区土壤地理》，科学出版社 1978 年版。

中国科学院内蒙古宁夏综合考察队，郭绍礼等：《内蒙古自治区及东北西部地区地貌》，科学出版社 1980 年版。

马毓泉主编：《内蒙古植物志》第 1 版（第 1—8 卷），内蒙古人民出版社 1978—1985 年版。

马毓泉主编：《内蒙古植物志》第 2 版（第 1—5 卷），内蒙古人民出版社 1990—1998 年版。

马毓泉主编：《内蒙古经济植物手册》，科学出版社 1961 年版。

白学良主编：《内蒙古苔藓植物志》，内蒙古大学出版社 1997 年版。

中国科学院内蒙古宁夏综合考察队，刘钟龄等：《内蒙古植被》，科学出版社 1985 年版。

中国科学院内蒙古宁夏综合考察队，廖国藩等：《内蒙古自治区及其东西部毗邻地区天然草场》，科学出版社 1980 年版。

章祖同主编：《内蒙古草地资源》，内蒙古人民出版社 1990 年版。

李博主编：《内蒙古草地资源系列地图》，科学出版社 1991 年版。

中国科学院内蒙古草原生态系统定位站：《草原生态系统研究》第 1—5

集，科学出版社1985—1997年版。

陈敏主编：《改良退化草地与建立人工草地的研究》，内蒙古人民出版社1998年版。

中国科学院内蒙古宁夏综合考察队，沈长江等：《内蒙古畜牧业》，科学出版社1977年版。

中国科学院内蒙古宁夏综合考察队，石家琛等：《内蒙古自治区及东北西部地区林业》，科学出版社1981年版。

冯林主编：《内蒙古森林》，中国林业出版社1989年版。

周以良主编：《中国大兴安岭植被》，科学出版社1991年版。

廖茂采等：《内蒙古自治区林业区划》，内蒙古人民出版社1982年版。

石蕴琮等：《内蒙古自治区地理》，内蒙古人民出版社1989年版。

孙金铸：《内蒙古自然地理》，内蒙古人民出版社1988年版。

内蒙古农业地理编委会：《内蒙古农业地理》，内蒙古人民出版社1982年版。

内蒙古自治区计划委员会：《内蒙古农牧业区划》，内蒙古人民出版社1988年版。

内蒙古自治区建设厅：《内蒙古自然保护纲要》，内蒙古人民出版社1989年版。

谢仲元主编：《内蒙古自然保护区》，中国现代出版社1997年版。

潘启宇主编：《内蒙古珍矿奇石图谱》，内蒙古人民出版社1994年版。

赵一之主编：《内蒙古珍稀濒危植物图谱》，中国农业科技出版社1992年版。

凤凌飞主编：《内蒙古珍稀濒危动物图谱》，中国农业科技出版社1991年版。

孙金铸：《内蒙古生态环境预警与整治对策》，内蒙古人民出版社1994年版。

张自学主编：《20世纪末内蒙古生态环境遥感调查研究》，内蒙古人民出版社2000年版。

郝益东主编：《内蒙古——西部大开发的重要支点》，内蒙古人民出版社2000年版。

在内蒙古编辑出版的环境、资源与生态科学刊物，至今仍在继续发行的有：《干旱区资源与环境》，中国自然资源学会干旱区研究委员会主办，1987 年创刊，已出版 14 卷（56 期），现已评为中国科技核心期刊之一。《中国草地》，中国农业科学院草原研究所主办，1979 年创刊，已出版 22 卷（112 期），被评为中国优秀期刊。《内蒙古草业》《内蒙古林业》《内蒙古环境保护》等专业期刊也是内蒙古地区生态科学的重要科学媒体。《内蒙古师范大学学报》1958 年创刊，《内蒙古大学学报》1959 年创刊，《内蒙古农牧学院学报》1980 年创刊，以上三校的《学报》作为多学科综合性刊物，其中也包含大量的生态学、环境与资源科学的论文。

生态科学、环境与资源科学都有较强的地域性特点，半个世纪以来，内蒙古在生态学与环境、资源科学领域中取得了丰硕的成果，为学科建设做出了重要贡献，特别是对我国草原生态学的发展做出了突出的成绩，现已成为我国草原生态学的重要基地。内蒙古面临 21 世纪全面建设小康社会和实现现代化的宏伟目标，生态科学必将成为改善生态环境，确保国土生态安全的科学武器，对于促进农、林、畜牧、医药、工矿、交通等产业向现代化发展也将发挥重要作用。

第三编

专　　题

第 十 一 章

内蒙古草原变迁的历史反思
和生态安全带的构建

第一节　内蒙古草原的演化和区域分异

我国北方草原是欧亚大陆草原区的组成部分，自东向西跨越了温带的半湿润区、半干旱区及干旱区三个气候区。其中，内蒙古高原的草原面积最广，成为我国草原的主体部分。北边与蒙古国的草原连接，东面是黑龙江和吉林两省西部的嫩江平原草原，南面是冀北、晋北、陕北、宁夏和甘肃省东部的草原，西边以贺兰山为界。在内蒙古草原区域之内，从北纬 37°57′至50°08′，共计跨越 12 个纬度，因南北各地的热量差异很大，所以阴山山脉以北的草原属于中温型草原地带，阴山以南是暖温型草原地带。这两个草原地带，都是自东向西随着海洋季风势力的减弱和气候湿润度的下降，各自分化形成了三个草原亚地带。内蒙古东部的大兴安岭两侧，是低山丘陵草甸草原亚地带；内蒙古高原北部地区的熔岩台地和丘陵平原是典型草原亚地带；西部的苏尼特—乌拉特高平原，是荒漠草原亚地带。阴山南麓的丘陵平原是华北森林草原地带的一部分；鄂尔多斯高原中部是暖温性典型草原亚地带；鄂尔多斯高原西南部，属于黄土高原荒漠草原地带的一部分。

一、草原的历史地理环境演化

草原经历了漫长的历史地理环境演化。自第三纪渐新世后期开始的喜马拉雅运动使特提斯海从我国西部退出，大陆性的干燥温凉气候逐渐加强，森林植被开始向疏林草原演变。被子植物中的草本植物在演化中表现了良好的适应性与可塑性，渐渐成为植物群落的主要成分。特别是禾本科的针茅属植物，从渐新世出现，在晚第三纪分化发展，到第四纪更新世，已在草原演化的生物竞争中成为优胜者，出现了多种不同的针茅草原。适应草原地理环境的演变，动物群也表现出明显的草原特征，上新世的三趾马、中华马、羚羊等的化石在内蒙古中部的草原中均有发现。第四纪更新世以来，东亚季风气候环流格局已经形成，在冰期和间冰期的气候波动中，仍然沿着草原化的方向演变。

我国北方草原的总面积约 97 万平方公里，占我国陆地国土面积 10% 之多。草原区的北部是蒙古族为主的草原纯牧区，东部和南部是多民族聚居的农牧交错区。在东亚季风气候环流系统中，北方草原正处于西伯利亚—蒙古寒潮和冬季风入侵我国的前沿地区，成为干旱、风沙等灾害与严酷气候条件向东南扩展的大通道。在 20 世纪 60 年代以前，草原植被和土壤碳库保持完好的结构，具有很强的生态防护功能，成为北方的一道天然生态防护带。进入 70 年代以来，由于牲畜数量的增长，草原不合理开垦，植物资源的过量采挖，使草原植被不断退化、土壤沙化，碳、氮平衡失调，草原生产力显著衰退，生态环境严重恶化，目前已全面处于荒漠化的威胁之中，畜牧业生产也受到严重的限制。

内蒙古草原区在地质构造上受华夏构造带和纬向构造带所控制。西起贺兰山，向东与阴山山脉及大兴安岭山脉相连接，构成内蒙古高原东南一侧的外缘山地。它成为北方一条重要的自然界线，影响着各项自然要素均呈现出东北—西南向的弧形带状分布，也制约着景观生态地理分布格局。草原区内的大地貌类型——平原、山地、高平原等，沿着东—西或东北—西南走向，呈条带状分布，反映了大地构造的形迹。

二、草原地貌形态的演化

大兴安岭与阴山山脉连接而成的隆起带以北是开阔的内蒙古高原，海拔高度在 700—1 400 米之间，地势由南向北、从西到东逐渐倾斜下降。在地貌结构上，大体上是由外缘山地逐渐向浑圆的低缓丘陵与高平原依次更替。

内蒙古高原的东北部是呼伦贝尔高原，它由大兴安岭西麓的山前丘陵与高平原组成一个完整的地理单元，海拔高度约 700—900 米。山前丘陵地带广泛堆积着黄土状物质与冰水沉积物，以森林草原景观为特色。高平原中部，地面呈波状起伏，广泛覆盖着地带性草原植被。沉积物以厚度不等的沙层和沙砾层为主。局部的沙地上发育着疏林、灌丛与半灌木植被。呼伦贝尔高原的地表水系比较发达，在几条较大的河流两侧，都有比较宽阔的河岸沼泽、河滩灌丛与草甸。呼伦湖和贝尔湖是高平原的低洼中心，其周围有盐化低地的分布，形成各类草甸。从呼伦贝尔高原往南，越过蒙古国的东端进入内蒙古高原中段的锡林郭勒高原区，海拔 900—1 300 米。它的东边有大兴安岭南段山地呈弧形围拢，南边有阴山山地东段的低山丘陵隆起，但地形切割不甚剧烈。锡林郭勒高原区内有一些内陆河流和洼地，分布着各种草甸。这一高原区的东半部以乌拉盖河为中心，形成乌珠穆沁盆地，中部是中新世—上新世多次喷发的阿巴嘎熔岩台地，西部是二连盆地，南部是面积相当广阔的浑善达克沙地（约 3.2 万平方公里）。锡林郭勒高原往西，是乌兰察布高原区，海拔约 1 000—1 500 米。其南部是阴山北麓的山前丘陵，丘陵以北是地势平缓的凹陷地带，海拔 1 300 米上下，这里是农牧交错地带。凹陷带以北有一横贯东西的石质丘陵隆起带，海拔 1 500—1 600 米，剥蚀比较强烈。由此往北则进入逐级下降的层状高平原地区，这里地形平坦，地幅广阔，海拔 1 000—1 200 米，地面组成物质主要是第三纪的泥质、沙砾质岩层，形成了荒漠草原自然景观。层状高平原上还分布着一些源自阴山山地的干河道和湖盆洼地，发育成芨芨草盐化草甸。

　　内蒙古草原区自更新世以来，由于长期在冬季西北风的搬运作用下，在构造沉降盆地中与河谷地带形成了许多风积沙地。其中较大的沙地是科尔沁沙地、浑善达克沙地、毛乌素沙地。

　　草原区东部的大兴安岭山脉从黑龙江右岸的漠河一带至西拉木伦河左岸，全长约 1 350 公里，宽约 100—300 公里，海拔自北而南由 1 000 米逐渐升高，中段的洮儿河上游附近可达 1 500—1 600 米，西南段最高达 1 900 米。由于第三纪后期的新构造运动使山岭西侧随蒙古高原而抬升，总的坡降不大；山岭东侧则因松辽平原的下降，切割比较剧烈，所以和西侧是很不对称的。随着山地的部位、高度和坡向的不同，植物类群的分布有明显差异。

山岭成为松辽平原和蒙古高原的分水界。嫩江沿岸的冲积平原是草甸草原黑土地带的农业区。

横贯草原区的阴山山脉，包括若干段东西走向的断裂山地。最西部的一段是狼山，海拔 1 500—2 200 米，南北宽度为 20—30 公里。狼山以东为色尔腾山，海拔 1 600—1 700 米，它的东南一侧连接着乌拉山，其最高峰可达 2 200 米。阴山山脉的中段主体部分是大青山，由太古代片麻岩、石英岩及古生代的砂页岩、砾岩组成，最高峰 2 338 米。由大青山向南弯转的一段是蛮汗山，海拔达 2 200 米，它与大青山均显示出巍峨的中山地貌。大青山往东，在集宁一带，多为大片的玄武岩所覆盖形成以山地为主与丘陵、盆地交错分布的地貌。阴山山地作为蒙古高原与黄土高原的分界，其北侧是蒙古生物区系为主，南侧则与华北生物区系相融合。

阴山南麓的黄河沿岸，在构造上是一条东西走向的沉降盆地，与山麓的冲积洪积扇裙组成了山前倾斜平原，即黄河河套及土默特平原，海拔 900—1 100 米。因黄河下切，也形成了沿河阶地，与黄河以南的鄂尔多斯及黄土高原相连接，是暖温型草原的原生分布区，现已广泛垦殖，成为农业区。

鄂尔多斯高原为一古老的陆台，海拔 1 100—1 500 米，基岩以中生代的疏松砂岩为主，经第四纪的剥蚀与堆积作用，形成了多种地貌类型。高原中部剥蚀强烈，在高平原上形成了许多剥蚀残丘、沟谷和湖盆洼地，地形切割明显。高原西部是桌子山山前洪积平原，高原东部是流水侵蚀所造成的地面切割十分破碎的黄土丘陵和基岩裸露区。高原的南部是第四纪风积沙所构成的毛乌素沙地，高原的北部是库布齐沙带横贯东西。因此，适应于表土侵蚀和堆积作用的沙生植物与半灌木在鄂尔多斯高原有广泛分布。

阴山山地以南的黄土高原是第四纪风成的地貌类型，形成了黄土梁地、台地和侵蚀沟谷等多种地貌单元的组合。长期的农业开发及人为扰动已使这里的天然草原消失殆尽，并造成严重的水土流失，成为黄河泥沙的来源。目前已列为退耕还林还草工程的重点治理区，将会在保障生态安全的前提下形成农牧林，种养加综合经营的自然人文景观。

贺兰山与桌子山是内蒙古草原区最西端的边缘山地，两山在构造上相连，呈南北走向。贺兰山海拔在 3 000 米以上，最高峰 3 556 米，相对高差 1 500—2 000 米，山体垂直带的分化比较完整，上部有亚高山带植被的发育，其分水岭是草原区与阿拉善荒漠区的界线。桌子山是一个断块山地，海拔1 600—2 000米，山体的干燥剥蚀强烈，山坡陡峭，下部形成坡积裙，构成山地荒漠景观，山体顶部发育成山地草原。

三、草原区的气候演化

内蒙古草原区因处在中纬度的内陆或接近内陆的地区，所以具有明显的温带大陆性气候特点。冬季受到西伯利亚—蒙古高压气团的控制，从大陆中心向沿海移动的寒潮频繁盛行。夏季受到东南海洋季风的波及影响，但因草原区外围有长白山脉、燕山山地、太行山脉、吕梁山地在东南面的包围，又有区内大兴安岭、阴山山脉的阻隔，使海洋季风的势力由东南向西北渐趋削弱，不能强劲地影响草原区的气候。贺兰山以西的地区，更是在大陆气团的控制之下。海陆分布和地形结构影响下的大气环流特点决定了草原气候因素按东北—西南走向形成弧形带状分布的格局。

草原区的热量分布虽然和不同纬度地区的太阳辐射强度直接相关，但是地形和下垫面等因素的影响又使热量分布从东北向西南逐渐递增。草原区内的南部边缘和西部地区已接近或达到了暖温带的热量指标，大于等于10℃的年积温达3 200℃—3 300℃以上；而最北部的大兴安岭地区年积温1 400℃，达到了寒温带的指标；内蒙古高原中部地区年积温约1 800℃—2 400℃。热量因素的地带差异对于植物分布组合具有十分显著的影响。

日照丰富也是草原区气候条件的重要特点，各地全年日照总时数大约是2 500—3 400小时，日照百分率为55%—78%，是我国日照最丰富的地区之一。这对于温度偏低、无霜期短促的北方草原地区，意义更为重要，是植物生长发育和农业生产的有利条件。

大气降水量的地理分布主要取决于东南海洋气流的作用。因此，距离海洋越近的地区，年降水量越大，而远离海洋的内陆中心则降水量最少。特别是由于山地的阻挡，使大兴安岭以东、阴山以南的降水量显然高于山地西北的内蒙古高原地区。并且随着向内陆的深入，降水逐渐减少。大兴安岭北部及其东麓，年降水量400—450毫米；西辽河流域、阴山南麓的山前平原和丘陵区、鄂尔多斯高原的东部等地区降水也较多，一般不少于300毫米。但是大兴安岭以西的呼伦贝尔—乌珠穆沁地区和鄂尔多斯高原的中部降水量一般只有250—300毫米。由此往西，进入荒漠草原，降水量则逐渐下降到200毫米以下。东阿拉善地区的降水量低于180毫米。大气降水是本区的植被和一切生物生存的根本水源，其他形式的水分来源都是由大气降水转化而来，因此降水的多寡是决定自然面貌的重要物质条件。

年降水量的季节分配也是具有重要意义的生态因素。草原区的降水大多是集中在夏秋季节，即7、8、9月份，这一时期的降水往往占了全年降水的80%—90%，日温≥10℃期间的平均气温约达20℃上下。因此，有利于植物的生长发育。但是春季干旱是相当普遍的现象，这对草原的返青是一项不利因素。

与同纬度的东北平原及华北地区相比，草原区的绝对湿度是较低的。它也和降水量的分布一样，是从东南向西北逐渐减低的。而且全年最高值出现在夏季，最低值出现在冬季。相对湿度是受绝对湿度和气温所制约的，所以相对湿度自东向西逐渐降低的趋势更加明显。大兴安岭山区年相对湿度约在70%以上，内蒙古高原的广大地区都在60%以下。阿拉善荒漠地区普遍低于40%。大兴安岭以东和阴山山脉以南的地区，全年相对湿度最高值是在夏季多雨的月份内出现。而高原内部，则出现在冬季，这显然是和冬季的低温条件相联系的。春季是草原区降水普遍较少的季节，加以春风强大，气温回升又快，空气中的水汽大量消耗，所以相对湿度的最低值一般均出现在春季。

蒸发量大大超过降水量，是干旱、半干旱地区自然条件的一项重要特征。总起来说，草原区的蒸发量大约相当于年降水量的3—5倍，不少地区超过8倍，荒漠地区可达15—20倍以上。草原区各地的蒸发量也是由东而西随温度的增高、湿度的减低、云量的减少、日照的增加而递增。除大兴安岭地区年蒸发量少于1 200毫米以外，大部分地区都在1 200—3 000毫米之间，最西部可达4 600毫米。根据降水量与蒸发量的相关分析，运用伊万诺夫方程计算，可以确定各草原区域的湿润度。这是草原类型和区域分化的相关气候因素。

概括以上所述，可以看出草原区在水热分布上有两个突出的特点，一是水、热的空间分布不平衡，另一特点是同一地区内，降水多集中在最热的季节，使水、热在时间上集中在一起。热量分布的趋向是从东北向西南逐渐升高，而水量却由东北往西南逐渐减少，因而使热量最丰富的地区，水分很少，而热量不高的地区，水分却较多，形成截然不同的水、热组合条件。所以使不同地区植物的生长发育常常遇到热量或水分成为限制因素，不能使水、热都充分发挥有效的作用。例如热量很低的大兴安岭北部林区，喜暖的植物种属成分受到极大限制，喜温的农作物也难以适应。但是广大的半干旱与干旱地区却成为旱生植物占优势的世界，喜湿的或中生植物则不能普遍分布。另外，由于降水多集中在夏季高温时期，所以对植物生长发育是很有利的。在荒漠草原中有许多一年生草类更能充分利用多雨高温的季节完成其生命周期。

多风也是草原气候的重要特点，冬春季节在蒙古高压控制下，大风尤为频繁。全年内风向的变化主要决定于冬夏季风的变换。冬季盛行西北风，夏季多偏南风和东南风。大部分地区年平均风速在 3 米/秒以上，也有些地区还超过 4 米/秒。在干旱、半干旱地区，风力往往是塑造自然景观的重要动力因素。沙漠、沙地以及黄土地貌的形成都是和风力作用密切相关的。草原区之内各沙区的地貌结构与当地的主风向多是一致的。黄土丘陵地区也经常处于风力侵蚀和堆积的过程中。由于常态的风蚀和风积作用，使地面基质处于不稳定的状态，所以草原区的沙地与黄土侵蚀地上往往形成了特殊的植物群落变型。强大的风暴是破坏草原景观，危害农牧业生产和居民生活的自然灾害。近些年来，由于草原沙化和地表侵蚀的加剧，沙尘天气不仅在草原地区经常发生，而且已波及京津和北方各地。

气候因素是直接影响草原类型分化、草原景观结构和草原生产力的能量与物质条件。热量与干湿程度的时空差异构成了不同的水热组合条件，是影响草原各项生态地理特征的主导因素。草原的景观地带分异大体也是和气候带的分布相吻合的。关于草原区内各地的气候条件可参阅表 11-1。

表 11-1　内蒙古草原区不同地域的气候要素值

草原地域	温　度（℃）				降水量（mm）			湿润度	生长期（天）
	年均温	≥10℃积温	最热月均温	最冷月均温	年均总量	最高月	最低月		
嫩江流域草甸草原	2.5—4.4	2 150—2 665	20.5—23.2	-17.2—-19.8	417—458	141—152	0.6—1.7	0.53—0.70	172—188

（续表）

草原地域	温　度（℃）				降水量（mm）			湿润度	生长期（天）
	年均温	≥10℃积温	最热月均温	最冷月均温	年均总量	最高月	最低月		
兴安岭西草甸草原	-2.8—-3.4	1 622—1 886	17.5—19.6	-27.8—-29.5	356—425	118—130	2.0—3.8	0.61—0.74	150—164
辽河平原草甸草原	5.8—6.4	2 844—-3 108	23.7—24.8	-13.8—-15.4	448—514	147—168	0.4—1.4	0.60—0.78	185—205
内蒙高原典型草原	-2.2—-4.7	1 888—2 485	17.8—21.3	-17.8—-27.7	258—406	66—114	0.8—3.1	0.28—0.54	160—175
兴安南部典型草原	0.6—3.8	1 894—2 320	18.2—24.0	-13.9—-19.3	378—411	109—149	0.6—2.1	0.30—0.82	166—180
科尔沁草原沙地	5.2—6.0	2 665—3 022	19.8—24.8	-12.7—-16.1	352—424	98—137	0.7—1.7	0.34—0.49	188—210
苏尼特荒漠草原	2.8—5.1	2 086—2 590	19.2—22.7	-15.4—-18.6	148—262	41—77	0.2—1.1	0.12—0.26	180—205
阴山南麓森林草原	6.5—7.6	3 046—3 312	22.4—25.5	-10.6—-13.2	418—528	132—164	0.8—2.8	0.48—0.56	195—220
鄂尔多斯典型草原	4.8—7.5	2 658—3 266	21.2—23.8	-11.3—-15.1	344—446	90—145	0.5—2.5	0.31—0.47	205—228
鄂尔多斯荒漠草原	6.6—7.9	2 653—3 257	22.2—24.5	-10.2—-13.6	246—315	68—102	0.3—1.2	0.19—0.25	205—232

四、草原区水文格局的形成

地表水系的分布是由地貌结构和大气降水状况所决定的。在草原区内，呼伦贝尔高原的中东部、大兴安岭的东侧以及阴山山脉以南的地区属于外流水系，包括额尔古纳河、嫩江、西辽河、黄河等水系。因此，水源丰沛，河网发育较密集。河流两岸多发育形成了宽阔的河漫滩，或形成了冲积平原，为草甸、沼泽植被、河滩林、河滩灌丛以及盐生植被的发育创造了条件。内蒙古高原区的大部分则属于内流区域，河流稀少，流量也都很小，除东部的克鲁伦河、乌拉盖河、锡林河为常年河流外，其他多系间歇性河流。这些河流的曲流发达，河滩与干河床多成为草甸、盐化草甸和盐生植被的生境。高原上大小湖泊较多，但由于气候干旱、蒸发强烈，湖泊多成为矿化度较高的盐碱湖。矿化度不高的淡水湖大都位于高原的东部和中部，其中湖面较大的有呼伦湖、贝尔湖、达里诺尔、岱海和乌梁素海等。湖泊的周围多有低湿滩地或盐化低地的分布，也是隐域植被的生境类型。

地下水的分布也随地层及气候区域的不同而有明显差别。地下水埋藏较多的地区，大多位于半封闭的盆地，如土默特平原、西辽河平原、乌珠穆沁盆地、毛乌素沙区、浑善达克沙区、科尔沁沙区、呼伦贝尔高原的乌尔逊低地等。这些地区的聚水条件较好，水源较丰富，埋藏也较浅，通常还有承压水层分布，其矿化度一般不高，是隐域性植被分布较多的地区。广大的高平原上，由于地质构造复杂，含水层不稳定，地下水的区域间差异很大，总的来说是属于地下水较少的地区。除湖盆与河流附近外，一般地下水位多在30—50 米以下，这里的地带性植被广泛分布，不直接受地下水的影响。

五、草原土壤的发育和演变

在草原区的生物气候条件下所形成的地带性土壤，类型比较复杂，其中主要有黑土、黑钙土、栗钙木、棕钙木、灰棕荒漠土、褐土、黑垆土、灰钙土等。此外，在许多局部性的特殊环境中，例如地下水位较高的低湿地、沙地及砾石坡地上，还有非地带性的草甸土、沼泽土、盐土以及土壤发育程度很低的沙土、披砂石等分布。和草原生物—气候带大体一致的土壤带，就是由上述的地带性土类与非地带性土类所构成的土被组合。

黑土主要分布在大兴安岭北部东麓的山前丘陵平原地区，并与其他土类组合分布形成黑土带。在景观上是森林草原带的一部分。黑土是在半湿润气候条件下与林间杂类草草甸植被相辅而成，它的发育既有草甸过程的特点（腐殖质积累和潜育化过程），又常常表现出森林土壤成土过程的某些特点（如黏化过程和盐基淋溶过程）。黑土的腐殖质含量相当丰富，表层含量约5%—10%，甚至高达17%，总贮量达300 吨/公顷，碳/氮在10—14 之间。底部无碳酸盐聚积层，但有较多的铁离子聚积，土壤呈微酸性反应，酸碱度约5.6—6.6，而且通体上下比较均匀一致。从黑土的剖面形态差异来看，可以区分出深厚黑土、普通黑土和草甸黑土三个亚类。发育在黑土上的植被是外貌华丽、结构复杂、种类成分十分丰富的杂类草草甸，当地称为"五花草甸"。

黑钙土的大面积分布主要见于大兴安岭的两麓地区，并形成了连续的黑钙土带，但它的幅度不宽，集中在森林草原带的范围内。黑钙土的发育和半湿润气候条件下的草甸草原植被是紧密联系的。贝加尔针茅（Stipa baicalensis）草原、羊草（Leymu chinensis）草原、线叶菊（Filifolium sibiricum）草原都是覆被在黑钙土上的草原植被。在黑钙土的剖面结构上，可以看出明显的腐殖质积聚和钙积化的过程，这是草原土壤成土过程的基本特征。黑钙土的土壤溶液呈中性反应，酸碱度自上而下逐渐增高，有时，还有局部碱化、盐化的特点，这都是区别于黑土的标志。和其他草原土类相比，黑钙土的腐殖质层深厚；颜色呈黑色、黑灰色或暗棕灰色；一般具团粒结构；腐殖质含量高达170—500吨/公顷，表层含量3.5%—12%；并且多具有较厚的腐殖质过渡层，它呈舌状下渗，往往可深达一米左右的钙积层；钙积层的石灰含量较低，一般均在8%以上，色调不明显，埋藏也较深。黑钙土的类型常有暗黑钙土、普通黑钙土、淡黑钙土、草甸黑钙土等亚类的分化。

栗钙土是典型的草原土壤，是半干旱气候条件下的产物，并与典型草原带大体吻合形成栗钙土带。这一土壤带的范围十分广阔，东至呼伦贝尔高原及西辽河流域，西至大青山北麓及鄂尔多斯高原。其中，土被组合比较简单，除栗钙土成为优势土类以外尚有草甸土、沼泽土、沙土的分布。随着气候干旱程度和草原植被旱生性的加剧，栗钙土还形成不同的亚类，即暗栗钙土、普通栗钙土和淡栗钙土等。栗钙土的剖面是由栗色或灰棕色腐殖质层与紧实的灰白色碳酸钙淀积层所组成。腐殖质层的厚度约25—45厘米，而且向下急剧转淡，过渡层明显；腐殖质贮量一般为40—130吨/公顷，表层有机质含量1.5%—4.5%，碳/氮约5—12，结构多呈细粒状、团块状、粉末状，缺乏团粒结构。钙积层淀积的深度、厚度、数量和形式，随地区水热条件和成土母质的不同而有明显的差别。例如大兴安岭东南麓和鄂尔多斯高原地区的栗钙土碳酸钙含量最高，钙积层也最厚，泡沫反应多从土壤表层就开始出现。而内蒙古高原区内，栗钙土的泡沫反应多在 A 层以下出现，钙积层也较薄。这种地理差异和降水淋洗作用，土壤水分蒸发强度是有密切联系的。栗钙土往往有局部地区的碱化和盐化现象，石膏淋溶很深但无聚积现象，土体反应呈弱碱性或碱性，酸碱度大于9，并有随深度而递增的趋势。与栗钙土相适应的草原以大针茅（Stipa grandis）草原和克氏针茅（Stipa krylovii）草原为典型的群系。其中，杂类草层片较发达的大针茅草原多发育着暗栗钙土；杂类草层片不发达的大针茅草原和克氏针茅草原是典型栗钙土上的主要群落类型；羊草草原的一些中生化群落往往出现在草甸栗钙土上，也有些群落则与碱化栗钙土紧密联系；在淡栗钙上最常见的草原是种类较贫乏的克氏针茅草原和短花针茅（Stipa breviflora）草原。总之，栗钙土的不同类别都与一定的草原群落相联系。

在最干旱的草原气候条件下形成的土类是棕钙土，集中分布在内蒙古高原和鄂尔多斯高原的西部，构成了与荒漠草原大体相符的棕钙土带，这一地带的土被组合以棕钙土占优势，间有局部的盐化荒漠土、盐化草甸土、盐土、沙土以及山地栗钙土等。形成棕钙土的生物气候条件具有草原和荒漠的过渡性特点，在土壤性状上也表现出草原、荒漠两种成土过程的特征，一方面具有腐殖质积累和碳酸钙淀积的过程；另一方面又有表土砾质化、砂质化和假结皮的出现。棕钙土的腐殖质积累比栗钙土微弱，染色也较淡，厚度也小，腐殖质含量约 1.0%—1.8%，总贮量 30—60 吨/公顷。碳/氮 6—13。在腐殖质层内有机质含量很不均匀，往往出现颜色差异明显的两个或几个亚层。土壤结构多呈粉末状和块状。钙积层部位较高，一般紧接在腐殖质层之下，约出现在 20—30 厘米的深度，其厚度约 20—30 厘米，在气候越干旱的地区，钙积层出现的部位越高，其厚度也越小，含量也更低。总之越靠近荒漠地区，棕钙土的碳酸钙移动和淀积的程度越弱，土壤通体呈碱性反应，酸碱度 9.0—9.5 以上，并随土层深度而加剧。棕钙土也有较多的局部碱性和盐化现象。由于成土条件的差异，棕钙土的亚类主要有暗棕钙土、淡棕钙土和草甸棕钙土等。本区的棕钙土上形成的植被主要是几种小型针茅所建群的荒漠草原群落和藏锦鸡儿（Caragana tibetica）、红沙（Reaumuria soongorica）占优势的草原化荒漠植被，其中，分布最广的是小针茅（Stipa klemenzii）草原。暗棕钙土上的短花针茅草原，沙质棕钙土上的沙生针茅（Stipa glareosa）草原，沙砾质淡棕钙土上的藏锦鸡儿荒漠、红沙荒漠等也都是棕钙土上的重要群系。

分布在草原区南部的黑垆土是暖温型草原土类，它一般发育在黄土母质上，我国的黄土高原草原区就是形成黑垆土的主要区域，但黄土的结构特性使它极易遭受侵蚀，所以天然植被破坏后，长期的侵蚀使黑垆土保存的不多。在不受侵蚀的完整剖面上可以看出黑垆土明显的草原成土特性，即腐殖质积累和钙积化的过程。它的腐殖质层深厚，A 层可达 60—90 厘米，呈灰棕带褐色，腐殖质下渗很深，具核状—团块状结构。腐殖质总贮量一般只有100—110 吨/公顷，表层含量 1%—2%，碳/氮 7—14，接近于栗钙土。B 层为过渡层，最深的下界可达 180 厘米。通常在 B 层以下形成不甚明显的碳酸盐淀积层。东部地区的黑垆土剖面上层常无泡沫反应，而西部地区则往往从表层即出现泡沫反应，反映了地区间淋溶强度的不同。黑垆土的有机质染色比较接近于褐土，但缺少褐土所具有的紧实黏化层。它比栗钙土的腐殖质层深厚；碳酸盐聚积呈菌丝状，不像栗钙土的钙积层那样厚而紧实；也缺乏碱化现象；酸碱度 8.0—9.0，呈弱碱性或碱性反应，土体上下的差异也不大。这些都是介于褐土和栗钙土之间的过渡性特点，而且也接近于黑钙土的某些性状。只是腐殖质含量低于黑钙土，并带褐色。因之，可以认为黑垆土是在暖温带形成的一类近似于黑钙土的土壤。残留的黑垆土片段上所见到的天然植被主要是本氏针茅占优势的草原群落。

灰钙土在本区的分布范围，从鄂尔多斯高原的西南角，往南、往西连续分布到宁夏和甘肃的黄土丘陵地区，形成灰钙土带。这一土类是在我国黄土高原区的温暖型荒漠草原中形成的，成土母质也多是黄土性物质。灰钙土的剖面上分化不明显，腐殖质层呈棕黄带灰色，有机质含量较低，一般在0.5%—0.9%之间，但腐殖质层的这些特点均不同于棕钙土和黑垆土，钙积层多呈假菌丝状和斑点状聚积，少数呈层状分布。全剖面酸碱度在 9.0 以上并随深度而加重。本区的灰钙土尚有淡灰钙土和草甸灰钙土的亚类分化。与灰钙土相适应的植被主要是由短花针茅建群的荒漠草原群落。

以上所叙述的土类，都具有草原土壤的成土特性，是草原带所分布的地带性土壤，因此成为各类草原的重要生态条件。

由于大兴安岭南段、阴山山脉及贺兰山等山地都是坐落在草原区的内部，所以山地上土被和植被的分布，是属于草原水平带基础上出现的垂直分布现象，因而具有比较复杂的土壤生态组合形式，包括灰白色森林土、灰棕壤、棕壤、灰褐土等。

草甸土、沼泽土、盐土、风沙土是本区各地带内常常遇到的隐域性土壤。它们的形成不但受到大气候的制约，而且同局部环境的水分运转、盐分移动、基质的活动等因素也有密切关系。它们对于隐域性植被的生态地理特点也有深刻影响。

第二节　内蒙古草原的生态类型

草原是在温带半干旱区并扩展到半湿润区和干旱区的气候条件下演化形成的生态系统类型。其植物群落是草原生态系统的初级生产者，是太阳能的固定者。因此，草原类型的差异，集中表现在草原植物群落的特征上。草原植物群落是由低温旱生多年生草本植物所组成，从第三纪渐新世以来，草原在漫长的地质年代中选择分化出各种耐干旱及寒暑变化剧烈的气候条件和适应不同土质的植物种类。草原植物的旱生形态结构特征诸如：植物体的蒸腾面积尽量缩小、叶片内卷、气孔内陷、叶形缩小、呈狭线形叶、叶表面硅质层（或蜡质层角质层）发达、植物体表面密生茸毛等都是旱生植物的特征。植物成密丛型，并有宿存的枯叶鞘，植丛基部埋入表土层中的地面芽植物、地下芽植物等是保护更新芽越过寒冬的机制。草原植物的根系发达，各种植物的地下器官在 30 厘米以上的土层中达到郁闭，有利于广泛而迅速地吸收土壤水分，这也是草原植物适应干旱环境的特征。

在草原长期演化过程中，不但塑造了许多旱生植物种，也选择了适应草原气候的植物生活型。主要是属于地面芽植物和地下芽植物的丛生禾草、根茎禾草和轴根型草类，也有一些属于地上芽植物的小半灌木和半灌木。

根据草原主要植物生活型的组成，可以划分出丛生禾草草原、根茎禾草草原、轴根草草原和小半灌木草原等类型。按照草原的生态地理环境，可以区分出半湿润地带发育的草甸草原，在半干旱地带广泛分布的典型草原，在干旱地带形成的荒漠草原等草原类型。下面对各草原类型的主要代表性群落（群系 Formation）的特征做简要的说明。

一、中温型草甸草原的主要类型

贝加尔针茅草原（Form. Stipa baicalensis）是亚洲草原区东部特有的一种原生草原类型。它的分布中心在我国东北的松辽平原、内蒙古高原区的东部和蒙古国草原区的东北部，以及俄国的外贝加尔草原地区。在大兴安岭两侧形成广阔的分布区。从贝加尔针茅的生态学与生物学特性、生境特征以及分布区内植被组合状况来看，其耐寒性较强，生境的湿润度较高，而且是杂类草层片最发达的一种针茅草原，应属于草甸草原的丛生禾草草原类型。

贝加尔针茅草原的分布区属半干旱—半湿润低温地区，年降水量大致在350—450 毫米，7 月份的降水量一般可超过 100 毫米。每年约有 1—2 个月的半干旱期，无绝对干旱期，覆雪日数在 70 天以上，最高可达 140 天。年均温-2.3℃—5℃，大于等于 10℃的年积温在 1 500 ℃—2 700 ℃之间，生长期 180—210 天左右，湿润度为 0.4—0.7。分布的海拔高度 700—1 700米。总是处于丘陵的斜坡、台地等地势开阔、排水良好的显域地境中。

贝加尔针茅草原的土壤是黑钙土和暗栗钙土。通常在大兴安岭南部山前地带以暗栗钙土为主；在呼伦贝尔—乌珠穆沁草原则以黑钙土、淡黑钙土和暗栗钙土为主；在海拔 1 400—1 700 米的玄武岩台地上，分布在淋溶黑钙土上。

贝加尔针茅属于旱生多年生密丛禾草，叶呈线形，叶片向内折合，表现出旱生形态特点，叶层高 30—40 厘米，生殖枝可达 60—80 厘米，植丛基部密集宿存的枯枝与当年枝叶一起形成紧密的草丛，并且深陷入土内以蓄涵水分，保护更新芽越冬，进行营养繁殖，即以分蘖的方式向四周分出新枝。贝加尔针茅于 5 月初萌动，7 月下旬—8 月初旬抽穗开花，8 月下旬果实成熟。

贝加尔针茅草原的种类组成较为丰富，种的饱和度较高，每平方米内有15—25 种，最多可达 33 种。其中以菊科、豆科、禾本科、蔷薇科种类最多。

二、中温型典型草原的主要类型之一

大针茅草原（Form. Stipa grandis）的分布中心在蒙古高原草原带，是典型草原的基本草原类型，向周围扩及中西伯利亚南部、我国的松嫩平原中部和黄土高原。在我国北方主要集中在锡林郭勒高原（海拔 1 100—1 200 米）和呼伦贝尔高原（海拔 700—1 200 米）形成连续的分布。土壤是土层较厚的壤质或砂壤质典型栗钙土以及暗栗钙土。

大针茅草原分布区域是温带半干旱气候。全年降水量平均约 300—350毫米，最高可达 400 毫米，夏季最高月降水量超过 100 毫米，年均温在

1℃—4℃间，大于等于10℃的年积温介于1 800 ℃—2 500 ℃之间，最高达3 000 ℃。湿润系数为0.30—0.45，一般每年有1—3个月的半干旱期，有的可达4—5个月，干旱期一般不超过一个月。生长期180—210天，冬季覆雪日数70天以上，最高达140天。这种温带的半干旱大陆性气候，热量和雨量均集中在夏季，是形成大针茅地带性草原的基本条件。

如果生境条件趋于干旱，大针茅草原又常常被更具旱生性的克氏针茅草原所代替。因此大针茅草原可以视为我国中温型典型草原的典型代表。因此，在自然地带划分中，大针茅草原可以作为区分中温型森林草原亚带、典型草原亚带和荒漠草原亚带的重要标志。

大针茅是多年生旱生大型密丛禾草，具有发达的根系，地上部分由多数分蘖形成密集而高大的草丛，草丛基部常有多年宿存的枯老残枝。叶呈线形，叶片向内卷曲折合，叶层高40—50厘米，生殖枝高可达80—100厘米，草丛丛幅直径可达40—60厘米。大针茅作为建群种组成丛生禾草草原。

在内蒙古高原上，大针茅一般4月下旬开始返青，7月末开始抽穗，8月上旬为开花盛期，8月下旬果实陆续成熟，9月下旬植株便开始枯萎。由于枯枝能残留在根部，影响其萌生更新，在适度利用或割草的情况下，更新良好。

大针茅最适生境为排水良好的地带性环境，对沙质土壤有一定的适应性，因而在沙质栗钙土上可以见到发育很纯的大针茅草原。此外，随着放牧利用强度和人为活动的加剧，大针茅往往有逐渐减少以至消失的趋势，而代之以克氏针茅。

大针茅草原的种类组成比较丰富，种的饱和度每平方米一般为20种，少者11—15种，最丰富者可达25种以上。

大针茅草原中植物种数较多的是禾本科、百合科、菊科、豆科、蔷薇科、唇形科、藜科、毛茛科等，均在5种以上。重要的属有禾本科的针茅属、隐子草属、赖草属（羊草）、冰草属，菊科的蒿属，豆科的黄芪属、棘豆属，蔷薇科的委陵菜属，百合科的葱属，鸢尾科的鸢尾属等，反映了半干旱地区典型草原种类组成的一般特征。

三、中温型典型草原的主要类型之二

克氏针茅草原（Form. Stipa krylovii）同大针茅草原一样，均属于丛生禾草草原，也都是亚洲草原区所特有的典型草原群系，它的分布区主要是蒙古高原的典型草原地带。往北往东一直到森林草原地带的边界，往南分布到我国黄土高原的半干旱地区，往西，还可成为干旱区的某些山地草原类型。例如阴山、贺兰山、祁连山、天山都有分布。

在内蒙古高原地区，这种草原形成大面积分布，集中在典型草原地带以内，与大针茅草原交错重叠分布。主要集中在呼伦贝尔高原和锡林郭勒高原中部和西部地区。气候条件属于中温带的半干旱气候，全年降水量约300—350毫米，个别年份最高月降水量可达100毫米。年均温0℃—5℃，大于等于10℃的年积温1 800 ℃—2 500 ℃，最高可达2 700 ℃，湿润度为0. 25—0. 50，每年有1—4个月的半干旱期和一个月的干旱期，生长期195—210天，冬季覆雪日一般为30—50天，最高可达70天以上。地形为开阔平缓的高平原和缓起伏的丘陵坡地，土壤多为壤质、沙壤质或沙砾质栗钙土。

克氏针茅为典型草原旱生植物，草丛结构与大针茅相似，但植丛较小，叶层高约20—30厘米，最高可达40厘米，生植枝高60—70厘米，丛幅直径通常为30—40厘米，其生长发育节律和开花结实略早一些。在典型草原带，放牧利用较轻的草原中，大针茅的作用大于克氏针茅，随着放牧利用和人为活动的加剧，克氏针茅往往有所增加。到典型草原带的西部（接近荒漠草原带的区域）则克氏针茅的数量和作用大大超过大针茅，占据优势地位。说明克氏针茅的旱生性比大针茅更强一些。克氏针茅草原种类组成，每平方米内种的饱和度平均为15—20种。由于草原生态地理条件的不同，克氏针茅草原也形成了许多群落类型。

四、中温型荒漠草原的主要类型

小针茅草原（Form. Stipa klemenzii）是荒漠草原地带的一类小型丛生禾草草原。在我国主要分布在阴山山脉南北的乌兰察布高原和鄂尔多斯高原中西部地区。在蒙古的东戈壁荒漠草原地区占有优势，并在戈壁阿尔泰山脉广泛分布。

小针茅草原是最耐干旱的针茅草原之一，它的分布与温带大陆性干旱气候有密切联系。分布区的年降水量平均低于 250 毫米（130—250 毫米），大于等于 10℃ 的年积温波动于 2 000 ℃—3 000 ℃之间。湿润度 0.11—0.26。植物生育期可达 180—240 天，但春秋两季（特别是春季）往往发生持续 4—6 月的干旱期，严重地影响草原生产力的稳定性。

小针茅草原土壤为棕钙土（暗棕钙土为主）。腐殖层较浅薄，20—25 厘米以下普遍有一层坚实的钙积层，肥力不高（腐殖质含量小于 1.0%—1.8%），春墒差（土壤含水量低于 8%），地面十分粗糙，通常覆盖一层石砾和粗沙，系常态风蚀选留的结果。

小针茅是一种耐旱性很强的草原建群植物，除形成独特的荒漠草原群落，还广泛渗透到荒漠群落中成为重要成分。它是亚洲中部戈壁—蒙古区系成分的典型代表。植株矮小，平均高度 10—20 厘米。草丛密集紧实，直径最大不超过 10 厘米。须根发达，具根套。细线状叶片扭曲，席卷、簇生于营养枝基部。圆锥花序不大，半开放、常为叶鞘包被。开花结实季 6 月上旬，外观十分醒目。

小针茅在荒漠草原产量结构中占主要地位，所生产的有机物质通常占群落生产力总量的 40%—50%。受干旱气候的长期作用，小针茅草原的植物种类比较贫乏，一平方米面积上种的饱和度仅仅 10—12 种，但是种类组成比较稳定。其中主要特征种有：小针茅、无芒隐子草、多根葱（Allium polyrrhizum）、蒙古葱（Allium mongolicum）、兔唇花（Lagochilus ilicifolius）、叉枝鸦葱（Scorzonera divaricata）、荒漠丝石竹（Gypsophila desertorum）、女蒿（Hippolytia trifida）、小亚菊（Ajania achilla-eoides）和狭叶锦鸡儿（Caragana stenophylla）等，都是最稳定的植物。

五、暖温型典型草原的主要类型

本氏针茅草原（Form. Stipa bungeana）广泛分布于亚洲大陆的温暖地带，在我国主要分布于黄河流域，往东，直到华北地区；分布区的北界是西辽河以南的黄土丘陵及阴山山地的分水岭以南；往西可见于青海、祁连山、天山，并远及川西和西藏；南边可以分布到河南的伏牛山区一带。黄河中游的晋、陕、甘、宁及内蒙南部，正处于我国中部暖温带的黄土高原地区，是本氏针茅分布最多的区域。因有长期农业耕种的历史，土地已被广泛开垦，水土流失严重，天然草原保存不多。根据残存的天然植被和现有植物的研究、孢子花粉分析、土壤条件和气候条件的探索等，黄土高原东部属于半湿润森林草原，中部是半干旱草原，西部是荒漠草原地带。本氏针茅草原已难找到大面积连片的原生类型，只能在多年停耕的荒地和放牧的坡地上见到次生的本氏针茅草原片段。本氏针茅是一种喜暖的旱生植物，形成密集草丛，也成为丛生禾草草原。叶层高约20厘米，生殖枝约40厘米。叶片呈"V"字形向内翻卷，气孔包于叶内面。繁殖方式为种子繁殖和分蘖繁殖。3月底到4月初萌生，6月上旬抽穗开花，7—8月间当雨季来临之前，进入营养后期。

本氏针茅对环境的适应性较广，分布区的年均温在4.5℃—11.8℃，在日照较强的青藏高原可忍耐更低的温度。大于等于10℃的年积温在2 870 ℃—4 000 ℃。年降水量320—470毫米，最高可达600毫米。湿润度为0.3—0.6，土壤以黑垆土为主，并有部分的碳酸盐褐土，与富钙质的黄土母质相联系，也可生长在土层较薄的山地上。

本氏针茅草原的植物种类多样，以华北植物区系旱生化的种类为主。

本氏针茅草原的原生群落类型比较单一，主要群丛组是：本氏针茅+糙隐子草群丛组，本氏针茅+短花针茅群丛组，本氏针茅+冰草群丛组，本氏针茅+白羊草群丛组，本氏针茅+达乌里胡枝子群丛组，本氏针茅+百里香群丛组，本氏群茅+白莲蒿群丛组。这些群落的分化与土壤结构和粒径组成有密切相关。

六、暖温型荒漠草原的主要类型

短花针茅草原（Form. Stipa breviflora）在亚洲草原区荒漠草原带气候偏暖的区域内分布较广，同时也能分布到荒漠区的一些山地。这一类草原的主要分布是从我国黄土丘陵区的西北部起，向北越过阴山山地达到内蒙古高原的南部地区。其南界大体上是达到甘肃的兰州、会宁，宁夏的固原、陇东的环县，陕北的靖边、榆林、绥德以及晋西北的河曲、偏关等地。就其种的分布，几乎遍及亚洲中部。东面可达赤峰市郊的黄土丘陵地区；向北，直抵蒙古国南部的草原地区（约达北纬45°）；往西，从阿拉善到新疆南部荒漠区的山地均有分布；在青藏高原上，一直到雅鲁藏布江以南的措美、隆子地区还能见到它的踪迹。

短花针茅草原在甘肃、宁夏一带的黄土丘陵地区，主要分布在丘陵阳坡的灰钙土上，并与阴坡的本氏针茅草原、白莲蒿群落等相结合。到河西东部地区短花针茅草原则分布于缓丘的阴坡，阳坡让位于荒漠植被。在贺兰山及祁连山，也有短花针茅草原的分布。阴山山地以南，鄂尔多斯地区的黄土残丘和西辽河上游赤峰地区的黄土基质上均有短花针茅草原的零散分布。内蒙古高原的南部，西起于乌梁素海以东的大佘太地区，经达茂旗、四子王旗东至黄旗与化德一带，短花针茅草原在淡栗钙土及暗棕钙土上有连续的分布，形成一条集中的分布区域，东西横贯于荒漠草原的东南边缘。这是从典型草原带向西北过渡，首先所遇到的荒漠草原类型，再往西北过渡，才逐渐出现更干旱的小针茅草原和沙生针茅草原群落。短花针茅草原分布区的气候湿润度约在 0.23—0.47 之间，大于等于 10℃ 的年积温在 1 846 ℃（化德）— 3 214 ℃（赤峰），年降水量在 279—434 毫米，年均温 2.1℃（化德）— 7.4℃（准格尔旗）。其适应温度的范围较小针茅广，耐旱性则较差。

短花针茅多年生密丛禾草，属亚洲中部荒漠草原种，组成丛生禾草草原。植株发育正常时高约 10—15 厘米，生殖枝 30—40 厘米。叶线形、内卷、芒长约 5—8 厘米，全被纤细的羽状毛。旱生特征明显。短花针茅在内蒙古草原上，4 月初当积雪完全融解后即开始萌动，5 月下旬—6 月中旬抽穗开花进入生长旺季，6 月下旬—7 月上旬果实成熟脱落，生殖枝开始枯黄。9 月份进入休眠期，干枯的残枝能很好地保存下来。

组成短花针茅群系的高等植物是比较贫乏的。其中起作用最大的是禾本科，其次是豆科、菊科和藜科，百合科也有一定的作用。禾本科的针茅属、隐子草属，豆科的锦鸡儿属，菊科的蒿属作用最大，往往构成群落的建落种和优势种。短花针茅草原因分布地域广泛，因而分化出不同的群落类型，表现出各自的生态地理特征。

七、中温型根茎禾草草原类型

羊草草原（Form. Leymus chinensis）是欧亚大陆草原区东部的特有群系，它分布在俄国的外贝加尔草原地带、蒙古的草原地带以及我国的东北平原、内蒙古高原和黄土高原等地区的草原地带。羊草草原的分布区位于亚洲中、东部的温带半湿润和半干旱地区内，最北端伸达北纬62°，南界大约到北纬36°，东西跨于东经92°—132°的范围内，根据一些中小比例尺植被图进行粗略的估算，羊草草原在亚洲中、东部分布的总面积大约有42万平方公里，其中在我国境内的分布面积约占22万平方公里。是经济利用价值最高的草原类型。

羊草草原所分布的自然地带也比较广泛，它是森林草原带占面积最大的草原类型，在典型草原带，其面积仅次于针茅草原。羊草草原的生境类型是多样的。它的地形条件大多是开阔的平原或高平原以及丘陵坡麓等排水良好的地形部位。在某些河谷阶地、滩地、谷地等低湿地上也有其特殊类型。羊草草原的土壤主要是黑钙土、暗栗钙土、普通栗钙土、草甸化栗钙土和碱化土等。土壤质地多为轻质壤土，土壤通气状况一般良好。

水分条件和土壤盐分状况的差异是羊草草原群落类型分化的重要生态因素。例如大兴安岭西麓的森林草原半湿润气候带，由于降水充足，气候的湿润系数在0.6—0.8上下，因此羊草草原在地带性生境中发育良好，成为该地带最发达的草原群落。它在丘陵地形上，占据了坡地下部的广大地段。坡地上部与顶部往往发育着贝加尔针茅草原、线叶菊草原和羊茅草原等。坡麓以下的谷地中大多形成各种类型的草甸植物群落。这种生态分布系列上往往自上而下依次分布着羊茅草原或线叶菊+杂类草草原、羊草+无芒雀麦草原、羊草+中生杂类草草原、禾草草甸等。

在典型草原偏东部，因降水量少于森林草原带，湿润系数下降到0.4—0.6左右，所以羊草草原一般不能占据最典型的地带性生境，它大多出现在径流水分有所补给的半地带性生境中，例如丘陵坡地的下部与坡麓地段、宽谷地及河流阶地等部位上。这些羊草草原群落往往和丘陵坡地中部到顶部的针茅草原（大针茅草原、克氏针茅草原）、羊茅草原、线叶菊草原等群落类型组合分布在一个完整的系列上。在气候更趋于干旱的典型草原带西部，气候湿润系数大约是0.3—0.4左右，羊草草原群落主要是发育在具有地表水或潜水补给的谷地、河滩地、丘间洼地等低湿地上。此外，在土壤轻度盐化或碱化的低地上（土壤酸碱度大约在10.0以上）还可以形成含有耐盐碱植物的羊草草原群落。因为羊草是一种生态适应性很广泛的草原建群植物，所以羊草草原的生境类型和群落类型是多样的。按照它的生态地理分异及物种组成的性质可以划分为四个亚群系：Ⅰ. 典型草原型的羊草草原、Ⅱ. 中生化羊草草原、Ⅲ. 盐湿化羊草草原、Ⅳ. 沙砾质化羊草草原。这些亚群系均有多种群丛的分化。

八、高寒型轴根草草原类型

线叶菊草原（Form. Fillfolium sibiricum）是亚洲中部山地特有的一种双子叶轴根草占优势的草原群系。其分布范围大致介于东经100°—132°，北纬37°—54°之间，由西向东，自北而南，沿着杭爱山脉、肯特山脉、大兴安岭、燕山北部、阴山山脉东段等山地及其外围的低山丘陵和高平原断续绵延分布。

在我国境内，线叶菊草原主要分布在大兴安岭东西两麓低山丘陵地带、呼伦贝尔—锡林郭勒高原东部边缘和松嫩平原的丘陵低山坡地，占据了群系分布区中心。

在森林草原地带内，线叶菊草原经常出现在中低山地阳坡中上部的薄层黑钙土上，并和山地阴坡上的白桦林，中生杂木灌丛以及山地草甸群落形成生态组合。在森林草原向典型草原过渡的无林地区，线叶菊草原和贝加尔针茅草原、羊草草原形成稳定的生态分布序列。线叶菊草原的上述分布范围，从总体来看，是比较湿润而寒冷的山地大陆性气候。依地理坐标位置为转移，线叶菊草原群落的分布与一定海拔高度、一定的地形部位以及一定的土壤类型均有联系。随着纬度位置逐渐南移，经度位置西移，气候湿润度逐渐减低，线叶菊草原分布的海拔高度也在循序升高。

线叶菊草原的土壤是壤质、沙壤质、砂质、砾质的中性黑钙土和暗栗钙土，土质粗糙、砾石性或砂性较明显，植物除依赖大气降水外，还可利用部分土壤凝结水。

由于蒸发量相对较低，生长季的土壤水分条件比较优越，为较多的中旱生、旱中生以及中生杂类草的生长创造了条件。所以线叶菊草原群落有比较丰富的种类组成、华丽多彩的群落外貌和较高的第一性生产力。

线叶菊的高度一般平均为30—40厘米，其植物体兼有中生和旱生结构，是高寒草原植物的特征。这是线叶菊长期适应高原山地寒冷而干旱的大陆性气候环境的产物。

线叶菊的轴根发达，深可达 1 米以下，但随着个体的生长和衰老，轴根逐步被刷状侧根代替。主要分布在土壤表层 0—20 厘米之间，土壤中层根群比较均匀，但到深层（80 厘米左右）根系含量有增加趋势。这样，植物对表层和深层的水分和矿物营养均能充分利用。

由于高原山地春季寒流的频繁活动，线叶菊的营养期开始的很晚，一般在 5 月中下旬刚刚萌动。但是随着气温的升高，生长发育则相当旺盛。7 月中旬，当雨季到来的时候，金黄色的头状花序盛开，8 月上旬瘦果成熟，9 月中下旬，霜冻来临，营养期逐渐终止，种子脱落，草叶变红，呈现深秋的季相。

综上所述，线叶菊应属于耐寒的中旱生多年生轴根草。线叶菊草原群落，显然也表现出高寒草原相似的一系列特征。

由于生态地理条件不同，线叶菊草原分化出 6 个群丛纲和 21 个群丛，其生态特征的差异表现出与多种草原群系的联系。

第三节　内蒙古草原的自然、经济地域分异

一、内蒙古草原的景观生态区域

在草原区地理环境的演化中，形成了地域之间气候的梯度差异，因而发生了草原类型和区域的分化。北方温带草原区从半湿润区、半干旱区到干旱区，构成了气候湿润系数的完整梯度系列，按照景观结构与生态功能的特征，可分为以下几个区域。下面对各区的景观生态格局、环境与资源条件做简要说明：

嫩江—辽河冲积平原草甸草原，沿着大兴安岭东南麓山前地带（位于内蒙古的呼伦贝尔市、兴安盟、通辽市和赤峰市境内），气候的湿润系数 0.43—0.65，形成丘陵与丘间盆地、谷地相间分布的森林—草原生态格局，发育了草甸草原和典型草原，是生物多样性最丰富的草原地带。在长期的农业开发中，嫩江与辽河平原的草原被广泛垦殖，目前保持的原生草原已经不多。由于反复开垦及放牧利用，现存的草原植被都已退化，沙质草原发生沙

化，在许多排水不畅的地方，草原发生碱化。

西辽河流域的科尔沁草原沙地，位于西辽河冲积平原南部（属于内蒙古兴安盟南部、通辽市南部、赤峰市中部），是第四纪以来在西辽河冲积平原上风积形成的沙地，总面积约 4.8 万平方公里，气候的湿润系数为 0.35—0.5。由沙丘与沙丘间滩地组成疏林—灌丛—草地景观格局，具有乔灌草相结合的自然生态多样性的资源环境优势。但因多年来人口增长，草地与土地超载利用，导致林草植被衰退，近三十年来土地沙化在急剧蔓延，沙尘源也在扩展，对我国东北和华北造成风沙侵害。

大兴安岭西麓山前丘陵森林草原是内蒙古高原的森林—草原带（属于内蒙古额尔古纳市、牙克石市、陈巴尔虎旗、鄂温克族自治旗、乌拉盖地区、西乌珠穆沁旗），气候的湿润系数为 0.50—0.60，构成丘陵漫岗与丘间洼地多层镶嵌分布的白桦—山杨林与草甸草原景观生态系列。70 年代以来，在这里广泛开垦草原种植小麦等作物，经多年耕种，已使土地生产力明显退化，土质趋于沙化。

呼伦贝尔—乌珠穆沁—锡林河流域典型草原，是内蒙古高原东部的典型草原（属于内蒙古的陈巴尔虎旗、鄂温克族自治旗西部、新陈巴尔虎左旗、新陈巴尔虎右旗、东乌珠穆沁旗、西乌珠穆沁旗、阿巴嘎旗、锡林浩特市），气候湿润系数 0.35—0.50。形成了丘陵与高平原相间分布的典型草原。再往西的阿巴嘎熔岩台地区，气候湿润系数为 0.24—0.35，形成了比较单一的典型草原景观。由于近三十多年来的超负荷放牧和不合理开垦，目前草原植被已普遍发生退化，第一性生产力下降 40%—70%，生态功能严重受损，造成畜牧业的困境。

浑善达克草原沙地占据了阴山山脉以北内蒙古高原的中心位置（属于内蒙古克什克腾旗、西乌珠穆沁旗、锡林浩特市、阿巴嘎旗、苏尼特左旗、苏尼特右旗、正蓝旗、正镶白旗、镶黄旗、多伦县），是晚第三纪以来在阴山山脉北麓向斜构造基底上风积形成的沙地，由梁窝状沙丘和沙龙与沙丘间滩地相间排列，并有小型湖沼镶嵌分布，总面积约 3.2 万平方公里。因东、西部的气候湿润系数差异较大，东部约 0.35—0.48，形成榆树疏林草地，西部 0.13—0.3，为灌丛草地。目前，西部的植被退化十分严重，流动沙丘漫延分布，已成为北方的主要风沙源。

苏尼特—乌拉特高原荒漠草原位于内蒙古高原的北部，沿中蒙国境分布（属于内蒙古苏尼特左旗、苏尼特右旗、四子王旗北部、达茂旗、乌拉特中旗和乌拉特后旗），气候湿润系数0.13—0.25，这是进入内陆干旱区的过渡地带。生态系统结构单调，生物多样性贫乏，草地生产力不足典型草原的50%，现已广泛发生荒漠化，出现了许多不毛之地，已成为主要风沙源。必须果断采取围封休牧措施，全面实施草原生态保育和夏牧冬饲，异地育肥的经营模式。

阴山南麓—鄂尔多斯高原东部暖温型典型草原是黄土高原草原的北部，位于内蒙古呼和浩特市、鄂尔多斯市境内，与晋北、陕北和宁夏的草原相连，气候湿润系数0.30—0.48，由于水土侵蚀严重，地形切割剧烈，造成破碎的草原、灌丛、残林和耕地的景观生态系列。现已建成大规模的煤炭能源工业基地，生态环境的治理已是当务之急。

毛乌素草原沙地在鄂尔多斯高原的南部（属于内蒙古鄂尔多斯市的伊金霍洛旗、乌审旗、鄂托克旗），是暖温型草原沙地，总面积约4.4万平方公里。其中，沙砾质硬梁地、沙质软梁地与滩地等多种景观类型和生物多样性构成了良好的资源组合，气候湿润系数0.30—0.45。随着畜牧业的发展，牲畜数量的增长，也出现了沙漠化的威胁，目前正面临着防治沙漠化的紧迫任务。

鄂尔多斯高原西部暖温型荒漠草原是黄土高原荒漠草原向北延续的一部分（属于内蒙古鄂尔多斯市的杭锦旗、鄂托克旗），气候湿润系数0.20—0.30，由黄土台地和丘陵与稀疏的荒漠草原植被组成的景观类型，生产力很低，风水侵蚀严重，必须坚持退耕还草、还牧和生态保育的方向。

二、内蒙古草原的产业经济区域

北部草原纯牧区的产业经济特征　北部的草原纯牧区沿中蒙、中俄边境分布，包括最北部的呼伦贝尔草原牧业四旗，乌珠穆沁草原，锡林郭勒草原，苏尼特草原和乌兰察布—乌拉特草原，东西绵延二千多公里。纯放区的经济结构单一，草原放牧畜牧业是主要产业，天然草原及其中的沙地不适于大规模的农耕，所以牧区的种植业及第二、三产业均十分薄弱，仅在旗府驻地城镇形成规模很小的工商业。该地区人口稀少，从事草原畜牧业生产的总

人数约 50 万人，草原牧区的人口密度大致为每平方公里 1—1.5 人。20 世纪
80 年代以来，牧区改革开放政策和家庭承包责任制的落实，使牲畜头数一
直保持增长趋势，二十年来，约计增长一倍，目前牧区年末存栏牲畜头数约
2200 万头。但是草原保育和饲草料种植的进展不快，增畜的压力使草原退
化不断加剧和扩展，并引发多种自然灾害，目前，草原退化已严重危及当地
居民的生产与生活，对周围地区的环境也造成不利影响，沙尘暴的危害就是
突出的表现，草原作为我国北方生态安全的屏障作用正在削弱。在我国经济
建设中，牧区的畜牧业存在着以下一些突出的问题。

草原牧区畜牧业的脆弱性与不稳定性。内蒙古高原的草原，海拔在
700—1 500 米之间，是我国国土资源地理空间的第二高度。大部分地区缺
水，而且降水的时空分布不匀，年降水量一般为 150—350 毫米，年蒸发量
大多在 3 000 毫米以上，地表水和地下水资源贫乏。平均气温低，无霜期平
均 100 天左右。多为沙质土壤，土地易沙化、风多、风力大。这些不利的自
然条件是无可回避的障碍，也是灾害频繁的根源。所以内蒙古牧区的畜牧业
在历史上一直不稳定。

据统计，从新中国成立后到"六五"期间，内蒙古草原牧区每年因灾
死亡的牲畜平均约 200 万头（只），约占总头数的 8%。如锡林郭勒盟，从
1953 年以来的四十多年间，全盟共发生旱灾、雪灾 27 次，其中 7 次严重的
雪灾共死亡牲畜 549 万头（只），平均每次死亡 78.4 万头（只）。最严重的
1977 年大雪灾（1977 年 10 月末），锡林郭勒盟广大地区普降大暴雪，平均
达 35 毫米，降雪中心的锡林浩特地区高达 58 毫米，整个草场完全被冻雪覆
盖。之后，又陆续降雪十余次，使积雪不断增厚，形成雪冰交错结构。数百
万牲畜长时间不能出牧，又缺草料补给，使全盟牲畜由 861.3 万骤降至
523.7 万。之后，用了十余年时间，到 1988 年才恢复到 1977 年的水平。可
见，抗御灾害的能力难以改变草原畜牧业因频繁灾害而发生波动。

草原牧区常见的自然灾害有旱灾、雪灾和其他突发性自然灾害，主要是
因缺草、缺水、缺圈舍对草原畜牧业构成危害。旱灾发生的几率最高，造成
的危害也最大。春季干旱，影响牧草返青，甚至造成返青的草再枯，有时干
旱持续到 7、8 月份，造成夏季枯草，牲畜因缺草体弱而大量死亡。冬季干
旱，牲畜不能进入无水草场，虽有枯草，但无雪可舔，缺少饮水，称之为

"黑灾"。冬季雪大，虽然对春季牧草返青有利，但冬季牧草被大雪深埋，家畜采食困难，对于没有饲草贮备或贮备不足的牧户，也将造成受灾的打击。同时，降雪过程中或降雪后，大多伴随"白毛风"，风雪交加，家畜往往因设施差或来不及躲避，导致冻饿而死，这种情况称之为"白灾"。即使在春季自然灾害也时有发生，有时一场骤冷雨雪，就会使大批牲畜冻死。

尽管进行了草原畜牧业基础建设，生产条件有了不少改善，但仍未具备完全主动抗御自然灾害的能力，靠天养畜的局面没有得到完全改观。历史经验表明，单一的防灾抗灾手段虽然可以减少损失，但并未能从根本上克服草原畜牧业的脆弱性。只有不断增加饲草料产出水平，改传统的放牧方式为放牧加补饲、舍饲，实行科学的经营管理，将各种综合措施组装配套，才能克服其脆弱性，为稳定、高产、优质、高效畜牧业奠定物质基础。

草地畜牧业的季节性。草原牧区全年在天然草地放牧，对自然条件依赖性很强，这种生产方式的突出问题是牧草的供给和家畜的需求之间存在着年份和季节的不平衡。受天然草原"一岁一枯荣"的影响，家畜出现"夏饱、秋肥、冬瘦、春乏"的季节性波动。在全年放牧条件下，草原提供饲草的动态变化可分为三个阶段：

第一个阶段：早春时节，牧草刚刚萌发，还不能满足放牧家畜的需要，但牲畜不爱吃干草又吃不到多少青草，四处觅食，体力消耗大，掉膘快，死亡率高，俗称"跑青"或"春乏"。通常降雨量累计达20毫米时，这一阶段才算结束，家畜即可以"饱青"。但此时生长的幼嫩青草被家畜采食的几率特别多，过早放牧，不利于牧草返青，导致草原退化。

第二个阶段：夏秋两季，牧草处于生长旺期，一般在水热条件较好放牧适度的情况下，牧草的增长量超过家畜对饲草的需要量，是放牧畜牧业的黄金季节。但到晚秋，牧草开始向根部贮存养分，此时超出利用强度，也不利于第二年牧草返青，而且还会影响牧草品质。

第三个阶段：到了冬季，牧草停止生长，饲草供应的质和量都要逐月急剧下降。据内蒙古农牧学院在四子王旗的实测数据可以说明这一趋势。

3月份粗蛋白质、粗脂肪、粗灰分的含量分别为上年10月份含量的56.2%、43.9%和33.6%，这些营养成分的损失率高达40%—60%。若与8月份的营养成分相比，其损失率更高。而粗纤维含量比例却大幅度增加，3

月份粗纤维含量相当于上年 10 月份的 134.6%。许多资料表明，冷季草场上枯草维生素含量几乎全部丧失，如胡萝卜素损失率达 90% 以上。此时如单靠放牧，就很难满足家畜的营养需要。以肉牛为例，3—6 月龄所需日粮的粗蛋白质含量应为 16.5%，7—9 月龄应为 15%，10—12 月龄为 12%，13—18 月龄为 11%，而冷季天然草场所提供的粗陋蛋白质含量尚不足需要量的一半。由于冷季饲草供给的质和量远不够家畜本身维持其基本代谢，加之天气寒冷，热量消耗大，家畜不得不消耗其体内贮存的物质来维持生命，势必形成"冬瘦"。大量观测资料表明，整个冷季放牧绵羊掉膘率平均为 20%，其中掉膘最多的是当年羔羊，其次是成年母羊，成年公羊掉膘最少。当年羔羊和成年母羊以 3—4 月份掉膘最多，分别为 12% 和 8%；牛的掉膘率一般为 25%—30%。

家畜随季节变化呈现出的波动性，对草原畜牧业的稳定发展有很大的影响。由于冷季牲畜掉膘，使产品损失严重；影响繁成率、仔畜品质和母畜生产能力；难以形成合理的畜群结构，使畜产品价值不高，畜产品也不能均衡上市。

草原牧区畜牧业所存在上述实际问题，对于实现草原畜业产业化都是不利因素。必须依靠科学技术，以确保生态安全为目标，推行休牧与轮牧制度，多方建设人工草地与饲料基地，实行"夏牧冬饲"，发挥与农牧交错区资源互补的优势，建立北繁南育，异地育肥体系，向集约化经营方向努力。按照系统开放的原则，使畜牧业纳入科工贸的产业体系之中。

农牧交错区的产业经济特征　牧区以东和以南的农牧交错区，沿嫩江、西辽河、长城及阴山山地一线，西至黄河上中游流域，以草原的开发为依托，形成了农耕与牧养两种生产方式并存的地区。这是在长期历史上两种文明相互交融所形成的民族文化—经济地理区域，具有其自身的自然人文景观特点，反映了北方各民族经济文化融合的进程。由于时代的限制，这里的经济结构只限于分隔经营的农业耕作生产和放牧畜养业生产，历史上不可能形成植物生产与动物生产深度结合的产业体系。

农牧交错区景观结构的特点是在温带草原背景上，星散分布着粗放耕作的农田与村落等景观单元。农田的分布格局是相对集中在山麓地带、河流沿岸、丘陵谷地及盆地中，由此向周围扩展，逐渐稀疏分布，这种景观结构在卫星遥感图像上可以准确地判别。

农牧交错区东部的年均降水量约 400—450 毫米，中部广大地区平均降水量约 300—350 毫米，西部约 250 毫米；北部的嫩江流域，大于等于 10℃的年积温约 2 000℃—2 300℃，西辽河流域及阴山两麓的年积温约 2 500℃—2 800℃，黄河沿线的积温约 2 800℃—3 400℃，上述各地的水热组合条件决定了本区只能实行旱作及一年一熟的农业耕作制度。由于历史条件（经济实力、科技等）的限制，农牧交错区的农耕生产必然是粗放经营、广种薄收，丰歉波动的局面。

半个世纪以来，农牧交错区的经济也有发展，但主要是以满负荷和超负荷地开发利用自然资源来发展生产的。是以损坏生态环境、突破水、土、生物资源的循环再生机制为代价所取得的眼前收益。因此，注定是不可持续的发展。目前所出现的：土地肥力消耗殆尽，风沙侵蚀与水土流失加剧、滩川地盐碱化、草地普遍退化、沙尘天气与沙尘暴的频发、虫鼠病害的流行等都是超限度开发利用资源所造成的恶果。可见，农牧交错带的发展，在很大程度上已造成了资源锐减、环境恶化、灾害频发、居民贫困化的严重后果。农牧业生产中最突出的问题是不合理的土地开垦和粗放经营。

草原开垦使草原生态系统遭到破坏。20 世纪 60—70 年代，在"以粮为纲"的方针指导下，从东向西、从南到北的大面积草地，不论其地理分布规律，也不管其宜垦条件，随意开垦。据不完全统计，60 年代—70 年代中期，内蒙古就开垦 97.6×10^4 公顷天然草原，成片草原植被毁于一旦。耕种几年后，由于风蚀和土壤肥力下降，不能耕种而撂荒。撂荒地由于缺乏植被保护，土壤侵蚀加剧，造成草地沙化、碱化与水土流失。

实验表明，丛生禾草草原，开垦后又撂荒，大约需要 15—20 年才能恢复到原初草原状况。若有人为因素干扰，将使恢复更加滞后。开垦的土地受干旱威胁的几率加大，危害程度不断加强，因为草地植被遭到破坏，地表裸露，下垫面反射率增大，土壤水分强烈蒸发，地表更加干燥的反馈作用增强，局部气候日趋干旱，从而促进草地加速退化。由于退化草地面积不断扩大，草地初级生产力大幅度降低，势必会导致草畜矛盾加剧，周而复始，造成生态系统的恶性循环。

农牧交错带的正确出路应在于退耕还草还牧，并与北部牧区相互匹配，实行集约化经营和产业化道路。

第四节　草原荒漠化的历史反思

内蒙古草原曾经拥有十分美好的过去，但它那种令人神往的昔日景象如今已经不见了。取而代之的是草原的大面积减少和日趋严重的荒漠化。为弄清内蒙古草原的现在，我们不妨回顾一下它在不同历史时期所遭遇的命运。

尽管我们对内蒙古草原早期的状况缺乏详细的定量数据，从历代文献资料的描述中仍可作出相应的结论。

一、历史时期的内蒙古草原畜牧与农耕及荒漠化的发生

众所周知，内蒙古草原地区南部成为北方游牧民族与中原农耕民族相互影响、彼此渗透的交错地带，已有许多世纪的历史。据记载，早在秦朝，就曾有移民开垦今河套和鄂尔多斯地区的一部分草原，但乍兴即废，对当地自然生态未能造成严重破坏。因此，直到西汉初期内蒙古草原的自然环境还是很好的。那时，除了最西部的额济纳、阿拉善地区外，内蒙古的其他地区大概还没有沙漠化的危害。自汉王朝几次出兵今鄂尔多斯和河套地区，从当时该地区游牧民族匈奴人手里夺取地盘之后，汉武帝迁徙 70 万人开垦黄土高原。[①] 至元始二年（公元 2 年），内蒙古西部汉族人口达 100.5 万，占该地区人口的 57%。持续多年的大规模开垦使草原的自然生态环境开始发生局部恶化。因此到东汉时期内蒙古西部地区汉族移民的种植业又趋于衰微。鄂尔多斯地区的沙漠化大约是在这个时期陆续发生的。

从东汉末期到唐朝初期，内蒙古草原的主权回到游牧部落手中。由于传统的游牧型草原畜牧业成为主导产业长达四个多世纪，草原获得了休养生息的时间，鄂尔多斯地区先前出现的沙漠化并没有扩展。被称为"大碛"的沙丘，也仅是沙漠化的雏形。

唐朝的中后期，是继汉朝之后较大规模开垦内蒙古草原的一个时期。神龙三年（707 年）在河套和鄂尔多斯地区开辟屯田，并在边境上修筑了三个

---

① 刘宗超：《生态文明观与中国可持续发展走向》，中国科学技术出版社 1997 年版，第 15 页。

受降城作为屏障。元和年间（806—820 年），再次大兴屯田。尽管唐代在内蒙古草原的垦殖没有达到汉代的规模，但由于这时内蒙古草原地区的自然环境已不如汉代，导致了迅速荒漠化的结果，鄂尔多斯地区南部已有风沙肆虐，库布其沙漠开始扩大并以"普纳沙"、"库结沙"等名字为世人所了解。唐朝屯田制后来迅速由盛转衰，就是其破坏草原生态环境的自然报应。①

辽、金、元三代的三百余年间，内蒙古草原基本上属于游牧部落所有。尽管在此期间有过相当规模的屯田，甚至辽朝还在内蒙古东南部利用汉族移民发展过种植业，但与汉、唐时期的以耕代牧不同，所实行的是以耕助牧政策，没有形成滥垦局面。况且，与鄂尔多斯等西南部地区比较，内蒙古东南部地区对人类开发活动的承受能力强。根据《蒙古黄金史纲》关于成吉思汗临终前行经鄂尔多斯地区时对此地风光的赞美，可以断定该地区的沙化趋势在元代至少已经减缓，甚至完全停止。②

到了明代，除在内蒙古河套地区再度出现屯兵驻扎外，已有许多内地贫民作为雁行式季节性移民或常住移民自发地迁入内蒙古地区，在隆庆和万历年间（1570—1582 年）达 70.5 万人，导致农耕规模再次扩大，喀拉沁、土默特地区的开垦情况已达近似于当时内地的程度。③

在规模和程度上对内蒙古草原地区传统游牧业产生深刻影响的进程出现于清朝后期。光绪二十八年（1902 年），清王朝废止以前实施二百五十余年的关于限制汉民移居蒙地的"边禁"政策，正式开放蒙荒，并改私垦为官垦。清统治者在内蒙古实施的这一所谓"新政"，敞开了内地汉民大量涌入草原地区的门户，开始在察哈尔、乌兰察布等西部地区，尔后在昭乌达、哲里木等东部地区有大批汉民移居。在 1902—1908 年的所谓"移民实边"的高潮中，内蒙古西部地区共放垦土地 757 万亩，东部地区放垦土地 2450 万亩。④

民国时期，无论北洋军阀政府还是国民党，均沿袭了清朝放垦内蒙古草

---

① 达丽：《内蒙古草原生态系统的可持续发展》，复旦大学经济学院，2001 年，第 13 页。
② 达丽：《内蒙古草原生态系统的可持续发展》，复旦大学经济学院，2001 年，第 16—17 页。
③ 色音：《蒙古游牧社会的变迁》，内蒙古人民出版社 1998 年版，第 34 页。
④ 布赫主编：《内蒙古大辞典》，内蒙古人民出版社 1991 年版，第 82 页。

原的"蒙地汉化"政策，并为此制定了许多奖励开垦的办法。伴随从沿海各省通往内蒙古铁路的修筑，移民大量涌入，使草原地区开垦规模更加扩大，除经东北地区继续移入内蒙古东部，开垦昭乌达盟东部和呼伦贝尔盟境内大兴安岭东麓平齐铁路沿线地区外，也大批涌向河套西部、伊盟中部等西部地区，开辟许多不适于耕作的地区为农田。根据1912—1949年间就绥远省境内的开垦面积约等于清朝时期在内蒙古地区全部开垦面积的4倍这一点推测[①]，民国时期对内蒙古草原的开垦规模不会小于清朝。毫无疑问，不论是清朝时期还是民国时期，统治者所选定的开垦地区都是水草丰美、气候适宜的优质草原。

在清末和民国年间的"移民实边"政策使内蒙古地区人口的农耕与游牧结构发生了根本性转折。汉族移民的连年增加，逐步改变了该地区蒙汉民族人口比例。到1911年辛亥革命前夕，内蒙古地区的汉族人口就已超过150万。[②] 此后的38年期间汉族人口继续增加，新中国成立之初已达515.4万，蒙汉民族比例已经变为1：6.2；从事纯牧业的蒙古族人口已不足30万，仅占全部蒙古族人口的1/3；从事种植业人口比重已达88.8%，农业总产值已占到工农业总产值的91.4%，种植业产值在农牧业总产值中的比重达72%。[③] 这一时期的全面放垦、滥垦政策，对内蒙古草原生态环境的破坏极为严重。仍以鄂尔多斯地区为例，康熙帝亲征噶尔丹时还是"生计周全，牲畜茂盛，较他蒙古殷富。……水土、食物皆甚相宜"的地方，到抗日战争爆发时已经变成"生计不周全、牲畜不茂盛、较他蒙古贫穷"的地方了。[④]

再以东起化德县西至达茂旗，东西长三百八十余公里，南北宽一百多公里，现已作为生态脆弱带的"阴山北麓丘陵伏沙地区"为例。该区域正是著名"敕勒歌"的诞生地，在上世纪初还是"草过于马脊"的优质草原，其生态恶化主要就是在清末以来的滥垦及其他不合理开发活动造成的。

① 色音：《蒙古游牧社会的变迁》，内蒙古人民出版社1998年版，第30页。
② 色音：《蒙古游牧社会的变迁》，内蒙古人民出版社1998年版，第72页。
③ 况浩林：《中国近代少数民族经济史稿》，民族出版社1992年版，第152页。
④ 达丽：《内蒙古草原生态系统的可持续发展》，复旦大学经济学院，2001年，第19页。

如此数十年连续不断的开垦，其直接后果便是草原区域的大面积减少，从而致使世代以游牧为生的蒙古等少数民族被迫放弃故地，迁往草场质量相对低劣、生态环境更加严酷的偏远地区；其后果是草原地区的荒漠化。

二、现代时期内蒙古草原的农垦与人口状况

近半个多世纪以来，解放前历代统治者给内蒙古草原带来的荒漠化不仅没有受到遏制，反而加剧了。原因何在？人们不难从农耕人口的迅速增加和对草原的大规模开垦中找到答案。

首先，农耕人口占绝对优势的格局成为蚕食草原的重要基础。根据公安户籍统计数据，从自治区成立的1947年到2000年末的半个多世纪期间，总人口增长了322.4%，其中汉族人口从469.6万增长到1832.48万，蒙古族人口从83.2万增长到386.01万。鉴于自治区成立时蒙古族人口中的2/3以上已经变成种植业人口，游牧人口与农耕人口的比例达到1∶19，加之近几十年间从内地迁入的350万汉族移民，从事农耕活动的人口在总人口中占绝对优势的格局更趋强化；连新中国成立初期汉族人口极少的呼伦贝尔、锡林郭勒两个盟的13个牧业旗，其汉族人口比重都已上升到18.8%—68.2%，其中有6个旗的汉族人口超过了蒙古族人口。[①]

其次，大面积无序开垦导致了草原面积的锐减和沙漠化。新中国成立以来，内蒙古草原出现了三次大的开垦高潮。第一次是1958—1962年间片面强调"以粮为纲"，在牧区和半农半牧区开垦草原，大办农业和副食基地。第二次是1966—1976年间提倡所谓"牧民不吃亏心粮"，盲目地开垦草原。在此期间还有众多的生产建设兵团、部队、机关、学校、厂矿企业单位也相继到牧区开垦草原，乱占牧场。据有关人员统计，在1958—1976年的十八年间全区开垦草原206.7万公顷，其中部队、兵团、机关、学校、企业等单位在16个牧业旗开垦草原93.3万公顷。[②] 第三次是1980年代末开始并持续

---

① 恩和：《内蒙古地区的文化变迁——农耕文化对游牧文化的影响》，"中亚世界"国际学术会议，2002年。

② 苗忠：《试论内蒙古草地资源危机与保护》，《环保工作论文集》，内蒙古人民出版社1998年版，第184页。

近十年的草原开垦高潮。尽管目前还没有官方关于这次开垦的正式数据，最近完成的一项调查成果表明，其"开垦强度和开垦面积远大于前两次，……大兴安岭两侧所新开垦面积逾千万亩"。[①] 在此期间，部队、生产建设兵团等单位滥占草原的现象继续加剧。一项研究成果指出：在1980年代初，仅部队系统就有3大军区、6个省军区、4个兵种的229个单位在9个盟63个旗县建了446个生产单位，占草原面积890万亩，其中开垦135万亩。[②]

此外，过度樵柴和非法挖搂也加剧了草原地区的荒漠化。在内蒙古，尽管有部分地区的农牧民以农作物秸秆、畜粪、煤炭为生活燃料，但在早年定居化的牧区、半农半牧区，大部分居民以野生植物作为燃料已年深日久。据1979年进行的一次沙漠化调查，前伊盟境内的农牧民为解决生活燃料、扎棚圈、加固围墙以及增加经济收入，每年大量挖掘油蒿、沙柳、柠条。据测算，一户五口之家的年需烧柴相当于40亩固定、半固定沙地上的全部油蒿，即为烧柴每年要破坏40亩天然植被。[③] 这说明，过度樵柴确实是破坏自然植被，加剧荒漠化不可忽视的一个因素。

对内蒙古中西部地区甘草、麻黄、苁蓉等药用植物的无序采挖，尤其是20世纪80年代初至90年代末期间周边省区二百余万农民先后涌入锡林郭勒、乌兰察布、鄂尔多斯、阿拉善等盟、市草原地区挖搂发菜，时间持续了近二十年，致使700万公顷草原受到严重破坏，其中400万公顷已经荒漠化。[④] 以锡盟苏尼特右旗为例，外省区进入该旗搂发菜的人数达5万余人（该旗2000年末的人口才达7.8万），致使数十万公顷草场退化。[⑤] 以"中亚游牧文明的变迁"为题的中、俄、蒙三国联合考察队于2001年7月底途经该旗时，对其严重荒漠化情景描述为"寸草未生，赤地千里"。

三、内蒙古草原荒漠化的历史根源

对导致内蒙古草原荒漠化的原因，不少人认为或喜欢认为是由自然因素

---

① 内蒙古自治区环境保护局：《内蒙古自治区生态环境现状调查报告》，2001年。
② 达丽：《内蒙古草原生态系统的可持续发展》，复旦大学经济学院，2001年，第27页。
③ 达丽：《内蒙古草原生态系统的可持续发展》，复旦大学经济学院，2001年，第22—23页。
④ 《北京日报》2000年4月22日第3版。
⑤ 管光耀等：《穿越风沙线——内蒙古生态备忘录》，中国档案出版社2001年版，第12—13页。

和人为因素共同所致。当然，如果我们抽象地谈论荒漠化的原因，这一说法是一个无懈可击的答案。但对于一个确定地区的荒漠化而言，其原因应当是各不相同的。因此，这种放之四海而皆准的答案实际上等于没有回答问题。实际上，在十几年前就已经有人指出了内蒙古草原荒漠化的原因中人为因素占94.5%，从而已经回敬了这种笼而统之的说法。近来，谈论造成荒漠化的人为因素倒是多了起来，但许多人常常把开垦、过牧、樵柴等人为因素平行地列为"诸多原因"，甚至有些人把牧区的超载过牧列为首要原因。不过这样的结论仍然是一种"笼而统之"的答案。对诸如此类的说法，在联合国环境规划署任职18年，于20世纪80年代任联合国副秘书长兼联合国环境规划署执行主任的莫斯塔法·卡·托尔巴博士早在20年前就曾指出："同大多数环境问题不一样，沙漠化的原因没有什么不明确的地方。从表面上看，这些原因就是滥用和过度使用脆弱的土地——过度放牧、毁林、过度耕作和破坏了土地生物生产能力的不良灌溉。而这些做法起因于交错在一起的复杂而隐藏的原因，包括不公平的贸易条件、人口的增长、短期的规划，有时仅出于完全无知。理事会提出的建议，必须考虑到这些隐藏的原因。"这就是说，托尔巴博士实际上认为那些诸多"人为因素"也仅仅是表层现象，在这些表面现象背后还有更深层的原因。

对于牧区的超载过牧问题，应做进一步的分析。从近20—30年的短期时段和现有的可放牧草场而言，正如有关调查成果所表明，内蒙古地区现有食草牲畜4 123.55万羊单位，全年共需可食干草352.64亿公斤，全年共缺饲草66.05亿公斤，短缺率为18.7%；在33个牧业旗中有28个牧业旗牲畜超载，缺草量均为20%以上，其中有2个旗缺草量达40%以上[1]，过牧问题确实存在。但从长时段考察草原的变迁沿革，过牧问题是由于广泛开垦草原、樵柴、滥搂乱挖等农耕行为所造成，其中农垦是最主要的历史性因素。

这首先是因为现有放牧草场已不是过去的辽阔而丰美的草场。正如前文所述，鄂尔多斯、巴彦淖尔、乌兰察布、哲里木、昭乌达、兴安等盟市的广大农区都曾经是由游牧民族的草场演变而来的。即使对游牧民族在解放前许多世纪内从水草丰美的草原被迫迁徙到目前的地域这一历史欠账不予考虑，

---

[1]　内蒙古自治区环境保护局：《内蒙古自治区生态环境现状调查报告》，2001年。

只要简单对比一下从 20 世纪 60 年代以来的草原面积就可发现，天然草原拥有面积从 60 年代的 8 666.7 万公顷，下降到 80 年代中期的 7 880 万公顷，到 90 年代末时只剩下 7 370 万公顷，在三十多年中净减少 996.7 万公顷，共下降 11.5%；如按可利用面积计算，上述三个时期的数据分别为 6 867 万公顷、5 998 万公顷和 5 170 万公顷，在三十多年中净减少 1 697 万公顷，共下降了 24.7%。[①]

其次，本来种植业与畜牧业之间的选择并不是哪个"先进"与"落后"的问题，而是"是否适应"的问题。但由于"农耕"先进、"畜牧"落后这一传统社会思想根深蒂固，在农业与畜牧业之间所做出的产业选择——"重农轻牧"，一以贯之地延续了下来。从历代统治者把农业种植置于最高地位，实施"主谷制"、"屯田制"，到现代的"以粮为纲"和"牧民不吃亏心粮"，以及大批生产建设兵团开进草原地区，都说明这一点。实际上，畜牧业在全区国民经济中的地位，时至今日还不明确。尽管早在 1981 年中共中央书记处讨论《内蒙古自治区工作纪要》时就已明确指出："内蒙古自治区的经济建设方针，应下决心以二三十年或半个世纪的时间，用愚公移山的精神，因地制宜，走出一条以林牧为主，多种经营的路子"[②]，1986 年自治区党委也曾提出"念草木经，兴畜牧业"[③] 为全区经济建设主攻方向，但这些正确的主张都没有得到认真的贯彻落实。时隔不久，又提出把内蒙古自治区建设成为"国家的商品粮基地"的口号，并把它升格为经济布局的长期政策，直到 1997 年还在鼓励扩大耕地。于是所谓"开垦宜农荒地 480 万亩"被确定为国民经济和社会发展的计划指标。[④] 第三次草原开垦高潮就是在这个年代发生的。

此外，受已开垦土地的荒漠化对相邻草原的胁迫影响，剩余草原的生产

---

① 苗忠：《试论内蒙古草地资源危机与保护》，《环保工作论文集》，内蒙古人民出版社 1998 年版，第 184 页。

② 内蒙古自治区畜牧厅修志编史委员会：《内蒙古畜牧业大事记》，内蒙古人民出版社 1997 年版，第 150 页。

③ 内蒙古自治区畜牧厅修志编史委员会：《内蒙古畜牧业大事记》，内蒙古人民出版社 1997 年版，第 150 页。

④ 内蒙古自治区计划委员会：《内蒙古"九五"计划及远景目标》，1997 年，第 154 页。

力也逐年下降。与 50 年代相比，内蒙古草原的产草量已经下降
30%—50%。

　　经综合考虑，许多世纪以来内蒙古草原变迁的上述情况及其长期影响，可以认为，从根源上说，内蒙古草原生态恶化是垦殖型荒漠化。正如中国工程院院士李文华先生所指出的那样：对内蒙古草原的荒漠化"许多业内专家认为是由农牧民过度放牧、草原超载所致，我个人对这种说法不敢苟同。内蒙古生态环境现状的形成，生态系统的结构、组成与分布格局，是一个有自然因素和人类活动长期历史演化的结果。内蒙古草原的开垦有其特定的历史原因，20 世纪 60—70 年代的植树开荒，以及后来的'以粮为纲'等政策，加剧了草原生态的恶化，因此，完全让当地农牧民来承担治理恢复生态的责任是不公平的"①。把牧民的所谓超载过牧当作导致草原荒漠化的首要原因，实际上是找了某种意义上的"替罪羊"而已。

四、垦殖型荒漠化的文化根源

　　造成草原如此严重的荒漠化，有其深刻的文化根源，主要表现在农耕民族和游牧民族对草原持有的不同价值观上。

　　首先，农耕与游牧民族有截然不同的经济价值实现方式。游牧民族，如蒙古族及其先民们，自古以来就是在人—家畜—自然界（气、水、土、草）—人这种循环链中取得家畜的生产力来满足自己衣食住行的经济需求。因此，草原的丰美程度本身是游牧民族经济生活的必要组成部分，即草原是他们最重要的资源。而传统的农耕民族没有"草地"概念，对他们而言，草地就是荒地，越是水草丰美的草场，越值得垦殖、采挖和种植；否则就是资源的闲置，就是浪费。由于这种农耕价值观在很长的历史时期扮演了主导文化角色，使古代的"主谷制"、"屯田制"得以演变到现代的"以粮为纲"和生产建设兵团等。只要对历代统治者启动开垦草原的动因做简要分析，便可明了这一点。

　　清朝于 1902 年正式宣布开放蒙荒，大规模推行所谓"借地养民"、"移

---

　　① 《生态、环保、人才、气候——中国工程院院士解答有关内蒙古发展的四大问题》，《北方新报》2002 年 8 月 1 日。

民实边"的"新政"，就是以时任山西巡抚的芩春煊的奏请为根据的。芩的"筹议开垦蒙地"奏文称："查晋边西北乌兰察布、伊克昭二盟蒙古十三旗，地方旷衍，甲于朔陲，伊克昭之鄂尔多斯各旗，环阻大河，灌溉便利……以各旗幅员计之，广袤不下三四千里，若垦十之三四，当可得田数十万顷。"急于求财的清廷于是委派官员，督办垦务，开始大面积开垦内蒙古西部草原。在西部放垦之后，理藩院左丞姚锡光也上奏光绪，要求放垦内蒙古东部："内外蒙古，地质膏腴，民俗劲悍，此尤根本之根本。……当经营内外蒙古荒地，宜及时采东西殖之策，用晃错实边之谋，……招民垦种……昭乌达、哲里木二盟之巴林、达尔汗各旗，未垦荒地纵横方数千里，……尚可开地数十万顷。"[①] 浩浩荡荡的农耕移民涌入内蒙古东西部草原地区，乱开滥垦全面开花就是这样开始的。

遗憾的是，内蒙古自治区以及新中国相继成立之后，对草原价值的这种观念被延续下来。中国本是个草原大国，拥有约4亿公顷天然草地（占国土总面积的40%以上，耕地面积的3.7倍，森林面积的3.1倍），其中79.83%为牧区草原。但对如此举足轻重的国土资源，直到1985年才出台了专门的草原法；并且在现行宪法颁布（1982年12月4日颁布实施）之前，草原的资源属性在以前的宪法中没有得到明确说明。在1978年3月5日颁布实施的宪法中，把国土资源范畴仅表述为"矿藏，水流，国有的森林、荒地和其他海陆资源，都属于全民所有"。这里是把草原当成荒地对待的，而荒地对具有数千年农耕传统的大部分国人而言，只不过就是尚未耕种，因而是尚未体现其经济价值的土地。正是基于这种价值观，近半个多世纪以来，在草原地区出现了三次大开垦，从而导致了严重的荒漠化。特别是内蒙古草原第三次大开垦的后果比前两次更加严重。这次开垦是在中共中央于1981年已经批准"以林牧为主，多种经营"为内蒙古自治区的经济建设方针，1982年宪法把草原明确列为国土资源的一种，《草原法》于1985年已经颁布实施的情况下出现的。除了传统农耕文化的因素外，在我们决策体制中的一些弊端也是不应忽视的。到1999年，党中央提出实施西部大开发战略，在草原生态严重恶化的形势下，要求把保护草原、退耕还林还草、防沙

---

① 色音：《蒙古游牧社会的变迁》，内蒙古人民出版社1998年版，第51—52页。

治沙、天然林保护等重大生态工程列入长期规划，确保实施。

游牧民族因世代代繁衍生息于辽阔的草原，从而认为草原就是他们社会存在的空间，就是他们的家园。他们经营独具特色的畜牧业生产，在悠久岁月中驯化培育了适应草原严酷自然环境的多种家畜地方品种，创造出一整套生产工艺，系统地掌握了关于草原地区动植物群落、地上地下资源方面的知识，形成了自己独特的审美观和生态观。秀丽山川、辽阔草原成为游牧民族文学艺术、音乐舞蹈、绘画等艺术创作的对象和源泉，成为他们的精神支柱。正如俄罗斯著名学者 L. N. 古米列夫所评价："游牧民族在他们自身发展的历史进程中创造了独具特色的社会文化类型。对此，人们不应认为是粗俗、落后和停滞不前的。"① 而我国长期的封建统治者对草原没有切身的认识，"逐水草而居"成了描述游牧文化落后的代用词，也把林海茫茫中以林副业为生的居民视为野人。1930 年国民党政府《蒙古农业计划案》称："食肉酪饮，固无害于体魄之发育；逐水草迁徙，实有碍于文化之增进；此蒙古同胞之智慧文化所以逐渐落后也。宜先将农业与人生之体智及社会文化关系详为宣传，是人人深明农业之重要，而乐耕种。"汪精卫也称："今日世界最要紧的经济原则，要以较小的土地，养最多的人口，而游牧民族适得其反。故蒙古之生产方式，实有改变之必要。"② 在"文化大革命"中，也曾把蒙古族注重保护自然的习俗，草原地区民众传承多年的祭祀天地山水、星辰日月、树草敖包等富有生态内涵的习俗作为"牛鬼蛇神"进行了"横扫"。③ 这场浩劫已宣告结束，但对草原地区民族传统文化所造成的恶果必须有深刻的认识。

应当指出，20 世纪后 50 年对草原的开垦虽没有前 50 年（清朝后期至民国时期）的规模，鉴于此时被保留下来的草原更为珍贵，即按其经济（畜牧业）、生态和民族文化价值衡量已显著升值，所以对内蒙古草原荒漠化的扩大和加剧所造成的后果更为严重。新中国成立后，人民当家做主，蒙古族已经成为自治区的主体民族，近五十多年间大量盲目开垦草原是一种自

---

① 〔蒙古〕托莫尔扎布等：《蒙古游牧人》（西里尔文），乌兰巴托 1999 年版，第 14 页。
② 达丽：《内蒙古草原生态系统的可持续发展》，复旦大学经济学院，2001 年，第 18 页。
③ 色音：《蒙古游牧社会的变迁》，内蒙古人民出版社 1998 年版，第 121 页。

毁家园的行为。因此对这一时期造成的垦殖型荒漠化更有深刻反省的必要。最近已有学者就此问题作出中肯的分析，指出："历史上绝大多数西部民族在农耕文化面前，往往没有吸收农耕文化的高生产技术来发展林牧业，更多的是改弦易辙使自己成为农民，丧失了自己的林牧业意识，走向趋农化的道路。"① 可见，当家做主的各族人民，应当继承自己传统文化的诸多优秀素质。

五、吸取历史教训，确立发展的文化维度

从内蒙古草原荒漠化形成、扩展和加剧的历史中，人们不难得出如下结论：

内蒙古草原成为农耕与游牧民族相互影响和扩张的地带，已有漫长的历史。游牧民族统治时期，草原保持了水草丰美、蓝天绿地的景象，局部地区出现的生态恶化也受到遏制。游牧民族所以能够维护自然生态的完好状态，不仅是由于他们以畜牧业为主的产业选择，也得益于他们的文化。游牧民族在千百年来的生产和生活实践中已经创造和发展了物质与精神生活的智慧、才华、技能、信仰和习俗，构成了适应草原环境的文化体系。② 正是这一文化传统保持了自己家园的完好状态。

与此不同，凡推行农垦农耕的历史时段都曾导致草原生态受损，以至发生严重荒漠化。内蒙古草原的大面积荒漠化主要出现于自清末推行"新政"到20世纪末的一百多年间，导致垦殖型荒漠化的原因是沿袭了"重农轻牧"的产业与文化选择。可持续发展思想的奠基性文献，著名的布伦特兰报告——《我们共同的未来》指出："随着有组织的发展工作逐步深入到边远地区，……这种开发活动会破坏当地环境，使传统生活方式受到威胁"，"正规的发展工作更深入地进入……往往要破坏适应这些环境茁壮成长的文化，这真是一个可怕的讽刺"③。这恰好是近百年来草原游牧文化命运的

---

① 蓝勇：《西部开发历史的反思与"西南"、"西北"的战略选择》，《西南师范大学学报》2001年第4期。

② 〔蒙古〕博苏米亚：《蒙古族游牧文化：继续发展还是行将消失》（西里尔文），乌兰巴托1998年版，第56页。

③ 联合国环境与发展委员会：《我们共同的未来》，吉林人民出版社1997年版，第142—143页。

写照。

据此，可以得出这样的结论：对任何一个特定社会而言，当决策和设计该社会发展模式时，决不能忽视支撑这一发展的文化维度。第二次世界大战后，西方国家把自己的发展模式强加给第三世界所造成的后果，也说明了这一点。所谓发展的文化维度（the Cultural Dimension of Development）概念就是在这种背景下提出来的。[①] 作为中国第一个少数民族自治区的内蒙古，在民族文化继承与发展的辩证关系角度重新审视近几十年经济建设和社会发展成败得失的时候已经来临。在实施西部大开发战略中，草原地区退耕还草、还牧、还林的举措，无疑是该地区产业与文化选择上的一种理性回归。我们不能仅从单纯的恢复植被这一自然生态意义上理解和操作这一战略，确立正确的文化观应是草原未来发展任务的题中应有之义，即必须重视发展的文化维度。

江泽民同志关于"三个代表"的重要讲话中所指出的"在当代中国，发展先进文化，就是发展中国特色社会主义的文化""坚持发扬全国各民族的优秀文化，积极吸收各国文明的先进成果，推动社会主义文化日益繁荣"[②] 等重要论述，作为内蒙古草原地区发展的主导文化，要从两个方面加以分析。一是能够促进该地区生产力的可持续发展，二是能够推动该地区民族的持续进步与社会和谐。前者要求必须是适应该地区自然环境的，后者要求必须是基于民族传统的。因此，这种"先进"的文化必须是"适应"的文化，也必须是"继承"的文化。这说明草原地区继承游牧文化精髓的必要性。

遵循自然规律是游牧文化的根基，而草原生态多样性与生态功能恰好是内蒙古地区最重要的自然规律。因此，荒漠化的治理必须因地制宜，在大部分地区的荒漠化治理中应坚持人工建设与生态功能自然恢复相结合的原则。如把目前尚存的那一点湿地都作为饲料地开垦，有可能导致整个草原生态功能的失调，带来不堪设想的后果。

---

①　A. Serkkola and C. Mann (eds), *The Cultural Dimension of Development*, Helsinki: Finnish National Commission for UNESCO(No. 33) 1986.

②　江泽民：《在庆祝中国共产党成立八十周年大会上的讲话》，人民出版社 2001 年版，第 6、18 页。

　　以实施西部大开发战略和贯彻"三个代表"思想为契机，树立"适应"才是"先进""继承"才能"发展"的思想，把适应草原地区的主导文化作为先进文化建设的核心内容。游牧文化的发展在草原地区经历了许多世纪。但随着时代的前进也应看到其短处。在已经发生巨大变化的当今社会不可能恢复其所有形式和内容。在未来相当长的历史时期内，草原地区应继承和发扬游牧文化的精髓，充分吸收农业文明、工业文明和信息文明在内的人类文明一切优秀成果，逐步形成开放性文化体系。挖掘、整理游牧文化精髓的任务已经历史地落到所有草原地区发展问题的研究者和决策者们的肩上。

第五节　草原生态安全带的建设

　　北方草原自东向西因气候湿润系数的差别分化为不同的区域和类型。这些草原区域的景观生态多样性与异质性，使草原生态产业复合系统可以发挥环境、资源、经济、社会耦合效应，构成北方草原生态安全体系。

　　目前，草原退化以及引发的多种自然灾害，已严重危及当地居民的生产与生活。草原退化的表现是：生物群落中作为建群种的高大优质牧草趋于消退，耐牧性强的劣质草种增生，退化演替的指示种相继出现；植被稀疏矮化，覆盖度下降，地表裸露度加大，土地侵蚀加剧，土壤沙、砾质化，必然造成草原生产力降低。半个世纪以来，草原牧区和农牧交错区的经济发展，主要是以满负荷和超负荷地利用草地及水土资源，损坏生态环境，突破水、土、生物资源的循环再生机制为代价所取得的眼前收益。在很大程度上是走了一条：当前致富、"饮鸩止渴"、资源锐减、环境恶化、灾害频发、居民贫困化的路子。注定是不可持续的发展。

　　草原区的大陆性半干旱与干旱气候在年度与季节间的差异悬殊，典型草原地带的丰雨年降水量可达 400—500 毫米，干旱年可能在 200 毫米以下，冬夏的热量差异也很大。草原生物群落就是与这种气候条件协同演化的产物，形成了适应草原气候的自组织功能。干旱年份，生物种群间相互补偿，实现其最高生产力。对草原的利用就必须限制在生态效率的低限之内。多年来，草原超载利用，不仅突破了生态系统活力和自组织功能的低限，甚至超越了丰年的高限，所以必然出现草原退化的严峻局面。

草原气候的波动性、环境的严酷性、生态系统的脆弱性与生产力的有限性都是草原固有的本性，对此我们只能认识、只能顺应、不能"责怪"、更不能对抗。应该依靠科学分析，进行规划与设计，确定合理利用草原与经营管理制度。先进国家严格按照土地、草地生产力制定生产经营限额，并以法律形式进行监管，就是遵循这个科学原理。干旱年终归要出现，雪灾、风害等都会发生，我们的生产计划就应该有充分的估计和准备。一是运用科学手段加以防御，二是计划要留有余地，不要超越生态系统的限额。所以，一般情况下，草原利用过度和经营管理对策不当，是草原退化与生态环境恶化的根源。

建成北方草原生态安全地带是可持续发展的根本大计。千百年来，由绿色草原植被组成完好的大地覆盖，既是北国江山生态安全的重要保障，也是经营畜牧业的物质基础，成为北方民族文化的发祥地。时至今日，草原荒漠化，环境恶化已成为不可回避的现实。我们是唯物主义者，要勇于面对现实，用大自然敲响的警钟进行自我警示教育。对草原退化与环境恶化的原因和机理进行科学的探讨。要发扬蒙古族游牧文化的精髓，树立起发挥草原多项服务功能的科学发展观，推行休牧还草的生态保育工程，逐步探索出系统开放，持续发展的经营模式，把北方草原建设成生态功能健全、产业结构良好的生态经济安全地带。

一、新时期，面临新挑战，要深化对草原生态功能的再认识

北方草原自第三纪上、中新世以来，演化形成了生物多样性与严酷气候相适应的草原生态系统类型，具有活跃的物质与能量代谢机能，是稳定有效的土地覆盖和土壤碳库。草原区域的景观结构成了我国北方国土生态安全的自然格局。广大草原在中华民族的历史长河中一直是北国秀美山川的一部分，哺育了一代又一代的游牧民族，成为民族经济和文化的摇篮。草原的绿色植被和巨大的土壤碳库，默默地维护着蒙古高原、松辽平原和黄河流域以至东亚地区的生态安全。但是，半个世纪以来，为了追求牧区经济的快速发展，"草原—畜牧"成为人们的思维定式，单纯地把草原视为天然牧场，认为可以无节制地进行放牧利用。对草原生态系统的整体功能缺乏完整的理

解，特别是草原的重大环境效益常常被人们所忽略。到了 20 世纪，随着人类活动的增强与扩大，特别是农业开垦与放牧强度不断加剧，突破了生物再生机制的阈限，造成草原退化与沙化，使草原在生态安全格局中的重大功能严重受损。

在历史长河中，草原区的北方民族，创造了与环境和资源相适应的游牧生产方式，形成了完整的游牧文化。当时的人口和家畜数量对草原尚未造成过大的压力。草原资源仍有较大冗余，为逐水草而居的游牧方式提供了可再生的饲草、水源和充足的地域空间。这种循回利用草原的制度，可以保证草原植物的更新和草原生态系统的物质平衡，也可以有效地发挥草原的生态防护功能，成为北方的生态安全地带。可见，游牧文化的精髓就是要遵循自然规律，坚持人与自然和谐共存的理念。

20 世纪 50 年代以来，随着社会主义建设事业的发展，草原畜牧业的生产水平和牧民的生活质量都有很大提高，经历了"人畜两旺"的美好时期。近二十多年来，草原牧区的经济体制改革，能源、机械、交通、信息等各项建设和文化事业的进步，也使草原牧民的生产生活方式发生嬗变。现已逐步形成了定居—草畜承包—牧民自主经营的市场经济体制，传统的游牧生产方式因草地资源的局限和经营模式的变革已不能进行。但是在人口和家畜数量不断增长的持续压力下，使草原逐渐退化，至今已造成了草原全面退化的严酷局面。使草原生态系统维护环境与资源安全的功能严重受损，引起多种环境灾害的频发，也使草原畜牧业生产面临困境。在草原发生退化的过程中，虽然政府也引导牧民进行了围建草库伦、开辟人工饲料地、打草贮草等抗灾保畜的草原建设，但对天然草原仍然是全年无节制的放牧利用。所以这些局部的草原建设项目并不能扭转大范围的草原退化，更没有从全面改善生态环境的要求出发，创造出可持续发展的经营模式。

1958 年以来，在草原腹地曾发生了几度开垦草原的浪潮，进行粗放的耕作经营。"文化大革命"期间，在"以粮为纲"、"牧民不吃亏心粮"的政策误导下滥垦草原。80 年代中后期又在向草原要粮的指导思想下开垦草原扩大耕地。90 年代又在"增草增畜"的口号下开垦草原种植玉米。我们认为，在半干旱草原栗钙土上进行垦殖活动是不能持续的，超越了草原土壤水分和养分资源的承载阈限，虽然在短期内可能获得种植农作物的一些收益，但是不到十年之后，就使耕作的土壤肥力显著衰退，并相继发生严重的土地侵蚀沙化。这是草原发生荒漠化的重要原因，是值得记取的历史教训。

在草原地区的工业建设和城镇建设过程中，对建设项目缺乏严密的环境影响评价，盲目上马投产的事例屡见不鲜。不少企业，特别是"十五小"企业为了追求眼前的经济利益，不惜以牺牲环境为代价，这些企业和经营项目是得不偿失的，已经造成草原破坏和环境污染，也反映出经营者对草原的功能与价值缺乏正确的全面认识和法制观念的淡薄，教训是惨痛的。必须实行科学与民主决策，加强法治宣传和执法力度，严格杜绝工矿交通建设项目盲目上马和粗放经营。

北方草原生态系统结构与功能的特征是在晚第三纪以来的季风气候条件下演化形成的，对大陆性半干旱气候具有高度适应性。由多年生草本植物组成的植被是第一性生产者，既是草食动物的生物能源，又是良好的土地覆被。草原土壤的发育，构成了地球生物化学物质的动态储备库。因此，草原的生态功能就是维持生态系统的能量转化和物质循环的平衡，保持生物更新再生的机制，实现生态系统和谐有序的健康状况。只有全面认识和遵循草原生态规律，才能持久地赢得草原对人类的各项服务价值和美好的生态环境，这是草原地区经济社会可持续发展的必由之路。

维护和改善生态环境已是当代世人所关注的发展问题。总结历史经验，已经在理论上提出了具有深刻含义的人类可持续发展道路；在实践中，各国、各地区也正在探求具有民族特色和地区特点的经济模式与社会生活方式。在世纪交替之际，我国不失时机地提出了实施西部大开发战略的宏伟任务，并且把生态环境保护与建设作为一项首要的根本任务。

二、因地制宜地治理草原退化，实行休牧与轮牧制度

半干旱草原区由于受气候波动、蒸发强烈、冬季严寒和水热资源的限制，必须正确测算天然草地生产力及其季节间的差异和年度间的变率。为使草原的更新机制不受损害，植物的放牧采食量和收割量不能超越草地生物再生能力的阈限。在发展人工饲草料生产的同时，必须实行轮换休牧制度，设定每年的禁牧期，以利牧草返青和正常生长，保持草原生产力的水平和生态系统健康。

内蒙古农业大学等单位的草原生态学科技人员近几年来在锡林郭勒盟典型草原地区进行了季节性休牧和建立合理放牧制度的科学实验研究，经过对比实验，得到了很有说服力的结果。证明了从4月中旬到6月初休牧50—60天，可使草地植物全年的生产量增长60%以上，可为夏秋季草地放牧提供充足的优良牧草储备。为草地植物体内增加了物质积累，有利于来年的植物再生和草地更新。因为草原植物的越冬休眠芽到4月中、下旬开始萌芽，进入植物枝叶生长最旺盛的时段；有些植物的种子也在4月中旬萌发，进入幼苗生长期，这是植物种群繁育的新生个体。如果在这一时期连续进行放牧，采食新生的幼枝和幼苗，必将严重抑制植物的继续生长，使全年的植物产量减少一半以上。如果春季实行休牧，到6月中、下旬已经形成了较成熟的枝叶系统，为全年的光合生产奠定了物质基础。因此，必须依据草原生态系统的这一基本规律，因地制宜地按照不同草原类型的特点，制定合理的休牧与轮牧制度。

当前，在草原严重退化，环境极度恶化的地区，实施生态转移是十分必要的。草原沙地和荒漠草原是植被稀疏、牲畜过多的地区。荒漠化正在扩展，一些严重荒漠化的地方必须退牧还草，恢复植被。把超载的畜群转移到资源与环境条件较好的地区。经过几年的封育，根据草原植被恢复的成效，还可以为夏秋放牧、冬春饲养、异地育肥和北繁南育体系的建立与推行创造条件。转移牧民1 000人左右，可使3 000平方公里的草原减轻负担得到保育。实施休牧转移应与草原区的城镇化和产业化发展目标紧密结合。为了建设北方草原生态安全带的根本大计，政府已对牧区实行"退牧还草"的扶持政策，探索草原区可持续发展的多种经营模式。

退化草地封育恢复和改良，就是使退化草原减轻或消除了放牧牲畜践踏与选择性采食的影响，使过度放牧利用下发生严重退化的群落环境得以恢复和改善，组成群落的各种植物通过生存竞争和种内、种间的相互作用，使冷蒿+小禾草群落逐步向适应当地气候条件的羊草+大针茅群落的方向演进，群落的植物种类及各自的群落学作用发生了明显的变化。根据各种植物在群落演替过程中的出现与否，以及它们的重要值变化，可以把这些植物划分成增长种、衰退种及恒有伴生种三大类群。

增长种是指在退化群落中数量稀少、重要值低，而在恢复过程中作用逐年增大的植物种群。这类植物包括羊草、大针茅、冰草、西伯利亚羽茅，山葱等13种植物，特别是羊草在第八年出现明显的跃升，重要值增高成为群落的优势种。其他的增长种如大针茅、冰草、洽草等，虽然它们的群落学作用由于大气降水和土壤含水量的年度变化而表现出一定的波动性，但由于这些种类在自然生长状态下具有较高的竞争潜势，所以在整个恢复演替进程中的作用表现出逐步增强的趋势。

衰退种是随着群落恢复演替的进展，逐渐在群落中趋于减少，即作用与数量逐渐降低的植物种。衰退种包括冷蒿、变蒿、糙隐子草、细叶葱、星毛委陵菜、阿尔泰狗哇花等。在衰退种群中，广旱生小半灌木冷蒿、变蒿、糙隐子草，从原来的优势种变为群落的伴生种。

恒有伴生种的群落学作用在恢复演替过程中存在一定的波动，按照重要值定为恒有伴生种，这些植物包括黄囊苔草（Carex korshinski）、双齿葱、野韭、二裂委陵菜（Potentilla bifurca）、女娄菜（Melandrium apricum）、防风（Sapcshnikovia divaricata）、瓣蕊唐松草（Thalictrum petaloideum）、轮叶委陵菜（Potentilla verticillaris）和芯芭（Cymbarria dahurica）等。

根据各种植物的生活型及其生态生物学特征划分了灌木层片、半灌木层片、高丛生禾草层片、小丛生禾草层片、根茎禾草层片、根茎苔草层片、鳞茎植物层片、直根型杂草层片和一年生植物层片等层片类型。

灌木层片由小叶锦鸡儿组成，高度变化在20—30厘米之间，在退化群落中表现出比较重要的作用，为群落的优势层片。这是由于小叶锦鸡儿耐牧性强，封育后，该层片的作用稳定，可以认为是演替中立种群。

半灌木层片由冷蒿、木地肤等构成，其高度变化在13—18厘米之间。在围封以后的前期，在群落中仍占有重要地位。以后，作用明显下降，可以看做是恢复演替的迟滞衰退种。

高丛生禾草层片由大针茅、西伯利亚羽茅组成，高度30—50厘米。在围封的前期无明显增长，后期成为群落的优势层片。

小丛生禾草层片由糙隐子草、洽草等构成，高度10—15厘米。在围封的初期，该层片为退化群落的优势层片，在群落演替的后期，糙隐子草的作用下降，而洽草则表现出上升的趋势，它们在群落中都属于伴生成分。

根茎禾草层片由羊草构成，封育后逐渐取代冷蒿半灌木层片的作用，成为群落优势层片。米氏冰草也常成为根茎禾草层片的重要成分。

根茎苔草层片由苔草属的黄囊苔组成，是群落的恒有伴生植物层片之一。

鳞茎植物层片由具鳞茎的几种葱属植物组成，草群高度一般为15—30厘米，也是草原群落的恒有伴生种层片。

轴根杂类草层片在群落结构和群落外貌上有重要作用，主要由菊科、豆科、蔷薇科、伞形科、毛茛科的植物组成，大部分种类是群落伴生成分，封育后逐渐增长，有比较华丽的开花季相交替，对群落外貌有重要作用。

一、二年生植物层片主要由黄蒿（Artemisia scoparia）、猪毛菜（Salsola collina）、小花花旗杆（Dontostemon micranthus）和几种藜属植物构成。该层片在群落恢复演替过程中的作用有逐渐降低的趋势，这与一、二年生植物和多年生植物对生存空间、水分和养分竞争有关。

三、退化草原土壤营养库的改良

草原土壤是在长期的地球生物化学过程中发育形成的营养库，是草原生态系统物质循环与能量转化的枢纽，特别是有机质的积累，是维持草原生态系统生产力的物质保障。草原经过长期退化，生物积累减少，表土侵蚀加剧，使土壤营养库的肥力要素趋于衰退。因此，退化草原的土壤改良，必将有力地促进退化草原的恢复演替。

土壤结构的改良是最现实的改良措施。退化草地经过耙地松土后，改善了土壤持水性能和通气状况，加快了群落种类组成及产量结构的变化。实验证明，羊草的高度可提高一倍，达到40—50厘米，密度由49枝/平方米上升到115枝/平方米，地上生物量增加29%；其他禾草的地上生物量比例由43.5%上升到57.2%；豆科植物的比例由6.2%上升到12.3%，而菊科植物地上生物量比例由41.14%下降到16.6%。

退化草地松土改良后，草群地上生物量的98%集中在0—40厘米层内。群落地上生物量与地下生物量比值（T/R）一般在0.6左右，松土改良后的T/R比值为1.15，即地上生物量增长较多。可见，在草原半干旱气候条件下松土改良效果良好。

退化草原的群落均匀性指数（H）、多样性指数（D）在松土处理后的前期表现为总体下降趋势，符合方程 H = 2. 61t−0. 28 （处理后年份 t ≤ 8；r = 0. 99） 和 D = 3. 76−lnt （t ≤ 8；r = 0. 99）；而后期开始回升，符合方程 D = 1. 14exp （0. 08t），（t ≥ 8；r = 0. 97） 和 H = 0. 97exp （0. 06t） （t ≥ 8；r = 0. 99） （t—年数、r—均匀度）。可见，多样性指数的消长不是由于物种丰富度（Species Richness）的变化，而主要与物种的均匀度（Spenies Eveness）有关，二者变化十分一致。

退化草原的羊草、大针茅等在群落中的重要值很低，冷蒿和糙隐子草等的重要值较高。经过轻耙松土，促进了根茎型禾草——羊草的种群增长，因而使群落的均匀性下降，群落多样性也随之下降，但是生物产量得到提高。如果轻耙松土处理前的植物群落中占优势的藜科和菊科植物较多，逐渐被适应地带性气候条件的禾草所替代，则群落的均匀性和多样性指数有所升高。

四、合理进行草原区的水资源配置

利用适宜的土地，建设节水的人工草地与饲料地。水利设施是建立人工饲草料基地的必备条件，建立多种人工饲草料基地是减轻天然草场压力使之得以休养恢复并实行放牧与饲养相结合模式的保障措施，是草原畜牧业今后再发展的重要物质基础，草原区水利建设面对的困难是水资源较贫乏而且分布不均，水文条件与水资源的勘探不足，地下水埋深往往超百米，工程投资大（机、电、井造价都高），运行成本高（电路损耗大），投资效益低。需要国家投入并给予动力和运行费用的补贴式优惠，以利于调动地方政府和牧民加快牧区水利建设的积极性，使他们建得起，用得起。

在降水量 350 毫米以上的草原地区，大兴安岭东、西两麓和阴山南北的山前丘陵地区，如嫩江、西辽河、乌拉盖河、闪电河流域，科尔沁沙地、浑善达克沙地东部、毛乌素沙地的许多丘间滩地都是水资源较多的地区，也具有较好的土地资源，是可以建设饲草基地的主要地区，应作为水利建设的重点。但必须统筹规划，对水资源总量及其时空分布与变化要做出可靠的评价；把生态环境耗水，草原及其他天然植被耗水，人工林草植物用水，农牧业生产用水，工矿业与其他社会经济发展及居民生活用水等进行科学的测算；并对水资源的开采利用留有必要的余地，按照水资源可持续利用的战略要求，进行水资源的合理配置和水利设施的建设。

利用河谷滩地、湖盆洼地、沙丘间低地等地下水位较高的适宜土地（约占草原区总面积的6%—8%）建立各种非灌溉及适度补灌的人工草地与饲料地是草原生态环境建设和草原畜牧业集约化经营的主要措施，是一项具有长远意义的生态产业工程，需要长期坚持不懈地以产业化的方式推行这一项建设。当前，退耕还林草、退牧还草、防沙治沙等重大生态建设项目中都含有草地建设的内容。内蒙古锡林郭勒盟提出的"种植一点，改良一块，保护一大片"的思路和乌兰察布盟实施的"进一、退二、还三"的农牧业生态工程都是符合当前实际的一套完整的草原建设模式。今后更要以发展家庭牧场和招商引资等多种途径促进草地与饲料生产和家畜育肥基地的建设，向草畜一体化的集约型产业模式发展。

五、强化草原的法制管理，建立草原保育及环境治理的激励机制

草原区应根据地域分异的特点，以国家法律、法规为指导，各旗县制定适合当地草原情况的草原保护、建设、使用的细则。对牧户使用的草地，要限定适当的使用强度，设定维护目标，切实做到草原使用权和草原生态环境维护义务要同时落实，并建立草原生态环境监测体系，作为法制管理的科学依据。

牧民保护草原不仅保护了自己的生产生活条件，同时也具有公益性，可使周边地区的环境得以改善。对围封禁牧式维护自家草地，效果良好的牧民给予金钱奖励以抵偿少养牲畜而减少的经济收益。可把恢复与建设草原植被的工程任务按照公司+牧户的办法交付牧民承担，达到预定标准后，给付报偿。为防止超载过牧，可考虑制定适当的办法，对超载的牲畜征收较高的税费。

参照联合国的有关国际组织所创议的"生物圈保护区"、"自然遗产保护地"、"文化遗产保护地"的原则和目标，应根据草原地区不同生态经济类型区的特征，建立一些适应可持续发展战略要求的"草原自然经济文化保护区"。

目前，国务院有关部门（国土资源部、环境保护总局、林业总局、农业部等）已联合发出通知：要求各地在自然保护区事业发展的新阶段，坚持依法管理，以质量效益为主要目标，并坚持规模数量和质量并重的方针。

为此，要把"草原自然经济文化保护区"的建立作为北方草原生态安全带建设的一项重要措施。

六、发挥系统耦合效应，构建草原新型农牧业体系

草原牧区，具有经营放牧畜牧业的草地资源和传统，又有地方优良家畜品种资源，目前正在推行休牧、轮牧等合理利用与保护草原制度，并可大力营建多种形式的人工草地和饲料地。可以按照集约化经营的模式实行夏牧冬饲，把牧区建成家畜繁育基地可成为主导方向。牧区以南以东的农牧交错区，兼有种植业和牧养业的资源与环境，具有种养结合，进行家畜育肥的有利条件。

牧区与农牧交错区优势互补，实行系统耦合，可以开创集约化、产业化的新型农牧业生产体系。并应按照统筹城乡经济社会发展的目标，建设新型草原产业带。草原地区具有独特的农牧业资源、环境和传统，又有煤炭、石油、天然气、风能、太阳能等多元化能源优势，还有金属、非金属矿产和多种原材料的独特资源，许多生物资源也有待合理开发利用。内蒙古草原又有重要的陆路口岸城市。因此，草原区依托大中城市的支持，扩大开放，必将成为工农业经济全面振兴的新型产业基地，在我国全面建设小康社会的战略任务中作出草原区的独特贡献。

当前，草原区群众已开始行动，对草原保护、草原建设制定了可行或试行的办法，正在积极探索可持续的畜牧业经营模式。国家已开始对草原生态环境进行投入和大规模的治理。我们认为，完善对生态建设投资的优化管理体制，切实依靠科学技术，严格遵循自然与经济规律，草原地区实行"夏牧冬饲，休牧轮牧；建设草地，异地育肥；增加投入，集约经营；优化管理，确保安全；系统开放，持续发展"的模式，在发展畜牧业经济的同时，保护好草原生态安全的目标是可以实现的。

第　十　二　章

内蒙古东部草原的生态
环境与农牧业发展

第一节　区位和地域范围

内蒙古东部草原区包括内蒙古的呼伦贝尔盟西部、兴安盟、通辽市、赤峰市和锡林郭勒盟东部沿着锡林浩特—张家口公路（国道）以东的 7 个旗县（东乌珠穆沁旗、西乌珠穆沁旗、锡林浩特市、阿巴嘎旗、正蓝旗、多伦县、太仆寺旗），地处东经 115°—126°，北纬 41°—51°的范围内，总面积约 59 万平方公里。本区东面与黑龙江、吉林、辽宁三省相毗连，南边与河北省、北京市、天津市相邻，西北一侧与俄罗斯和蒙古国为界，成为沟通东北亚经济圈和面向环渤海经济带的重要阵地，在我国东北、华北的经济发展和对外开放的大格局中具有独特的战略地位。

按照内蒙古现行行政区域的习惯，通常把呼伦贝尔市、兴安盟、通辽市和赤峰市统称为内蒙古东部地区，即东四盟市。但是四盟市和锡林郭勒盟境内的 7 个旗县在地理区域上都是以大兴安岭山脉为南北中轴线，以燕山山脉为南缘的山地、森林、草原地带的相关区域。在地域和自然资源以及经济联系上构成一个完整的自然经济地理区域。这一地区的气候、水资源、土地资源、草地类型等农业资源具有许多优势和特色。农牧业的产业结构中既有草原畜牧业生产的传统又具有粮油生产的种植业基础，构成了内蒙古东部的农牧交错区。这一地区作为一个整体，具有农业综合开发的广阔前景和巨大潜力。

内蒙古东部草原区现有总人口约 1 240 万人，人口平均密度 21 人/平方公里。按从事的产业划分人口的比例为：农业：牧业：城镇＝50%：17%：33%，农牧业总人口 830 万人。该区域共有 45 个县级行政区。18 个旗属于纯牧业区，其中 5 个旗在边境地带，分别与俄罗斯和蒙古相邻，纯牧区的面积 32.88 万平方公里，人口 360 万人；12 个旗县属于半农半牧区，面积 10.75 万平方公里，人口 464 万人。这 30 个牧区与半农半牧区的旗县占据了内蒙古东部草原区约 80% 的适宜农牧业的土地面积，约计 43.63 万平方公里；其余国土面积分别为林区约占 15 万平方公里和城镇占地约 0.1 万平方公里。林区与城镇不仅在经济上与农牧业地区相互促进，而且具有生态环境保障和沟通物流的重大功能。

在历史上，内蒙古东部草原区具有古老的红山文化遗产，又经历了多民族的繁荣发展，创造了绚丽多彩的民族文化。到辽金时代已成为农牧业十分发达的地区，也是灌溉农业最早兴起的地方之一，为早期的农牧结合、种养结合也做出了历史性贡献。

第二节　农牧业生态环境与资源的演变

内蒙古东部草原区地处北温带的半干旱—半湿润区，大兴安岭山脉在该区中部沿东北—西南走向纵贯全境，该区南缘为燕山山脉的北麓，受两个山脉的控制，该区内形成五个流域，分别为大兴安岭西侧的额尔古纳河（右岸）流域，嫩江流域右岸地区，西辽河流域，燕山北麓滦河上游的上都河流域和大兴安岭南段西侧的内陆流域。全区的大部分土地仍保持自然植被覆盖，形成森林、灌丛、草原与河流沿岸的草甸、沼泽等复合分布的景观生态格局。自然资源的多样性为本区的经济发展，特别是以肉、乳生产为中心的畜牧业及相关的饲草料生产体系提供了有利的资源保障。

一、地域环境与土地资源的形成

本区的地貌和土地类型具有复杂多样的地域空间组合。

大兴安岭山脉纵贯本区南北，沿大兴安岭中轴分布的山地与山前丘陵约占 20 万平方公里的面积，是森林、灌丛、草甸、草原集中分布的森林—草原地带，黑土、黑钙土、草甸土在缓坡地及宽谷地分布，成为适宜耕作的良好土地资源，是建立饲草料生产体系和粮油生产的资源保障。

大兴安岭西侧的高原地区，包括北段的呼伦贝尔高原和南段的锡林郭勒—乌珠穆沁高原，是内蒙古典型草原带的主体，具有经营草原畜牧业的广大草牧场资源，应推行草原生态保育、合理利用草原、实行夏牧冬饲的制度，使广大草原在集约化草原畜牧业的发展中，成为可持续利用的重要资源。

发源于大兴安岭西侧的额尔古纳河水系各支流：海拉尔河、根河等河流沿岸，乌拉盖河及其支流沿岸，均有较大面积的湿地与草甸分布，累计面积约 90 万公顷，约占该草原地区总面积的 4.6%。其中，芦苇沼泽草甸、无芒雀麦草甸等都是优质天然割草场，草质不良的草甸与滩地可作为免灌（或旱时补灌）优质高产饲草料基地建设的后备土地资源。

大兴安岭东侧的平原地区，包括北段的嫩江右岸地区和南段的西辽河平原地区。这里已经有较多的土地垦殖，因粗放经营和单一种植，现已发生土地退化及水土流失，今后应对土地利用结构进行合理调整，改善耕作制度，实行轮作制和多元结构（粮、油、饲、草等）的种植制度，以保证土地可持续利用。嫩江右岸地区和西辽河平原地区也有较多的草甸与湿地，其中在嫩江右岸多支流的下游有沼泽化草甸五十余处，总面积 35 万公顷。这些土地经过治理是宜农的可以多元利用的土地资源。

本区南部的燕山北麓山地与丘陵区，多是河川谷地，经过多年垦殖，目前已经饱和，没有再作规模开发的土地资源。该区应改善耕作经营制度，把种植业与畜产业连接起来，形成新的土地利用模式。

本区境内有四块大面积连绵分布的沙地，浑善达克沙地的东段分布在锡林郭勒盟的锡林浩特市、阿巴嘎旗、正蓝旗、多伦县及赤峰市的克什克腾旗境内，面积约 150 万公顷；乌珠穆沁沙地分布在西乌珠穆沁旗境内，面积约 67 万公顷；科尔沁沙地主要分布在赤峰、通辽两市境内，延及吉林、辽宁的边缘，面积约 480 万公顷；呼伦贝尔沙地分布在呼伦贝尔高原，面积约 90 万公顷。这四块沙地中 80% 以上的面积为固定及半固定沙丘和丘间滩地，气候、水文、土壤条件均适宜牧草、灌木及榆树等树木生长，应充分注重土地保护与生态保育，积极防治沙漠化，并利用丘间滩地发展饲草料生产，利用沙地草牧场养畜，可成为集约化的牛、羊饲养基地，使沙地、沙丘与滩地对草原畜牧业综合开发发挥出多种与土地资源相匹配的重要价值。

本区的草地和农田的土壤大致可分为黑钙土、黑土、栗钙土、草甸土、风沙土等主要土壤类型。黑钙土沿大兴安岭两侧的丘陵岗坡分布，累计面积约 476 万公顷；黑土分布在大兴安岭北段东侧的丘陵和嫩江右岸平原，总面积约 107 万公顷；沿河流分布的草甸土与沼泽草甸土面积约 125 万公顷。这些都是有一定开发前景和潜力的土地，是农、畜产业发展的后备资源。广泛分布于草原地带的栗钙土，约 3 215 万公顷，是不宜连片开垦的土地。经过耕作已经退化的土地必须退耕还草还牧。天然草原与长期在当地放牧饲养的家畜经历了协同演化的历史，使草原为家畜提供着夏季放牧的最佳营养组合。

本区域现有耕地面积约 408 万公顷（6 120 万亩），尚有宜农土地约 800 万公顷。按人口平均计算，人均有耕地 4.94 亩。西辽河流域的赤峰、通辽人口分布较密，约 750 万人，耕地面积 196 万公顷，人均 3.92 亩，呼伦贝尔市和兴安盟总人口 426 万人，耕地面积 109 万公顷，人均 6.65 亩，锡盟东部地区主要是牧区，人口密度低，种植业所占比重很小。

本区林地面积总计约 1 520 万公顷，其中森林面积 1 138 万公顷，草原总面积 3 215 万公顷，森林与草原共同组成的绿色植被覆盖，构成了生态安全防护体系。大兴安岭森林区是本区所有河流的发源地，是我国最大的林区之一，实行天然林保育，是本区的一项重大生态工程，森林的恢复与扩大对本区涵养水源、水土保护、保护牧场和农田、防御冬季风与寒流的侵害均有重要意义。天然草原植被既是夏季放牧与割草的草地资源，也有防止风沙侵蚀，维持碳素平衡，改善局域气候等生态功能。

总之，由于本区处于半干旱—半湿润地带，在我国各草原牧区中属于生态环境较好，资源较丰富的地区，有较多可开发的土地资源，具备发展饲草料基地和草田农作制的水土资源。

二、气候环境的特征与水热资源

内蒙古东部草原区是我国北方大陆性气候区内的半干旱—半湿润地带，

是气候条件较好的地区。草原地区的大于等于 10℃ 积温为 1 800 ℃—3 000 ℃、大于等于 5℃ 积温为 2 000 ℃—3 200 ℃。水热分布的地区差异很显著，大兴安岭西侧的锡林郭勒盟东部和呼伦贝尔市西部气候较干冷，大于等于 10℃ 积温在 1 800 ℃—2 200 ℃ 之间；降水量约 250—380 毫米，由东向西递减。大兴安岭东侧的赤峰市、通辽市和兴安盟水热条件较好，大于等于 10℃ 积温在 2 400 ℃—3 200 ℃ 之间，降水量约 300—450 毫米。呼伦贝尔市岭东地区雨量较多但气温偏低，大于等于 10℃ 积温在 1 800 ℃—2 400 ℃ 之间，降水量 400 毫米以上。本区水热条件是农牧业的基本资源保障。大兴安岭以西的草原地带是多风的地区，风能也是可利用的一项资源。

热量偏低是本区发展农田种植业的不利条件，呼伦贝尔市大兴安岭两侧的无霜期 80—110 天，平均气温稳定在 5℃ 以上的日数全年约 130—170 天；兴安盟无霜期 90—130 天，平均气温稳定在 5℃ 以上的日数为 130—190 天；通辽市、赤峰市的热量条件较好，无霜期在 110—150 天，平均气温大于 5℃ 的日数 153—195 天；锡盟东部无霜期 90—105 天，气温大于 5℃ 的时间为 150—160 天。由于本地区的热量偏低，限制了长日期作物和喜暖作物的生长，在呼伦贝尔市多以种植麦类作物和马铃薯为主，种植玉米常常不能成熟，只能种植青饲玉米不要求籽实成熟；种植紫花苜蓿不能越冬，应积极扩繁当地的黄花苜蓿，选育耐寒的豆科牧草。西辽河流域的通辽、赤峰两市热量较高，农业开发历史较长，可种植高产玉米、豆类等作物，也可以满足多种饲草料种植的要求，应作为本区的主要饲草料生产基地。

内蒙古东部草原区地表水可分为五大水系，即额尔古纳河水系、嫩江水系、西辽河水系以及锡盟境内大兴安岭西侧的内流河水系和燕山北麓的滦河水系。

额尔古纳河流域主要支流 10 条，地表水较丰富，全年的水资源量 31 亿立方米，为内蒙古境内第一大水系。该流域内耕地较少，仅 23.44 万公顷，人口约 122.4 万人，主要地域为草原牧区，是发展草原畜牧业的主要基地。应合理利用天然草牧场，实行轮牧与休牧制度，并充分利用河谷滩地的水土资源发展饲草料生产。

嫩江右岸流域也是水资源丰富的地区，包括呼伦贝尔市大兴安岭东侧及兴安盟全境，全年的水资源量 32.6 亿立方米，人口约 290 万人，耕地总面积 82.2 万公顷，农业综合开发潜力很大。

西辽河流域在大兴安岭南段东南侧的赤峰市和通辽市境内，流域内农牧业的开发程度较高，人口约 890 万人，耕地面积 155.4 万公顷，水资源相对紧缺，总量 15.6 亿立方米，应注重节水，合理配置与开发利用水资源对流域内的经济发展有重要意义。

内流河水系主要有东、西乌珠穆沁旗境内的乌拉盖河和锡林郭勒高原上的锡林河。乌拉盖河流域面积约 3.4 万平方公里，锡林河流域面积约 1.6 万平方公里，两河均发源于大兴安岭西麓，大致呈东西流向消失于低洼地带，水资源总量约 2.36 亿立方米，内流河流域主要是草原牧区。

本区南部燕山北麓山地丘陵区为滦河上游流域，面积较小，仅 0.65 万平方公里，水资源量约 2 800 万立方米，是正蓝旗、多伦县农牧业生产和电力工业所需的水资源基本保障。

本区的水利设施建设不足，为了合理配置水资源，需要进行必要的水利建设，完善现有的水利设施。

本区地下水资源不丰富，特别是平原地区，地下水可开采量较少，内蒙东部草原区水资源分布详见下表（表 12 - 1）。

表 12 - 1　内蒙古东部地区的水资源统计

项　目 流　域	额尔古纳河	嫩江右岸	西辽河	滦河上游及 内流河
区内流域面积（万 km²）	15.8	15.32	13.88	0.65+4.98
流域内牧区面积（万 km²）	10.36	4.35	7.63	13.0
耕地面积（万公顷）	23.44	82	155	少量
人口（万人）	122.4	290	794	70
地表径流（亿 m³）	120.32	184	30.95	
水资源量（亿 m³）	31.00	32.61	15.60	0.28+2.36
牧区地下水可开采量（亿 m³）	3.92	5.73	31.47	57.36

本地区煤藏丰富，开发历史较晚，煤的后备储量充足，并已建有多处大型电厂，总装机容量已达 360 万千瓦。

呼伦贝尔市、兴安盟、通辽、赤峰的铁路公路网分布较密，铁路通车里程达 5 180 公里。京齐线（北京—齐齐哈尔）与滨洲线（哈尔滨—满洲里）贯通本区全境，东通东北三省，南通华北各地，西通俄罗斯与蒙古。利用集通铁路、京包—包兰铁路便于通往内蒙古西部和西北地区。通辽是本区重要的铁路中心枢纽站，可通向四面八方。该区 50 个县级以上的城镇中已有 30 个在铁路线上，县、乡两级全部有正规公路联通。现有的能源、交通条件可为该地区的农业综合开发提供有力支持，成为能源、交通再建设的良好基础。

综合评价内蒙古东部草原区的生态环境与农业资源，主要优势和潜力是：①地域辽阔，人均土地资源丰富，草地面积也很大。②雨量适中，滩川地较多，适于饲草料生产基地建设。③土地类型的多样性适宜于种养结合，肉、乳为主的农牧业综合发展。④交通与区位条件有利于外向型农、畜产业的发展。⑤大兴安岭森林区是良好的生态屏障和水源涵养区。

第三节　农牧业经济的发展历程

一、农牧业在国民经济中已占有主要地位

本区经历了长期的发展，但在当代的全国经济发展总格局中，仍然应属于有待进一步全面开发的地区。据 2000 年的统计资料，本区的国内生产总值为 610.49 亿元，农业产值为 190.34 亿元，占国内生产总值的 31.2%。在农业生产总值中，畜牧业占 38%，是我国北方的一个畜产品产地和商品粮基地。2001 年本区的牲畜头数和畜产品产量在全国所占的比重（表 12-2）可以表明本区农业与畜牧业再发展所具备的良好基础。

表 12-2　内蒙古东部草原地区主要农牧业产品的统计

动物生产	牛（万头）	羊（万只）	乳（万吨）	牛羊肉（万吨）	牛皮（万张）	羊皮（万张）	毛（万吨）	绒（万吨）
本区	306	2 300	53.2	35.2	108.53	222.85	3.35	0.2115
全国	12 824	29 826	1 025	841.5			29.83	1.0968
占全国之比（%）	2.4	7.7	5.2	4.2			11.2	19.3

（续表）

植物生产	耕地（万公顷）	小麦（万吨）	玉米（万吨）	薯类（万吨）	大豆（万吨）	菜籽（万吨）	饲草（万吨）	粮食总产（万吨）
本区	408	312.6	228.4	625.0	86.2	68.5	280.0	765.0
全国*	11 200	8 610.0	11 417.5	18 691.9	1 650.0	1 150.0		50 600
占全国之比（%）	3.64	3.63	2.00	3.34	5.22	5.10		0.87%

* 数据引自 FAOSTAT(http://faostat. fao. org/default. jsp language＝CN)。

二、本区农牧业结构的演变特点和优势的形成

　　在畜牧业与种植业结构的相关分析中可以看到，本区的大兴安岭以西主要是传统的草原牧区，大兴安岭以东是农牧交错区。两个区域都经历较长的历史过程，两者的畜牧业和种植业的比例有很大差别。岭西的呼伦贝尔草原和锡林郭勒草原东部的草原面积广阔，可利用的草牧场约计 1 860 万公顷，种植业规模较小，人口密度只有 3.1 人/平方公里，畜牧业的生产方式仍以放牧为主。在畜种结构中，牛、羊的数量比例平均为 1∶12。其中，锡林郭勒盟东部的典型草原地带，由于种植业规模更小，在 1 040 万公顷的草原上，只有 22 万公顷耕地，而且集中在多伦县、太仆寺旗、正蓝旗的耕地 16.4 万公顷，成为农牧交错区的一部分，锡林郭勒盟东部草原的牛、羊比例为 1∶14。特别是西乌珠穆沁旗的 229 万公顷草原只有 7.3 万人，耕地只有 0.45 万公顷，牛、羊比为 1∶15.6。呼伦贝尔市的鄂温克自治旗和陈巴尔虎旗共有 391 万公顷草原，其中生产力较高的草甸草原占 220 万公顷，又有耕地 7.41 万公顷，人口 19.48 万人，牧民有养牛的传统，所以牛的比例最高，牛、羊比为 1∶3.29。大兴安岭东侧的农牧交错带，种植业规模较大，有耕地 340 万公顷，人口密度较高，达 40.5 人/平方公里，牛羊比例为 1∶8.25。由此可见，适当的种植业及饲草料生产体系的建立和舍饲化、集约化的经营方式是发展养牛业的必要条件和方向，也会改善养羊业的物质基础，并将推动畜产业的集约化经营和走上可持续发展之路。

　　畜产业在农业整体结构中占有重要地位。大兴安岭以西的草原区总土地面积 21 万平方公里，牧区人口 66 万人，保有牲畜约 75 万头牛、940 万只

羊，耕地面积约 68 万公顷，是我国重要的草原牧业区。大兴安岭东侧的草原区土地面积约 25 万平方公里，总人口 106 万人，现有耕地 340 万公顷，粮食产量 710 万吨，保有牲畜约 160 万头牛、1 302 万只羊，种植业和畜牧业产值之比约为 65：35，畜牧业的历史悠久，是该地区的传统产业。这是今后在本区建立以肉、乳为优势产品的农畜产业基地的重要有利条件。

农畜产业的商品率较高。本区畜产品产量在全国所占份额高于牲畜头数所占份额，乳、肉的输出商品率高于邻近省区，毛、绒的产量和输出量更为突出，是我国草原畜产品的重要商品产地之一。

本区粮食年产量约为 765 万吨，人均粮食产量大大高于全国的平均水平，西辽河流域是我国北方的商品粮基地之一。

三、农牧业的发展中形成了相关产业的支持

农畜产品加工业和食品、医药工业已有较好的基础。海拉尔市、额尔古纳市、牙克石市、扎兰屯市和通辽市已形成了一定规模的乳品工业加工能力，目前正在外引内联，引进国内外乳品工业巨头，如国内的"光明乳业"，欧洲的"雀巢"，内蒙古的"蒙牛"和"伊利"等有影响的食品生产企业，提高和扩大产品质量与品种。赤峰市的草原兴发集团，是肉食品加工的龙头企业。粮、油加工，毛、绒、皮革工业等也有初步形成的发展规模和基础。本区的农牧业—加工业—市场流通的产业链必须延伸与扩大，这是本区建立农畜产业基地和经济发展的必然趋势和美好前景。

大兴安岭林区是我国的主要森林区之一，林业一直是本区的重要产业，林产品加工业也有一定的规模和能力。但因持续半个多世纪的过量采伐，使可采森林资源几乎消耗殆尽，森林的生态功能受损，现已实行限额采伐和天然林保护工程。林区产业经营的主导方向应是森林更新保育和造林营林，以利于生态环境的改善和水资源的可持续利用，这是本区农畜产业发展的有力保障。

近三十年来，本区煤炭采挖、电厂建设等能源工业快速发展。主要煤、电产地布局也有利于农畜产业及其加工业的发展，海拉尔、伊敏河、霍林河、通辽、元宝山、锡林浩特、上都河等煤、电基地可为区域开发提供充足的能源支持。

本区的铁路公路网络已初步建立，交通运输业应成为对本区各项产业和经济发展重要的枢纽。

经济区位形成了对外开放和广阔市场的格局。本区地处我国北方边境，与俄罗斯、蒙古接壤。满洲里是我国最大的陆路口岸，是与俄罗斯、蒙古国及东欧的重要经济通道。在国内紧邻东北、华北两大经济区，处于东北亚经济圈和环渤海经济带边缘。与东北、华北地区不仅地域相连，而且在长期历史上始终保持着经济、文化、社会生活诸多方面的紧密联系。国家已作出振兴东北老工业基地的重大决策，在振兴东北经济的发展战略中，必将继续发挥各自的优势互补，密切合作，相互支持，寻求快速高效的新发展，更是本地区农牧业综合开发的大好机遇。

由于本区的农业后备资源比较丰富，宜农土地资源达 800 万公顷，其中条件较好的土地约 575 万公顷，可作为后备农业用地。本区的气候条件适于饲草料生长，实行农牧结合，推行草田农作，逐步建设饲草料种植基地，与天然草牧场相匹配，可提高草地的牲畜承载能力，改善牲畜的营养状况，增强饲草料和农产品保障体系。农牧业逐步走上集约经营和可持续发展的轨道，必将扩大国内外市场的需求。在全面建设小康社会的历程中，人民生活水平的提高，使乳、肉食品的市场需求在未来 10—20 年内将会持续增加，旺盛的市场需求是本地区农牧业综合发展的强大动力。本区紧邻东北、华北两大市场，应作为农牧业综合开发的优先发展地区。

四、农业发展为畜牧业奠定了物质基础

玉米面积大幅度增长，率引畜牧业比重上升。赤峰市 2003 年在 1 365 万亩耕地中粮食占 87.9%，其中玉米面积占粮食面积 37.3%；6 月末家畜存栏 977 万头只，比上年增加 105 万头只，畜牧业增加值 30.2 亿元，占第一产业增加值的 47.45%。通辽市耕地 1 320 万亩，2004 年玉米播种面积由 500 万亩增至 700 万亩，占耕地面积的 53%，另有青贮玉米 124.9 万亩，较 2003 年增加 90.8 万亩；全市肉牛出栏 18.5 万头，肉羊出栏 43 万只，分别比去年同期增长 23.8% 和 28.0%；2003 年畜牧业产值占第一总产值的 34%，目标是 2008 年超过 50%。

农业专业化程度提高，有利于农牧业增值。通辽市具备了年产 350 万吨

粮食的能力，其中玉米超过 250 万吨。现引进了年加工玉米 80 万吨的河北梅花味精集团，年加工玉米 100 万吨的安徽原生化集团，年产 50 万吨饲料的湖南岳泰饲料集团，年产 30 万吨淀粉的沈阳万顺达淀粉公司，年产 20 万吨淀粉的河北辛集德瑞淀粉公司等第一批玉米加工龙头企业，目前已形成了加工转化玉米 100 万吨能力，如上述企业全部达产达效后，可年转化玉米 300 万吨，超过了玉米目前年产 250 万吨的容量。产业化程度提高有利于循环经济形成与农牧业共同增值。

人工草地大面积建设，半舍饲、舍饲的畜牧业促进了农牧结合向深度发展。赤峰、通辽、兴安、呼伦贝尔大力发展人工草地，2004 年青饲料以外的人工多年生牧草分别达 580 万亩、330 万亩、100 万亩、167 万亩，合计 1 177 万亩，占东四盟草地总面积 31 897 万亩的 3.69%，这是一个显著的成就，已接近畜牧业发达国家的水平。美国永久性人工草地占全部草地 10%，加拿大占 21.6%，澳大利亚占 5.8%。东四盟近几年大规模建设人工草地，促进了半舍饲、舍饲畜牧业发展，并使农牧结合进入了一个深度发展阶段。

农业市场的新需求激发了农牧结合的活力。通辽在农牧业中提出 8 个主导产业，有 5 个增值快的密切与农牧结合力度有关，那就是玉米、肉牛、生猪、乳品、白鹅 5 大产业。市场需求质量高、价格低，行业期望销售快、效益高，促使各产业引进先进企业，利税显著增加。他们自引进一些先进企业后将实现销售收入分别为 75 亿元、35 亿元、27 亿元、30 亿元、10 亿元共 252 亿元，利税则将共计 20.5 亿元，说明了市场对优质畜产品的需求带动了对饲料质量的追求，从而激发了农牧结合的活力，推进了现代化畜牧业建设进程，并带来了显著经济效益。

生态技术进步带动了高效的循环经济的发展，使各级生态系统逐渐纳入了资源循环再生的轨道，随着对第二性资源的充分利用，循环经济的效益明显增长。随着粮多、秸秆多的特点，秸秆的加工利用、人工优质牧草及专用青贮玉米的发展，生物加工厂副产品的有效饲用，以及大力发展草杂食的白鹅等（通辽 2004 年产 1 300 万只），这一切皆使饲料利用效率与资源再生利用能力提高，不仅促进了循环经济的发展，还减少了浪费与环境污染。

综上所述，东部的农牧业发展迅猛，畜牧业在大农业中的比重呈上升趋势，农牧结合围绕饲料的优质化、专业化、产业化正向深度发展。

第四节　农牧业的发展现状及面临的问题

本地区农牧业综合开发所面临的问题和当前的不利因素是由于区域经济发展相对滞后所造成的。其主要表现如下：

一、工业化程度较低，企业数量少，产值低

按 2001 年统计资料，本地区粗具规模的企业共计 503 个，总产值约 200 亿元，工业产值上亿元的企业仅 24 家，集中在森林、煤、电、金属矿产及冶炼等行业，外商投资的企业仅 7 家。按行政区域的国内生产总值与三次产业产值之比列入表 12 - 3。

表 12 - 3　内蒙古自治区东部各盟市的国内生产总值与三次产业的产值比

产值/盟市	呼伦贝尔市	兴安盟	通辽市	赤峰市	锡盟东部	总计、平均
GDP（亿元）	167.85	58.80	173.70	179.60	60.60	总计：640.55
三产比	51:25:24	64:9:27	62:9:29	58:14:28	59:7:34	平均： 58.8:12.8:28.4

根据表列的数据可以看出，各盟市的农牧业（第一产业）产值是国内生产总值的主要构成部分，都占 50% 以上，平均占 58.8%；工业（第二产业）产值很小，平均只占 12.8%；第三产业产值占 28.4%。上述数据充分显示出工业化程度不高，也表明本地区基本上还是农业社会，而且农牧业产业化程度也比较低。该地区在百年前的历史上曾是传统的牧区，西辽河流域农业开发最早是在清代中期，因此，目前农业内部的结构较为简单，农牧业生产对自然资源和条件的依赖程度高，作为生产基本单元的农户和牧户多是种养分离，产品单一，互利性较差，与大市场间仍然是比较松散的联系。产业化程度不高的现象在牧区和农业开发史较短的农区是一个突出而又紧迫的问题。由于缺少强有力的龙头企业组织农牧户的生产和农畜产品加工、销售，使本区的农牧产业链较短，限制了产品的市场竞争力和产业的经济效益，进而影响了农牧民收入的提高。以旗县为单位作比较，该区多数旗县的地方财政收入和农牧户人均收入在内蒙古自治区的 100 多个旗县中处于中等

偏后的地位。

自然资源较丰富但地区经济发展滞后、工业化程度低是本区农牧业综合开发面临的一大矛盾，这一矛盾又表现在基础设施不足，并造成了在资源利用方面的诸多问题。

二、耕地的保护设施和土地基础建设薄弱

分布在大兴安岭东侧的嫩江流域、西辽河流域和燕山北麓的耕地，虽然降水量和土壤质量等资源条件较好，但农业生产基本上是资源索取型耕作，农田基础建设不足，经营管理水平不高。特别是水利建设薄弱，排灌工程很少，水资源利用率很低。长期的粗放垦殖与耕作已造成土壤肥力明显下降，黑土层变薄，水土流失加剧，森林萎缩，削弱了生态防护功能，易遭受自然灾害，生产不稳定。大兴安岭东麓丘陵区的耕地多为旱坡地，农田基本建设水平不高，易造成水土流失。西辽河平原的土地，水、土、光、热条件均较优越，并已成为商品粮基地，但是农田基本建设的标准仍然不高，设施配套不完备，难以适应产业化大生产的要求。西辽河流域的科尔沁沙地因缺乏生态保育和土地合理利用的防护设施，盲目过垦过牧造成植被破坏和沙丘活化，已威胁到风沙源下游和京津地区的环境安全。

三、农田水利建设滞后

西辽河流域水资源利用的主要问题是基础设施不足，尽管有大中小水库达 100 座以上，总库容 42.38 亿立方米，但设施老化，调蓄工程不配套，危险水库多，灌渠维护较差，供水能力仅为 6.65 亿立方米。该区用水主要靠开采地下水，每年的可开采量为 31.47 亿立方米，目前地下水已超采。提高水资源利用效益，控调水体污染，防治水土流失等方面的措施也有待加强，该区现有供水能力已明显紧张。

嫩江右岸平原是水资源富集区，地表水 184 亿立方米，地下水可开采量 11 亿立方米，但由于水利建设滞后，调控能力不足，耕地面积 118 万公顷，但有效灌溉面积不足 10 万公顷，且极易产生洪涝灾害。

额尔古纳河流域水资源开发利用率低，农牧业用水少，基本上没有引用灌溉用水。内蒙古东部草原牧区的水资源开发较少，已开发的水资源主要用

于人畜饮水和其他行业用水，用于饲草料生产和天然草原养护的灌溉用水量仅 2 亿立方米/年。其中，通辽和赤峰两市的牧区饲草料灌溉用水约 1.4 亿立方米/年，呼伦贝尔市、锡林郭勒盟东部、兴安盟三地牧区饲草料灌溉用水量约 0.6 亿立方米/年，但属于无序的自由用水，应实行规范化的有计划用水，以利于水资源的合理配置。

四、草原利用不合理，生态环境保护不善

草原牧区有史以来是在天然草原上放牧，20 世纪后期，人口和牲畜大幅增长，传统的游牧方式已不可能进行，天然草原在超载的持续放牧压力下普遍退化。以锡林郭勒盟为例，全盟自建国以来人口增长了 3.5 倍，畜头数增加了 11.5 倍，畜均草场面积下降了 11.4 倍。约 2/3 的草场退化，牧草覆盖度平均下降 50%，牧草高度平均降低了 60%，产草量降低了 50%—70%。退化了的草原在恶劣的气候条件下极易形成生产和生态灾害。

另一方面，长期以来对草原建设的投入不足，牧区水利建设严重滞后，人工饲草料生产规模小，产量低，不能有效减轻天然草原的压力，也不能为畜牧业内部的畜种及品种调整提供饲草料支持。

草原退化在西辽河流域和锡林郭勒盟东部较重，占草地总面积的 60% 以上，在大兴安岭两侧的草甸草原较轻，约占 30%—40%。浑善达克沙地、科尔沁沙地的超载利用，已经引发了严重的沙漠化进程，必须对沙地的草地利用提出保护优先的指导原则，扭转沙漠化的趋势。

本区农牧业开发所面临的上述问题，是多年来过分追求多产出、少投入的后果，是区域经济发展相对滞后、自我投入能力不足所产生的问题，必须在区域经济发展中依靠科技寻求解决的途径。

第五节　农牧业发展方向和建设内容

本区农牧业开发的基本方向和目标是：坚持以畜牧业为主，以肉、乳生产为中心，实行农牧结合的可持续发展之路；发展以水利建设为依托的人工饲草料基地和基本农田建设；实施天然林保护和草原保护工程，防治土地荒漠化，构筑生态安全防护体系；有步骤地进行基础设施建设，扩大市场营销

和信息网络，发展科教事业。根据上述基本方向和目标要求，对本区农牧业综合开发中各项建设内容的意义、任务和经济指标等分别进行阐述。

一、以肉、乳生产为中心的畜牧业产业化

本区是以蒙古族为主的多民族聚居区，草原畜牧业是传统产业，种植业的历史较短，目前本区的畜牧业产值占农业总产值的40%以上。其中，大兴安岭以西的草原牧区畜牧业产值占农业总产值的70%以上，通辽市最低为28%，锡林郭勒盟东部的畜牧业产值占78%；大兴安岭以东的农牧交错区畜牧业产值占农业总产值的35%，只有作为商品粮基地的通辽市畜牧业产值最低，只占28%。

本区的乳、肉、毛、绒质量优良。由于牲畜依靠天然草原和饲草料种植实行半牧半养，乳、肉均具有地方特色，品质优良，市场竞争力强。随着人民生活的逐步提高，这些畜产品市场需求量在近、中期内将会持续增长，有利于吸引资金、劳动力进入牛羊养殖和畜产品加工销售领域。

根据以上的分析，应把牛羊繁育和饲养的产业化确定为本区农业综合开发的主要方向，建成我国北方重要的养牛养羊基地，并具备如下四项功能，即乳、肉、毛、绒、皮的原料生产基地，绿色牛羊食品系列生产基地，优质饲草料生产基地和良种繁育基地。

据2001年的统计，本区牛的头数，年中约324万头、年末约223万头；羊的饲养量，年中约2 820万只、年末约1 808万只。今后在饲草料增产的基础上，积极进行畜种、品种和畜群结构的调整，实行奶牛、肉牛、肉羊均衡发展的模式。到2010年争取达到：奶牛保有量100万—120万头，年产鲜奶400万吨；肉牛出栏150万—200万头，年产牛肉30万—40万吨；肉羊出栏800万—900万只，年产羊肉16万—18万吨；牛的年末存栏数达540万头左右，羊的年末存栏数达2 000万只左右；羊绒和羊毛的产量基本与现在持平或略有增加。按现在的价格计算，可新增畜牧业产值75亿—85亿元，比现有产值提高80%。

根据本区的自然条件和人口分布与经营习惯，大致可分为三个特色经营区：呼伦贝尔市、兴安盟的气候凉爽，天然草地的草质良好，饲养的奶牛产奶量高，牛奶味道鲜美，品质优良。应按照奶牛、肉牛、肉羊的畜种排序发

展。成年奶牛保有量 50 万—60 万头，肉牛出栏 35 万—40 万头，并成为优质奶牛的种源基地。

西辽河流域的通辽、赤峰两市人口密度大，种植业发达，肉牛品质优良，现有规模较大，畜种发展排序应是：肉牛、奶牛、肉羊。肉牛的年出栏数达到 80 万—90 万头，成年奶牛保有量达 40 万—50 万头。

锡林郭勒盟东部养羊业发达，人口较少，绝大部分草场为典型草原，畜种发展排序应为肉羊、肉牛、奶牛。年出栏肉羊 500 万—600 万只，出栏肉牛 40 万—50 万头，成年奶牛保有量 10 万—15 万头。

家畜繁育与改良及畜种品种调整不能单靠外购牲畜来扩大畜群，必须建立自己的良种家畜繁育基地，特别是优质奶牛和肉牛，应超前建设良种繁育基地。

肉牛、肉羊育肥基地建设应统筹考虑牧区、农区和消费市场的资源及地缘关系，优化配置牧养、育肥、加工、销售等环节的资源，建立肉牛、肉羊育肥基地，形成具有地方特色的产品品牌，增强市场竞争力。

二、大力发展饲草料生产，形成饲草料产业化体系

从 20 世纪 90 年代以来，草原建设和饲草料种植正逐渐为牧民所重视，种养结合取得了良好的经济效益和环境效益，显示出本区畜牧业今后发展的正确方向。

本区的大兴安岭东侧为温凉半湿润—半干旱区，大兴安岭以西主要是温凉半干旱区。其中大部分旱坡农田因水热条件的年际波动，不能保证农业生产的稳定和安全。因此，从本区土地类型的分布来看，基本农田一般应选在岭东的平原地区和各地的滩川地，把饲草料生产作为今后土地利用的重要方向。

根据土地类型的分布和水土资源及天然草地的优化配置，在建设养牛养羊基地的农牧业综合开发总目标中，必须广泛建立中小型饲草料生产基地，这是以牧户和家庭牧场为生产单元所兼营或专营的饲草料生产模式。随着本区农牧业综合开发的继续扩大和进展，将会要求建立一些大中型饲草料生产与加工的企业，并形成饲料供应和经销体系。

进行饲草料生产的土地开发利用及配套水利设施建设，必须根据区域水

土资源条件和畜业发展进程分区进行统筹规划和总体设计，防止盲目滥垦土地，确保对生态环境不发生负面效应。草原栗钙土不宜大面积开垦打井抽水灌溉种植一年生饲料作物，也不宜旱作种植饲料和中生性牧草。在大兴安岭以西的草原区应选用河滩地、宽谷地按照草田农作方式进行饲草料种植生产。在大兴安岭东侧，可选择黑土坡地或草甸土地建立饲草料基地。

饲料作物和牧草的种类与品种的引进，必须经过实验和实践的检验。盲目引入外地植物种类往往会带来不能预见的生物危害。乡土植物可作为优选的品种，例如呼伦贝尔草原分布的黄花苜蓿、无芒雀麦、披碱草等都是优良牧草的乡土种。

根据发展预测，灌溉饲料地和旱地人工草地的建设，到 2010 年，在合理开发水土资源的条件下，可新增灌溉饲料地 41 万公顷，旱地人工草地253 万—308 万公顷。

在草原半干旱地区发展饲草料生产是一项科学技术含量很高的新型产业，应大力加强饲料和牧草品种选育、牧草生态习性与饲用价值、土地资源配置、水资源平衡等研究，为本区饲草料生产的发展提供科技支持。

三、农牧业综合开发的基础设施建设

在农牧业综合开发中，水利建设是首要的基础建设项目。

嫩江右岸流域水资源开发利用率很低，需考虑一批调蓄工程建设，为该区的各项种植业提供稳定的农业水利保障，扩大农业灌溉面积。

西辽河流域水利设施的完善、配套、更新和维护以及在此基础上的农田节水灌溉改造。

牧区饲草料灌溉工程建设，特别是兴安岭西侧和锡林郭勒盟东部地区的饲草料种植用水工程，丘陵区水土流失控制与治理。

牧区土地面积广阔，道路建设仍然滞后。奶牛饲养量扩大后，需有良好道路和交通条件，以便于牛奶的收集、运输。农牧业产业化发展更需要交通条件的充分保障。

四、生态环境治理与自然资源保护

大兴安岭是我国最重要的林区，是本区各水系的水源涵养地，历史经验

表明长期的森林超采导致森林资源锐减，盲目增畜超载过牧造成草原退化，无序开垦粗放耕作引起土地退化等生态环境问题对东北、华北地区形成威胁。因此，在农牧业综合开发过程中，必须统筹生态环境治理、自然资源合理利用与生产发展三者的关系，改变目前资源索取型的经营方式，实现森林、草原、农田的保护和可持续利用。

五、人口布局与城镇建设

经济开发必然伴随着人口流动和转移，大中型工商骨干企业的新建与扩建，将会使城镇扩大，对产业和人口的地域分布必须进行总体规划，按照经济、社会、生态环境统筹合理布局的原则进行宏观调控，保证区域人口、资源、环境的协调持续发展。

六、文教科技服务体系建设

按照人才战略，引导本地大、中专院校与区内外院校合作，创办相关专业，培养新型农牧民和专业人才。包括食品加工保鲜技术，奶牛繁育、饲养、保健技术，经营管理的人才培养、研究与推广，使农牧业综合开发纳入科教兴区、兴农的战略。

总之，内蒙古东部草原区是自然资源富集的地区，也是工农业经济欠发达地区，适宜进行以牛羊养殖为主要方向的农业综合开发，成为我国北方的乳、肉、毛、绒、皮等畜产品的重要产区。农牧业综合开发是一项系统工程，在实施振兴东北和开发西部的重大决策中必将作出重要贡献。

第六节　东部草原区农牧结合的主要模式

一、在农牧结合的发展史上形成的生态经营模式

养牛带的人工草地与封育轮牧相结合的半舍饲模式。鄂温克旗巴彦托海镇是该旗 44 个乡之一，位于呼伦贝尔草原"80 公里奶牛带"内，在 8.88 万亩草地上有牧户 114 户。已有 83 户高标准饲养奶牛的专业户开始使用多项新技术，每个牧户平均有定居房屋 42 平方米，棚舍 139 平方米，具有喷

灌设备的深水井一眼，人畜饮水井一眼，户均人工与半人工（补播）草地125.4亩，建有青贮窖，40%专业户已有常规挤奶器，2002年牧民人均收入已达4 800元。这是一种典型的牧区开始走向农牧结合的半舍饲模式。

牧区半牧半养+人工饲料地家庭牧场的循环经济模式。呼伦贝尔草原鄂温克旗巴彦托海镇新科牧场是一个走向集约化经营的家庭乳牛饲养场，由兄弟两人承包，饲养乳牛30头，畜粪施田，种植灌溉的青贮玉米与大豆100亩，这100亩青玉米与青大豆制成的优质青贮饲料达400吨；建有大型青贮窖，另有700亩围栏放牧场，分成6个小区分区轮牧。这一模式稳定而有后劲，四年间，销售鲜奶400多吨，收入达四十多万元，是一种农牧结合半牧半养的家庭牧场小型循环经济模式。

牧区具有先进设备的定点家庭牧场+牧户季节性借棚越冬模式。新科牧场是具有先进设备的股份制牧场，建有大型全封闭式暖棚、遮阳棚，与瑞典合资生产，使用阿法拉伐手推式挤奶器等，由于设备的自身使用有余，为周围牧户借棚越冬提供了条件，也借此收集了畜粪。对奶牛建有档案，实现成本核算管理，并承担牛配种、疫病防治、饲养管理和机械化挤奶等服务工作，挤奶期间还提供高质量的青贮饲料。这种季节性借棚越冬模式对放牧养牛户具有很大吸引力，是牧区走向半舍饲、舍饲的过渡模式。

半农半牧区封育草场+青贮饲料+乳牛的半舍饲农牧结合模式。通辽市科左中旗乌力吉图分场海刚牧户是珠日河牧场改制后牧民通过天然草场保护工程及世界银行的内蒙古雪灾防治项目等扶植起来的家庭生态牧场。海刚现有草牧场2 500亩，其中围封720亩，大小畜308头（只），建有牧铺3间、畜棚8间，永久性青贮窖地50立方米。2004年种青贮玉米100亩，从牲畜饮水到饲草种植，收获全部机械化，牧户年纯收入超过5万元。这是一种半舍饲农牧结合模式。

半农半牧区的企业+农户的大规模统种统牧与大型畜牧场结合的中型循环经济模式。赤峰的草原兴发公司、塞飞亚公司等与农户之间联合的模式，是由龙头企业向养殖户出售种畜、禽、专用饲料，提供技术服务，到出栏时按保护价回收。也有专种人工草地的企业+农户模式，通辽市科左中旗吉农草业公司舍伯吐的千亩人工草地便是。公司从农民手中租赁耕地种植紫花苜蓿等，租赁期6年，每亩每年给农民租赁费300元，再承包给农民种，一年割三茬，收下半干的草可达 1.0 吨/亩，收入可达 500 元/亩。每亩管理投入成本费约 40 元（水费 12 元/亩，化肥 20 元/亩，劳力与机械 5 元/亩），双方皆有利；种豆科牧草对肥土有利，还提高了生态效益。饲草统种统收后无论与大型畜牧场结合或分到农户饲养皆属中型循环经济模式。

半农半牧区的"西繁东育、北繁南育"的大区域间远程式大型循环经济模式。科尔沁草地的蒙东牲畜交易市场是提供西繁东育条件的市场。该场面积共 12 万平方米，分 4 个区：养殖区、生产加工区、服务区、牲畜交易区。到 20 世纪末，已有牛 2 000 头，青贮饲料原料由 200 户承包种植，再贮入设有容量 5 000 万吨的玉米青贮窖内。由于大兴安岭以西气温下降快，家畜只有 5 个月的生长期，必须在较温暖地区育肥 4—5 个月，使 300—350 公斤的架子牛育肥到 500 公斤时出售，效益才可大大提高。这是企业投资 340 万元建立的以黄牛为主的交易市场，对饲料、黄牛、畜产品及畜粪组成了远程联结的生态经济循环链，在区域间耦合，以发挥生态系统的更大整体效应具有重要现实意义。

科尔沁草原改造沙地种植青贮玉米+牛羊的坨甸地放牧的农牧结合模式。通辽市巴湖塔苏木西哈伦查有土地 4.2 万亩，其中放牧场 1.9 万亩（坨地为主），打草场 1 600 亩，人工草地 800 亩，井灌青贮玉米地 1 500 亩，122 户，共有黄牛 916 头，羊 1 349 只。饲草全部为牧草与青贮玉米，已由乔灌草结合治理的固定沙坨地可以适度放牧，人均纯收入由过去 400 元上升至现在的 1 200 元。这是一种半牧半养模式，虽不喂粮，但选用优质青贮玉米品种是很好的途径，玉米品种有英国红、高油 115、山丹 958 等，玉米生物学产量可达 5 吨/亩，其乳熟期青贮后的粗蛋白含量可达 6.5% 左右。家畜上坨地放牧带去畜粪发挥肥力迁移的作用，具有改造沙地的效能。

岭东农区作物秸秆+人工饲草的常规农牧结合模式。农区的作物秸秆一向部分作粗饲料用，但目前岭东农区利用率还仅为 30%。作为农业大市的赤峰市粮食作物播种面积在 1 400 万亩左右，年产秸秆 25 亿公斤。该市可利用天然草地 7 300 万亩，全年生产饲草 72 亿公斤，按 70% 利用率计为 50.4 亿公斤饲草，加上作物秸秆，一年生杂草、人工草地优质牧草以及青贮饲料等总计 96 亿公斤，以上各类草分别占总量 52.5%、15.6%（利用率按 60% 计）、10.4%、15.2% 及 6.2%（折合为干重计）。其中秸秆的可利用数量为大面积天然草场产草量的 1/3，并与当前该市 580 万亩的人工草地产草量相当，是一个值得关注的数字。因此该市正在一方面筹划如何通过糖化、发酵，提高秸秆利用效率问题；另一方面扩大优质人工草地，使饲草营养水平提高。这种模式在农区最为广泛，虽在饲料种类及其配比上有所差异，但总以秸秆为主体。上述蒙东牲畜交易市场育肥牛的饲料组成为：秸秆粗饲料、糖化饲料、青贮饲料及精饲料（玉米为主）分别占总饲料量的46.1%、30.7%、15.3%、7.6%。这是一种较粗放的常规模式。

二、农牧结合优化模式的发展

饲料生产稳定发展，确保畜牧业发展速度的要求。以玉米为主的作物种植应大力发展专用优质饲料玉米品种，加快养畜养禽业的发展速度。

扩大牛羊西繁东育规模，加强政策激励与相应安置工作。牛羊发展速度很快，在呼伦贝尔草原 2003 年牛头数为 81 598 头，而年末时为 129 930 头，增长 59.2%，当年出售 32 068 头，占存栏数的 24.6%，其中肉畜、幼畜分别占出售头数的 64.3%、35.7%，可见有大批幼畜可移至东育。目前由于东育数量甚微，严冬来临使幼畜死亡现象严重，例如呼伦贝尔市 2004 年成幼牛、羊死亡数分别达 1 124 头、11 992 只，而当年自宰食才分别为 806 头、16 821 只，其中牛死亡数为自食数的 1.39 倍。西繁东育必须要有激励政策与沿途提供幼畜转移的安置工作站，才能使规模大大扩大。

草地退化沙化问题严重，以兴安盟为例，该盟 20 世纪 60 年代有天然草地 6 890 万亩，可利用草地为 5 527 万亩；80 年代初，分别降为 4 551 万亩、3 918 万亩；90 年代初再分别降为 3 192 万亩、2 759 万亩；至 2002 年底，草原面积减至 3 000 万亩左右；草场载畜能力由 20 世纪 80 年代的 11.9 亩养一个羊单位降至现在的 16 亩养一个羊单位，而且沙化面积日益扩大，平均每年增加 22 万亩。呼伦贝尔草原总面积 1.25 亿亩，1985—1996 年十余年间可利用草地面积减少了 2 000 多万亩，全市退化、沙化面积共 5 000 余万亩，占草场面积 40%，其中严重退化、沙化的占草地总面积的 19.2%。2002 年鼢鼠与布氏田鼠分别破坏草地 900 万亩、1 500 万亩，共占退化沙化草场面积的 48%。无论沙化或鼠害破坏皆与草原保护失策密切相关，必须作为一项生态资产来抢救。

人工草地扩大较快，水利条件滞后。人工草地在灌溉下产草量是天然草群的数倍甚而几十倍，除去利用有利的地形条件通过径流水补给外，一般需要人工灌溉才能达到较高收成。这是由于饲料玉米或苜蓿等牧草多为中生、中旱生植物，在草原气候条件下无灌溉，产量低而不稳，为低效农业。有的地区地下水含量丰富，开辟井灌潜力大，因此扩大人工草地必须紧跟水利建设。例如呼伦贝尔草原鄂温克旗伊敏河、辉河两岸静水位 3.4—5.9 米，动水位 5—14 米，地下含有 2 处含水层，厚度不等，单井出水量 20—50 立方米/小时，水质矿化度<1.0，酸碱度 7—8，条件皆适宜。打一口井可灌 200亩，打井与井点配套投入成本费共为 9.58 万元，其中打井、喷灌设备、围栏、田间耕播工程投入等分别为 2 万元、4 万元、0.6 万元、2.84 万元。投资后种植苜蓿与青贮玉米纯收益分别为 151 元/亩、171 元/亩，150 亩苜蓿收益共 2.26 万元，50 亩青贮玉米收益共 8 550 元，合计 3.11 万元，三年便可收回成本。由于投入资金困难，该旗计划近期每年建设 50 个点，需连续六年完成总体计划。

生态建设与产业缺乏整合性，使整体效益削弱，仅将防沙造林，小流域治理、草原封育、退耕还林还草作为生态建设是不够的，不仅内容单一，而且长远效果差，经济效益低，这是由于缺乏系统整合性。东四盟、市与东北地区是松嫩辽流域的一个整体，必须统筹发展。否则，各地生态系统能量流、物质流的整体效能降低，对振兴东北老工业基地与农牧生产皆不利。例如通辽年产粒用玉米 35 亿公斤，而相邻的吉林省四平市虽年产 50 亿公斤，但四平不是玉米最适产区，受灾频率高而产量不稳，质量也不及通辽高，如果从整体上决策，便会重新考虑粒用玉米主产区最佳范围问题。

农牧业结构松散，黑土层流失严重。东北黑土带不仅集中分布在黑龙江中部大片地区以及沿哈尔滨—长春—四平一线的狭长地带，而且还部分在大兴安岭两侧的内蒙古东四盟境内，这是世界著名的三大黑土带之一。黑土肥沃，但开垦后几十年来多使用化肥，自然肥力大幅度下降，而且保土能力变差，正在蚕食剥离着地面。据闻大中研究，一般开垦 60—70 年的坡耕地（坡度多为 2°—5°），黑土层已由原来的 60—70 厘米厚减到 30 厘米左右，约有 1/4 的耕地由于黑土层被侵蚀而露出下面的黄土，土壤年侵蚀量高达 50—70 吨/公顷，年流失表土层平均为 0.5—0.8 厘米，全区流失土壤总量约 1.5 亿吨。照这样的侵蚀强度，黑土区已开垦 80—100 年的坡耕地（约占耕地 1/3），再经 40—60 年黑土层将被剥蚀光；开垦 30—40 年的坡耕地，再经 90—100 年，也将被剥蚀光。据内蒙古土肥站在阿莱旗测定，1983—2002 年间黑土层减少了 10—15 厘米。其实黑土带最有条件做到农牧紧密结合，如利用畜粪施用有机肥培肥土壤，或实行粮豆轮作，既保土又肥土，黑土保护才能真正达到目标。

耕地开垦集中连片，未保留必要的生态缓冲用地。多年来，内蒙古东部及东北地区西部是开荒的重点地区。大面积开荒及蚕食优良草原分几个阶段：1958—1960 年呼伦贝尔草原垦荒近 20 万公顷，昭乌达盟近 96 万公顷；1962—1978 年松嫩草原面积由 1963 年的 300 万公顷减少到 1978 年的 230 多万公顷，减少了 23% 的面积，相应地沙化、碱化面积增加了 20%；1978—2002 年呼伦贝尔森林草原地带耕地扩大了 63.9 万公顷，科尔沁草原的通辽、赤峰、兴安盟共扩大耕地 79.3 万公顷，导致 1999 年我国东北出现历史上从未有过的黑风暴，其源头按内蒙古计算机研究院遥感中心监测是在本区西部地带。多次垦荒带来了 183 万公顷的沙化土地。内蒙古东部确有相当面积的土地适于开垦耕种，但过度开垦就必须考虑对环境的影响。特别是耕地不应大面积连片，应在一定范围的耕地之间留有一定面积的林地或草地，才能使耕地处于有生态屏障保护的稳定状态。

第七节　农牧业可持续发展战略的思考

一、东部盟市应坚持以牧为主的发展方向

东部四盟、市除大兴安岭林地外，以草地植被为主体，因此必须认定在这里建立的农业是草地农业。草地农业的特点是在偏旱、冷凉、冬季漫长条件下建立以人工草地及草食家畜牛羊为主体的农业。因此，无论种植业或畜牧业以及二者的比重皆应立足于草地气候特点来决策。年降水量 250—450 毫米的地带，天然植被类型有典型草原、草甸草原、荒漠化草原，以及因地理环境因素而形成的草甸、沼泽、沙地植被等。要在认知不同环境与植被类型的基础上才能成功地发展农牧业，必须认识生态规律才能做到科学合理。

这是观念上、认识上的改变，前述一些模式虽已出现了不少创新，但要深入巩固和发展，走向可持续发展仍然任重道远。赤峰市在农牧结合问题上开始对饲料地提出"为养而种，为畜而农"的方针是正确的，已确认了草原气候条件下种植业的特点与归宿。

二、启动生态建设工程，发展农牧业循环经济

工程是指人类设计的具有一定结构的工艺系统。生态工程是应用生态系统中物种共生，物质循环再生原理、结构与功能协调的原则，结合系统工程的最优化方法，设计分层系统利用物质的生产工艺系统。循环经济是通过资源循环再生的生态工程工艺系统，多次利用再生资源及废弃物资源化的以发展较高经济效益的经济。这实质上是一种节约型循环经济。特别是对缺水地区而言，要重点发展节水型循环经济。当前，在农牧结合方面有几个生态建设工程需启动，例如以畜粪迁移养土的黑土保护工程，引草入田的草田轮作工程，退化草场封育与鼠害防治工程，畜群西繁东育的远程式循环经济工程，牧户井灌饲草+养畜的能量内循环工程以及开辟生态用地的景观生态工程等。

强化生态系统间各种耦合关系，以提高生产与生态功能效率。当前各业走向兴旺，但缺乏各种系统耦合关系。例如农牧产业之间、农田与草地之间、森林与草场之间，沙坨与甸子之间以及农牧业系统内部子系统之间等。耦合是一种人工牵引相邻两个或几个生态系统进行物质流与能量流相互渗透、交换、补偿的关系，目前生态系统的结合性与整体性还不够紧密，尚未形成有目标的高效的农牧生态系统时先建立各种耦合关系具有重要现实意义。据中科院沙漠化土地空间分布遥感监测，近十五年间，科尔沁沙地在通辽范围内的沙漠化面积减少了1 200万亩，这是指该区沙地生态的初步改善与十多年来沙坨地建立乔灌草相结合的防护林体系有关，也与坨子地与甸子地初步耦合治理有关，与大兴安岭森林屏障及生态用地建设有关，如果孤立改造坨子地或甸子地的效益是有限的。

驯化当地优良牧草，建立巩固的人工草地。以呼伦贝尔市鄂温克旗为例，外来品种不如当地野生品种耐寒、耐旱。1999—2001年鄂旗东北部种植的8万亩紫花苜蓿，品种多为外来品种，主要有美国的阿尔钢金等，但至

2002 年春在-40℃的气温持续几天的情况下全部冻死。这一事例说明了外来种的局限性。而呼伦贝尔草原草群中本身就夹有天然黄花苜蓿，鄂旗草原工作站自 2001 年进行黄花苜蓿栽培化试验，并分 5 个地区试种：鄂旗、额尔古纳市、根河市、扎兰屯市、莫力达瓦旗，三年的结果发现黄花苜蓿在极端寒冷情况下亦安全越冬，能忍受-45℃的低温，而比较耐寒的肇东苜蓿越冬率则为 95%，而且返青日期前者比后者提早 4—5 天。黄花苜蓿的产草量比肇东苜蓿提高 20.3%。因此要建立巩固的人工草地必须注意驯化当地品种。呼伦贝尔草原是中外著名的草原，不仅产草量高，而且优质饲草丰富，除去黄花苜蓿外，还有直立黄花、羊草、披碱草、无芒雀麦、早熟禾等。应逐渐将这些优良牧草人工驯化，培育成当家品种，况且黄花苜蓿产量比肇东苜蓿高，种一亩黄花苜蓿目前投资成本约 215 元，三年后，每年纯效益 196 元。

　　围栏封育，加速改良退化草场。当前围栏休牧或轮牧虽已初见效果，但大多是只围而不改良。据鄂温克旗草原站测定，仅围封两、三年后产草量比栏外天然草地提高 55.5%，而围封+施肥或+补播，产量将提高更多。其中，围栏+施肥比栏外产量提高 31.5%；围栏+补播比栏外提高 73.1%。而一亩草地改良投资成本平均 80 元，可多年收益。

　　调整土地结构，根治土地退化。各地众多教训启示了人们，土地结构合理与否关系着地区经济、生态、社会等各方面的兴衰，甚而影响到生态安全以及所在村镇的兴衰。土地结构中最大的问题是耕地面积过大。田光进通过遥感研究表明，90 年代以来，我国新开垦耕地资源以草地与林地为主，主要位于东北平原及内蒙古草原地区。其中草地开垦为耕地以内蒙古、黑龙江、新疆为主，分别占全国开垦草地的 36.79%、20.61%、15.25%，合计 72.65%。说明土地结构发生了很大改变。呼格吉勒图分析了近十年内蒙古东部耕地变化结果，认为在半农半牧区开垦的数量最为可观，科右前旗 1992—1996 年内增加耕地 1.55 万公顷，占全旗耕地增加比重的 54.5%，主要以开垦大片草地为代价，引起自然生态环境脆弱土地的生态失调。邹亚荣等对农牧交错区土地利用变化空间格局做了分析，通过遥感确认了农牧交错区的耕地面积在增加，主要是耕地大量占用草地。近十年农牧交错区草地变耕地主要在东北三省与内蒙古东部地区，占全国草地变耕地的 42%。王思远等也用 GIS 技术测定了自 1996—2001 年五年来中国土地利用时空特征，结果表明：五年间，土地类型变化大的区域主要分布在中国东部和北部地区，特别是东北部用地类型变化比较剧烈。其中，耕地、水域、建设用地面积都有不同程度增加，耕地面积增长最快，增加量达 160 万公顷，而林地、草地面积在减少，草地面积减少了 118 万公顷。以上资料皆说明东四盟面临土地结构巨大变动，造成结构严重失调问题。内蒙古东四盟、市属于半干旱气候地带，天然植被以草原为主，必须始终保持以草原面积占最大比重，而目前在明显缩小并尚未终结。2000 年通辽市农林牧土地结构是：耕地、林地与可利用草地面积共 7 879 万亩，其比例约为 1.6∶2.4∶6.0，三化草场已占 90% 以上了。因此必须研究区域性土地利用的合理结构，包括前述生态用地在内，才能根治土地沙化问题，也才能彻底稳定发展农牧业。

三、改善经济建设模式，抢救草地生态资产

五十年来，治理沙漠化的速度远远落后于沙漠化发展速度。我国中低产田比例由 20 世纪 50—60 年代的 2/3 增至 90 年代的 4/5。东四盟、市的通辽市退化、沙化、碱化草地已占草地总面积的 82%；兴安盟仅沙化面积就占 20 世纪 60 年代可利用草地面积的 16.2%，占 90 年代可利用草场的 32.6%；赤峰市受荒漠化直接危害地区达 8 435 万亩，占总土地面积的 62.5%，有 159 万人口面临危害。草地生态资产造成国民经济的损失是严重的、可怕的，抢救草地生态资产迫在眉睫。要寓农牧业生产于环境保护建设之中，由常规的掠夺式经济模式转为可持续发展的生态经济模式是根本的出路。布朗提出的 B 模式即生态经济模式，他呼吁必须改变过去的不可持续的泡沫经济模式。"在漫长的岁月中，我们赖以生存的是自然资产所产生的利息，而目前我们正在消耗着这种资产的本身。"又说，"中国不断加大的生态赤字正在造成历史上罕见的沙尘暴……中国正处于一场战争中，但不是与侵占国土的侵略军开火，而是向不断扩展的沙漠开战"。应当指出，我们首先要做的是经济模式在战略上、决策上的扭转，再设计各种实施方案，否则局部治理仍然是被破坏大于建设。

东四盟、市农牧业生产取得了显著进展，各种创新生产模式纷纷兴起，相当规模的人工草地与青贮饲料地促进了半舍饲、舍饲畜牧业的发展。但对

可持续发展而言存在一定程度上的不稳定性，以及对草地生态资产的继续破坏性，这涉及对草地农业的重新认识，区域性土地结构合理性的探索与常规经济建设模式的变革等根本性问题，值得从战略上思考与研究。

第 十 三 章

内蒙古额济纳绿洲百年来的
环境演变与恢复重建

第一节 额济纳绿洲的地理特征和历史沿革

额济纳绿洲是阿拉善荒漠区西端的绿洲带，处于祁连山与蒙古国戈壁阿尔泰山之间，行政区划隶属内蒙古阿拉善盟额济纳旗。全旗面积11.4万平方公里，人口1.62万人，牲畜12.9万头（只）。其中绿洲区的面积为2 670平方公里，占全旗总面积的2.34%，绿洲人口1.18万人，占全旗的71.2%，牲畜9.8万头（只），占全旗的75.97%。额济纳绿洲是由黑河水系冲积演化而成。

黑河是我国西北地区第二大内陆河，发源于青海、甘肃两省交界的祁连山，最终流至额济纳旗北部的尾闾湖——居延海，全长821公里，流域面积14.3万平方公里。黑河下游的额济纳河是出正叉峡经甘肃省金塔县鼎新地区后进入内蒙古境内。额济纳河全长333公里，内蒙古境内297公里，进入内蒙古额济纳旗后在狼心山下的巴音宝格达分成东、西两河。东河称为额木纳河，汇入苏古淖尔（东居延海）；西河称为穆林河，汇入嘎顺淖尔（西居延海）。东西两河流至旗府达兰库布和赛汉陶来一带又分成十余条大小分支，形成扇形三角洲，故额济纳绿洲也称黑河下游三角洲绿洲。

额济纳绿洲地处欧亚大陆腹部的荒漠区深处，气候条件十分严酷，年平均降水量只有41.4毫米，年蒸发量3 877毫米，年均风速4.8米/秒，8级以上大风日数 52 天。据联合国人类生存环境 1997 年的调查报告认定，额济纳荒漠区是"人类不能生存的地方"。而绿洲的生存完全依赖于黑河中上游的下泻水量来决定。

祁连山系为海拔 4 200 米以上的高山带，冰雪作用创造了山岳冰川地貌，冰缘作用形成石河等地貌类型。中山带的流水作用强烈，造成了各种水蚀地貌形态。低山带的地貌以干燥剥蚀作用及风沙堆积过程为主。从山地到盆地或草原，水土物质的输入造成了盆地平原的景观分化。

黑河下游是以冲积洪积平原与湖盆为中心的盆地。南起北纬 40°30′，北至北纬 42°30′，西起东经 99°02′，东止东经 101°54′。居延海盆地海拔最低为 800 多米，这一广大的盆地内部，也形成了多样化的地貌格局。祁连山与走廊北山（龙首山、合黎山）之间是狭窄的山间平原，即张掖—酒泉盆地。北山以北是著名的八丹吉林沙漠，沙漠西缘和西北边缘有黑河下游的古日乃湖和拐子湖。沙漠之中还有许多大小湖盆。黑河下游的额济纳东、西河及其十余条支流形成了三角洲。额济纳绿洲主要发育在三角洲地区，河流末端注入居延海盆地。居延海的湖水主要来自黑河，但也接受北部从戈壁阿尔泰山形成的洪水补给。居延海以东的拐子湖也可以发生短暂的洪水注入。

三角洲外围北、西、南三面被低山丘陵所环抱，西部是马鬃山系的博日乌拉，马鬃山主峰 2 258 米，在甘肃肃北蒙古族自治县内，博日乌拉为 1 550 米，西北部大小狐狸山，山高 1 834 米，东北部的大红古尔津山 1 256 米，南面的山丘最高峰为 1 646 米。三角洲呈西南向东北倾斜，南高北低，由海拔 1 600 米下降到 900 米，一般相对高差不到 300 米，以广阔的戈壁、沙漠为主，仅沿河两岸和尾闾部成为绿洲，占整个三角洲面积的 8.10%。

地势随海拔的降低而气温增高。祁连山最高峰 5 547 米，平均每海拔降低 1 000 米，气温上升 6.5℃。山地年平均温的 0℃线大体分布在 2 700—3 300 米的高度，-10℃线大体通过 4 100—4 700 米的高度，表明祁连山的高山带与中山带热量状况显著低于盆地平原。额济纳绿洲不仅海拔低于 1 000 米，并因下垫面长波辐射作用，气温年均温>8.0℃，≥10℃的积温达到 3 600℃。

山地与湖盆的降水量也有明显差别。山地随海拔升高而降水量增多。据记载，东祁连山高山带的年降水量多在 500 毫米以上。黑河中下游盆地中，各地的年降水量仅 200 毫米，酒泉盆地不足 100 毫米，额济纳绿洲年降水量低于

50 毫米（表 13 - 1）。而年蒸发量却高出降水量的近 100 倍，达到 3 877 毫米。

表 13 - 1　额济纳旗荒漠与绿洲气候要素的统计值

地　点	年均温（℃）	≥10℃积温	年降水量（mm）	6—8月降水量（mm）	年蒸发量（mm）	伊万诺夫湿润系数	全年大风日数	10—5月大风日数	平均风速（m/s）	年日照时数
呼鲁赤古特	8.2	3 552.7	43.4	38.9	4 153.4	0.021	62	55	5.1	3 351
吉柯德	8.5	3 659.8	39.8	38.0	4 203.2	0.023	57	49	4.7	3 404
额济纳	8.3	3 648.4	36.7	35.1	3 608.7	0.024	49	43	4.5	3 444
拐子湖	8.6	3 693.0	39.6	38.2	4 152.2	0.027	50	44	4.6	3 359

资料来源：内蒙古气象中心。

　　上述数据可以反映出额济纳绿洲的严酷气候条件，是我国乃至亚洲中部的极端干旱区。联合国人类生存环境报告（1992 年）认定额济纳荒漠地区是"人类不能生存的地方"。额济纳绿洲就坐落在这一极旱荒漠区的中部。

　　额济纳绿洲的自然植物群落是胡杨（Populus euphratica）林、沙枣（Elaegnus angustifolia）林、红柳（Tamarix ramosissima T. spp.）灌丛、芨芨草（Achnatherum splendens）草甸、芦苇（Phragmites australis）沼泽—草甸及苦豆子（Sophora alopecuroides）次生植物群落。在居延海干涸的盐湖附近有盐爪爪（Kalidium foliatum）、黑果枸杞（Lycium ruthenicum）、骆驼刺（Alhagi maurorum var. sparsifolia）盐生灌丛。河水来临后在河水漫过的河漫滩上可见到盐角草（Salicornia europaaea）和碱蓬（Suaeda heterophylla. S. kossinskyi. S. spp.）一年生盐生植物群落。在西河覆沙地段能见到大花白麻（Poacynum pitum）群落。在居民点附近常见到的有花王柴（Karelinia caspia）和骆驼蓬（Peganum harmala）群落。

　　胡杨林面积 1.81 万公顷，其中老龄林占 84%；沙枣林 0.45 万公顷，全部为老龄林；红柳灌丛 10.24 万公顷，其中稀疏矮化的群落占 58%；沿河的草甸等退化绿洲 6.8 万公顷，其中有被巴丹吉林沙漠吞没的古绿洲，原生草甸植被已经很少。苏古淖尔及额济纳河沿岸在 20 世纪 50—60 年代分布的大面积芦苇沼泽草甸现已完全枯死。拂子茅（Calamagrostis pseudophramites）草甸、赖草（Leymus secalinus）草甸等目前仅见于机井及水渠边缘有小片残存。许多草甸植被已演替退化为苦豆子和骆驼蓬群落。绿洲植被组成情况列入表 13-2 中。

据 1978 年美国资源卫星 MSS 影像与 1999 年 TM 卫星影像显示，额济纳绿洲植被衰败和景观破碎化正在加剧。绿洲中人工植被达 1.38 万公顷，农田有 3 466 公顷，撂荒地有 8 022 公顷。虽然进行了多年人工造林、人工草地建设，但现在保存的面积为：人工林仅 1 666 公顷，占绿洲面积的 0.64%；人工草地 600 公顷，占绿洲面积的 0.23%。

表 13-2　20 世纪末额济纳绿洲天然植被类型组成

天然植被	面 积（hm²）	占绿洲面积比（%）	人工植被与裸地	面 积（hm²）	占绿洲面积比（%）
胡杨疏林	18 078	6.90	农 田	3 466	1.32
沙枣疏林	4 520	1.73	撂荒地	8 022	3.06
红柳灌丛	102 393	39.08	人工林	1 666	0.64
禾草草甸	2 818	1.07	人工草地	600	0.23
杂草干草甸	5 371	2.05	小 计	13 754	5.25
盐生灌丛	61 278	23.39	裸地（干湖裸沙）	31 811	12.14
盐生植物	19 474	7.43	其 他	2 523	1.96
小 计	213 932	81.65	小 计	34 334	13.10
绿洲合计				262 020	100

额济纳绿洲是黑河水系孕育而成。在荒漠区有水便可成绿洲，无水绿洲则变荒漠。历史上曾繁华一时的著名的楼兰、米兰王国与黑城都是因水源的断截而淹没于沙海之中。额济纳绿洲 20 世纪 90 年代的河道年均进水量（从宝格达分水闸算起）仅 3.54 亿立方米，占黑河水系莺落峡出山口径流量 15.84 亿立方米的 22.35%，较 50 年代占 51.40% 减少了 56.27%，较 80 年代的 38.61% 又减少了 42.12%；占正义峡进入额济纳河 90 年代水量 7.24 亿立方米的 48.89%，较 50 年代的 67.35% 减少了 22.83%，较 80 年代的 61.63% 减少了 37.04%（表 13-3）。在 20 世纪 50 年代前，额济纳河基本上是一条常年流水的河流。随着中上游用水量的增多，到 60 年代每年只有春泛和秋泛两次来水，春泛一般持续一个月，秋泛持续两个月左右，其余时间河道断流。到 80 年代，一般只剩秋泛一次来水，来水时间在一个月左右。至 90 年代以来，秋季来水期只有 7—10 天，额济纳河几乎变成了全年断流

的沙河，冬季大风季节成为起沙扬尘的沙尘源地。

东、西居延海，20 世纪 50 年代尚保存着 58.4 公顷和 276.0 公顷的水面。东居延海（苏古淖尔）年产鱼类总量约 17 万公斤。60 年代两河断流后，首先是西居延海（噶顺淖尔）在 1961 年干涸，从此以后再没有进水；东居延海 1973 年第一次干涸，此后又在 1981 年、1986 年干涸，90 年代则完全干涸，湖底变成沙质、砾石质及盐碱荒漠景观，成为风沙侵蚀严重地区。

表 13 - 3 黑河流域中下游水量变化表

年 代	1927—1934 年	1944—1949 年	1950—1959 年	1960—1969 年	1970—1979 年	1980—1989 年	1990—1999 年	多年平均（1956—1999 年）
莺落峡山口出水量（$10^8 m^3$）			16.38	15.08	14.50	17.73	15.84	15.72
与上 10 年水量相比（+、-、%）				-7.94	-3.85	+20.21	-9.92	
正义峡入额济纳河水量（$10^8 m^3$）	>15.00	>13.19	11.90	10.66	10.55	10.99	7.76	10.29
与上 10 年水量相比（+、-、%）		-12.17	-9.98	-10.43	-1.04	+4.17	-29.39	
额济纳旗宝格达水闸进水量（$10^8 m^3$）	>13.00	>12.00	8.37	4.54	—	6.37	3.54	4.85
与上 10 年水量相比（+、-、%）		-7.70	-30.25	-45.76	—		-47.40	
黑河中游耗水量（$10^8 m^3$）		4.45	4.48	4.42	3.95	6.44	8.08	5.43
占莺落峡水量的百分比（%）			27.35	29.31	37.24	36.95	51.01	34.54

从表 13 - 3 的数据可以明显地看出，50 多年来黑河上游水资源径流量变化不大。且 20 世纪 80 年代和 90 年代莺落峡出山口的平均年径流量均大于多年平均径流量。虽然也有丰水年段和枯水年段之分，如 60 年代 15.08

亿立方米，70 年代仅 14.5 亿立方米，但变差系数均不大，并不呈规则性递
变。80 年代又增至 17.43 亿立方米，90 年代也达 15.84 亿立方米。黑河上
游莺落峡的年径流量较为稳定，说明黑河并未处在衰老期，正义峡以下的额
济纳河径流量日趋减少，主要是莺落峡至正义峡之间的黑河中游，即张掖—
酒泉区间耗水量逐年增多所致。该区间 40 年代、50 年代和 60 年代平均耗
水量在 4.40 亿立方米左右，占总径流量的 27.35%—29.31%，大体上占
1/3 以下，变化不大，比较稳定。70 年代期间耗水量 3.95 亿立方米，为 40
年代末期以来的最小值，耗水量偏小的主要原因是莺落峡同期来水也是 40
年代以来的最小值，时段平均来水量偏低，为枯水年段，但是这一时段耗水
量已达到径流量的 37.42%。80 年代为丰水年段，径流量达到 17.43 亿立方
米，超过多年平均径流量 10.88%，而此期间耗水量达到 6.44 亿立方米，占
径流量的 36.95%，较 40 年代至 70 年代增加了 1.97 亿—2.49 亿立方米，而
90 年代耗水量又比 80 年代增加了 1.64 亿立方米，占同期径流量的
51.01%。说明正义峡以下的额济纳河径流量日趋减少，完全是中游耗水量
增加（主要是农田面积扩大，灌溉用水增多），是人工调控用水量所致，并
非自然原因。额济纳河水量减少的原因还包括金塔县鼎新和东风基地也超出
应得用水比例，造成额济纳河巴音宝格达（狼心山）分水闸以下的水量更
趋减少，90 年代的进水量低于 40—50 年代的 1/2—1/3。

额济纳河的水质尚好，从金塔鼎新进到巴音宝格达分水闸的河水矿化度
为 0.94 克/升，至中段旗府所在地达兰库布镇和赛汉陶来一带仍能保持 0.91
克/升，再到下段和进到水库、湖泊后的河水矿化度才明显增高，达到 1.27
克/升。河水的盐分含量中硫酸盐和氯化物最多，其盐分和水质见表 13-4。

表 13-4 额济纳河不同河段河水水质分析表

河段 分析项目	上 段 （狼心山分水闸）	中 段 （赛汉陶来）	下 段 （沙日淖水库）
酸碱度	8.26	8.26	8.25
总硬度	240.58	252.61	280.68
钙离子（Ca^{2+}）	39.12	107.57	127.13
镁离子（Mg^{2+}）	201.46	145.04	153.55

（续表）

河　段 分析项目	上　段 （狼心山分水闸）	中　段 （赛汉陶来）	下　段 （沙日淖水库）
砷（As）	0.009	0.024	0.017
铬（Cr）	<0.004	<0.004	<0.004
钾钠离子（K⁺+Na⁺）	113.39	101.2	31.51
氯离子（Cl⁻）	189.8	148.2	204.0
硫酸根离子（SO_4^{2-}）	225.0	205.0	510.0
碳酸氢根离子（HCO_3^-）	122.0	201.3	213.5
碳酸根离子（CO_3^{2-}）	48.0	36.0	18.0
氟离子（F⁻）	0.21	0.3	0.34
硝酸根离子（NO_3^-）	1.43	0.85	0.43
汞（Hg）	<0.001	<0.001	<0.001
矿化度（g/m³）	941.2	915.0	1 270.0

资料来源：《阿拉善农牧业区划》水利区划一章。原始数据经核对后，对印刷错误进行了纠正。

　　额济纳绿洲内广泛分布着第四纪孔隙潜水和承压水，主要是河道渗漏和上游地下径流水补给，降水补给甚微。排泄主要是强烈的地面蒸发和植物蒸腾。潜水水位埋深2—5米，含水层为中细砂及沙砾质，厚5—20米。单井涌水量400—500升／日，沿河地下水较周围戈壁地下水埋藏浅，且矿化度低。水化学类型多属硫酸盐、重硫酸盐型，戈壁为硫酸盐、氯化物水。承压水分布在东西河中下游两翼冲击层中，含水层岩性系砂质、砂黏土互层。含水层呈层状分布，其间通过绒流层发生态平衡密切的水力关系。下伏承压水水头与上覆潜水水位基本一致，局部地区高于潜水位，以至溢出地表，成自流水区。含水层厚达70米以上，最大可达150米。混合抽水单井最大涌水量可达3 000吨／天，矿化度小于1.5克／升，水化学类型属重碳酸盐水。

　　额济纳绿洲地下水位空间格局差异也很明显，两河中间地段地形平坦开阔，水位较高，约2米左右，上段因地形比降较大，河水渗水量较少，所以水位低于中段，下段又因补水量很少而水位最低。根据额济纳旗水利局2000年对20多个定位观测井点的地下水位资料，筛选出8个井点的资料（上段2个，中段4个——东西河各2个，下段2个），5月和9月分别观测的结果是：上段春季地下水位在 2.5—4.0 米，中段在 2.0—2.6 米之间，下段在 3.0—4.5 米之间；秋季经过夏季的强烈蒸发消耗，至 9 月中旬，上段下降 50 厘米左右，中段下降 50—80 厘米，下段则下降 80—100 厘米。动态数据见表 13 - 5。

表 13 - 5　额济纳绿洲各段井水水位的季节变化

观测时间	巴音宝格达井	狼心山七号井	吉尔嘎郎圈马井	吉尔嘎郎西园井	赛汉陶来沙枣园井	赛汉陶来井	赛汉淖尔井	策克井
5 月 16 日	2.47	4.07	2.45	2.60	2.15	1.03	2.90	4.5
9 月 15 日	3.20	4.23	3.14	3.34	2.32	1.51	3.80	5.39

额济纳绿洲地下水位是随着河水水量的大小和补给量的多少而变化的。近些年来的河水水量不断减少，地下水位也随着出现明显下降。在 20 世纪 50 年代以前，额济纳绿洲的地下水位均小于 1 米。沿河两岸还保持着许多小型湖沼和泉水，水质良好。50 年代以后，地下水位开始下降，70 年代已下降到 2—3 米以下，至 90 年代以后，已普遍下降至 3—4 米，东西两河下段最严重地区已下降至 5 米以下。地下水矿化度也从原来的小于 1 克/升恶化到 1.5—5.0 克/升，河流下段和两湖边缘高达 10—50 克/升。两河间的孟克图附近，湖沼和泉水已完全消失。承压水也发生变化，在苏古淖尔湖滨 70 年代打的自流井自喷高达 2 米以上，而目前仅在地面上有少量的出水。额济纳绿洲原有水井 800 多眼，20 世纪 80 年代已有 120 多眼干枯，90 年代又有 300 多眼枯竭，浅水井大多不能利用，均采用深 50—100 米的机井承压水。

额济纳绿洲土地开发历史悠久，早在原始社会时期，这里就成为旧石器文化带的连接点，先秦称"弱水流沙"，秦汉以后称"居延"。西汉元狩二年（公元前 121 年），汉武帝派霍去病兵出阴山入居延，太初三年（公元前 102 年）派强弩将军路博德修"书遮虏障"，设居延县，后置"居延属国"，城内已有居民 4 733 人，从出土的汉简、汉代古城遗址、烽燧城廓、井、渠等来看，当时开垦规模是相当大的。宋真宗景德年间（公元 1004—1007 年），居延地区由西夏统管，进入了一个繁荣时期，西夏在这里设置了"黑山威福军司"和"威福军城"（即黑城）。元朝于公元1286年在此设立亦集乃（即额济纳之谐音）路总管府，统领居延地区军政事物，居延地区建成一座颇具建筑规模的城市，也是内地通往西域和漠北的交通枢纽，政治、经济、文化都有巨大的发展。从黑城遗址的大量文物——汉简来看，这里曾是水草丰盛、田渠纵横、工商发达、佛塔林立的繁荣景象。至元十二年（公元1275年）意大利人马可·波罗曾到过黑城，他描述了当时这座古城农商兴旺时说："颇有骆驼和牲畜，持农业和牲畜为生，盖其人不为商贾也。其地产鹰甚多，行人宜在此预备四十日粮，盖离此亦集乃城后，北行即沙漠。"明洪武以后，这里屯垦和军事设施被废弃。清雍正九年（公元1731年）土尔扈特蒙古部族丹忠率部迁此放牧；乾隆十八年（公元1753年）正式设额济纳土尔扈特特别旗。新中国成立后改成额济纳旗至今。

第二节　20世纪初的额济纳绿洲

1899—1926年，俄国地理学会三次派遣柯兹洛夫（П. Козлов）领导的考察队对亚洲中部进行"探险"。第一次是1899—1901年，考察范围包括戈壁阿尔泰、巴丹吉林沙漠拐子谷、腾格里沙漠、河西走廊、青海柴达木盆地等地。这一次考察对额济纳绿洲向西连接的拐子谷进行了详细的描述："一踏入拐子谷，即辽阔广大的巴丹吉林沙漠的北缘之后，我们立即因遇到芦苇而感到欢欣、这种植物都躲在新月形沙丘包围的盆地里。"柯兹洛夫是从蒙古到额济纳的，即从北面进入拐子谷的，他记述到"从巴龙博格台起（1 190米）有显著的干河床，继续下去，这些干河床向南延伸到海拔1 100米的东西走向的、不宽阔的伊赫洪果尔津他拉。然后河谷又清晰地出现在蒙古人也称作河流的锡尔比斯果勒中，和它的西岸支流巴嘎锡尔比斯（小锡尔比斯）汇合在拐子谷之中。以后，就进入阿拉善荒漠，这里有乌斯腾湖，湖的海拔只有760米①，这是横越戈壁的全部考察路线中的最低点"。因而从戈壁阿尔泰山前的巴彦呼姆盆地到乌斯腾湖的总落差达740米，（1500米到760米），全长360公里，即每公里下降2米。

---

① 该海拔高度明显偏低，我国地形图上标高为880米。

地质学家契尔诺夫（A. чернов）的考察报告更详细地报道了拐子谷。"这个谷地是东西方向延伸的，长达 80 公里，因富有水流，植物和动物都比较丰富，从而使这个盆地成为真正的沃土，怎么相信，在中央戈壁竟能出现这样的地方。""在拐子谷北缘和南缘分布着戈壁沉积，有页岩、砂岩、砾岩，这些沉积岩系并没有被破坏掉，有着水平的结构，造成若干阶地；有些地方戈壁沉积，表现为脱离了自己主要分布区的残丘，在谷地边缘，有许多新月形沙丘，但在盆地中心，则多半是沙堆沙地、龟裂盆地和大片的淡水盆地。在西边有长满芦苇的沙质草场与龟裂盐地同时存在。""拐子谷水源有充分的保证，淡潜水的水位很高（离地面仅 1—2 米）虽然这潜水是蕴藏在沙漠中"，"在拐子谷我们不但遇到了个别淹没大片地面的泉水，而且遇到因潜水不断溢出，以至整个表面发生泥泞现象的山坡，然而在中央戈壁中，大气降水是极其稀少的"。他最后做出结论："这个盆地和沙地比较小的盐渍化程度，间接表明了拐子谷曾经是外流盆地，拐子谷是溺水下游盆地与溺水下游湖泊的直接延续部分。"

下面转到柯兹洛夫对额济纳绿洲本身记载的整理。"外阿尔泰戈壁最优美、最富饶的沃地是额济纳河，在沃地里惹人注目的是胡杨林，往往还有很浓密高大的芦苇丛和柽柳灌丛。在沃地的潮湿处往往可见到苔草、碱毛茛、海乳草、海韭菜和柳丛，在较干燥的地方生长着滨藜、枸杞、白刺、骆驼刺、甘草、苦豆子、骆驼蓬和柽柳，芨芨草比较稀少。""在额济纳河沃地和宽广的谷地中，起伏较大地形部位，堆积了淡黄色的冲积土壤，厚达 2—2.5 米，下面垫着十分浑圆的卵石，山洪开始把冲积物堆积在这里，是潜水的储蓄处，在有些地方潜水溢出地面。""额济纳河沃地的植被十分鲜艳夺目，芦苇在这里占有很大面积，高达 3—3.5 米，大片的胡杨（蒙音托来依）树和正在更新的幼树一起构成这块沃地的基本背景。""在边缘地带生长着梭梭，梭梭高达 2.5 米，散布在大面积土地上。浓密而碧绿的柽柳丛成了为数众多的动物和鸟类的隐身处，胆怯而谨慎的荒漠兽类常常从很远的地方来到这里喝水，吸引它们的是淡水，到处是兽类行走的小道，从四面八方向额济纳沃地集中，小道上新鲜的足迹，说明它们经常到这里来。""当沃地刮风时，高大的摇摇摆摆的芦苇和高大的胡杨树的树叶便不断地发出外阿尔泰戈壁荒漠稀有的沙沙声。"

　　柯兹洛夫还是一位鸟类专家，下面是他对当地湖泊所做的观察记载：
"我们来到所说的湖泊以后，都因丰富的鸟类而感到惊奇，的确如此众多的
游禽和涉禽，我只在春季和秋季的空地和罗布泊中观察到过，真不敢相信在
离我们100步的地方，有无数成群的雁、野鸭、鹄、鹈鹕、鸬鹚、白鹭、灰
鹤、鸥、燕鸥、各种鹬鸡和其他许多鸟类在安然地躺着、站着、游着、欢蹦
着，并且常常从这里飞到那里，这些鸟对那些为了照顾自己的畜群而沿湖岸
疾驰的蒙古骑者，都仿佛没有觉察到，而在他们的住所旁边，有许多雁和野
鸭，自由自在地爬上湖岸以后，便像家禽一样进入梦乡。我们好久不想惊动
这些鸟类，做它们的近邻并取得它们的信任是多么的愉快呀！听到第一声枪
声，附近所有的鸟类立即惊叫喧哗地向四处飞去，到处——高空、低空、远
处、近处，都飞翔着鸟类，只有与芦苇为邻的天鹅和大鸨静悄悄地躲进芦苇
丛中。"

　　在额济纳绿洲及其附近，科兹洛夫发现了一些动物新种和新亚种，如在
1908年额济纳绿洲和拐子谷发现的漠猫（Fbieti chutchta），戈壁滩上发现的
三趾心颅跳鼠（Salpingotus kozlovi）和肥尾心颅跳鼠（Salpingotus crassicau-
da）。

第三节　1927—1928年和1934年斯文·赫定笔下的额济纳绿洲

　　瑞典地理学家、探险家斯文·赫定（A. Sven Hedin）曾于1893—1897
年、1899—1902年、1906—1908年三次来华探险，主要考察范围在新疆、
青海、西藏、克什米尔、喀喇昆仑山、喜马拉雅山。第二次考察中，在罗
布泊附近发现古楼兰国遗址，而名扬世界。1926年冬，斯文·赫定来到
北京，准备对内蒙古、新疆等我国西北地区进行考察，组织了瑞典西北科
学考察队。但考察还在筹备中，就受到我国学术界的一致反对。因为以往
的考察、探险，都是由外国探险家组成，考察成果、资料、文物、标本尽
被拿到国外。在北京的学术团体、协会的强烈要求下，经过6个月谈判，
达成协议，由中、瑞双方共同组成中、瑞中国西北科学考察团，斯文·赫
定和北京大学的徐炳昶教授分任中瑞双方的团长，考察团所采集、发掘的

一切动植物标本、文物、矿物样品等都是中国的财产。成立中国西北科学考察团及签订这样一个协议，可以看做是"五四运动"之后，中国学术界的成熟与爱国精神并形成社会力量的一个标志。后来中瑞科学考察团在额济纳沿河发现古迹38处之多，在甲渠塞（破城子），肩水金关共发掘出汉简一万余枚。1931年运到北京，留在我国供中瑞学者研究。但1937年抗日战争爆发，北平沦陷，汉简移至香港，香港被日寇占领后，由胡适于1941年12月运往美国"暂存放在华盛顿美国国会图书馆"，但至今没有归还。

中瑞西北考察团从包头出发，经百灵庙、山丹庙、土库木庙，从拐子谷到达额济纳河，他们是这样描写拐子谷的："再往前走，队伍走在长满丰盛芦苇、野草的土地上，这里往西很远的大片地界都称'高依芩高勒'（即拐子湖区）。附近有一条泉水形成环行水塘，中间有芦苇构成的小岛。上面的芦苇长的足有两峰骆驼高，这里流淌着不少泉流，有时泉水汇成了圆圆的小湖，长满芦苇。不远处可见到小水泡子和涝洼地。据说路左边巨大的沙丘带向南（即巴丹吉林沙漠）在15天路程里见不到一点水。但在这沙丘边缘，水资源倒是很丰富。队伍在奥伦格井（41号营地）停了一天，也好让骆驼在芦苇地吃个够。这天树阴下气温28℃，营地南边有大片开阔茂密的梭梭林，一直延伸到沙丘的边上。它简直像块好的大地毯。"可见当时梭梭林的密度之大。从拐子谷到额济纳戈壁之间，"我们还是在长着梭梭林的沙丘中穿行，路旁是高耸巨大、光秃的沙山，两山之间往往夹着一条松软的谷地，或是长满灌木的低矮沙丘，有些地方的灌木高达3—4米。这时人就像是穿过一座公园"。据斯文·赫定记载，从拐子谷到额济纳三角洲边缘沙丘，一直都有梭梭的分布，并能够经常见到散生的胡杨。这里是归绥（呼和浩特）、包头通往新疆哈密、古城（奇台）的商道，经常可见到由骆驼组成的大小商队由此通过。

中瑞科学考察团，1927年9月28日在额济纳旗王府（现达兰库布）南30公里左右，额济纳东河左岸的松杜尔长满红柳的沙包下，建立了考察基地，10月份正式设立气象观测点，观测达一年十个月之久，由钱默满和马叶谦做定位观察。下面是一年降水量的记录（表13-6）。

表 13 - 6　额济纳旗水量表（1928 年）

（单位：mm）

全年	1 月	2 月	3 月	4 月	5 月	6 月	7 月	8 月	9 月	10 月	11 月	12 月
29.7	0.1	—	0.8	0.0	—	—	7.5	9.0	10.5	—	1.3	0.5

据斯文·赫定当年记载，"东西两河常年流水不断，东河宽 177 米、水深 1 米，西河宽 187 米，水深 1.3 米。河两岸长满茂密的胡杨林，沿河一直分布到两湖附近"。10 月 20 日，斯文·赫定用他们自己打制的木船，沿东河顺流去苏古淖尔考察。当时他写的日记："河两边长满了茂密的胡杨树，沿河芦苇丛中到处是野鸭群，天上盘旋着秃鹫。也不时能见到吃草的牛群、马群、驼群，靠近湖的河床很窄（12—15 米）但很深，几乎笔直地向北冲去，岸边的胡杨树林密密层层，两岸树的树梢搭接在一起，在河上形成一道拱门，仿佛滑入一条顶上镶嵌着金色'马赛克'砖的隧道，橙黄色树冠的暗影看上去美极了。船又缓慢无声地驶入一片更美的树林中，这里的景色更有一种让人兴奋得禁不住击手称快的冲动，我们想遍了瑞典和丹麦语中的最富有表现力的词语来形容眼前的胜景。河岸茂密的树林和高高的堤岸形成了一道无法穿过的屏障……""不到半小时，船就漂到东大河的分叉点，左边的河渗成一片沼泽，右边的河变得非常狭窄，九曲回旋，上面还有个小瀑布，小瀑布大约有 3 米宽、1 米高。有的地方水流急，使得小船飞也似地下漂，我们不得不费尽所有的力气使疯狂的小船不至于偏航。船行了 3 个小时以后，渐渐地走到了尽头，河流也成了几条小水沟，最后田野抛在身后，苏古淖尔闪着波光出现在我们眼前。""清亮的湖水开始大约有 1.3 米深，随着湖水越显澄澈深幽。但见成群的水鸟、灰鸥、白鸥和天鹅及一队队红咀水鸟在水上翩翩翱翔嬉戏，水浅处无数的水禽聚集着，这里水深 2.9 米。航行角度北偏东，这一天大约航行了 15—16 公里到东岸浅水区岸边，除了湖水上涨时被波浪冲出的几道埂子，岸上平坦得像块大地毯，水中的盐碱给地面涂上了一条白道。岸边有数不清的狼脚印，有的看上去还相当新鲜，看来狼在这儿刚刚喝过水。"

10 月 23 日，小船按照北偏西 70°的航向直奔博日敖包。这条北部航线比别处的水深得多，测得最深为 4.12 米，航线长 11.5 公里。再往北就是嘎顺淖尔，考察团也做了以下的记载："嘎顺淖尔有三条干流通向湖里，这三条河是开留延河（墨河）、穆林河（宽河）和沙拉托来河（黄胡杨树河）。湖东岸（10月底）大部分土地都被水淹没，由于到处是湿洼地，从哪个方向也难接近湖面。"斯文·赫定没有测得嘎顺淖尔的水深，他只记载了"在脚下的这片湖水与苏古淖尔一样蓝，只是稍浅了一些，冬季可以从冰上穿过嘎顺淖尔。与它的姊妹湖和那些河流一样，嘎顺淖尔的特点之一也是水里有鱼。湖面有成群的水鸟，其中包括天鹅与水鸥……""冬季可以从冰上穿过嘎顺淖尔。如果绕湖走一周，骑骆驼要走3—4天时间。两湖的距离半天时间即可到达。""奥滨河（即鄂木纳河）的野鸭和野天鹅多得很，河左岸生长着胡杨林和柽柳，附近有几座高大沙丘，有的光秃秃的寸草不生。"

斯文·赫定对额济纳的动物也有以下记载："森瑞特（考察团成员之一，瑞典人）经常到穆林河和嘎顺淖尔为瑞典国家自然历史博物馆采集植物、昆虫和鸟类标本。""12月这时气温已达到-24℃，正是骆驼的发情期，公驼变得异常凶猛。一次一头野骆驼闯进考察队的骆驼群中，每天晚上随家骆驼一起到驻地。它见人便发起进攻，谁也不敢靠近它，搅得人畜一连几天不得安宁，最后我们不得不将它击毙。""一次一只野幼驼来到松杜尔（考察队营地），与我们的骆驼一起在冰窟窿旁边饮水，森瑞特想要抓它时，它便飞快地跑回沙漠。""一次图布特章盖（当地牧民）抓到两峰野骆驼。其中一峰死掉了，另一峰被驯化后卖给阿拉善一个富有的蒙古人。在诺彦—博格达，一峰野骆驼可卖到100两银子。""土尔扈特王有一峰野骆驼虽然已驯化多年，但仍有部分野性，每到冬季又回到戈壁滩上它的同伙里，到了夏季便回到沿河放牧的家驼中来，终于有一天它回到戈壁滩再也没有回来。说明在额济纳绿洲和绿洲以外的戈壁滩上当时野骆驼的数量是不少的。""奥滨河（东河）丛林中住着成群的野鸡，十分蠢笨，却一直安详地自由自在地生活。考察队几乎顿顿都吃野鸡，但不到别人帐篷周围去捕猎。""营地附近挖了一个井，水面上的冰泛着晶莹的光，那些美丽的野鸡大摇大摆地到这里来喝水，大家守在井边捉它们。""沙松鸡（沙鸡）一般爱成群地飞，它们一只跟一只到湖边来喝水。穆林河的树林中可以见到狼、狐狸、漠猫和羚羊。猎民常到这里打野兽，然后把兽皮卖给汉族商人。"中瑞科学考察团的瑞典人乔治·苏德布（Georg Sbderbom）1927年10月24日在额济纳河捕到遗鸥（Lorus relieus），被定为新种。

"额济纳河两大支流，东支流小一些，河宽107米，水深1.25米，12

月 26 日冰层厚达 0.8 米，河上的冰是一层层结的，可以清楚地看出新流过的水是怎么在河面上一层层地结冰，西支流与东支流相距 3 公里，比东支流大一些，河宽 187 米，冰盖下的水深 1.62 米，水浅处 1.3 米，这里距额济纳旗喇嘛庙 10 公里。额济纳河的水位在 11 月头几天开始下降，一部分河水已经结了冰，从可测到的最高水位下降达 33.5 厘米。""春天 3 月河里的冰开始融化水位上升，考察团建在河左崖的帐篷被淹没了。"（表 13 - 7）。

表 13 - 7　当时的额济纳河时令表

年	月	日	年	月	日	水量变化
1927 年 10 月— 1928 年 10 月	3	27	1928 年 10 月— 1929 年 10 月	3	24	灌溉开始，水位低浅
	5	6		5	5	仅各河槽有水，不久则仅深潭有水
	7	22		7	22	大雨时降，盛夏融雪，收割开始水涨
	8	5		8	4	二次水涨继而水位暴落，新事播种灌溉繁
	9	5		9	4	灌溉殷切，河水枯竭
	9	14		10	1	水位骤升，秋收开始
	10			10	24	水浅减，秋灌开始
	10	28		10	27	初见流冰
	11	13		11	16（18）	水位涨，秋灌毕，田土冻
	11	20		？	？	冰合，封河
	12	16		1	5	冬水初涨
	2	13		2	2	冬水再涨
	2	24		2	25	水面有冰
	3	1		3	14	冰将解，不宜人行
	3	1		3	17	一部（分冰已）消尽，（流）水（中）有箭（狭）道（可）通行
	3	18		3	18—20	河水宽广，（已经）复原，（水中）有流冰

资料来源：中国气象学会会刊，第 75 期。

第四节　1944 年董正钧《居延海》
一书中的额济纳绿洲

1944 年年初，董正钧参加在重庆组织的川康宁农业调查团，他特别着重做额济纳旗调查，调查结束后写出《居延海》一书。该书共分九章，系社会经济之全面调查，第二章自然环境、第六章经济、附录额济纳旗植物。有关自然环境方面的描述引文如下：

"额济纳河上游经过甘、肃两州，沿途灌溉，故水量随季节之变动而增减，每年三月惊蛰后冰融，洪水夹巨冰而下，水量最大，称'春汛'，此后河西地区开始整地，纷纷灌田，下游水量渐减，至五月间常致干涸，七月中旬后，夏收始少灌田且大雨时降，兼盛夏融雪；河水复涨，中秋后谷收毕，土地种荞麦、蔬菜，又经灌田故下游水位降低，九月底秋收后，沿河渠坝具开，水位骤增，称'秋汛'。十月间秋收毕，各田均灌冬水，下游水量暴落，十月底灌溉完毕，河水将结冰，水量又增，直至翌年春三月后，水量始渐减少，至下游。"

"东西二河水量，西河较深而水多，东河浅而水少，1937年当地驻军因在西河建国营（今赛汉陶来）修筑营房，采用青山头一带木材。为使之计，在东河口做坝，以增加西河水量而使木排下行，西河经此一冲，河漕加深，水量增多，终年有水，而东河水量渐少，且常干涸。1944年著者调查时，适逢中秋涨水，西河水深没牛不易渡过，而东河变干涸无水。东海为索古诺尔（或译为苏古诺尔），水面较小，周围约50里，水色碧绿鲜明，味咸含有大量盐碱，水中富鱼族，以鲫鱼最多，1943年开河时大风，鲫鱼随浪至海滩，水退时多留在滩上干死，当时捡获干鱼数千斤，大者及斤。鸟类亦多，天鹅、雁、鹤、水鸡、水鸭等栖息海滨或水面，千百成群，飞鸣戏泳，堪称奇观。冬候鸟开河时来，将封河时南迁，居民常于海滨获天鹅蛋，大于鹅卵，白美可爱，得者珍之。"

"海滨密生芦苇，粗如笔杆，高者过丈，能没驼上之人，极似荻苇，入秋芦花飞舞，宛如柳姿，马牛驼群随处可见，'天苍苍，野茫茫，风吹草低见牛羊'之诗句，至此始知奇妙绝也。著者跨驼海岸，时见马饮水边、鹅翔空际、鸭浮绿波、碧天青水、马嘶雁鸣，缀以芦草风声，真不知何为天上人间，而尽忘长征戈壁之苦矣。"

"西海为卡宣诺尔（或译为葛顺诺尔），在东海西约70公里，承受西河之水而成。地势较低，河水可终年流入，故规模较大，据居民云：当东海之两倍，周约300里。水因含碱过重，其色青黑，距水滨十里既为湿滩，人畜不能进，亦无草水，水味苦，传云水含毒质，鸟兽及鱼类饮之即死，故水中无鱼类，海滨无鸟兽，不知传说确否。惟笔者归途中驼夫云，十年前曾于冬季到西海冰上，见海滨野骡子（即野驴）甚多，并捉到一只，惜未亲往一视耳。"

"另一木集湖位黑城南约 50 里，东河东约 50 里，中生芦草。"

关于森林与植被分布及其面积，有以下的具体说明："本旗森林皆分布于牧场之中，尤近于水滨，额济纳河两岸南从狼形山南之察汗套环及老树窝起，北至河口，后沿东西两河及其支流两岸直达居延海。其分布面积远者达十余里，近者仅半里，全面积九千方市里（等于 2 250 平方公里），以陶来杨、红柳及梭梭为主，皆为单纯林。"

"陶来杨林，陶来杨（即胡杨）系阔叶树，需水较多，故分布于河两岸，大多集中在距水一二里之内，东河下游尤茂密，中部刀涝卧铺与哈尔哈庙之间距河十里之处仍稀疏可见，但生长不甚良好。各河分支流长度共以一千里计。森林宽度平均以一里计，陶来杨约二千方市里。"

"红柳林，红柳之分布虽亦近水滨，唯其适应性较陶来杨广，凡有水草之地除戈壁与重碱滩外，皆可生长。胡杨林边缘常杂有少数之红柳，在冲积区中常与芦苇杂生，或与分庭间据，以东西河中流及东海南部为最多，一望无际，掩没人畜，密不可入，其分布面积约占牧场面积十分之三，共约六千方市里。"

"梭梭林，主要分布于古尔乃湖滨及其附近的沙窝中，与东西河间戈壁中心，南北长约三百里，宽约十五里，黑城附近戈壁滩上虽均有梭梭，惟生长不良，且极稀疏，株距约百公尺左右，尤多枯死者。另在居延海北及西河中流西十余里等地，亦各有东西行及南北行梭梭林一带，分布更稀，昔在狼心山南渣干图纳林，亦有梭梭林，今已绝迹。因渣干图纳林，蒙语即一带梭梭林之意也。据驼夫云，西部山间小河沿岸亦有梭梭之存在。"

"本旗梭梭面积颇难估计，因除古尔乃为密集之大梭梭林外均极稀疏，且多枯倒。若以其分布面积计算估计，失之过大，亦无意义。今仅就古尔仍一带以梭梭林占牧场面积六分之一估计之，约为一千方市里。"

从董正钧的资料可知梭梭林之一千方市里，是分布在额济纳绿洲的外围，折合 2.5 万公顷。绿洲内有胡杨林二千方市里，折合 5.0 万公顷；红柳林六千方市里，折合 15.0 万公顷；两者合计，绿洲森林面积 20 万公顷，占当时绿洲的 40% 左右。其他为芦苇、滨藜、盐生植物。董正钧计算当时沿河绿洲面积二万方市里折合 50 万公顷。

《居延海》一书后面附有 86 种植物名录，系由国立西北师范学院孔宪武和甘肃科学教育馆何景鉴定，多附有学名，并指出红柳、芦苇、芨芨草合称居延海三大牧草。戈壁中以麻黄（膜果麻黄）、黑子刺（黑果枸杞）、枇杷棵（红沙）、黄毛头、老雅秧（沙拐枣）合称"居延海五大植物"。

在经济一章，叙述当时的牲畜种类、数量及畜种的体尺和性状。根据他的调查和估算，1944 年秋全旗有牲畜 3.6 万头（只），其中大畜 0.6 万头，占牲畜总数的 16.67%，小畜 3 万只，占牲畜总数的 83.33%。骆驼 3 000 峰、马 1 000 匹，牛 1 000 头，山羊 21 000 只，绵羊 9 000 只，驴 1 000 匹，骡 7 匹。当时的人口为 1 204 人（男 716，女 488），其中蒙族为 943 人，男 455 人，女 488 人。余为商人、牧夫、公务人员 261 人，皆为男性。关于当时各地水井的供水状况，董正钧引用了相关资料，可概括列入表 13-8 中。从表列的数据可以看出：东河一般水位偏低，水质也较差，原因是前面提到的自 1937 年被当地驻军在东河口筑坝，使东河多年水量减少所致。

表 13-8　居延区当时水井概况表

地 点	井 深 （m）	水 深 （m）	水 质	水 温 （℃）	气 温 （℃）	备 考 （现注）
巴西格楞	3.0	—		—	—	在额济纳河上游
西红统村（一）	1.5	2.5	清甜	8.0	18.0	在额济纳河上游
西红统村（二）	2.5	0.8	清甜	—	—	在额济纳河上游
天仓二分向村	1.6	1.7	清甜	8.5	20.0	在额济纳河上游
沙夹道	1.0	0.6	略浊甜	12.0	26.0	狼心山南
五什路	1.2	0.4	浊苦	9.0	19.0	狼心山附近
建国营	2.2	1.0	清甜	—	—	西河今赛汉陶来
安 道	2.0	0.7	清甜	9.0	24.0	西河下游
防守司令部	2.4	1.6	清甜	9.5	22.0	东河今达来库布
策 克	1.5	1.4	略浊咸	6.2	29.5	东西居延海中间
巴音陶来	1.3	1.8	浊臭	7.5	27.0	东河下游
西盛隆	1.0	0.8	略浊咸	10.0	23.0	东河东部支游
乌兰爱里根	3.0	1.3	浊臭	9.0	21.0	东河下游

资料来源：董正钧取自沙玉清、陈元颛的《河西、居延、新疆水利考察报告》第 15 页。

第五节　1958—1959 年的绿洲及苏古淖尔

1952 年为恢复东河区域林草植被，扒掉了 1937 年国民党驻军在东河口的土坝。在东西河分岔处巴音宝格达修筑坝闸，东西两河的水量分配大致为 8∶2。自此，使断流多年的东河入水量大大超过西河，东河植被和苏古淖尔水面也得到了恢复扩大。

1958 年，内蒙古林业厅森林经营二大队从林业经营的角度对额济纳绿洲的森林进行了勘测，测得林木郁闭度 0.3 以上的林地 115 177 公顷，其中东河林地 80 494 公顷，西河林地 34 683 公顷。胡杨林 18 800 公顷，沙枣林 7 000 公顷，红柳林 34 480 公顷。低于 0.3 郁闭度的疏林、灌丛未计算在内。

1959 年，内蒙古畜牧厅草原管理局进行了额济纳旗天然草场资源及载畜量的调查统计，当时额济纳旗内有胡杨林与草甸结合的草场 35 413 公顷（52.6 万亩），有柽柳林草场 147 万公顷（2 205 万亩），芦苇草甸、禾草草甸 15.8 万公顷。（1964 年中国科学院内蒙古宁夏综合考察队在编写专著中公布了这项数据。）胡杨林、柽柳林集中分布在沿河绿洲内，草甸则分布在古日乃、拐子湖两个湖盆和沿河绿洲，其中沿河绿洲约占四分之一，为 3.95 万公顷。按当时草场生产能力计算可载牲畜 60 万个绵羊单位。1959 年全旗当年 6 月末有牲畜 150 661 头（只），其中大畜 22 633 头，牛 3 044 头、马 2 357 匹、骆驼 15 161 峰、驴 2 047 头、骡 24 头、小畜 128 028 只、绵羊 42 091 只、山羊 85 937 只。折绵羊单位 269 778 只。当时全年河水能灌溉草场达 20 万公顷以上，草场发展潜力达一倍以上。

1959 年，内蒙古大学动物学教师赵肯堂在额济纳调查后的游记中描述了当时的环境，"苏果诺尔面积约 5 300 公顷，1958 年建起了简陋的渔场，曾有三个渔工沿湖边做过试探撒网，出乎意料的是每次下网所获的鱼都沉重得无法拉起，湖内鱼多得简直可以用木桶打捞，随手一摸就能抓到大鱼。更令人惊奇的是在建渔场的第二年，我亲眼见到十余名渔工凭借三条小木船，进行扎箔——用芦苇秆编扎成很长的'帘'，插到湖里，摆成鱼只能进不能出的迷魂阵，然后渔工只需到鱼集中的箔中捞取即可，一年竟获 35 万斤鲜鱼。渔场生产鲫鱼和条鳅两种鱼。条鳅是一种大型鳅类鱼，这种鲜为人知的

'大头鱼'，学名为叶尔羌条鳅的新亚种（Nemachilus Yarkandensis nordk-ka-suensis）。这种鱼肉嫩细腻，肥美可口，富有营养，是高质量的食品，由此加工而成的熏鱼，更是脍炙人口的美味。除供应周围地区蒙汉群众和边防军战士外，还远销甘肃酒泉和青海等地。""渔场四周和湖心小岛上，生长着一丛丛青翠的芦苇，站在戈壁滩的敖包上远远地望去，俨然是一排厚密的绿色护屏。粗大的芦苇不但可以用作编织炕席，能充当建筑材料，甚至还能为造纸提供优质原料，收获的干草达150万斤。芦苇在为人们创造财富的同时，也给许多水鸟创造了良好栖息环境。每到春来，湖水的冰解冻了，无数在南方越冬的野鸭，飞过千山万水来到苏果诺尔觅食、筑巢、繁殖、育雏。常见的有赤麻鸭、翘鼻鸭、花脸鸭、白额雁等。但最引人注目的还是疣鼻天鹅，它们时常成数十只的大群，就似一片洁白的云彩，安详地飘浮在湖面上。各种野鸭在八九月间都躲进苇丛深处脱翎更羽，准备换上秋装后集群南迁。除野鸭外还有许多以鱼为食的鹈鹕、鸬鹚、鹭和各种鸥鸟。鹅喉羚也是本地的特产，经常三五成群地到湖边来饮水和吃盐硝。在离湖不远的马鬃山周围还有举世闻名的野骆驼的分布，并曾在这里捕到过野骆驼。此外，蒙古野驴、盘羊、羯羊、雪豹、猞猁也经常光顾这里。"

第六节　1980—2000 年额济纳绿洲情况

一、中国科学院兰州沙漠研究所对额济纳绿洲的调查资料

1982 年，中国科学院兰州沙漠研究所组织了额济纳旗黑河下游考察队，与阿拉善盟林业治沙处、额济纳旗林草办等有关部门合作，对黑河下游三角洲地区进行了全面考察。考察后确定黑河下游沿河绿洲面积为 289 473 公顷，其中有天然植被 50 426 公顷、人工植被 2 207 公顷、水域 24 550 公顷（湖泊 4 249 公顷、水库 634 公顷、河床与渠道 19 667 公顷）、城镇居民点 23.15 公顷。

天然植被与人工植被的类型及分布面积列入表 13－9。

表 13－9　额济纳绿洲河滩林与其他植被组成情况

天然植被	面　积（hm²）	天然植被	面　积（hm²）
胡杨、杂草林	6 326	芦苇、芨芨草甸	3 428
胡杨、红柳林	9 809	杂草草甸	8 743
胡杨、沙枣林	739	小　计	1 2171
胡杨沙丘疏林	2 938	盐生灌丛	51 857
胡杨灌木疏林	938	盐生植物群落	25 828
沙枣杂草林	691	小　计	77 685
沙枣、红柳林	1 353	裸　地	27 232
沙枣、胡杨林	3 011	合　计	250 426
小　计	25 805		
红柳林	45 409	**人工植被**	**面　积（hm²）**
红柳苦豆子林	2 575	灌耕地	8 804
红柳芦苇林	1 508	撂荒地	2 932
红柳杂草林	50 833	人工林	394
红柳黑果枸杞林	46	人工草地	72
红柳、胡杨林	5 809	合　计	12 202
红柳、沙枣林	1 353		
小　计	107 533	总　计	262 628

因中游用水量逐年增多，河水资源减少。额济纳河下游每年过水时间缩短，一般只有 20—30 天，而且秋汛多，春汛少。1985 年从 4 月初至 12 月初，河床过水仅 10 天时间，全年整整干了 350 多天。1982 年尚有淡水湖京素图海子 58 公顷，咸水湖苏古淖尔和沙吉淖尔 4 171 公顷，苏古淖尔成为间歇湖，1973、1980、1986 年曾几次干涸，20 世纪 70 年代后，水域的变化在 15—35 平方公里之间。京素图海子和沙吉淖尔还能见到野鸭和小群的天鹅出现。嘎顺淖尔自 1961 年干涸后一直处在干涸状态。植被退化状况非常明显，两河沿岸绝大部分芦苇已枯死，苏古淖尔、香根奎老亥河胡杨林、沙枣林也大部分枯死。残存的胡杨林、沙枣林，幼树少、老树多，疏残林多、密林少，生态系统遭到破坏，一片衰老景观。西河地区 20 世纪 50 年代曾是沙枣种子基地，而 80 年代濒于灭绝，不能采集种子。

土地荒漠化现象十分严重，林灌草地从 1951 年至 1983 年 32 年间减少 5.7 万公顷。绿洲总面积减少 9 万多公顷，平均每年缩减 1 700 公顷。1982 年额济纳旗全旗人口已发展到 1.4 万人，6 月末牲畜头数为 183 141 头（只）。其中，大畜 43 509 头、牛 1 274 头、马 1 699 匹、驴 1 706 头、骡 72 头、骆驼 38 813 峰；小畜 139 632 只，绵羊 35 861 只、山羊 103 771 只，折绵羊单位 433 375 只。沙漠研究所以年末牲畜数计算了当时的草场载畜量。1982 年末存栏数为 163 432 头（只），包括大畜 42 093 头，小畜 12 339 只，折绵羊单位 405 695 个。绿洲能养畜 300 000 只，绿洲 1982 年实有绵羊单位 311 299 只，已超载 11 299 只，超载了 3.6%。按 1985 年全盟草场资源普查数字，全旗平衡下来，以 6 月末牲畜计算，载畜能力尚有盈余。

二、20 世纪末的额济纳绿洲

1998 年，国家自然基金重点研究项目"阿拉善地区生态系统受损及恢复重建途径"启动，对额济纳旗在内的阿拉善盟全盟生态环境进行调查，根据 1998 年 TM 卫星遥感图像解译和地面调查结果，额济纳绿洲面积只有 262 020 公顷，比 1982 年的调查结果减少 25 453 公顷，各类植被面积见表 13 - 10。

表 13 - 10　20 世纪末额济纳绿洲植被类型表

天然植被	面　积（hm^2）	天然植被	面　积（hm^2）
胡杨林	18 078	干湖裸地	3 811
沙枣林	4 520	合　计	245 743
小　计	22 598	**人工植被**	**面　积（hm^2）**
红柳丛林	102 393	耕　地	3 466
小　计	102 393	撂荒地	8 022
禾草草甸	2 818	人工林	1 666
杂草草甸	5 371	人工草地	600
小　计	8 189	合　计	13 754
盐生灌丛	61 278		
盐生植物	19 474	其　他	2 523
小　计	80 752	总　计	262 020

到 20 世纪末，河流水量进一步减少，春季几乎没有春汛，秋汛也仅有 7—10 天。90 年代，除 1998 年纪念土尔扈特部落回归 300 周年，秋季供水量较大外，其他年份河水断流均在 350 天以上，湖泊更加干涸，80 年代初尚存的京素图海子、沙吉淖尔、苏古淖尔也完全干涸，苏古淖尔最后干涸为 1992 年，当时海底死鱼达 1—2 万公斤，景象十分凄惨。地下水位大幅度下降，尤其是达兰库布和赛汉陶来一线以北地区普遍下降了 3—4 米，最严重地段下降达 5 米。地下水矿化度增高，由原来少于 1 克/升，恶化到 1.5—5.0 克/升，两湖边缘，最高地段达 10—50 克/升。原有的 800 多眼井已有 120 眼干涸，近 300 眼水量不足，只能采用深 50—100 米的承压水机井。

绿洲面积缩小，土地荒漠化加剧，与 20 世纪 80 年代初相比，绿洲区域内荒漠化土地已达到 21%。东侧的八道桥一带，流沙已与巴丹吉林沙漠相连，靠居延海两湖一段的 38 800 公顷（58 万亩）红柳丛林已处于半枯死状态。这一带四个嘎查 682 名牧民成为生态难民，10 787 头（只）牲畜无草场放牧。

河湖的干涸、林木的衰败、植被的退化使动物种群也严重丧失，水禽、涉禽完全退出绿洲，连最耐严酷环境的野驴、野骆驼、鹅喉羚也失去踪迹。绿洲植物种类由 80 年代的 150 多种下降至目前的不足 100 种。生态系统和植被正在按照以下图式（图 13-1）发生演替。

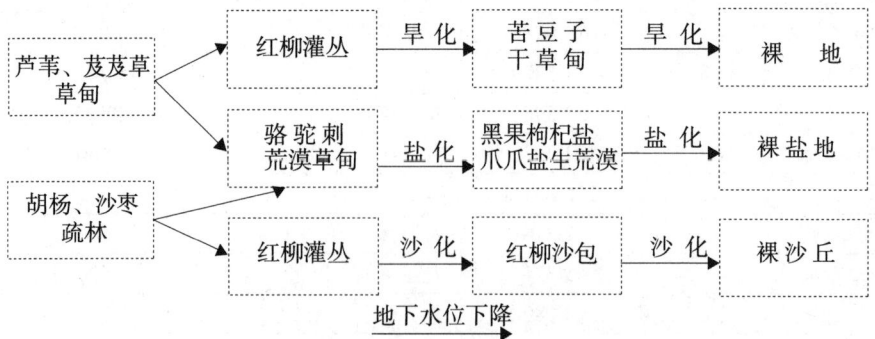

图 13-1 额济纳绿洲衰退中的植物群落演替系列

2000 年额济纳旗全旗人口增至 16 263 人，牲畜数量下降到 129 221 头

（只），其中大畜 21 229 头，骆驼只有 19 400 峰，驴保持 1 500 头，牛、马、骡合计不足 300 头。绿洲内的人口 1.23 万人，其中牧民 5 800 人。牲畜 11.8 万头（只），其中大畜 0.97 万头，小畜 10.59 万只，绵羊 1.5 万只，山羊 9.09 万只。全旗牲畜头数由 1982 年的 16.5 万头（只）下降至 12.9 万头（只），下降幅度为 20%。连最耐粗饲的骆驼也由 3.88 万峰下降至 1.94 万峰，下降了一半。尽管牲畜头数减少了 24.81 万只绵羊单位，但因草场严重退化、面积缩小，全旗牲畜仍超载 26%。

从上述六个阶段对额济纳绿洲环境面貌的记述，可以明显看出从 20 世纪初至 50 年代末的六十年中，绿洲虽有变化，但属渐变和缓慢演变阶段，绿洲生态系统较为稳定。然而进入 60 年代以后的四十年中，绿洲发生了急剧和强烈的变化，绿洲生态系统严重受损，河水断流，湖泊干涸，植被衰败，绿洲萎缩，生物多样性丧失，土地荒漠化加剧。如按此继续发展下去，绿洲将会变成裸地、裸沙、裸盐地等。其退化演替序列可用图式表示（图 13-1）。退化根本原因是 60 年代以后，中上游地区用水量逐年增多，水资源的消耗量剧增，致使下泄到额济纳绿洲的水量成倍地下降。

额济纳绿洲是发源于祁连山系的黑河向下游供水而形成的绿洲带，黑河上游有两大支流，西支是北大河，但至 20 世纪 50 年代，鸳鸯池水库几次扩容以及金塔县解放村水库建成，到 50 年代末，北大河就无水汇入黑河干流，导致正义峡的来水量减少了 6.45 亿立方米/年。特别是由于黑河中游地区的工、农业持续发展，农田灌溉面积不断扩大，到 20 世纪 80 年代，随着草滩庄引水枢纽和西总渠一批骨干工程相继投入使用，引用黑河的流量由 50—60 年代的 8 亿立方米/年，增加到 90 年代的 10 立方米/年。在正义峡至额济纳绿洲的宝格达分水闸之间，还有鼎新灌区和东风基地用水。按国务院 1986 年黑河流域分水方案，鼎新片用水量应控制在 0.9 亿立方米/年，东风基地为 0.5 亿立方米/年，但两处用水量也逐年增多，鼎新片几乎每个乡都修有自己的小水库和塘坝。最终进入额济纳绿洲的水量像"雪上加霜"一样急剧减少。至 90 年代，平均只有 3.47 亿立方米/年，为 50 年代初 12.42 立方米/年的 28.9%，为 50 年代末 8.34 亿立方米/年的 41.45%（表 13-11）。额济纳绿洲地下水位也明显下降（表 13-12）。

表 13－11　黑河下游泄水量和进入额济纳绿洲水量的多年变化

年　代	正义峡下泄水量（亿 m³）	进入额旗宝格达闸水量（亿 m³）	年　度	正义峡下泄水量（亿 m³）	宝格达入水量（亿 m³）
1927—1928	>15.00	>13.00	1951	10.47	—
			1952	17.55	—
			1953	11.29	—
1944—1949	>13.19	>12.00	1954	12.78	—
			1955	12.21	—
			1956	10.39	7.50
1951—1960	>12.23	8.37	1957	10.90	6.08
			1958	15.26	10.64
			1959	12.00	7.79
1961—1970	10.17	4.59	1960	9.52	3.03
			1961	8.07	4.10
			1962	8.01	2.11
1971—1980	10.59	—	1991	5.51	2.80
			1992	5.55	1.83
			1993	10.48	5.18
1981—1990	10.93	6.73	1994	7.02	2.67
			1995	7.05	3.81
			1996	9.50	5.03
1991—2000	6.98	3.47	1997	5.14	2.11
			1998	8.28	5.24
			1999	4.33	3.22
			2000	—	2.83

表 13－12　各有记载观测点地下水位变化

（单位：m）

地点（现名及原名）	1943 年 5 月	1995—1999 年	下降幅度
达来库布（防守司令部）	2.4	2.90	0.50
赛汉陶来（建国营）	2.2	2.59	0.39
策　克	1.5	5.75	4.25

（续表）

地点（现名及原名）	1943 年 5 月	1995—1999 年	下降幅度
巴音陶来	1.2	3.26	1.96
嘉尔嘎郎（西隆盛）	1.0	3.17	2.17
孟格图（伍什路）	1.2	2.60	1.40
狼心山南（沙夹道）	1.0	4.15	3.15
安多（嘎道）	2.0	3.41	1.41

注：达兰库布一带的地下水位，因 1937 年东河被驻军堵死，到 1943 年已 6 年无水，故当时水位偏低约
1 米。

　　额济纳绿洲位于荒漠之中，是黑河供水长期作用形成的生态系统，对水资源的时空分布及供给量十分敏感。水是绿洲存在和兴衰的命脉，有水成绿洲，无水变荒漠。短短百年历史，特别是后四十年之时光，本是一个风景如画，令人赞叹不已的绿色"宝石"、"沃土"、鸟类的天堂、人类生存的乐园、我国西北干旱荒漠中心的一道绿色生态屏障却变成了沙尘暴的主要源地之一，人类难以生存的生态灾难区。额济纳绿洲环境的巨变，给如何保护生态环境，增强环保意识，上了生动的一课。额济纳绿洲的生态危机引起了各界广泛关注，也受到国务院的重视，为恢复绿洲生机，国家环保局 2000 年已将额济纳绿洲划为国家重点生态功能保护区。国家对黑河流域水资源实施统筹管理，以恢复额济纳绿洲的结构和功能。我们相信额济纳这块涉及民族团结、国防安全、生态安全的绿洲，不会在地图上被抹掉，"亡羊补牢"，黑城废墟的历史悲剧不能重演。

第七节　额济纳绿洲生态功能区的恢复与重建

　　额济纳绿洲生态功能区是黑河流域生态功能区的重要组成部分，包括现存的额济纳河沿河绿洲，已干涸的河流尾闾湖——苏古淖尔（东居延海）、嘎顺淖尔（西居延海），还包括以前为绿洲、现在变成荒漠戈壁的老绿洲和绿洲外围的荒漠。总面积为 3.21 万平方公里。

一、额济纳绿洲的生态保护功能

　　额济纳绿洲南北长 297 公里，构成一个狭长的绿色走廊带，沿着 SSW—

NNE 的方向坐落在我国西北干旱区的中心，正好与西伯利亚—蒙古高压气流侵入我国境内的主风向相直交。绿洲中的林灌草植被所构成的土地覆盖，对于减缓强烈的风力侵蚀作用，减少地表扬尘，具有明显的防护作用，形成了一条天然的绿色保护带，对绿洲内的局地气候条件及水文循环也发挥着重要的生态保护功能。如额济纳绿洲以内的年蒸发强度比周围戈壁、沙漠减低534.9—483.5 毫米，额济纳绿洲为 3 668.7 毫米，而戈壁上的吉柯德为 4 203.2 毫米，沙漠中的拐子湖为 4 152.2 毫米，低山陵中的呼鲁赤古特为 4 153.4 毫米。大风日数也减少了 8—13 天，额济纳绿洲为 49 天，吉柯德为 57 天，呼鲁赤古特为 62 天，拐子湖因在沙漠的湖盆中，有一定避风作用，但也达 50 天，比地形开阔的额济纳还多 1 天。年平均风速也减少了 2—6 米/秒，额济纳绿洲为 4.5 米/秒，吉柯德为 4.7 米/秒，呼鲁赤古特为 5.1 米/秒，拐子湖为 4.6 米/秒。

近些年来，根据对影响我国西北、华北、京津及淮河地区的沙尘暴源地研究，认为沙尘的来源主要不是西北地区的沙漠和戈壁，而是这一地区的古湖泊、古河道干涸后的裸地，其中突出的典型就是新疆的罗布泊和内蒙古的居延海。沙尘暴是一种天气现象，是大气中夹有大量被风吹扬的沙粒与尘粒，能在一定时间内悬浮于空气中，随气流吹到其他地区。沙尘与强风有关，与下垫面状况及植被的覆盖度关系更为密切。如下垫面是石质山丘、砾石戈壁，就不是主要沙尘源；如下垫面是沙漠，因风力难以携带较大沙粒，且沙风携带沙尘的路径不会很远，也不成为主要沙尘源；下垫面是绿洲，其中的农田与植被，特别是胡杨林、红柳灌丛和草甸等植被可以减缓风力，成为防护屏障；但下垫面如果是干湖裸地，湖积的细土颗粒小，极易被强风吹扬携带，形成沙尘暴。据此，说明了额济纳绿洲的衰败、湖泊干涸形成裸地是我国西北干旱荒漠区的重要沙尘源地。

额济纳绿洲的土壤有林灌草甸土、盐化草甸土、盐土和风沙土。绿洲外围是灰棕荒漠土或石膏灰棕荒漠土。绿洲土壤表层 0—20 厘米均为壤质土和沙壤质土，有胡杨、红柳、芨芨草、苦豆子、白刺、黑果枸杞和杂类草等植物覆盖，并有枯枝落叶层，0—10 厘米有棕色腐殖层，有机质含量为0.93%，土壤表层水分状况较好，地表有较厚的结皮，能抵御风蚀，不易起土。然而一旦覆盖在上面的植物群落受损，植被的庇护作用不强，土壤水分状况恶化，土质变干，易引起风蚀，可能成为沙尘源。

居延海原来有水时西居延海水面达 350 平方公里，东居延海 150 平方公里，水深 2.91—4.12 米，湖滨生有大面积的芦苇，外围有大面积红柳，是强有力的防护屏障。自湖泊干涸后，湖滨的芦苇全部枯死，干湖底成为裸地，冬春西伯利亚—蒙古高压气流经戈壁阿尔泰入境后，强风吹扬裸地的沙尘，必然形成不同规模的沙尘天气或沙尘暴。2000 年秋末（10 月），我们在噶顺淖尔干湖底采集土壤样品时，曾亲见沙尘天气景象。原本还是晴朗的天空，下午二时突见从北面刮起大风，当风至湖底时，扬起大量沙尘，顿时遮天蔽日，伸手不见五指。这一景象真实地说明了额济纳绿洲衰败、居延海干涸已成为我国西北干旱荒漠区的主要尘源地之一。

额济纳绿洲具有优越的生物多样性和植被生态结构，沿河两岸仍保持着断续分布的团块状胡杨林，呈条带状走廊分布格局，虽然目前以老年林为主，但仍有较好的落种更新能力，如按照国家决策，切实保障黑河上中游给额济纳绿洲的供水量，对胡杨林加强保育和人工更新，可望在 21 世纪中期得到较好的恢复。胡杨林下部往往有风积沙，形成低矮的固定或半固定的河岸沙丘。胡杨林团块之间还有许多苦豆子等草本植物组成的次生植被及残存的草甸植被与盐生植物群落，彼此构成功能互补的植被空间结构。在胡杨林分布的外侧，仍有大面积红柳灌丛植被的分布，因生境中的水分、盐分差异，可见到红柳—苦豆子群落、红柳—芦苇群落、红柳—杂草群落、红柳盐生植物群落类型。红柳灌丛与胡杨林及草本植被形成良好的水平分布和多层次的结构。这种景观生态格局成为有力的生态防护体系，对抗御强风有明显作用，是我国西北极干旱地区十分可贵的生态环境资产。

西河较为简单，沿河岸有沙枣、红柳疏林，由于植被密度较稀，林下形成的固定、半固定沙丘较小，沙枣下伴有较多的红柳。沙枣林外侧为红柳丛林，红柳丛林面积较小。红柳丛下主要是少量的甘草和骆驼蓬，局部地区有大花白麻群落。红柳丛林外侧即为砾石戈壁上的红沙、泡泡刺荒漠。在西河东侧红柳丛林与砾石戈壁之间的低洼地有时可见到片状的花王柴荒漠草甸。

在苏古淖尔完全干涸以前，沿湖滨有沙泉水的环形分布，形成芦苇草甸、芨芨草草甸与海韭菜、鹅绒委陵菜、碱蒲公英、小獐毛盐化草甸，其外是红柳灌丛，再往外，湖的东北侧分布着沙地梭梭丛林，往南是红沙、泡泡剌戈壁荒漠。

额济纳绿洲植被是由乔木、灌木、草本共同组成的一条绿色防护带，其走向与当地主风向呈垂直分布。胡杨林带与红柳灌丛带的结构，虽然比较稀疏，但东西两河的分支有 15 条河道，形成了十几条林带与灌丛带，东河绿洲宽达 20 公里，西河也有 5—10 公里。胡杨林与红柳灌丛功能可以相互弥补，乔、灌、草结合是理想的防护体系。额济纳绿洲的植物种类及其群落组合与种群数量是长期自然选择适应内陆严酷气候的结果，往往优于人工设计营造的防护林带。所以，保护和恢复额济纳绿洲植被，是确保生态安全的根本保障。

二、额济纳绿洲恢复与重建的重大意义

干旱地区内陆河流域上、中游的土地资源的开发利用，往往引起流域下游自然环境的强烈变化，给国民经济和人民生活带来严重影响。重视这些影响和采取有力的对策，乃是当前我国西北地区开发建设、保护环境、实现可持续发展的迫切任务。额济纳绿洲是内蒙古的土尔扈特蒙古族聚居的地方。全旗人口主要集中在这一绿洲地区。绿洲区设有东风航天基地，北部有绵长的边防线。因此，绿洲在政治、经济、国防和生态安全上都占有重要地位。但近些年来，由于中、上游用水量的大幅度增加，给额济纳绿洲造成水资源锐减、河流断流、湖泊干涸、植被衰败、土地荒漠化等诸多生态与环境问题，如不及时加以拯救，绿洲生态系统必将走向崩溃。

额济纳绿洲的衰败，沙尘暴灾害的加剧，不仅给额济纳旗和阿拉善的经济发展与人民生活造成了巨大损失和困难，而且对甘肃河西走廊、宁夏平原、河套平原也造成很大灾难，甚至影响到我国西北、华北地区的生态与环境。额济纳绿洲的生态危机与后果，已经引起了国务院和内蒙古自治区人民政府的高度重视，也引起了居民、专家、学者、舆论界的密切关注。20 世纪 90 年代连续发生了"93"、"94"、"95"三次特大沙尘暴，给阿拉善盟及河西走廊造成了严重灾难。三次沙尘暴给阿拉善盟造成的直接经济损失 6 亿元人民币，间接经济损失 15 亿元人民币，许多地方已失去人畜生存条件，多数牧民生活贫困化，约有四分之一的牧民靠救济维持生活，已沦为生态难民。据报道，1993 年的沙尘暴，甘肃、宁夏等地区在沙尘暴中死亡 85 人，

失踪 31 人，伤残 264 人，直接经济损失达 7 亿多元人民币。1993—2000 年 8 年中，额济纳旗连续发生了数十次沙尘暴。1998 年 5 月 20 日一次沙尘暴就刮倒、吹断胡杨树 30 万株，农牧业损失 2 400 多万元人民币。

在"93"、"94"沙尘暴后，阿拉善盟委、盟行署首先对阿拉善盟生态环境特别是额济纳绿洲生态环境进行了认真调查研究，上报了抢救治理的初步方案。中央电视台"94 中华环保世纪行"记者专程采访调查了额济纳绿洲，并发出了强烈呼吁。1996 年 4 月 7 日国务院办公厅召集内蒙古、甘肃、青海、宁夏 4 省区及国务院有关的 11 个部、委举行专题汇报会，听取了阿拉善地区生态环境问题的汇报，具体研究了解决黑河下游额济纳旗的分水用水问题，要求设计部门尽快完成黑河流域治理方案的可行性研究报告，报国家计委批准立项。会后下发了《研究解决阿拉善地区生态环境有关问题的会议纪要》。同年 4 月 21 日，内蒙古自治区人民政府召开会议，专题研究了阿拉善地区生态环境问题，下发了会议纪要。此期间，国家组成的专家考察团考察了以额济纳绿洲为重点的阿拉善生态环境。专家们一致认为，额济纳绿洲已属生态危机地区，是影响北京及华北地区扬尘天气的重要尘源之一，再不抢救就会成为生态功能不可恢复的地区，绿洲有可能在我们这一代被毁灭。

1997 年 10 月 7 日，国家自然科学基金委员会批准了《阿拉善干旱区生态系统受损机制与重建研究》项目。2000 年 11 月 26 日国务院印发了《全国生态环境保护纲要》（国发〔2000〕38 号），提出了在重要河源头区、重要水源涵养区、防风固沙区、土地荒漠化严重地区对生态环境安全具有重要作用的区域，建立生态功能保护区。2001 年 3 月 16 日，国家环境保护总局批准了黑河流域为首批国家级生态功能保护区（环函〔2000〕49 号）。根据国家环境保护总局的要求，内蒙古自治区环境保护局组织专家编制了黑河下游生态功能保护区规划。规划大纲于 2001 年 5 月 29 日由国家环境保护总局在甘肃张掖市召开的规划论证会上经专家论证被批准通过，成为额济纳绿洲生态功能区恢复重建的科学依据。

三、额济纳绿洲生态功能区的恢复与重建

根据额济纳绿洲各种生态系统特点、景观生态格局、生态环境现状、土

地利用总体规划和重点保护建设内容，把额济纳绿洲及其相关的外缘地区划分为3个生态功能区。以便于针对各个功能区恢复与重建的需要，因地制宜地采取相应的对策和具体治理方案。

第一是额济纳低湿地系统水资源调节功能区。本区包括额济纳河东、西两河及其15条支流河道和居延海两湖原有及今后的水域系统与周边湿地。保护和治理河、湖水域及湿地生态系统，实现苏古淖尔（东居延海）的恢复，再现碧波荡漾的景色，以确保该地区的生态用水，生产与生活用水，维持生态功能，发挥水源调节作用，促进湖区及沿河绿洲植被的恢复与重建。

实行国家计委已定的黑河分水方案，使黑河下游有基本稳定的水量。按照1992年12月国家计委下达的黑河水利规划报告的批复意见，即按近期莺落峡多年平均流量为15.8亿立方米的总量，正义峡下泄水量应保证不低于9.5亿立方米，其中分配给鼎新区的毛水量0.69亿立方米，东风基地场区毛水量0.66亿立方米，进入额济纳旗狼心山巴音宝格达分水闸的水量7亿立方米。还要采取多种节水措施，力争正义峡下泄水量达10亿立方米。并建议国家水利部研究黑河全流域水资源管理机构设置问题。1996年国务院在内蒙古、甘肃、青海、宁夏四省区汇报会议上，又重申了这一方案。但是到2000年，这一方案还没有实现，正义峡下泄水量一直在减少。为了抢救额济纳绿洲生态危机，黑河分水方案必须执行，额济纳绿洲必须保证在正常年景获得7亿立方米的水量。

认真做好水资源的合理利用和水环境的保护。在黑河分水方案得到落实的情况下，对进入额济纳绿洲的水量，要充分发挥巴音宝格达分水闸的调节功能，按照绿洲生态功能保护区规划，对东、西两河有计划地分配水量，使额济纳河上、中、下段均能得到河水的滋润，保证现有绿洲植被的生态用水，应引流一部分水量对严重衰败呈半枯死状态的3.8万公顷红柳灌丛分片进行补充灌水，使现有植被逐步得到复壮，全面恢复绿洲生机。也要保证每年有入湖的一定水量，争取用5—10年时间，使苏古淖尔的水面恢复到35平方公里。按5平方公里水面年蒸发量为5 000万—7 500万立方米计算，如每年注入湖内1亿立方米水，5年后可能恢复到20世纪50年代苏古淖尔的水面。

封育沿河、沿湖湿地和水面，进行严格保护。两湖、两河水域及湿地必须杜绝人为干扰和破坏。当水域恢复后，一些鱼类和珍稀鸟类、兽类会逐渐返回，植物种类也会增多，生物多样性得以丰富。要实行严格的保护措施，实施禁捕、禁猎、禁牧，使来之不易的水资源和水环境得到有效保护，使水环境维持良好状态。

加强中、上段水资源管理，推行节水工程。对额济纳河中、上段的各种用水，特别是旗府所在地达兰库布镇及其附近的农场、林场、苗圃用水要加强管理，实施城镇与农田节水工程。现有耕地要进行退耕还林还牧，大幅度减少经济作物棉花、西瓜及小麦的种植。开展节水、高效益的保护地种植，实施以解决城镇居民和旅游人口副食为目的的"菜篮子"工程。现有农场应以种植为畜牧业服务的饲草料为主，为高效畜牧业稳定发展创造条件。城镇、农场要适量地控制地下水开采，并着手水污染的预防和治理。严禁盲目再上高耗水量的项目，已建和在建项目必须先解决节水问题，其用水总量不能影响该区的生态用水，否则应立即停止。

第二是胡杨林与红柳灌丛生物多样性功能保护区。包括绿洲内现存的胡杨林、红柳灌丛和其他植被类型的分布区。主要集中在巴音宝格达、达兰库布、赛汉陶来、吉日嘎郎图、苏古淖尔五个地区，总面积23.35万公顷。多年来因黑河水源补给不足，胡杨林、红柳林成片死亡。胡杨林由原来的5.0万公顷，减少至目前的2.36万公顷，红柳灌丛由15万公顷减少到10.23万公顷，且多为老年残林，使绿洲整体环境受到严重损坏，许多胡杨林与红柳灌丛的原有生存环境变成了沙尘源地。在黑河供水逐渐增加的条件下，要大力加强现存的胡杨林与红柳灌丛的更新复壮，增加物种多样性，增强绿洲生态功能。

实施胡杨林、红柳灌丛集中分布区的围栏封育工程。对沿河的胡杨林及额济纳河下段呈半枯死状态的红柳灌丛围栏封育是促进林木更新复壮的有效办法。额济纳旗林业工作者总结了四十年林业经营的经验教训，改变了过去以人工造林为主，不注重保育天然林的经营方式，自80年代以后，确定了以保育为主的经营方向，积极开展围封育林，探索出一套封、护、育、造、营的新路子。已经围栏封育的胡杨林有明显成效。到20世纪末，全旗已封育天然林木3.2万公顷，有效保存面积达2.4万公顷，占沿河的胡杨林与红柳灌丛共计12.69万公顷的25.22%和18.91%。其中，围封胡杨林113处共

1.13 万公顷，占胡杨林总面积的 47.8%。

胡杨侧根发达，根蘖性很强，种子数量很大，种子萌发良好，如水分供应及时，在封育条件下能促进根蘖萌生和种子萌发成苗，加快林木更新进度，并使灌草层植物种群繁茂，生物产量显著提高。据实地调查，在达兰库布的七道桥附近，与立地条件基本相同、相距不远的未封育的胡杨林相比，围封 5 年的胡杨林中，幼树能长高 4 米左右，65% 的胡杨树木自然更新较好，林分密度增大，形成完整的乔灌草三层结构，总覆盖度达 65% 以上，生物产量增高，增强防护效益。年产胡杨鲜叶 50 750 公斤/公顷，禾草类鲜草（包括芦苇、赖草、拂子茅等）11 710 公斤/公顷，杂草（苦豆子等）3 600 公斤/公顷，生物量共计 66 060 公斤/公顷。未封育的胡杨林仅残存老树，更新不良，缺乏幼树，草类很少，只有少数红柳散生，植物群落覆盖度约 20%，生物产量仅 7 500 公斤，两者相差约 9 倍。[①]

扩大额济纳绿洲国家级自然—文化保护区。建立自然保护区是保护自然资源、自然环境、文化遗产，拯救濒于灭绝的生物多样性和景观结构的重要对策，是进行生态、环境、经济、文化动态研究的科学文化基地，也是面向当地居民和各地各阶层公众的宣传教育旅游基地。国际上常以自然—文化保护区的面积占国家和地区国土总面积的百分比作为衡量一个国家和地区自然保护事业、科学与文明进步的重要标志。1990 年经内蒙古自治区人民政府批准，成立了自治区级的额济纳旗七道桥胡杨林自然保护区。保护区设立在东距额济纳旗达兰库布镇东 20 公里的七道桥附近，该区域属吉日格郎图苏木，地理坐标为东经 101°15′，北纬 42°21′，面积 1 276 公顷。鉴于额济纳绿洲已定为黑河流域的重要生态功能区，胡杨林是极其珍贵稀有的自然生态文化遗产，对我国的国土生态安全和民族文化发展具有重大意义，应该扩建为国家级的额济纳绿洲自然—文化保护区。

胡杨是古老的第三纪残遗植物，也是国家三级和自治区二级保护植物。它分布在亚洲和北非荒漠区，集中分布在亚洲荒漠区的内陆河两岸。我国新疆、青海、宁夏、内蒙古均有分布，但只在新疆塔里木河流域和内蒙古额济

---

① 陈玉林：《阿拉善胡杨残林和梭梭残林围栏封育更新复壮效果调查》，《阿拉善盟科技》1986 年，第 4 页。

纳河沿岸形成大面积的荒漠河岸林群落，成为内陆河三角洲绿洲的生态支持系统，对绿洲生态系统功能发挥着决定性作用。1980 年国务院批准在新疆塔里木河沙雅县建立了第一个国家级胡杨林保护区。额济纳绿洲的胡杨林从面积和类型上，均与塔里木河沿岸的胡杨林相媲美。近年在额济纳生态功能区建设中，已将七道桥胡杨林保护区扩大至 2 667 公顷，正在申报国家级胡杨林自然保护区。从原有的七道桥胡杨林保护区，扩展到赛汉陶来地区，可划分为两个分区，各自划定核心区与缓冲区。核心区总面积 355 公顷，占保护区面积的 13.3%；缓冲区总面积 2 043 公顷，占保护区面积的 26.6%，实验区 296 公顷，占保护区面积的 10.1%。要保护胡杨的种质遗传资源和种源基地，全面保护胡杨林地的各种植被类型、绿洲生态系统和邻近的荒漠生态系统。

恢复绿洲生态系统的生物多样性。以胡杨林为主的各种植被类型以及额济纳河与居延海的水域生态系统，过去的生物多样性是较为丰富的，是荒漠地区的物种多样性和遗传多样性宝库。据 20 世纪 40 年代董正钧等人的调查，已知绿洲有 89 种植物。1982 年朱宗元、温都苏为编写《内蒙古植物志》时专程到额济纳旗进行植物采集调查，确定全旗有种子植物 42 科、119属、189 种。其中，瓣鳞花科（Frankenacea）、骆驼刺属（Alhagi）、白麻属（Poacvnum）、戈壁藜属（Ilinia）、盐穗木属（Halochemum）以及盘果碱蓬（Suaeda heterophylla）、肥叶碱蓬（Suaeda kossiski）、蒿叶猪毛菜（Salsola abrotanioidea）、戈壁猪毛菜（Salsola gobicola）、毛花地肤（Kochia laniflora）、钩状雾冰藜（Bassia hysspifolia）、东方铁线莲（Clematis orientalis）、钝叶独行菜（Lepidium obtusum）、中戈壁黄芪（Astragalus centragobicus）、喀什风毛菊（Saussurea pseudosalsa）、里海旋覆花（Inula caspica）等在内蒙古境内只限于额济纳旗有分布。额济纳绿洲有国家级和自治区级保护植物 6 种。其中，瓣鳞花（Frankenia pulverulenta）、裸果木（Gymnocarpos przewalskii）为国家二级保护植物，胡杨（Populus euphrotica）、肉苁蓉（Clistache daserticola）、梭梭（Haloxylon ammodendron）为国家三级保护植物，戈壁藜（Iljinia regelii）为自治区二级保护植物。

在 20 世纪末的调查中，原有的瓣鳞花、里海旋覆花、百花蒿（Stilpnolepis centiflora）、胀果甘草（Glycyrrhiza inflata）及一些水生、湿生植物，香蒲（Typha angustifolia）、水葱（Scirpus tabernaemontani）、眼子菜（Potomogeon perfolitus）、草泽泻（Alisma gramineum）均已消失。

据有关零星资料的统计，额济纳绿洲的动物有以水禽、涉禽为主的鸟类约 100 种。哺乳动物 40 余种。两栖、爬行动物 20 余种，鱼类约 10 种。在内蒙古仅分布在额济纳旗的动物曾有野骆驼（Camelus bactrianus）、北山羊（Capra bex）、肥尾心颅跳鼠（Salpingotus crassicauda）、地林莺（Sylvia nana）、靴篱莺（Hippalaris caligata）、黄咀朱顶雀（Acanthis flavirostris）、大苇莺（Acrocaphalus arundinaceus）、长裸趾虎（Cyrtodactylus elongatus）、哈密沙蜥（Phrynocephalus）、西域沙虎（Teratosceincus przewalskii）、花斑鲤鱼（Gymnocypris echloni）、短尾高原鳅（Txiplophysa brevicauda）、酒泉高原鳅（T. hsutschouensis）、梭形高原鳅（T. leptosuma）、乳突唇高原鳅（T. papillosolabiata）、大鳍鼓鳔鳅（大头鱼）（Hedinichthys yarkandensis，即 Nemachilus yarkandensis）等。在 20 世纪 20 年代前，额济纳旗马鬃山一带曾有野马（Equus przewalskii），1946 年在蒙古、新疆、内蒙古交界处的外阿尔泰戈壁捕获最后几匹野马以后未再见到野马的踪迹，至今已经消失。野骆驼在额济纳旗的分布曾有记述，直到 20 世纪 50 年代还有牧民捕到过野骆驼，60 年代以后无野骆驼的信息。蒙古野驴（Equus hemionus），20 世纪 40 年代尚有大群分布，目前在阿拉善地区已经极少，蒙古国遭受风雪灾害，往往有少量野驴从蒙古越过边境到额济纳北部觅食，在阿拉善银根地区和狼山地区也可能见到。另外，额济纳旗分布一些与新疆荒漠的动物相同的亚种，如喜鹊（Picapica）、石鸡（Alectoris chukar）等，成为亚种的分布区东界。

额济纳过去曾有的动物在国家保护动物红皮书中记载的有野骆驼、野驴、北山羊、黑鹳（Ciconia nigre）、玉带海雕（Haliaeatus leucoryphus）、胡兀鹫（Gypaetus barbatus）、波斑鸨（Chlamydotis undulata）、遗鸥（Larus relictus）（模式标本产地在额济纳河）定为国家一级保护动物；鹅喉羚（Gazella subgutturosa）（该种目前有零星小群分布）、盘羊（Ovis zmmon）、猞猁（Felis lynx）、荒漠猫（Felis bieti）（其模式标本产地在额济纳河）、疣鼻天鹅（Cygnus olor）、小天鹅（Cygnus columbianus）、鸢（Milvus migrans）、大鵟（Buteo hemilasius）、秃鹫（Aegypius monachus）、红脚隼（Falco vespertinus）、燕隼(F. subbuteo)、红隼(F. tinnunculus)、蓑羽鹤（Anthropoides virgo）、雕鸮（Bubo bubo）、纵纹腹小鸮（Athene noctua）为国家二级保护动物。

随着黑河水资源的合理配置和对额济纳绿洲及黑河流域生态功能区实行有力的保护措施，在生态环境逐步改善过程中，除已经完全灭绝的物种外，许多在当地消失或减少的物种终会得到恢复，生物多样性的组合也会得到改善。

第三是额济纳绿洲外围荒漠植被防护功能区。我国西北干旱区荒漠植被的退化已成为生态环境整体恶化的重要因素。阿拉善地区生态灾害的频发，已威胁到地区的可持续发展。额济纳绿洲外围荒漠植被的衰退也是对绿洲生态安全的严重威胁。这些外围荒漠的面积约 1.88 万平方公里，占额济纳生态功能区总面积的 59.36%，与现代绿洲和居延海湖区共同组成额济纳绿洲生态功能区。

额济纳绿洲外围荒漠植被包括额济纳河以东的东戈壁与河西的西戈壁以及两条河道之间的中戈壁。南至金塔鼎新绿洲以北，北至中蒙国界，东与巴丹吉林沙漠相连，西止于马鬃山的博日乌拉，为一扇形洪积平原。其景观类型主要是典型的砾石质戈壁，当地居民称为"黑戈壁"，也有一些沙质的梭梭荒漠。砾质戈壁的土壤多为石膏灰棕漠土，植被很稀疏，覆盖度多在 5%以下，甚至有大片裸露戈壁。主要的植物群落类型有红沙荒漠群落、红沙+泡泡刺群落、泡泡刺群落、戈壁沙拐枣群落等。在局部覆沙的阶地与干河床上有梭梭群落和膜果麻黄群落。

额济纳绿洲外围荒漠植被衰退的原因有二，一是地下水位下降，一些与地下水或洪水补给条件密切相关的梭梭群落、沙蒿群落大量枯亡；二是放牧利用较重，沿河绿洲是牧民和畜群最集中的地方，绿洲外围荒漠是最近便的牧场，随着人口和牲畜数量的增长，放牧强度逐渐加重，必然加剧了外围荒漠植被的退化。

对外围荒漠植被加强保护力度，促进其更新复壮的进程，是改善额济纳绿洲整体环境，保证绿洲生态良性转化的重要一环，最主要的保护措施就是给荒漠植被有休养生息的机会，对于生态条件较好的一些群落和地段，实行封育退牧，退牧期不少于 5 年，5 年后根据植被恢复的效果，再采取相应的保护对策，在外围荒漠中散居的牧户，应将人畜迁移到城镇或绿洲中。根据荒漠植被的自然生产力和生态条件，保护荒漠植被的具体目标是在 10 年内使植物群落覆盖度由目前小于 5% 提高到 10%，其中要使梭梭群落的面积和覆盖度得到较大的增长。迁移出该区的零散牧户实行休牧。

这项保护措施要优先对东戈壁与西戈壁的 132 万公顷荒漠植被实施全面休牧。对中戈壁的 15 万公顷的荒漠植被草场实施轮封轮牧，进行分区分片休牧。

要严格按照中央的"三农"政策，做好戈壁荒漠区内散居牧户的移民安置工作。在沿河水土资源较好的中上游绿洲地段建设集约经营的家庭牧场，分给牧民一定面积的饲草料生产用地与草牧场，帮助建设定居点房舍、畜棚及各项生产生活设施，探索放牧与舍饲相结合（夏牧冬饲）的经营方式，改善家畜、家禽的品种与养育技术，也要按自愿原则和市场机制，推进农牧民走合作经营之路。这些具体措施将会减轻利用荒漠与绿洲植被的压力，又能提高农牧民的生产生活水平。

西居延海的古老绿洲现已无人居住，基本上是流动、半流动沙丘和小片残遗绿洲。除实施禁牧外，在河流水源充足时可适当放水灌溉小绿洲草地，进行生态恢复实验。

东风航天基地是国防和科学重地，其范围内有 64.63 万公顷天然荒漠植被。也应按照生态功能区保护和治理的目标，对荒漠植被实行封育保护，不得有过量畜群放牧，也不应过量开采地下水和超定额引用黑河水，要全面做好生物多样性保护和植被建设工作。

四、额济纳绿洲的环境监测

建立额济纳绿洲生态功能区环境监测体系，能及时了解绿洲生态环境和生物多样性的变化，为生态系统功能保育的监督管理和建设项目的实施提供客观依据。功能区的生态环境监测应包括以下内容。

绿洲水资源与水环境的监测。在额济纳河上段，即黑河水流入额济纳旗境内的狼心山，在东西两河分水的巴音宝格达分水闸处，监测进入额济纳旗的水量及季节分配。据此，可以确定国家规定的黑河流域分水方案执行情况，并根据每年每次的进水量计划当年各用水项目在地域间与季节间的水量分配，这是保证绿洲生态功能区获得最佳效益的关键。对于水环境监测，要把水质变化和水化学状况作为监测的重要项目，并应对额济纳河上段、中段、下段分别进行监测，同时要做好地下水水位、水量、水质的定期测定，以确保绿洲生态功能区的生物多样性、各项产业与居民生活的安全和可持续发展。过去，额济纳旗水利局对水资源与水环境的监测工作已进行多年，积累了大量重要数据，为生产、生活服务取得良好效果，今后应继续坚持并应增加水量、水质方面的监测指标和监测密度，特别应加强狼心山、哨马营水文站的工作，改善监测工作设施与条件，给予经费保证。

绿洲土壤理化性状变化和土地生产力的检测。包括对土壤水分、盐分、养分及地球生物化学元素的动态监测。土壤肥力、质地、结构、水分、盐分的变化是反映绿洲生态系统生产力的重要指标。应按照河流上、中、下段，离河远近，分区分段进行定位检测，可取得阶段性和长期性数据，对绿洲生态保护与建设是至关重要的信息。

绿洲生物多样性的监测。包括动物和植物的种类与种群的数量和变化，珍稀濒危物种的保育情况和种质资源的变化，生态系统与植物群落多样性的变化等项监测。这些数据和信息能综合反映生态环境质量。例如水质和水生生物的变化必然引起水中鱼类很快出现变化或死亡，如果鱼类减少，水禽便会很快迁移，水禽减少，猛禽也会消失，这种食物链关系能很好地揭示出生态环境的渐变和突变。某些植物种的减少或消失，会揭示出环境的某些环节和特征的变化。因此，分区分片对生物多样性监测是绿洲生态系统监测的重要内容。

沙漠化和沙尘暴发生状况的监测。在八道桥附近的巴丹吉林沙漠北端建立沙丘流动定位监测，可准确地反映出沙漠的移动方向、速度、形式等，从而观察沙漠侵吞绿洲或绿洲扩展防止沙漠化的动态过程。也能监测到沙丘内固定向半固定、半流动、流动转化的时间序列，反之是沙漠化的逆转，由流动向固定的演替。在居延海附近建立沙尘暴尘源地监测点，可测定两湖、绿洲、戈壁在不同风力、风季下的起沙扬尘情况，不同风力对地表物质结构的侵蚀强度、物质残留状况等，为国家监测沙尘暴提供基础数据。

除上述几种监测外，常规的气象站气候监测、水文站的水文监测、绿洲人口和家畜承载力（即合理载畜量）监测也应随着额济纳绿洲生态功能区保护工作的开展，加大工作力度，为绿洲生态保护、恢复提供重要科学依据。

目前，国家和地方都加强了生态环境保护与治理的力度。国务院和各级政府对额济纳绿洲生态环境问题高度关注，并监督黑河分水方案实施。水利部黑河流域管理局正在全力执行黑河分水方案。我们相信，在中央领导的关怀下，在各界同仁生态意识不断增强的情况下，额济纳绿洲的生态保护工程一定会全面实施，一个碧波荡漾、林丰草茂、鸟语花香的额济纳绿洲一定会展现在我们面前。

第八节　额济纳绿洲的文化价值和旅游业的发展

随着我国人民逐步步入小康，文化科学知识的增长和生活水平的提高，走出家门去旅游的兴趣与日俱增。而久居城市闹市区，很少与大自然接触的人们更渴望在工作之余或利用节假日到风景优美与景观独特的地方去欣赏大自然的美妙，体验自然生态系统的幽静，陶冶情趣，增长见识，锻炼身体。对有条件开展生态旅游的地方，应本着不损害自然景观和生态保护为前提的经营原则，注重保护环境资源，保护生态系统，保护物种多样性。要立足本地区自然资源、自然景观、人文景观、民族风情的优势，开展旅游事业，是经济建设和文化建设的重要内容。

开发旅游业可将其资源优势转化为经济优势，使旅游资源的潜力、吸引力转化为现实的生产力，以至形成支柱产业，促进地方经济的发展。额济纳地区历史悠久，有独特的自然资源和人文资源，积极开发生态旅游为主的旅游业，具有很大的吸引力、发展潜力和广阔前途。

额济纳绿洲的自然景观，宛如坐落在大漠、戈壁中的一颗绿色宝珠，本身就是一道亮丽的风景线。当穿行了千里沙漠、戈壁之后一进到额济纳绿洲，首先进入眼帘的是一片葱绿，给人们以惊奇、爽快之感。在胡杨林中小憩或漫步，会减少荒漠之燥热感，更会享受到空气的清新。蒙古包、羊群、胡杨林、红柳丛都会更加使人陶醉。胡杨林中还有高 27 米，胸围 6 米，胸径 1.8 米，年龄达数百年的胡杨神树。枯死的胡杨树能挺立百年不倒，并形成千姿百态的怪树林。在胡杨林中可以观赏到这种同株异叶的珍奇现象。胡杨的幼枝生长的叶片为条形、柳叶形，老枝上的叶片为扇形、杨叶形，无怪它还有个名字叫"异叶杨"。在我国只有塔里木河和额济纳河下游水网的地方才能见到如此大片的胡杨林，到了秋天（10月），树叶全部变黄，构成了一片金黄色的景观，更是别有风味。

苏古淖尔在达兰库布镇以北40公里，历史上水面最大时约150平方公里，50年代约50平方公里。苏古淖尔因曾有水獭生存而得名。过去曾是水色碧波荡漾，水深2—4米，水中有鱼，水上有天鹅、野鸭、大雁、鸥类，它们或栖息湖中、水面，或飞鸣戏水，堪称奇观，若能荡舟于湖中，则更有一番情趣。湖边密生芦苇，粗如笔杆，高有丈余，能没驼上之人，入秋芦花飞舞，胜如柳絮，驼、羊随处可见，可谓"天苍苍，野茫茫，风吹草低见牛羊"。当年董正钧曾赋诗描述风景，一旦水源恢复后，当可再现美景。目前，干涸的湖底可跑汽车，湖底之岛屿极似一座座山峰，此地极易见到"海市蜃楼"景象。西居延海噶顺淖尔名称中的"噶顺"一词是苦的意思，因湖水含盐碱较重，味苦而得名。此湖距达兰库布镇西北方向约53公里，面积最大时360平方公里。湖滨外围是湿地，过去生长着红柳群落、芦苇群落和草甸，现在为盐爪爪和黑果枸杞等耐盐小灌木群。噶顺淖尔是苏古淖尔的姐妹湖，过去水量很大，自1961年干涸至今，今后恢复的可能性也很小。它是我国第二个干涸的"罗布泊"。用东、西居延海的历史命运进行生态教育，有极好的效果。

世界上著名的我国第二大沙漠——巴丹吉林沙漠，其东缘与额济纳绿洲相连，八道桥东南一公里就是巴丹吉林沙漠的边缘，这是瞻望我国沙丘高度居第一、面积居第二位的"大漠风光"的较佳观望点。可以看到高大沙山连绵不断，有金字塔形、新月形、复合形沙山，也能见到沙丘间的绿色芦苇顽强生长。这里可建成滑沙场，并可组织长、短距离不同的沙漠探险旅游。

古居延海盆地中的京斯图湖（又称天鹅湖）在达兰库布镇以东，相距约40公里，在巴音浩特至达兰库布公路以南不足10公里，是古居延海的残遗部分，湖面4平方公里，呈椭圆形，古人记载"形如月生五日"水深达1.5米，四周红柳、芦苇丛生，夏秋季烟波浩渺，水天一色，绿波翻滚，沙鸥翔集，天鹅鼓翼，锦鳞游水，别有一番景色。湖中盛产鲤鱼、大头鱼等，以其肉质精细、味道鲜美著称，可与黄河鲤鱼相媲美，曾运销呼市、兰州，备受青睐。湖景可作为生态旅游和生态环境教育的生动课堂。

黑城遗址是本地区重要的历史人文景观。蒙古名称为哈拉浩特，即黑城之意。坐落在达兰库布镇以东 25 公里的沙碛中。全城东西长 431 米，南北长 374 米，城体呈长方形，城墙基宽 12.5 米，顶部宽 4 米，高 9 米。城墙系夯筑，中间夹有木柱，城垣内四角呈圆形，城门两侧及南侧有登城马道 7 处，城门阔 6 米，有正方形瓮城，并设置向外突出的角台，城垣四周外有马面 19 个。全城因年久风沙吹积，使城外积沙与城墙齐高。城内建筑物之废址尚能辨认出庙宇、街道、民房等遗迹。城西北角有一方形塔座，高 11 米，覆钵形塔身，有阶梯式的塔刹，塔体缥缈在风中，有神秘莫测之感。黑城是西夏王朝"黑山威福军司"驻地，当时称威福军城（黑水城）。西夏建都前先向这里移入大量居民。建都后是 12 个军司之中的两个军司驻守地。元朝时仍设"亦集乃总管府"，管辖西宁、山丹、西州，成为北去上都，西抵哈密，南通河西，东到银川的交通要冲和政治、经济、军事中心。元末明初黑城废弃。传说城内有一位黑将军（卜颜铁木耳）助手，敌人从四面围攻，久攻不下，便以沙袋堵塞河道，断了城中水源。黑将军率众死战至储水用尽，在城西北掘井取水，深至 80 丈尤涓滴未见。遂将金银珠宝悉数倾入井中，然后率军毁北城而出，身先士卒，因寡不敌众皆战死。

1908 年俄国探险家柯兹洛夫第一次对黑城进行了挖掘，发现了一大批保存较好的文物。其中有大量书籍，包括著名的《番汉会时掌中珠》（西夏汉文字典），以及《音同》、《文海》、《文海宝韵》等。仅书册、画卷和手稿总计 2000 多卷（份）以上，佛像可达 300 幅。这一批稀世珍宝被运往俄国博物馆和俄国科学院亚洲博物馆。1914 年英国人坦斯因又掘得大批西夏文刻本、抄本，以后美国（1923 年）、瑞典（1927 年）、法国（1931 年）、日本（1935—1936 年）等国的探险队、考察团蜂拥而至，乱挖乱掘，致使大批文物流散于世界各地。新中国成立以后，我国进行了有组织、有计划的考察挖掘工作，又获得一批珍贵文物。1992 国家已将黑城定为重点文物保护单位，是我国西北地区古城废墟的重要遗址，很有旅游、观赏、考察、研究价值。

甲渠侯宫遗址（群众称为破城子），位于达兰库布镇以南 24 公里东、西两河之间的戈壁滩上，是汉代甲渠侯宫遗址，现已大半被沙埋压，西面 300 米处有南北一线的烽火台和塞墙遗迹。该宫坐北朝南，呈四方形，一边长约60米，壁厚2米，高4—4.5米。1930年中瑞科学考察团在遗址内外共出土文物1 230件，包括木器、竹器、铁器、陶器、铜器和五铢钱等，也在此发现汉简5 000余枚。据汉简初步认定这是甲渠侯宫的治所，简上年代集中在公元前88年至公元31年（汉武帝末年至东汉光武帝初年）。1974年甘肃省博物馆又在此做全面挖掘，共出土汉简7 000余枚。甲渠侯宫出土的大量珍贵文物，引起中外史学界的瞩目，为研究我国汉代居延地区的政治、经济、军事、民族及社会活动提供了一大批难得的史料，也是考古、旅游的重要场所。

居延城遗址，位于达兰库布镇东偏北25公里处。城池坐北朝南，城墙长度不一，南长127米，北长126米，东长131米，西长122米，城基宽4米，残存高1.7米。南墙中部开设城门，四角各有伸出的墩台，城内有房屋的残迹。出土过五铢钱15枚和"大泉五十"一枚，还有铜镞、铁器、陶器和鄂尔多斯式铜器等物。当年西北科学考察团认为是汉代"居延都尉"所在地。1974年甘肃文物工作队、甘肃省博物馆考察后则认为这是一座孤城，数十里不见任何防御和通讯传递设施，不像"居延都尉"军事首脑机关所在地。而距此以南10公里的一座古城遗址才与古书记载相符。该古城周围布满大小红柳沙包，部分墙基已被沙埋，墙南北长130米，东西长127米，夯筑，墙宽3米，最高达5米。城内沙埋下有多处灰层，地面有较多的陶片，南北两翼均有城彰烽火台。以上两座古城遗址究竟哪个是汉代"居延都尉"所在地至今还是个谜。1988年国务院已将上述"居延遗址"列入第三批国家文物保护单位，是考古、旅游的重要场所之一。

除上述文化遗址之外，额济纳绿洲还有旧石器时代文化遗址3处，新石器时代文化遗址4处，古生物化石遗址3处，商周遗址1处，西汉魏晋遗址2处，古城址7处，古墓葬6处，古建筑14处以及汉长城（塞墙）和许多烽燧遗址。

黑河绿洲，浩瀚沙漠，古镇群立，关隘要塞，丝绸古道，关市口岸，居延汉简，黑城文物等，构成了额济纳地区丰富多彩、威武雄壮的历史画卷和独特的地理风貌，又有现代化东风航天基地的卫星发射中心和航天东风陵园，北有策克口岸与国门，目前每年还举办"金秋胡杨节"，这些多彩的文化资产和独特的自然景观生态资源构成了我国西部地区的一个旅游胜地。

当前，在旅游业的发展中存在着古遗物、遗迹的受损状态，急需加以整修，增强旅游服务的各种设施，改善经营管理，培养高素质讲解人员。在旅游业中，能安置一部分移民，增加就业机会，既有经济效益、文化价值，又可实现生态环境保护的目标。

第 十 四 章

阿拉善地区天然梭梭防护带的
生态功能及其保育

第一节 阿拉善荒漠区在长期演化史
上形成的梭梭防护带

在阿拉善干旱荒漠区，由于自然环境严酷，除额济纳旗两岸有胡杨、沙枣河滩林以外，没有其他较高大的乔木生长。而大面积的荒漠土地上生长着稀疏、较低矮的灌木、半灌木，甚至是小半灌木荒漠植被。然而梭梭却是一种介于乔木与灌木之间的特殊植物种，它的植株高约1—5米，通常具有扭曲和不规则的主干。它所形成的群落较其他荒漠群落高大，人们习惯地称梭梭群落作"梭梭林"。在森林植被类型的划分中，又很难把它归入哪种森林里，既不是针叶林，也不是阔叶林。它的叶子退化成极小的膜质鳞片，是由当年生绿色茎进行光合作用，属于一种特殊的"无叶植物"，每逢秋去冬来会枯落一部分小枝，在夏季特别干旱的中亚地区，夏枯季节也会凋落一些枝条。这种落枝现象是半木本植物的特征。所以生态学家胡式之把它的生活型定为"半乔木"或"小半乔木"。梭梭生长在其他乔木树种难以适应的干旱荒漠中，在年降水量不足50毫米的砾石戈壁中，仍有很稀疏的个体生长，但梭梭最适宜的生境是沙漠边缘湖盆的覆沙地和干河床上的固定、半固定沙地。从阿拉善东北部的乌兰布和沙漠北部的敖伦布拉格，沿沙漠西缘的罕乌拉到吉兰泰，形成了断续的梭梭带。由此越过巴音乌拉山在巴丹吉林沙漠东

端的塔木苏、树贵又有大面积群落分布，并从此向西沿巴丹吉林沙漠北缘拐
子湖盆地分布到古日乃湖盆，形成一个较完整的梭梭带，通过额济纳东西戈
壁一直分布到马鬃山以北的广大戈壁区。从乌兰布和沙漠北端至额济纳马鬃
山，东西断断续续、宽窄不等地形成800公里，面积近70万公顷的天然梭
梭林带（表14-1）。这一带就是阿拉善三大天然屏障之一的阿拉善天然梭
梭生态功能区。这一梭梭带在历史上曾是著名的绥—新驼道，由绥远（呼
和浩特）通往新疆哈密古城与奇台的商道。就是这些梭梭为驼道上成批的
驼队提供了基本的饲料。当年中瑞科学考察团也是沿此驼道进入额济纳旗
的，并沿此道进入新疆考察。在生态防护作用上，由于有了这条梭梭带，对
阿拉善的乌兰布和、巴丹吉林两大沙漠的相对稳定发挥着巨大作用。对防风
固沙，减缓沙尘暴，抗御西伯利亚—蒙古寒流有不可低估的作用。

表14-1　阿拉善天然梭梭林主要集中地的面积和分布位置

梭梭分布地	面　积		管辖所在地		所属自然地域
	万（hm²）	万　亩	旗	苏　木	
古日乃	17.85	267.75	额济纳旗	古日乃苏木	巴丹吉林沙漠西部
拐子湖	2.94	44.24	额济纳旗	温图高勒苏木	巴丹吉林沙漠北部
树　贵	11.28	169.29	阿拉善右旗	树贵、塔木苏苏木	巴丹吉林沙漠东部
吉兰泰	7.20	108.00	阿拉善左旗	吉兰泰镇、吉兰泰苏木	乌兰布和沙漠西部
敖伦布拉格	3.32	49.80	阿拉善左旗	敖伦布拉格、图克木、罕乌拉苏木	乌兰布和沙漠北部
银　根	2.28	34.20	阿拉善左旗	银根苏木	银根盆地
阿拉善北部	7.25	108.75	阿拉善左旗和阿拉善右旗北部靠国境苏木		阿拉善北部戈壁
额济纳河西	2.18	32.70	额济纳旗	塞汉陶来苏木	额济纳河西戈壁
马鬃山	6.67	100.00	额济纳旗	马鬃山苏木	山前戈壁、干河床
其　他	8.86	132.90	阿拉善右旗、阿拉善左旗		沙漠、湖盆戈壁零星分布
总　计	69.84	1 047.55	额济纳旗、阿拉善右旗、阿拉善左旗		沙漠、戈壁、湖盆、干河床

梭梭在亚非荒漠中也有广泛分布，种类共有十种之多。在亚洲荒漠区中

是面积较大的荒漠群落之一。我国梭梭属植物有 2 种。一种是白梭梭
（Holoxylon perisicum），所形成的群落仅见于新疆准噶尔盆地。另一种是梭
梭（Holoxyl ammodendren），它形成的群落广泛分布在新疆、甘肃、青海
（柴达木）和内蒙古。梭梭荒漠在内蒙古仅出现在西部。在巴彦淖尔盟的乌
拉特后旗北部有较大面积的分布，并延伸到乌拉特中旗的西北一隅。最东的
分布点在东经108°。在伊克昭盟，梭梭仅见于库布齐沙漠西端的代庆召东
北23公里处。在阿拉善盟，梭梭荒漠面积最大，占全区梭梭群落总面积
的82%。

第二节　梭梭带中群落类型的演化与特征

梭梭为一古老植物类群，起源于劳亚大陆的古地中海地区。在酒泉的第
三纪地层中曾发现梭梭的花粉化石。组成梭梭荒漠群系的植物在阿拉善地区
有25科、64属、96种，以藜科最丰富，计有12属、21种，占植物种数的
22%；其次是菊科，6属、12种，占种数的14%；禾本科居第三位，11属、
12种，占12%；荒漠中起重要作用的蒺藜科居第四位，有4属、11种之多，
占种数的11%。较大的科还有豆科5属、8种，十字花科4属、5种，柽柳
科、百合科、蓼科均为2属、3种，分别列第五至第九位，其他各科均在2
种以下。在区系地理成分中，戈壁成分（亚洲中部荒漠成分）居主导，占
32%，代表植物有泡泡刺、膜果麻黄、霸王、合头藜、蒙古沙拐枣、裸果木
等。并有相当一批阿拉善特有种，如绵刺、珍珠柴、沙冬青、阿拉善单刺蓬
等。草本植物主要是蒙古草原成分占8%，代表植物有蒙古葱、无芒隐子
草、戈壁针茅等。与吐兰地区共有的成分只有3种，有红沙、木本猪毛菜、
盐生草。古地中海成分较多，占22%，代表植物有骆驼蓬、白刺、齿叶白
刺、锁阳、苁蓉等。真正中亚成分不多，只有柽柳属的植物。一年生草本植
物多是亚洲中部特有种，包括蒙古虫实、蝶果虫实、戈壁猪毛菜、展苞猪毛
菜、茄叶碱蓬等。

组成梭梭荒漠的层片主要有：由梭梭组成的建群层片；以霸王、泡泡刺
为代表的石质—沙质灌木层片；以白刺为主的盐生—沙生灌木层片；以珍
珠、短叶假木贼为主的小半灌木层片；以籽蒿为代表的沙生半灌木层片；以

沙米、虫实、猪毛菜为代表的夏雨型猪毛菜类层片等；多年生草本植物多零星生长，很少形成层片。梭梭群落通常有 2—3 个层片，在砾石戈壁严酷条件下只有 1 个层片。

梭梭群落外貌呈现一片绿色或灰绿色的丛林状，景观独特而醒目。与其他低矮、稀疏、灰色荒漠群落形成鲜明对照。但是它毕竟是荒漠植被，比真正的森林群落显得十分单调而荒凉。阿拉善的梭梭荒漠演化形成了 4 组不同的群落类型（群丛组）。

一、盐地梭梭群落

仅分布在北部银根盆地，海拔约 800 米上下，是阿拉善盟海拔最低的地方。过去是湖盆洼地，曾有洪水积聚。现在只有多雨年份才有少量洪水补给。盆地四周有许多洪水冲沟。土壤质地为壤质，颜色棕色，含有较多的石膏和盐分。地表有 2—3 厘米的盐结皮。地下水 2—5 米水质不好，为苦水。梭梭植丛下形成大小不等的土丘。群落组成非常简单，除高达 2—3 米的梭梭外，几乎见不到其他植物。过去这里梭梭曾很茂盛，由于水源的减少，群落处于衰老状态，每公顷只有 200—300 个植丛。

二、砾石戈壁梭梭群落

分布在额济纳河西戈壁（残留分布）和马鬃山以北地区，为第四纪洪积物组成的砾石戈壁，地表砾石形成砾幕，且有荒漠漆皮，群众称之"黑戈壁"。梭梭群落十分稀疏，仅生长在局部低洼的浅沟里。植丛高度约 1—1.5 米。每公顷有 50—100 个植丛。覆盖度通常在 5% 以下，甚至不足 1%。群落结构和组成十分单调，往往只有梭梭一种植物、一个层片。伴生植物偶尔可以见到红沙、木本猪毛菜、柴达木猪毛菜、蒙古沙拐枣等少数几种。

三、固定、半固定沙丘梭梭群落

该类型分布较广，主要分布在乌兰布和沙漠、巴丹吉林沙漠与雅马雷克沙漠外围，以湖盆边缘最为多见。如古日乃、拐子湖、树贵、吉兰泰、敖伦布拉格等几个较大湖盆都有广泛分布。土壤为固定、半固定沙丘下的原始灰棕荒漠土或风沙土。地下水位较高，一般是 1—3 米。梭梭在不受损害的情况下长势良好，植株高 2—3 米，覆盖度平均 15%—25%，最高可达 40%，每公顷有 200—800 个植丛。群落结构和组成较为丰富，一般在梭梭建群层片之下还能见到白刺为代表的沙生—盐生灌木层片或盐爪爪为代表的盐生半灌木层片以及一年生植物层片，还有寄生植物肉苁蓉也在这类梭梭群落中形成特殊的层片。目前，阿拉善的这一类梭梭群落受损最严重、最普遍，放牧、樵采、开垦土地都集中于此，所以生态恢复、保护封育应以此类型为主。

四、干河床梭梭群落

广泛分布在阿拉善北部，特别是中蒙国境一带低山残丘和额济纳西部马鬃山山前地带。由于山丘的形成，洪水作用的干河床十分发育，梭梭群落生长在干河床两侧的沙丘或沙地上。在生境条件更严酷的地段梭梭就生长在干河床内，沿着河床走向而分布形成条带状群落。群落密度变异较大，有些群落茂密丛生，有些则稀疏到十几米、数十米一株，覆盖度变化在 3%—20% 之间，植丛密度是每公顷 80—300 丛。目前，干河床梭梭群落受损状况比较轻微，仍应继续保护，发挥其优势。

梭梭的正常生物产量（以沙地梭梭群落为例），可更新同化枝年产量鲜重 500—1 500 公斤/公顷，折合干重 200—700 公斤/公顷。在生长季内，春季同化枝含水量较高，干鲜比较高，而秋季木质化程度增高，干鲜比降低。

第三节　梭梭对环境演变的生态适应性

荒漠植物长期受环境影响，逐渐演化形成植物体各器官的形态结构和功能特征，以适应干旱、多风和贫养的生境条件，成为干旱荒漠地区的旱生植物，有些旱生植物具有高度耐旱的适应性，称为超级旱生植物。这些旱生植物的基本特征是能够承受干旱胁迫，对水分及各种营养元素的物质代谢效率很高，具有自我保持体内水分生理过程和减少水分丧失的有效机制，又要维持高效的光合作用和较低的呼吸作用。梭梭的绿色同化枝就是充分具备这种特征的器官结构，可以实现高效的代谢功能。

梭梭当年生的绿色茎为肉质同化枝，一般长约 5—15 厘米，径粗 4—10

毫米，叶退化成无绿色细胞的鳞片，没有光合作用功能，在茎节上成对生长，形成包围茎节和节间基部的短鞘状结构。绿枝的外面具有单层细胞组成的茎表皮，表皮细胞外壁有发达的角质层，这是保持茎内水分含量的保护组织。植物的蒸腾作用强度和植物体的含水率是植物耐旱性的标志，梭梭与多种荒漠植物的对比实验结果是蒸腾作用强度仅次于白皮沙拐枣。梭梭的当年新枝含水率约82%，在植物体的含水量中自由水与束缚水的比值越大，则抗旱能力越强。梭梭的整体含水率为77.0%时，自由水占22.4%，束缚水占54.6%，比值为2.44倍，仅次于多花柽柳的比值，说明梭梭的生理抗旱功能很强，属超级旱生植物。

根据李正理对梭梭等旱生植物茎内各种组织比例关系的观察，表皮以内有较厚的肉质皮层组织，这是茎内的主要储水组织，也是绿色光合组织，其中含有晶细胞，细胞内含有晶簇等代谢物质；茎内的维管组织细小，在维管束外面有纤维组织，组成高效能的输导组织。梭梭的这种结构使它成为以绿色茎作为唯一光合作用器官的荒漠旱生植物，与其他种以叶为主要光合作用器官的荒漠旱生植物相比，梭梭是高度耐旱的超级旱生植物。梭梭的光合作用效率比其他荒漠植物更强，植物的光合作用强度与其呼吸作用中的气体交换密切相关。梭梭同化枝表面的气孔数目约为150个/平方毫米，与中生植物叶片的气孔数目相近，多于其他荒漠旱生植物的气孔数目，所以在气体交换中吸收二氧化碳的功能较强，使得梭梭具有较高的光合作用效率。

梭梭和其他许多旱生植物都有适应盐化土壤的盐生性特征，在干旱荒漠地区，盐化土壤的分布是十分广泛的，所以梭梭等耐盐植物所适应的环境更广。梭梭体内的细胞渗透压很高，枝内含盐量高达15%，吸水力达51.1个大气压，相当于中生植物小麦吸水力的5倍左右，也高于柽柳41.2个大气压、胡杨33.5个大气压、白刺29.6个大气压的吸水力。在土壤含盐量1%—2%时梭梭生长良好，其成年株能适应含盐量3%的盐土，与典型盐生植物很接近，无怪乎早期文献把梭梭汉文名称叫"盐木"。当然，梭梭与标准的盐生植物仍有差别，其耐盐程度显然低于盐生白刺（Nitraria sibirica）、刚毛柽柳、多枝柽柳等。

梭梭的根系发达，主根深达3—5米，侧根也非常发达，长达5—10米，侧根一般分上下两层，上层侧根分布在地表下40—100厘米之间，能充分吸收天然降水转化的土壤上层含水，下层侧根在2—3米之间，能充分利用土壤深层含水。当梭梭植丛下部被沙埋后，在新埋的沙层内能很快地生长出大量新根，以利于吸收新土层的含水量。

第四节　梭梭带的生态防护效益

我国各地营建各类防护林和利用天然植被发挥防护效益的设施已有长期的历史，防护林能防御风沙危害、减免土壤侵蚀、改善地区小气候的效益早已被人们所公认。但是，对于荒漠区天然梭梭带的防护效益还缺少深入的研究，人们的认识也较少。20世纪80年代以来，在科学技术进步、环境意识增强的形势下，荒漠地区生态环境问题的研究有了长足发展。中国科学院沙漠研究所开展了不同土地类型、沙丘、沙地的风蚀作用和防护作用的实验。据沙漠研究所测得的数据表明，小麦田收割后留茬地的风蚀强度和翻耕松土的农田风蚀强度为1∶1.7。说明地表有无覆被物，其风蚀强度相差很大。各类天然植被覆盖当然也有重要作用，各种沙丘的表土往往比农田土壤的风蚀强度更大，为留茬农田的1.44—1.67倍。沙丘又比平坦沙地更易受风蚀，固定沙丘比固定沙平地风蚀强度由2.44增加至2.67，约增加了10%，半固定沙丘比半固定沙平地加大风蚀1.27倍，它们是留茬农田风蚀强度的4.59—12.69倍。流动沙丘的抗风蚀能力最差，比半固定沙丘抗风蚀能力低1.71倍，比半固定沙平地低3.89倍，比固定沙丘、沙地低8.14—8.91倍，是留茬农田的20.75倍。不同风力的风蚀强度必然有明显差别，在每秒7米的风力下，留茬农田侵蚀强度仅0.04，当增至每秒10米时，则风蚀强度增加到0.14，增高了3.5倍，当每秒15米时，风蚀达到1.18，强度增高29.5倍，每秒20米时，风蚀增高至2.30，强度增高57.5倍，每秒25米时，风蚀99.83，强度增高2 495.8倍。固定沙平地在以上几种不同风力下，侵蚀强度变化的倍数依次是2.5倍、65.5倍、181.5倍、1 457倍；固定沙丘的侵蚀强度变化依次是28倍、204倍、320.5倍和525.2倍；半固定沙平地依次是13.8倍、115.0倍、395.9倍和726.6倍；半固定沙丘依次是9.1倍、70.41倍、240.3倍和713.2倍；流动沙丘依次是4.26倍、14.8倍、29.0倍和49.64倍。总之，随着风力加大，风蚀强度的加大是惊人的，可以增加数倍、数十倍以至百倍、千倍（表14－2）。但是，从上述数据中，也可以认识到植被覆盖对防御风沙危害是有强大作用的。

随着防沙治沙工程的实施，生态保育和植被建设的进展，天然植被与人工植被覆盖逐渐扩大，沙丘与沙地的固定程度也必然提高，风蚀的强度也会减轻。所得到的实验数据也证实了流动沙地上有了沙蒿生长以后，当群落覆盖度达到30％时，即转化为半固定沙地，风蚀强度可减轻3.89倍。植被覆盖度增加到50％，并形成灌草群落的稳定植被结构时，可属于基本固定的沙丘与沙地，其侵蚀强度可下降8.15倍，说明了植被在抗御风蚀上的巨大作用。

可见，天然植被覆盖对干旱区生态系统功能和地区环境效益是最重要的因素，群众说的"寸草遮丈风"正是形象地说明了植被防止风蚀的科学道理。

表14－2 荒漠地区不同土地类型的受风蚀情况

土地类型	风蚀强度					风蚀合计	倍 数
	7m/s	10m/s	15m/s	20m/s	25m/s		
农田（留茬）	0.04	0.14	1.18	2.30	99.83	105.11	1
农田（耕松）	0.10	0.25	1.08	3.03	174.54	179.00	1.70
固定沙地	0.15	0.38	9.82	27.23	218.55	256.13	2.44
固定沙丘	0.26	7.30	53.15	83.33	136.55	280.59	2.67
半固定沙地	0.47	0.50	54.03	186.08	341.50	587.58	5.59
半固定沙丘	1.29	11.75	90.83	310.00	920.00	1 333.87	12.69
流动沙丘	23.17	98.75	343.50	670.80	1 150.00	2 286.22	21.75

测试单位：中国科学院兰州沙漠研究所。

内蒙古林业科学院在吉兰泰至乌达之间的乌吉铁路沿线，即乌兰布和沙漠西缘，在粒径0.1毫米的沙粒占86.4％、具有同样植被覆盖的沙地上，当风力为每秒8.7米时，实测距地表0—70厘米间不同高度风沙流的含沙量。在距地表0—10厘米的高度，风沙流的沙量占吹蚀总沙量的76％；而距离地面60—70厘米的高度，风沙流的沙量仅占吹蚀总沙量的1.8％，说明在距地面50厘米以下的空间，如有良好的植被覆盖即可减少风蚀吹扬的沙粒达95.9％。荒漠中小灌木和半灌木居多，正好在这一高度以下，梭梭高度一般是 1.0—3.0 米，其阻挡风沙的侵蚀作用明显优于小灌木和半灌木。数百米至数千米宽的天然梭梭带，其防护作用显然是十分可观的。

郭晓君等人在吉兰泰牧业生产队的沙地上进行梭梭群落防护功能的测试，实验地选在封育后的梭梭群落典型地段，测试时间为 5 月份一个月。梭梭平均株高 2.64 米，最高植株 4.28 米，郁闭度 0.31。对照地为天然荒漠植被，是以红沙、白刺、霸王、泡泡刺为主的稀疏荒漠群落。测得结果表明，梭梭群落比稀疏荒漠的地表蒸发量减少 39%，日平均气温高 0.8℃，增高 3.59%，地面温度低 2.1℃，降低 2.94%，日相对温度增加 8.33%，风速减少了 60.17%，显示出生态防护效益是十分明显的。

如果将梭梭群落与稀疏荒漠的旷野一天内不同时间的辐射强度和地表面与 2 米高处的辐射强度做对比，发现群落内和旷野的辐射强度都是中午 12 时最高，中午为早晨 6 时、傍晚 18 时的 28.50 倍和 28.67 倍，群落内地表仅为旷野地表的 57.7%，2 米处则为旷野的 91.9%。梭梭平均高 2.64 米。2 米高处基本上已达梭梭群落顶部，所以辐射强度与旷野 2 米处比较接近。群落内外土壤各层次的地温，按地表以下 0—25 厘米分层测试的结果是群落内地表温度较旷野低、差值小，群落内地表平均 27.0℃，旷野为 27.4℃，比旷野低 0.4℃，降低 1.46%。午后 14 时，群落内 41.1℃，旷野 42.8℃，群落内外差 1.7℃，降低了 3.97%。说明群落内白天接受辐射少，温度上升也少，晚上降温也少。而 5 厘米以下的情况基本相反，群落内地温较高，旷野地温较低，说明群落内保温条件好，散热较旷野少。梭梭群落内外的地上温度只有较小的差别，把地表 0 厘米作为下层，50—100 厘米作为中层，100—200 厘米作为上层测试，群落内 0 厘米的气温受土壤温度控制，两者相一致，较旷野低 2.1℃，群落中上层温度较旷野略高。梭梭群落内，5 月份的温度较高，对梭梭和其他植物的生长有利。据当地群众的经验，夏季高温时梭梭群落较旷野的温度低一些。春季寒潮侵袭时，群落内地温与地面温度高于旷野，对刚返青不久的梭梭生长是有利的。

梭梭群落内外空气的相对湿度也是按上述地表、中层、下层分别测定的。群落内由于植冠的存在，使风速变小，对水汽扩散也有阻挡作用，所以气流交换作用微弱，使群落内的相对湿度大于旷野。但午后 19 时以后，随气温的下降，日晒减少，旷野湿度有增大的趋势。在一天中，早晨 6 时日出前后，气温低，群落内外的相对湿度均较高，至 8 时后，随气温增高，相对湿度逐步下降，午后 14 时达到最低值，空气湿度较早晨低 1—1.5 倍。群落内由 62% 降至 27%，低了 1 倍多，旷野由 56% 降至 22%，低了 1.5 倍之多。

梭梭群落的水分蒸发强度与环境及气温条件均彼此相关，虽然群落内外日平均气温相差不显著，群落内日均温 18.7℃，旷野 18.8℃，然而群落内外蒸发量相差明显，群落内日蒸发量平均为 8.3 毫米，旷野平均为 13.6 毫米，群落内月蒸发量 249 毫米，旷野月蒸发量 408 毫米，群落内少于旷野蒸发量的 39%。从蒸发量与日平均气温的相关可以看出，随着气温的升高，群落内外蒸发量都明显增加。

风是荒漠区非常重要的环境因子。梭梭群落对防风的作用十分明显，这也是梭梭群落的重要防护功能。在旷野 1.5 米高处测定，平均风速为 6.8 米/秒，群落内同高度的风速为 3.1 米/秒。仅为旷野风速的 56%。在地表 10 厘米的高度测定，旷野为 4.5 米/秒，而群落内仅 1.4 米/秒，群落内是旷野的 31.1%。

第五节　梭梭及其群落的年龄和寿命

梭梭和梭梭群落的年龄与寿命一直是科学探索的问题。中国科学院植物研究所胡式之在 20 世纪 50—60 年代，对新疆和甘肃河西走廊生长的梭梭曾试图用分支数目来确定梭梭个体的年龄，但此法并不十分准确，只能大体估算梭梭的年龄。因为梭梭个体的分支必须在保护较好的情况下才能保持完整，被牲畜啃食或人为砍折都会影响分支的生长。此方法与林业上测针叶树（如松树）的简易方法相似，松树在中幼年阶段，主干上每年生出一轮分支，根据分支轮的数量判断其年龄，不做年轮解析。而梭梭不如松树分支规则，通常分支点不在一起，特别达到其生长高度以后，更难找出年度分支点，而且梭梭属于半木本性质，每年要脱落当年支的 1/2—1/3，因此用分支数法测算出的年龄往往偏低。

20 世纪 60 年代中期，甘肃省民勤县以防风固沙为目的，在腾格里沙漠中种植了数万亩梭梭。到 70 年代后期，这些梭梭出现了大面积衰亡的迹象。为研究这批梭梭衰亡的原因，一些科技人员做出了梭梭和梭梭林是短寿命植物的结论。此后，很多文章中都认为梭梭的生长高峰期只有 10—20 年，20 年后，生长停滞，枝条下垂，进入衰老期。梭梭的寿命在良好的生长条件下最长也不过 50 年。

20 世纪 90 年代后期，笔者到民勤地区考察了上述衰亡的梭梭群落，其中仍有生长旺盛的个体，在水分条件较好的地段保持着较多的个体，在地下水位显著下降的大面积沙地上已完全死亡。我们认为这些梭梭的衰亡，不是梭梭进入衰老的年龄阶段，而是由于当地水资源条件恶化，地下水位大幅度下降而造成的。为此，我们专门探索了鉴别梭梭年龄的方法。

为了进行梭梭年龄与生长量的实测，在阿拉善的梭梭群落分布中心选择了以下三个采样地点：一是吉兰泰，位于阿拉善高原东部，隶属阿拉善右旗的巴彦吉兰泰苏木，地理位置在北纬 39°36′11″东经 105°46′06″，是固定、半固定沙丘与丘间低地上的梭梭群落。当地气象指标为年均温 8.6℃，大于等于 10℃的积温 3 500 ℃，年降水量 116 毫米，蒸发量 3 065.1 毫米；二是洪高勒，位于阿拉善左旗豪斯布鲁都苏木，地理位置在北纬 39°30′20″东经 104°59′29″，为古河道形成的固定、半固定沙地梭梭群落。气候条件与吉兰泰近似；三是雅布赖，位于阿拉善右旗雅布赖苏木的雅布赖山前，为洪积平原覆沙地的梭梭群落，当地气候条件的年均温 8.8℃，大于等于 10℃的积温 3 600 ℃，年降水量 80.3 毫米，蒸发量 3 512 毫米。在这三个地点取梭梭主干分段做成基部、中部和上部的横切盘进行年生长轮的测算，比较准确地鉴别了梭梭的个体年龄，进而可以推断梭梭群落的发生与更新阶段。在解析的梭梭样株中，年龄最大的已达 89 年，而且生长健壮，可见梭梭的寿命一般可达百年。

根据生长轮的解析，可以看出梭梭的生长是每年增长两轮，相当于普通乔木每一年轮中的春材与夏材。因为梭梭是古地中海地区的古老植物，可以认为每年增长两轮是古地中海植物的遗传特性，古地中海气候类型是一年有两季较多的降水，中间有夏枯季的植物休眠期，所以在一年两个生长高峰期形成两个生长轮，合起来是一岁。

以梭梭年生长轮为基础的径向生长量动态与当地相应年度降水量等多项数据做相关的回归分析，研究水分状态等因素对梭梭径生长的影响，可以预测梭梭群落的稳定性和演变的趋势。也进一步验证了不同地点、不同个体及同一主干的不同高度，梭梭主干径向生长表现出的线性增长规律，计算梭梭的最高生产率。

据多年气象记录，三个取样地点降水量最大值与最小值之比，在雅布赖为1：5.15，吉兰泰和洪高勒均为1：4.66，梭梭的径生长受年降水量波动的影响不显著，可以说明梭梭的生长是由多方面因素所制约的。各取样地点的梭梭群落生境中土壤与地下水可满足其生长的需求，而且均有大气降水以外的水分补给来源。吉兰泰的梭梭林存在着沙丘潜水的补给，雅布赖的梭梭群落接受雅布赖山中溪流出山后变成潜流的侧向水分补给。可以认为具有大气降水以外的水分补给是梭梭群落适生生境的重要条件。此外，轻度盐化的土壤生境也是梭梭的生境条件，对梭梭群落动态与年龄的预测，需要从以上的多因素综合分析中寻求解答。

第六节　梭梭的更新和生态保育

一、梭梭的自然更新

梭梭群落每年的自然更新状况必然与生境类型、水分来源及降水、光照、温度、风力等气候因素的年度与季节变化相关，在适度放牧、合理樵采等利用和管护条件下，梭梭群落多年间的自然更新过程是良好的，可以成为年龄结构合理的梭梭群落。因此，在20世纪50年代以前的历史上，阿拉善的梭梭带是长期稳定的。到20世纪60年代以后，许多梭梭群落的更新不良，逐渐衰亡，这是在气候暖干化的背景上，以人为因素为主导的荒漠化过程。过去的长期历史上，当地牧民在梭梭群落的牧场上适度放牧，驼、羊的数量与梭梭的更新能力相适应，樵采梭梭只砍死株与衰老的个体，所以保持了长久的正常更新。20世纪60—70年代的"文化大革命"期间，阿拉善增加大批驻军，人口与牲畜也明显增加，经常大量砍梭梭用作燃料，直接破坏了梭梭的更新机制，这是阿拉善梭梭带走向衰退的重要原因。仍继续保持合理利用与管护的梭梭群落，如果自然环境与气候变化不大，可维持较好的自然更新过程。例如额济纳旗西北部的马鬃山以北至黑鹰山以西，直到1999年仍有大面积天然梭梭群落分布，以干河床和山丘洪积扇覆沙地上的梭梭群落居多，这里的梭梭普遍结实，更新状况良好，9月份可以见到果实累累，曾被建议留作梭梭的采种基地。在阿拉善左旗、右旗的许多片梭梭群落目前更新不良。其中,吉兰泰附近的 100 万丛梭梭的人工群落,占据了多种生境类型,大多数梭梭个体结实的不多,群落中的实生苗很少,更新状况不佳,反映出生境条件的局限和不适。但是在某些没有种植梭梭,也没有其他茂密植被的覆沙地段,发现有自生的幼年梭梭逐渐形成群落,长势喜人,这是从附近由风力传播的梭梭种子到此安家落户,说明这里是梭梭适宜的更新地。此外,在巴音浩特—吉兰泰公路到苏海图分叉路以西的地段上,也可见到自生的幼年梭梭群落,在雅马雷克沙漠的西侧也有新生的梭梭群落自然分布,而且都表现出良好的结实能力和种群逐渐扩大的趋势。

根据梭梭的人工栽培实验,梭梭 3 年龄即开始结实,在吉兰泰 5 年生的梭梭群落中,可结实植株达到 50% 以上,每株结实量约 30 克。吉兰泰附近有一片更新较好的梭梭群落,其种群密度为 612 株/公顷,平均覆盖度为 12.98%,群落中多数是较矮的灌木状植株,少数为乔木状,两者的比例为 8:1,平均高度为 1.12 米,平均冠幅为 2.21 平方米,植冠多呈馒头状。群落内的结实植株占 57.4%,密度为 351.3 株/公顷。其中,平缓沙丘密度较大,半固定沙丘迎风坡上密度较小。结实株平均高 163.1 厘米,平均冠幅 4.5 平方米,在结实株之中,生长良好的占 12.30%,衰退的植株占 25.29%,生长一般的占 62.45%,生长良好的结实株平均结实量每株 3 887.5 粒,生长一般的平均结实量 2 575 粒,衰退的结实株平均结实量 1 321.7 粒。按照这三种结实株的比例计算,平均每株结实量为 2 533.1 粒,每公顷结实总量为 889 878 粒,平均每 1 平方米约可落下 89 粒种子,梭梭种子千粒重为 3.35 克,每公顷产种子 2 981.2 克,这一群落的结实量可以实现较好的自然更新,增加种群密度和植株高度,形成良好的种群年龄结构,并可发挥其环境与资源效益。

梭梭群落土壤中的种子储藏量是实现自然更新的又一项重要条件。据调查,上述的梭梭群落秋季结实后种子落到地面,经过一个冬季的风力作用后,次年春季 4 月中旬在土层中存留的梭梭种子量为每 1 平方米土地中保有 20.67 粒,是结实量的 23.26%,这是群落自然更新的种子储备。种子在土层中的分布情况是 0—0.8 厘米土层中每 1 平方米有 16.5 粒,占土层保有种子总数的 79.48%;0.8—2 厘米土层中每平方米有种子 3.06 粒,占土层种子总数的 14.74%；2—3 厘米土层中每平方米有种子 1.2 粒，占土层种子总数的 5.78% 。种子在土壤中的分层存储，有利于增加种子萌发的几率。

梭梭种子在土层中的分布及保存数量与群落内的微地形、植物个体分布格局、植物枯落物的散布等因素相关，而且是影响种子萌发和幼苗成活的有关因素。种子分布在开阔的土地斑块中，萌发后幼苗缺少庇护，但如能成活，则填补了群落空斑，改善种群格局；如果种子保存在现有植株之下或近旁，萌发后幼苗可得到遮阴，但与已有的植物个体发生水分与养分的竞争，不利于成长。因此，土壤种子库中的种子数量与分布状况制约着种子萌发、幼苗成长，以至群落格局的变化。

梭梭群落的自然更新过程中，每年新生幼苗的数量、幼苗成活率、幼苗的健壮程度是最终决定梭梭群落自然更新效果的关键因素。吉兰泰地区许多梭梭群落的自然更新几乎每年都在运行中，但每年产生和保留下来的幼苗和幼株往往不多，年度间的差异也很大，只有少数年度才会有较多的幼苗生存下来，继续成长。当地牧民的经验认为梭梭更新效果良好的年度，与上一年降水量较丰，达到或超过多年平均降水量，而且当年春季 3—5 月也有适量降水密切相关。据试验，梭梭幼苗期需要的降水标准是 3 月不少于 5—6 毫米，4 月不少于 8—10 毫米，5 月应有 20 毫米，从吉兰泰地区 1955—1999 年 45 年的降水量资料中可以看出，能具备上述条件的年度只有 5 年，即吉兰泰地区平均每 9 年为一个更新年。胡式之也曾指出：我国梭梭群落大约每 8—10 年才能成功更新一批，原苏联的研究也认为是大约 8—11 年才有一次良好的自然更新。

二、梭梭群落的封育

从 20 世纪 60 年代起，阿拉善的天然梭梭群落长期在过度放牧、过度樵采的人为影响下，出现了大面积衰败和消亡，成为阿拉善各种植被类型中受损最严重的类型之一，也是沙尘天气和沙尘暴加剧的重要因素。当梭梭群落的退化尚未达到完全消亡阶段，采用围封保护、严禁砍伐、节制放牧的措施，逐渐恢复其生机，促进梭梭的自然更新和种群增长，扩大梭梭群落的面积，恢复到原来的群落结构和生产力水平，逐渐使阿拉善的八百公里梭梭绿色防护带重新焕发出强大的生态功能，这是解决阿拉善生态危机的一项重大措施。

目前，阿拉善地区建设各种草库伦已达 3 000 多处，面积达 10. 86 万公顷，封育天然草场 2 000 多处，面积达 8. 4 万公顷。封育的天然草场中，梭梭群落的封育面积已达到 3. 77 万公顷，占封育天然草场总面积的 44. 9%。在阿拉善盟生态建设规划中，计划今后十年要逐步封育梭梭群落 33 万公顷。

在干旱荒漠区，天然梭梭群落和各种天然植被在防风固沙、保持水土、涵蓄水源、保护生物多样性、维护生态系统功能等方面具有独特的强大作用。天然植被显然比人工植被具有较强的适应性和抗逆性，在气候干旱、土壤贫瘠、不同程度的盐碱化等不利条件下，人工植被不易成活，天然植被却能适应，并长期生存下来，尤其是梭梭还能形成高大较密的群落。在阿拉善地区要想建人工植被，往往要破坏掉原有的天然植被，效果却达不到原有天然植被的结构和功能。牧民和专业人员的共同经验是不破坏天然植被情况下，用现代育苗技术，进行补植，可以取得事半功倍的效果，使改建的植被增加了植物种类和结构层次，提高了功能和效益。对于遭受破坏、处于衰退状态的天然植被，最好的治理办法是封育保护。阿拉善林业局总结多年的经验教训，认为阿拉善地区水分条件不利，建设人工植被的成活率很低，应采用封育恢复天然灌木植被，保护现有植被的办法，充分利用植物群落自我修复的自组织功能进行生态治理是既经济又见效的成功途径。

梭梭群落的分布成为阿拉善地区三大生态屏障之一，其保护价值是非常突出的，当地专业部门在实验与实践中已取得了不少成果。吉兰泰等地大面积轻度衰退的梭梭群落封育 4 年后，群落中的植物种由 9 种增加到 16 种，覆盖度由原来的 3%—6%，增加了 11%—24%，封育效果很明显。据内蒙古林学院在吉兰泰做的封育梭梭实验，未封育的天然梭梭群落，植株高度平均 1. 2 米以下，冠幅不足 3 平方米，而退化的梭梭群落中的植株平均高度仅 1 米，平均冠幅仅 2. 5 平方米。经过封育后，效果十分明显。退化的梭梭群落封育一年后，株高平均达到 1. 314 米，冠幅平均为 3. 095 平方米，高度增长了 22. 5%，冠幅增加了 50. 61%。封育 4 年即可达到较为理想的效果，株高平均 2. 015 米，冠幅平均为 7. 626 平方米，比封育前分别提高了 188% 和 371%。封育 10 年后株高平均达到 2. 091 米，冠幅平均达到 9. 799 平方米，为封育前的 195% 和 476. 8%。从封育时间来看，封育 1 年即有效果，但不十分明显，封育 4 年效果突出，增长最快，封育 10 年以上的梭梭群落生产力继续增长，但增速比较缓慢。封育 4 年虽然能基本恢复到原来面貌，但结实量仅为封育 10 年的 48.6%，而封育 20 年后的结实量为封育 10 年后的 113%。1980—1999 年，阿拉善左旗豪斯布尔都苏木的退化梭梭群落封育了 20 年，与未封育的退化梭梭群落个体长势进行了对比测定，未封育的退化梭梭群落株高平均 0.779 米，冠幅平均仅为 1.53 平方米。封育 20 年后，植株高度达到 2.635 米，冠幅平均达到 6.48 平方米。与吉兰泰地区封育 20 年后的梭梭群落相比，所测结果十分接近，说明这些数据的可信度是较高的。

封育后的梭梭群落土壤养分也发生了缓慢变化，有机质、氮、磷含量均有所增加，而干旱区土壤中大量存在的钙有少量下降。这种变化与梭梭每年的代谢产物和枯枝落叶等物质周转循环有关。

三、梭梭的人工繁育

从 20 世纪 70 年代后期，阿拉善的人民和驻军鉴于梭梭的大量衰亡，开始试行梭梭的人工播种，从此逐渐成为阿拉善地区一项重要的生态建设工程。梭梭人工培育的成功是一项历史性创造，是弥补天然梭梭群落更新不良、自然恢复较慢、加快扩大梭梭群落的分布范围，提高梭梭群落覆盖度的重要手段，与保护天然梭梭群落具有相辅相成的作用。科技工作者早在 20 世纪 60 年代初即开始了梭梭人工种植的小规模实验，至 80 年代初，已经初步摸索出了从采种、直播、育苗、移栽到营造等一整套栽培技术，为梭梭人工繁育提供了技术保证。

阿拉善地区梭梭的果实成熟期在 10 月下旬，果实具膜质翅，成熟后应及时采收，否则会被大风吹散。新采的果实应去除膜质果翅，使种子纯度达到 70%—80%，含水量降至 5% 以下，放置在干燥处保存，以备次年播种。种子粒径与千粒重往往不均匀，粒径约 2 毫米上下，种子千粒重 2.54—3.96克。成熟饱满的种子，不论粒径大小，不影响发芽和成苗。播种后，当温度在 10℃—30℃ 之间时，发芽率较高，超过 30℃ 以上，发芽率下降。梭梭种子寿命较短，在常温下只可保存大约 10 个月。保存 4—5 个月时发芽率最高，在第一年秋季采种后，第二年春季播种最好，发芽率均在 90% 以上。10 个月以后发芽率急剧下降。适宜的温度是梭梭种子发芽的必要条件，经过多次实验认为播种梭梭种子要选择地温在 20℃—30℃ 之间为最佳。变温有利于梭梭种子发芽。据实验,当种子在恒温 30℃ 时,发芽率为 82.5%—90.7%,当温度变动在 25℃—35℃ 间时,发芽率为 83.7%—93.3%,发芽率提高了 3.4%,说明变温可促进酶活性,增强种子活力,有利于萌发。梭梭种子发芽也需要一定的水分条件,种子浸泡在 25℃ 的水中 0.5—5 个小时的实验证明了萌发速度很快,浸泡到 5 小时,种子立即发芽。梭梭种子发芽时的吸水量通常为种子干重的 1 倍左右,发芽后 8 小时即可成苗。这是梭梭高度适应干旱荒漠严酷生境,抢夺几率的遗传特性。

梭梭直播应选在疏松沙质土地上,黏重土壤上不易成活。为防止根腐病,播前进行 1%—3% 的高锰酸钾或硫酸铜水溶液浸种 20—30 分钟,捞出晾干拌沙播种。播种量为 30 公斤/公顷左右,出苗的密度可达 90 万—100 万株/公顷。如果在梭梭残存的群落内补播,播量可减少 1/2—1/3。播期分春季播和雨季播两种,春季播在 4 月中旬至 5 月中旬,雨季播视雨季来临的迟早而定,一般在 7 月下旬至 8 月下旬,最好在一次降水 10 毫米以后抢墒播种。梭梭播种要浅播,覆土深度不超过 1 厘米,深播不能出苗。梭梭播种后,往往幼苗的鼠虫害严重,必须采取防治措施。

由于梭梭直播的技术和条件要求严格,目前多推行育苗移植的方法,提高了成活率。育苗地要选择沙质或沙壤质土壤,播种技术与直播相同。因为有了灌水条件,播后可根据干旱程度,每日或隔日灌水 1 次,直到苗木出齐。近几年来由于地膜覆盖技术的广泛应用,梭梭育苗采用覆膜的办法,可提高土壤湿度和出苗率,也可延长生长期,使当年生苗的根系扎深,枝条粗壮,以利于移栽。容器育苗也是近几年在梭梭育苗中较常应用的一种方法。它可以配置理想的营养土,人工控制灌水和施肥数量,培育出大苗、壮苗,也便于移植,成活率高。

梭梭的容器育苗,有适宜的水、温条件,120 天左右即可长成良好的壮苗,苗高 30 厘米。其生长过程大体分三个阶段:播种后 40 天左右为第一阶段,这时根系生长快,此阶段地上部分苗高仅 6.2 厘米,占苗总生长量的 17%,地径 0.8 毫米,占径生长量的 3.5%,而地下主根长达 13.2 厘米,占总生长量的 50%。其中,前期 15 天为主根速生期,主根生长可达 10.8 厘米,占主根生长总量的 41.2%,后 25 天,侧根大量生长,占侧根总生长量的 44%，侧根数达到 10—15 条。播种 40 天后至 90 天为第二阶段，地上茎叶可快速生长，苗高达 20 厘米，净生长 14.0 厘米，占苗生长总量的 39.3%，地径生长量占径生长总量的 36.2%。第三阶段是育成的容器苗移栽。春季 4 月中旬，在移栽地挖深 30 厘米、直径 30—40 厘米的坑，将容器苗植入坑内，填土压实，坑略低于地表。移后加强护理，成活率一般在 80% 以上，秋后株高保持 20 厘米以上，根深 50—60 厘米。由于育成的容器苗较为高大、健壮，在年降雨量 80 毫米，蒸发量 3 200 毫米的干旱气候条件下，移植后，根系扩大，能充分利用土壤水分，得到较好的效果。

四、梭梭带的苁蓉繁育及其资源价值

梭梭的首要价值是将阿拉善梭梭带作为绿色生态屏障，发挥生态防护效益，但也不妨合理利用寄生在梭梭根上的一种寄生植物——苁蓉（Cistanihe deserticola），这是古人早已开发利用的一项名贵药用植物资源。

苁蓉（也称肉苁蓉、大芸）是著名的中药，有"沙漠人参"之美誉。李时珍在《本草纲目》中已有专论，现代的《中华药典》也有记述。苁蓉能益肾、壮阳、润肠、补精血，主治虚痨内伤、男子遗精、女子不孕、腰膝冷痛、肠燥便秘等。在蒙药中，用以补肾消食，主治消化不良、胃酸过多、腰腿痛等。作为传统药材不仅国内畅销，并出口日本和东南亚。过去苁蓉在阿拉善地区的产量很高，1944 年陈国钧在《阿拉善经济状况》中记载，仅阿拉善旗（包括阿拉善左旗、阿拉善右旗）30—40 年代，年产苁蓉约 25 万千克。20 世纪 60—70 年代产量达到高峰，最高年产量达 100 万千克，据《阿拉善地名志》记载，仅阿拉善右旗塔木苏格苏木和树贵苏木每年收购苁蓉达 50 万千克。20 世纪 70 年代以后，产量逐渐下降，至 20 世纪末阿拉善盟每年收购量仅 20 万公斤。苁蓉大幅度减产有两个原因，一是多年过量采挖苁蓉，使得资源锐减。每年春季都有大批城镇人口和农牧民，包括甘肃、宁夏的农民到阿拉善进行扫描式挖掘，苁蓉在未出土前才有药效，多年来在出土开花以前过量采挖，不留种源，必然濒临灭绝。二是苁蓉的寄主梭梭大面积衰退和消亡，寄主的减少当然使苁蓉的数量减少，梭梭植株矮小，寄主自身营养状况不良，也不利于苁蓉的健康生长，产量也会下降。

当前正在加强阿拉善的环境保护和生态建设，包括大规模、大面积地封

育保护梭梭群落，促进梭梭的更新复壮，从而逐渐改善苁蓉的繁育和生存条件，而且正在推行苁蓉的人工引种技术，苁蓉的多种工业加工产品也开始走向产业化经营，成为带动苁蓉增产和加强保育的动力。苁蓉与梭梭都是法定的国家级珍稀保护植物，也已列为内蒙古自治区的重点保护植物，封育保护梭梭群落，也是对这两种珍稀植物的保护。

　　苁蓉是传统的中、蒙药资源，是阿拉善地区的重要经济来源和农牧民的一项收入来源，既要切实保护珍稀物种资源，又要增加农牧民收入，就必须在梭梭群落得到恢复的过程中进行苁蓉的引种，人工引种苁蓉的技术已在20世纪80年代被科技人员攻克，此项成果曾荣获内蒙古自治区科技进步二等奖。从80年代起已有不少农牧民掌握了此项技术。人工引种的苁蓉可以保证优质高产，还能定时分片有计划地采挖，并切实保护梭梭群落，全面发挥生态和生产效益。

　　目前，阿拉善盟苁蓉加工生产厂家与企业集团正在组建，用苁蓉为主要原料已开发了多种产品，"苁蓉酒"在1993年获香港国际食品交易会金奖和美国保健技术产品交易会金奖，已获准国家专利（ZL96.108615－7），"苁蓉养生口服液"获准为国家科技"星火计划"项目（〔1999〕171号）。北京大学药学院、内蒙古大学、内蒙古农业大学正在与当地合作研发苁蓉有机食品和苁蓉纯天然特效中药产品。采用产、学、研相结合，"公司+农牧户"等办法，在阿拉善梭梭群落集中分布的乡镇组成苁蓉生产加工和保育基地，引导农牧民保育梭梭群落、人工引种苁蓉，便于企业收购原料和产品加工、成品走向国内外市场，最终将梭梭—苁蓉开发成一项阿拉善的生态产业。

第 十 五 章

继承和发扬游牧文化精髓，
寻求草原和谐发展新路

我国北方草原，是亚洲大陆草原的东翼，构成了延续 2 000 多公里的绿色大地，具有不可替代的生态防护功能。草原跨越了温带半湿润区、半干旱区及干旱区三个气候区。在温带草原区域之内构成了完整的气候空间梯度与景观生态梯度系列。东起嫩江、西辽河平原，经阴山山脉南北，西至贺兰山与黄土高原西部，随着气候湿润度的下降和热量的增高，使草原类型与景观结构都发生分异，形成了不同的草原地带。各地带的土地利用格局、生产经营方式与历史文化发展均有不同特色。

第一节　内蒙古草原是我国北方的生态
安全保障和民族文化摇篮

在内蒙古东部，从大兴安岭以东的科尔沁草原到大兴安岭西麓的山前草原是半湿润气候带，形成了森林、草原、沙地组成的景观生态格局。其中，樟子松针叶林、桦杨阔叶林、多种灌丛及五花草甸在丘陵与低山阴坡成岛状聚块分布。由贝加尔针茅、羊草、线叶菊和丰富多样杂类草组成的草甸草原成为景观生态结构的主体。在河流与沟谷湿地形成禾草草甸、杂类草草甸与沼泽草甸。西辽河流域的科尔沁沙地，是第四纪以来在冲积平原上风积形成的沙地，总面积4.5万平方公里，自东向西，依次分布着栎—槲稀树沙质草地、榆树疏林沙质草地、灌丛沙质草地等。

内蒙古东部的这一森林草原地带，具有林灌草相结合的生态多样性与资源环境优势，草地与土地生产力较高，适于农林牧多种经营。从新石器时代至青铜时代的先民就开始了原始的渔猎、牧养与农耕生产，在兴隆洼文化、红山文化及夏家店文化遗存中可以看到农林牧多元文化的特点。本地带的草原，占优势的高大禾草：羊草、贝加尔针茅以及多种杂类草最适于牧养牛马等大畜，到中世纪的辽金时期，已经形成了农耕与畜牧交错并存的格局。明、清两代多次社会变动和政策的引导，不少汉民北迁，促使本地区成为北方农牧交错带和民族文化融合的多民族聚居区。20世纪中期以来，随着社会经济发展与人口增长，土地、草地与水资源超载利用，使土地生产力下降，西辽河水量锐减，草原植被发生退化，排水不畅的湿地草甸发生盐碱化，沙质草地的沙漠化也在漫延。目前，这一地带的嫩江—西辽河冲积平原及各支流的河谷平原上有广泛开发的农田，形成了粮、油、经、饲多样化种植结构与初步产业化的经营模式。

内蒙古高原的呼伦贝尔、乌珠穆沁盆地，西至阿巴嘎熔岩台地，为半干旱气候，是高平原与丘陵相间分布的典型草原地带，以适应半干旱气候的大针茅草原与克氏针茅草原为主。近四十多年来的持续超载放牧，使草原生产力明显衰退，以冷蒿、糙隐子草占优势的退化草原广泛分布，但是典型草原的土壤仍保持以暗色栗钙土为主。在阿巴嘎熔岩台地和阴山山地之间的向斜构造基础上，形成了第四纪风成的浑善达克沙地，总面积 3.4 万平方公里，其东部有云杉疏林沙质草地分布，中部是榆树疏林沙质草地与灌丛草地的复合景观，西部以锦鸡儿沙蒿灌丛草地为主。但 20 世纪后期，浑善达克沙地中、西部的沙漠化已相当普遍。

蒙古高原上广阔的典型草原地带是北方民族长期从事放牧畜牧业的牧区，成为游牧文化的主要发祥地。早在公元五六世纪，蒙兀室韦和乌洛侯人开始从渔猎生产向畜牧生产转变，公元 7 世纪，已有蒙古先人部落从大兴安岭地区向大漠南北的辽阔草原转移，到 9 世纪，蒙古族与突厥、回鹘人的民族交往之中，继承草原畜牧生产与社会生活的经验，延续着草原游牧文明发展的历史篇章。在草原气候多变、多灾、干旱与冬季严寒的不良环境中，经过长期的自然选择和人工选育，逐渐培育了适应严酷气候条件和粗放饲养的家畜品种，创建了不同草原类型的季节放牧制度，形成了逐水草而居的合理利用草原与保护生态环境的观念，并制定出生产经营的规范和保证持续发展的法规。依靠草原和家畜生产，构成了牧民衣食住行的物质生活需求。在广袤的草原大地上，创作出与大自然共荣的艺术风格，书写出游牧民族壮丽的历史文化篇章。

阴山以北的苏尼特—乌拉特高平原（东经108°—113°50′），是干旱气候条件下演化形成的荒漠草原地带，其中也镶嵌分布着风积沙地，这是向亚洲内陆干旱区中心的过渡地带。生态系统结构十分单调，生物多样性贫乏，荒漠草原植被的主要类型是小针茅草原和沙生针茅草原，土壤以棕钙土为主。

阴山南麓山前平原与鄂尔多斯高原中东部丘陵地区，是暖温型草原地带，属半干旱气候，由于地形切割剧烈，水土侵蚀严重，造成破碎的草原与沙地景观生态格局。草原类型是以本氏针茅草原和短花针茅草原为代表。在砾石丘陵坡地上，白莲蒿、茭蒿、小亚菊组成草原变体，沙地与丘陵坡地上多有中间锦鸡儿、沙棘、黄刺梅等灌丛分布。库布齐、毛乌素沙地是暖温型草原沙地，总面积4.3万平方公里。其中，沙砾质硬梁地、沙质软梁地与滩地等景观与生物多样性构成了良好的资源组合。随着社会与民族关系的演变，人口的迁移与增长，沙漠化的威胁加重，正面临着生态保育和防治沙漠化的紧迫任务。

内蒙古中部阴山南北的草原地带是自然与人文景观多样性及生态地理格局错综复杂的地带，也是农耕产业与牧养产业交汇的地带。先秦战国时代，华夏地域即由中原向北扩展到阴山以南。秦始皇北征匈奴，占领鄂尔多斯及河套地区，迁入汉民，设置郡县，推行农耕。汉初，匈奴人南渡黄河，恢复牧地。汉武帝以后，阴山以南，长城沿线一带的农业与草原畜牧业构成了稳定的农牧交错地带，在发展农牧业生产之中促进了民族文化的交融。至唐代，因多年耕作，使黄土与沙地出现退化与环境恶化趋势，鄂尔多斯地区又为突厥、党项所据，开始设立牧监，促进畜牧业的发展。但邻近的黄河沿岸，"地甚良沃"，"人至殷繁"，当以农耕为主。13世纪，元代又推进了畜牧业的生产经营，形成了以畜牧为主，农业、手工业、商业并存的格局。14世纪中期，元明对峙，农牧生产基础削弱，直到明代中晚期，又形成了农牧互补发展的形势。清代统一了长城内外，内蒙古的社会走向安定，对畜牧业实行保护政策，用法律手段禁止扩大开垦牧场，直到光绪年间，在河套与黄河沿岸一带实行"开放蒙荒"的政策，1902 年在呼和浩特设立垦务总局，开垦种植，使河套与沿河成为耕地较为集中的地区。清代从康乾到光绪的两百年间，受粮食民需军需增长和民族关系的影响，给农牧交错带的结构和范围造成一定变化。总之，阴山与长城一带，因农牧交替发展，在草原游牧文化的发展中打上了农耕文化的深刻烙印。到 20 世纪，随着人口的增长，农业开垦和畜牧业规模的扩大，引起植被退化与土地沙化，使草原在生态安全格局中的重大功能受损。

内蒙古广大草原在民族历史的长河中一直是北国锦绣山川的一部分，哺育了一代又一代的游牧民族，成为民族经济和文化的摇篮。草原的绿色植被构成了完整的大地覆盖，草原土壤成为巨大的碳库，默默地维护着蒙古高原、松辽平原和黄河流域以至东亚地区的生态安全。生活在草原区的北方民族创造了与环境和资源相适应的游牧生产方式，形成了完整的游牧文化。当时的人口和家畜的数量尚未对草原造成强大而持续的压力。草原作为畜牧业的自然资源仍有较大冗余，为逐水草而居的游牧方式提供了可再生的饲草、水源和充足的地域空间。这种循环利用草原的制度，可以保证草原植物的更新和草原生态系统的物质平衡，可以有效地发挥草原的生态防护功能。可见，游牧文明的精髓就是要遵循自然规律，坚持人与自然和谐共存的理念，实现可持续发展。

第二节　从草原游牧文化精髓之中寻求宝贵教益

维护和改善生态环境已是当代世人所关注的发展问题，是生态文明的基本认识，总结历史经验，已经在理论上提出了具有深刻含义的人类可持续发展道路。在实践中，各国、各地区也不断探求具有民族特色和地区特点的经济模式与社会生活方式。在 21 世纪来临之际，我国不失时机地提出了实施西部大开发战略的宏伟任务，并且把生态环境保护与建设作为一项长期的根本任务。

在蒙古高原上，牧民的游牧生活经历了漫长的历史过程，这是北方各民族直到蒙古民族文化的历史性创造。其中，蕴涵着深邃的生态意识，具有高度的历史合理性和必然性。在这一民族文化遗产和当代的可持续发展观之间，存在着人类智慧一脉发展长河的联系。因此，对于我们今日要遵循科学发展观，寻求草原牧区经济发展的新模式和畜牧业的产业化途径，不无重要的有益启示。让我们对蒙古族游牧生活的历史价值，从全面认识草原生态功能、维护草原生物多样性、家畜品种的演化和培育、建立人与自然和谐发展的生态文明观念、实现区域协调发展和民族的兴旺等目标的视角，做一些有益的初浅探索。

游牧生产方式对草原的利用比较均衡，可以保证草原的更新繁育，维护了生物多样性的自然演化与宝贵基因资源的相对稳定性，使草原保持着循游放牧条件下自然生态系统的相对稳定，即十分接近自然气候条件的原生状态，成为家畜适度繁育和草原可持续利用的资源与环境保障。

草原是温带半干旱气候的特有生态系统，具有高效转化太阳能与固定碳素的功能和可更新机制，由多种草本植物的种群与其他生物多样性成分以及复杂的非生物环境因素所组成，是长期历史演化的结果，成为相对稳定的自然演替"顶极"（Climax）。在逐水草而迁徙的游牧生活中，家畜放牧采食率比较均衡，对这一自组织系统的顶极状态不足以发生强烈的干扰，因此，系统的自我更新与自我调控机制不被突破，生态系统中的绿色植物种群和其他生物种群占据着各自的生态位而得以繁衍，保持着和谐的群落自组织生态过程。这些绿色植物种群构成了家畜充足的营养源和良好的营养组合。蒙古族牧民就是依托天赐的草原生态系统创造了符合历史条件的游牧生活方式，牧民的绿色情怀就是草原生态文明的历史产物。

游牧生产发挥了草原生产力和生物多样性的优势，既保证了家畜的基本营养物质组合，又锻炼了家畜的生态耐性，适应于寒冷气候和粗放的牧养管理方式。在草原生态系统的协同进化中选择了耐性很强的地方家畜品种，形成了严酷环境和粗放经营的家畜最佳生产性能与优质畜产品。草原的家畜经历了长期驯养，成为草原生态系统不可缺少的成员。呼伦贝尔草原冬季气候寒冷，在半湿润与半干旱条件下形成的草原，牧草种类繁多，草群高大密集，成为"三河牛"、"三河马"的原产地。乌珠穆沁草原的牧草组合是乌珠穆沁肥尾羊经多年人工驯养而选择成功的地方良种，作为肉用羊，很受各民族人民以及阿拉伯世界的广大穆斯林民众欢迎。苏尼特羊是适应于蒙古高原荒漠草原旱生小禾草——小型针茅、沙芦草、糙隐子草和沙葱等植物组合的产物，是深受欢迎的涮羊肉的优良肉羊品种。阿拉善双峰驼是与古老的阿拉善荒漠协同演化的著名优良品种，具有耐饥渴、采食粗饲料、适应风沙、可远行等特殊遗传基因组合，成为生物多样性重点保护对象，正在积极采取有效的保育对策，并继续开发这一优良畜种的潜在资源价值。

在游牧生活中，草原和家畜是蒙古民族和许多北方兄弟民族生存繁荣发展的物质基础，广阔的草原环境和肉、乳为主的饮食结构造就了可远行跋涉、不畏艰苦、善于骑射、武功高强的健壮体魄，无愧为世界民族之林的英雄天骄。绿色草原所提供的第一性生产（植物产品）与游牧方式的第二性生产（动物产品）紧密结合起来，是人类经营农业的历史性创造。游牧生活恰恰构筑了天（气候环境）、地（土壤营养库）、生（生物多样性）、人（人群社会）的生态—经济—社会复合系统，该系统是在历史条件下达到的能量流动与物质循环高效和谐的优化组合。草原牧养的家畜，完整地构成了蒙古族等民族的食、衣、住、行基本物质保障。牛羊肉乳提供了完全营养的高蛋白洁净食品系列产品，毛绒皮革是制作服装、居住（蒙古包）、交通工具、生产生活用品的重要材料，牛马驼又是役用、军用的动力资源，畜粪也成为生活中的燃料能源。总之，草原家畜在蒙古民族的生存与发展中是全部生物能源中最主要的部分。再加上与中原民族交往中得到的粮、茶、丝绸等，保证了游牧民族体质健康与繁荣发展。

蒙古族人民热爱草原，爱护家畜，保护生命，维护环境的朴素感情是人与自然和谐相处的精神体现，是十分可贵的生态意识，是当今实施可持续发展模式的良好思想基础。追求艺术，崇尚科学的优良传统，更是人类走向文明祥和的精神动力。游移放牧的完整规范，可以保持草原自我更新的再生机制，维护生物多样性的演化，满足家畜的营养（能量）需要，保障人类的生存与进步。这是草原复合生态系统结构与功能协调有序的耦合效应。存在决定意识，这种优化系统组合必然成为生态观念的客观根据。所以在草原民族文化中，从意识形态、科学技术、伦理规范、民风习俗、宗教信仰等诸多方面都蕴涵了鲜明的生态观念与环境意识。

大自然也是草原民族文明发展的源泉。广阔无垠的草原景观，塑造了高亢豪爽的音乐艺术风格与民族性格。依托于大自然的生产与生活方式，培育了人间互相友爱、私有观念淡薄和崇尚自然的民族精神。蒙古族等民族的文化传统与民族学、蒙古学的不断发展，无不具有草原风情的烙印。在蒙古民族等各民族的发展史中，书写了人类文明宝库中值得自豪的绚丽篇章。

在长期的社会实践检验中形成的认识，将永远包含着真理的内核。今日的世界已进入人口剧增、科学爆发、知识经济、信息社会的时代，原始的游牧生活已不是当今时代的需要。现代化的目标，可持续发展的理论和实践为人类的前途命运勾画了光明之途。但是走上人口、资源、环境、经济协调可持续发展的道路应成为亿万人民的共同行动，是科学与群众的结合。因此，民族遗产中生态之道的基本认识必将在登上可持续发展的现代化航船中成为有用的阶梯，在全面建设小康社会的征程中为落实科学发展观提供借鉴。

第三节　时代的呼唤和新世纪的日程

游牧文化的科学内涵当然是可贵的历史遗产，但是时代的步伐在疾进，20世纪的人口剧增，全球气候变化，土地荒漠化，生物多样性的衰亡，淡水资源与能源的紧缺等诸多生态与环境问题向世人提出严峻的挑战，正激起人类的生态觉醒。走可持续发展之路，将成为21世纪人类文明的鲜明标志和时代的呼声。鉴于1992年联合国环境与发展大会对可持续发展道路的共识，国务院及时制定了《中国21世纪议程》，又相继编制了《全国生态环境建设规划》。20世纪之末的这两个指导性文件都把北方草原列为生态与环境保护和治理的重点地区。为此，必须遵循自然规律和经济规律，合理利用草原，采取科学对策，切实维护草原整体生态功能。按照科学发展观的指导，在内蒙古草原地区实行工业化、城镇化和农牧业产业化互动的发展之路，把逐步建立新型草原产业体系作为新世纪的重要战略任务。

一、维护草原自然更新和草畜平衡的机制

在我国的草原大地上，有长期以来形成的"草原—畜牧"的思维定式和农耕文化的单纯认识。往往只把草原视为天然牧场或待开垦的处女地。对草原生态系统的整体功能和承载能力尚未形成完整准确的科学理解，也未曾体验过大范围草原退化与环境恶化的后果，草原的巨大环境效益常常被人们

所忽略。20 世纪后期北方草原的超载利用和盲目开垦，引起大面积草原退化和沙化，这是大自然给我们发出的严重警告。面对严峻的生态与环境灾难，借鉴历史经验，继承游牧文化中的人与自然和谐共生的理念，运用现代生态科学原理，在草原保护、利用和管理中，必须坚持维护草原生态系统的能量、物质代谢效率，生物多样性的自组织功能，草原植被的物种组成，第一性生产力水平与自然更新机制，持久地实现草畜平衡的基本原则。

半干旱草原区由于受气候波动，蒸发强烈、冬季严寒和水热资源的限制，必须正确测算天然草地生产力及其季节间的差异和年度间的变率。为使草原的更新机制不受损害，植物的放牧采食量和收割量不能超越草地生物再生能力的阈限。在发展人工饲草料生产的同时，必须实行轮换休牧制度，设定每年的禁牧期，以利牧草返青和正常生长，保持草原生产力可持续和生态系统健康。

在典型草原地区进行的季节性休牧和建立合理放牧制度的实验，证明了从 4 月中旬到 6 月中旬休牧 50 天，可使草地植物全年的生产量增长 60% 以上，可为夏秋季草地放牧提供充足的优良牧草储备，也为草地植物体内增加了物质积累，有利于来年的植物再生和草地更新。因为草原植物的越冬休眠芽到 4 月中、下旬开始萌芽，随即进入植物枝叶生长的旺盛时段，有些植物种子也在 4 月中旬萌发，这是植物种群繁育的新生个体。如在这一时期连续进行放牧，采食新生的幼枝和幼苗，必将严重抑制植物的继续生长，使全年的植物产量减少。春季实行休牧，到 6 月中旬已经初步形成了枝叶系统，为全年的生产奠定了物质基础。因此，必须依据草原生态系统的这一基本规律，按照不同草原类型的特点，制定合理的休牧与轮牧制度，使草原生态系统的自然更新机制不受损害。

严重退化的草原，因草群质量低劣，生产力已明显下降，必须实行围封，根据实验结果，大约封育 5—8 年，草群结构和生产力可以基本得到恢复。中度退化的草原也应严格控制放牧强度，在围封与轻度放牧的过程中使草群得以更新。退化草原实行封育，消除了放牧家畜的践踏和选择性采食的影响，使过度放牧利用下发生严重退化的群落环境得以恢复和改善，组成群落的各种植物通过生存竞争和种内、种间的相互作用，使冷蒿群落、星毛委陵菜群落逐步向适应当地气候条件的针茅或羊草群落的方向演进，草原的植物种类及各自的群落学作用发生了明显变化。根据各种植物在恢复演替过程中出现与否及其数量变化，可以把这些植物划分成增长种、衰退种及恒有伴生种三个类群。

增长种是指在退化群落中数量稀少，而在恢复过程中逐年增多的植物种群。这类植物主要有羊草、大针茅、冰草、洽草、西伯利亚羽茅、山葱等植物。冰草在封育的第五年可明显增长，羊草到第八年明显增多，成为群落的优势种。大针茅、洽草等也逐渐增长。

衰退种在封育恢复中，逐渐趋于减少，包括冷蒿、变蒿、糙隐子草、星毛委陵菜、阿尔泰狗哇花等，从原来的优势种逐渐变为群落的伴生种。

恒有伴生种在恢复演替过程中存在一定的波动，大多属于群落的伴生成分，因此，将它们定为恒有伴生种。这些植物包括黄囊苔草、双齿葱、野韭、二裂委陵菜、防风、瓣蕊唐松草、芯芭等。在退化草原封育实验中各种植物的变化的数量可列入表 15-1。

表 15-1　退化草原恢复演替过程中群落结构的变化

（单位：干重 g/m²）

植物种群	第1年	第2年	第3年	第4年	第5年	第6年	第7年	第8年	第9年
小叶锦鸡儿	8.2389	8.5652	5.6438	6.0096	6.6583	6.8864	6.2914	6.8536	6.8707
冷 蒿	4.4388	13.3171	15.3832	14.533	13.2631	11.1231	9.577	9.1694	6.2874
大针茅	6.8338	10.0137	10.0226	11.6864	9.1432	8.9905	14.6043	16.4742	16.9596
糙隐子草	10.9618	7.9078	7.4366	7.7779	9.0655	10.3198	9.7679	11.9528	11.734
冰 草	27.5846	20.6495	23.4866	20.3821	30.7006	16.0262	23.0311	17.8812	17.7773
羊 草	14.5933	18.4435	18.6421	17.7213	17.8191	21.3900	20.6193	23.6143	24.0672
苔 草	0.6746	1.4265	0.8257	1.1481	1.0715	0.8795	1.2157	0.8476	0.8715
鳞茎草	12.5054	11.8629	11.2094	12.0152	9.4052	12.6915	12.6915	12.3070	14.0276
一年生植物	7.1971	7.9138	7.35	8.7364	5.8736	4.3488	5.3018	4.8999	5.4047

二、草原土壤结构与功能的调控及改良

在草原生态系统中，土壤是能量与物质代谢的营养库，其物质积累和物理化学性质是在千年之久的地球生物化学过程中发育形成的，成为草原生态

系统物质循环与能量转化的枢纽，是维持草原生态系统生产力的物质保障。草原经过长期退化，生物积累减少，表土侵蚀加剧，使土壤营养库的肥力要素趋于衰退。因此，退化草原的土壤改良，必将有力地促进退化草原的恢复演替。

土壤结构的改良是最现实的改良措施。退化草地经过耙地松土后加快了群落种类组成及产量结构的变化（表15－2）。实验证明，羊草的高度可提高一倍，达到40—50厘米，密度由49枝/平方米上升到115枝/平方米，地上生物量增加29%；其他禾草的地上生物量比例由43.5%上升到57.2%；豆科植物的比例由6.2%上升到12.3%，而菊科植物地上生物量比例由41.14%下降到16.6%。

退化草地松土改良后，草群地上生物量的98%集中在0—40厘米层内。群落地上生物量与地下生物量比值（T/R）一般在0.6左右，松土改良后的T/R比值为1.15，即地上生物量增长较多。可见，在草原半干旱气候条件下松土改良效果良好。

表15－2　退化草地轻耙松土8年后主要植物种群数量特征的比较

植物名称	对　照（CK）			松土轻耙		
	高　度（cm）	密　度（株/m²）	干　重（g/m²）	高　度（cm）	密　度（株/m²）	干　重（g/m²）
羊草 Leymus chinensis	31	49.00	42.23	50	115	60.47
冰草 Agropyrom michnoi	33	10.00	33.55	39	21	48.37
糙隐子草 Cleistogenes squarrosa	8	2.00	4.08	11	8	1.54
洽草 Koeleria cristata	17	8.00	10.80	12	6	2.27
大针茅 Stipa grandis	30	6.00	11.8	68	6	28.30
变蒿 Artemisia commutata	44	2.00	0.92	34	8	7.47
黄蒿 A. scoparia	30	3.50	3.66	4	9	9.63
冷蒿 A. frigita	17	3.00	4.81	11	4	4.22
阿尔泰狗哇花 Heteropapus altaicus	23	6.33	6.60	16	3	0.80
双齿葱 Allium bidentatum	25	3.75	0.80	21	12	5.53
小叶锦鸡儿 Caragana microphylla	28.5	10.50	23.46	34	1	1.47
扁蓿豆 Melissitus ruthenica	32.2	20.00	9.37	20	5	5.66
星毛委陵菜 Potentilla acaullis	4	1.00	4.02	3	1	1.50
二裂委陵菜 P. bifurca	14.5	5.50	2.54	19	3	2.10
群落总产量		228	108.00		287	202.50

三、合理利用水资源，开发适宜的土地，建设节水的人工草地与饲料地

草原是水资源稀缺的地方，灌溉用水过量，必然更加缺水。而且地表水的丧失和地下水位的下降也必然引发新的环境问题和灾害。但是，水利设施是建立人工饲草料基地的必备条件，建立多种人工饲草料基地是减轻天然草场压力，使之得以休养恢复并实行放牧与饲养相结合模式的保障措施，是草原畜牧业今后再发展的重要物质基础。草原区水利建设面对的困难是水资源较贫乏而且分布不均，水文条件与水资源的勘探不足，地下水埋深往往超百米，工程投资大（机、电、井造价都高），运行成本高（电路损耗大），投资效益低。需要国家投入并给予动力和运行费用的补贴式优惠，以利于调动地方政府和牧民加快牧区水利建设的积极性，使他们建得起，用得起。

在降水量350毫米以上的草原地区，大兴安岭东、西两麓和阴山南北的山前丘陵地区，如嫩江、西辽河、乌拉盖河、闪电河流域，科尔沁沙地、浑善达克沙地东部、毛乌素沙地的许多丘间滩地都是水资源较多的地区，也具有较好的土地资源，是可以建设饲草基地的主要地区，应作为水利建设的重点。但必须统筹规划，对水资源总量及其时空分布与变化要作出可靠的评价；把生态环境耗水，草原及其他天然植被耗水，人工林草植物用水，农牧业生产用水，工矿业与其他社会经济发展及居民生活用水等进行科学的测算；并对水资源的开采利用留有必要的余地，按照水资源可持续利用的战略要求，进行水资源的合理配置和水利设施的建设。

利用河谷滩地、湖盆洼地、沙丘间低地等地下水位较高的适宜土地（约占草原总面积的5%—6%），建立各种非灌溉及适度补灌的人工草地与饲料地是草原生态环境建设和草原畜牧业集约化经营的主要措施，是一项具有长远意义的生态产业工程，需要长期坚持不懈地以产业化的方式推进这一工程建设。当前，退耕还林草、退牧还草、防沙治沙等重大生态建设项目中都含有草地建设的内容。今后更要以发展家庭牧场和招商引资等多种途径促进草地与饲料生产和家畜育肥基地的建设，向草畜一体化的集约型产业模式发展。

四、草原生态保育走向法制管理

草原是国家生态安全保障体系的重要支柱，是国家的宝贵资产。目前，国家法规体系的建设中已有《草原法》《森林法》《土地法》《环境保护法》《水法》《水土保持法》《防沙治沙法》等多项相关的法律，为草原的生态保护与建设提供了重要的法律保障与法制管理。应根据草原地域特点的差异，以国家法律、法规为指导，各省区旗县市制定适合当地草原情况的草原保护、建设、使用的细则。对牧户使用的草地，要限定适当的使用强度，设定维护目标，切实做到草原使用权和草原生态环境维护义务的同时落实，并建立草原生态环境监测体系，作为法制管理的科学依据。

牧民保护草原不仅保护了自己的生产生活条件，同时也具有公益性，可使周边地区的环境得以改善。对围封禁牧式维护自家草地，效果良好的牧民给予金钱奖励，以抵偿少养牲畜而减少的经济收益。可把恢复与建设草原植被的工程任务按照公司+牧户的办法交付牧民承担，达到预定标准后，给付补偿。为防止超载过牧，可考虑制定适当的办法，对超载的牲畜征收较高的税费。

参照联合国的有关国际组织所创议的"生物圈保护区"、"自然遗产保护地"、"文化遗产保护地"的原则和目标，应根据草原地区不同生态经济类型区的特征，建立一些适应可持续发展战略要求的"草原自然、经济、文化保护区"。

目前，国务院有关部门（国土资源部、环境保护总局、林业总局、农业部等）已联合发出通知：要求各地在自然保护区事业发展的新阶段，坚持依法管理，以质量效益为主要目标，并坚持规模数量和质量并重的方针。为此，要把"草原自然、经济、文化保护区"的建立作为北方草原生态安全带建设的一项重要措施。

五、建立草原新型农牧业体系，推行工业化、城镇化，全面建设草原小康社会

内蒙古草原牧区，具有经营放牧畜牧业的历史传统，又有地方优良家畜品种和草地资源。目前，正在推行休牧、轮牧等合理利用与保护草原的制

度，并可大力营建旱作的、乡土式的、节水型的多种形式的人工草地和饲料地。可以按照集约化经营的模式实行夏牧冬饲，把牧区建成家畜繁育基地应成为主导方向。牧区以南、以东的农牧交错区，兼有种植业和畜牧业的资源与环境，具有种养结合，进行家畜育肥的有利条件。牧区与农牧交错区优势互补，实行系统耦合，可以开创集约化、产业化的新型农牧业生产体系。并应按照统筹城乡一体化经济社会发展目标，建设新型草原产业带。

在草原严重退化，环境极度恶化的地区，实施生态转移是十分必要的。草原沙地和荒漠草原是植被稀疏、牲畜过多的地区。荒漠化正在扩展，一些严重荒漠化的地方必须退牧还草，恢复植被。把超载的畜群转移到资源与环境条件较好的地区。经过几年的封育，根据草原植被恢复的成效，还可以为夏秋放牧、冬春饲养、异地育肥和北繁南育体系的建立与推行创造条件。转移牧民，可使草原减轻重负，得到保育。实施休牧转移应与草原区的城镇化和产业化发展目标紧密结合。为了建设北方草原生态安全带的根本大计，政府在当前已对牧区实行"退牧还草"的扶持政策，探索草原区可持续发展的多种经营模式。

草原地区不仅具有独特的农牧业资源、环境和传统，又有煤炭、石油、天然气、风能、太阳能、生物质能等多元能源优势，还有金属、非金属矿产和盐碱等多种原材料的独特资源，许多生物资源也有待合理开发利用。内蒙古草原又有许多的大小陆路口岸城镇。草原地区依托大中城市的支持，扩大开放，必将成为工农业经济全面振兴的新型产业基地，在我国全面建设小康社会的战略任务中作出草原地区的独特贡献。

当前，草原区各级政府和群众已经在新世纪行动起来，对草原保护、草原建设制定了可行或试行的办法，正在积极探索可持续的畜牧业经营模式。国家已开始对草原生态环境进行投入和大规模的治理。我们认为，完善对生态建设投资的优化管理体制，切实依靠科学技术，严格遵循自然与经济规律，草原地区实行"休牧轮牧、建设草地，夏牧冬饲、异地育肥，增加投入、集约经营，优化管理、确保安全，系统开放、互动发展"的模式，在能源、交通、水利等基础设施建设的发展中，在新型工业化、城镇化及农牧业产业化的综合发展中，必将实现草原生态安全与农牧民富足的目标。

第 十 六 章

蒙古族生态文明的优良传统

生态文明，是人类对生态系统的属性与运行规律的本质反映，是人们依据生态系统的再生活力、自组织力和恢复力，不断优化地解决人与自然关系的问题中所积累的经验、理性认识和观念的文化体系。生态文明包括人类为解决所面临的种种生产、生活与环境问题，为了更好地适应环境，与自然和谐相处，求得人类更好地生存与发展，所采取的种种手段与对策。总之，生态文明是特定的民族或地区生产方式、生活方式、风俗习惯、伦理道德、宗教信仰、社会交际与科学探索等文化因素的长期积淀所构成的文化体系。它具有独立特征的结构和功能，是长期沿袭传承又与时俱进地针对生态资源进行合理摄取、利用和保护，实现可持续发展的保障。

第一节　狩猎文化与畜牧文化的演进

蒙古族具有独特而丰富的传统生态文化遗产，是以狩猎文化类型和畜牧文化类型为主的文化体系。狩猎活动可以上溯到旧石器时代，人类生产力的一次重大跨越，就是从狩猎活动向畜牧生产的转变。这种转变延续了许多世纪，大约经新石器时代，在人类生活的某些地区才实现这一演变，此乃人类历史早期的一次革命。从生态学角度来看，这是人类面对生态系统的变迁为适应环境而作出的文化选择。畜牧显然是不同于狩猎的更高级的生产活动，是利用天然草地进行牲畜放牧的生产经营，进行牲畜的饲养和繁殖，获得比狩猎时代多得多的动物产品。蒙古民族的先民不断地创造以驯养牲畜为生的智能与文化，他们衣皮革，居毡帐，乘坐骑，食肉饮乳，衣食住行和牲畜须臾不可分离，牲畜不仅仅是他们的生活资料，也是他们的生产资料。所以，畜群繁育得好坏，直接影响着人们的成败兴衰。随畜迁徙，是游牧生产和生活的主要特征，牲畜需要到哪里，人就到哪里。牲畜受制于大自然的安排，牧民也要按照自然节律移动，牲畜和人都要接受自然法则及环境的制约。大自然的变化成为游牧经济必须顺应的客观规律。面对不可抗拒的严重自然灾害就难免遭受重大损失以至倾家荡产，还要再利用草地环境与资源的有利时节重振家业。这是游牧经济的基本经验。

蒙古族的生产活动是遵循畜群习性及草地季节规律，逐水草而迁徙的游牧方式。所以蒙古族的传统生态文化就是在从事游牧生产、生活实践中产生的，并指导这个伟大的实践，使蒙古民族得以生存和发展。根据气候的季节差异和草地的类型不同，划分春营地、夏营地、秋营地和冬营地，进行轮换放牧与饲养，是蒙古族牧民在草地资源利用方面的重大创造。春营地一般选择背风向阳的低洼草地，便于接羔，可使母畜和幼羔的安全与健康得到一定的保障。夏营地一般选择离水源较近、地势较高、蚊蝇较少的草地，保证牲畜采食牧草丰足，饮水方便，促进牲畜尽快增膘体壮。秋营地要选择禾草与葱属植物较多的草地，有利于牲畜不失时机抓秋膘，增强越冬御寒的体质。冬营地要选择地势较低，有地形屏障，草群较高大，可减轻风雪侵害的草地，也便于就近储备干草，利用营养价值较高质量良好的禾草，以利于抗御风雪灾害健康过冬。

畜群按季节移动放牧采食，用过的草场到第二年才能再用。夏、秋营地也只能随畜群移动放牧，以保证牧草再生，不会发生草地退化，既合理利用草地资源又可保护生态环境。蒙古族牧民经过长期的生产实践，深深懂得这些草地生长与合理利用的道理，形成了完整的移动放牧与轮换放牧的规范和制度，是人类顺应自然规律，适应自然环境的生产方式和生活方式。这一古老历史文明的传承是千百年来人与自然和谐共存，做到持续发展的根本保障。

"敖特尔"是蒙语译音，意为"移场放牧"，俗称走"敖特尔"或"走场"。蒙古族牧民除了根据季节规律和草地的具体情况进行轮换放牧以外，在水草不足或遇到自然灾害时，需要走"敖特尔"来解决牲畜的缺水缺草问题。"敖特尔"分为"轻便敖特尔""近程敖特尔""远程敖特尔"和"特殊敖特尔"。无论哪一种"敖特尔"，一般都选择少有人占用的草地和富余的草地进行游牧。走"敖特尔"既有利于在灾年使牲畜安全度荒，又能有效地使草地休养生息。

第二节　保护草原，关爱生灵

在长期的生产和生活实践中，蒙古民族对赖以生存的草原生态系统多样性、物种多样性与遗传多样性的资源利用和保护所积累的丰富知识和经验，代代相传，已成为蒙古族传统生态文化的主流内容。蒙古人的饮食结构中肉乳是主要食品，其中氨基酸与脂肪酸含量很高，在生活经验中蒙古人选择了饮茶成为最大爱好之一，这是完全符合营养科学原理的选择。奶茶已成为他们日常生活的必需品，这是对人类食品文化的杰出创造。出于饮茶的需要，牧民们从草原植物中选择了许多可用作茶叶代用品或添加品的植物，叫做"野茶"，天长日久，形成了一种独特的茶文化，包括了对植物种类的识别、选择，可利用部位的确定，采集季节，采集方法等内容。内蒙古师范大学民族植物学研究所1986年的调查资料表明：内蒙古地区蒙古族民间利用的茶用植物，经分类鉴定，共有分属于11科的20种植物，包括裸子植物2种和被子植物18种。其中蔷薇科包含得最多，共有8种，均有重要利用价值。因茶用部位的不同而植物的采集季节和方法也有所不同。有些种类适合于秋季采集，有的则一年四季均可采集，有的采全株，有的则只采有用部位。由于各部位的采集时间分散在各个季节，而且在冬季和早春也可采集枯叶、枝条、干果皮和根来做茶，因而民间在一年四季的任何时间都有茶可采集，符合游牧生产的环境条件和生活方式。从资源的均衡可持续利用观点看，蒙古族对多种植物的各种部位在不同时间进行采集利用，不仅保证了他们的用茶需要，更重要的是，依据这种知识和经验去采集与利用植物，可以避免掠夺性采集，保证植物在不采集的间歇期内可以充分再生，不会发生茶用植物资源的枯竭和生态系统受损。在当今的牧民生活中，商品茶叶的品种丰富，供应充足，蒙古族的茶文化知识也随之被淡忘以至可能消失，因此，值得进行记载和传承。除了茶用植物以外，蒙古民族在利用其他食用植物、香料植物、纤维植物、药用植物等草原植物资源时，都特别注意植物的有效繁殖。如采集黄芩（Scutellaria baicalansis, geogi）、草乌头（Aconitum kosnezoffii, reichb）等蒙药植物，只利用植物枝叶，不损害根部，以利于这些多年生植物的再生。

蒙古族牧民有在初春火烧原野枯草的传统，这样做的好处很多：烧净往年枯草，可使夏营地减少蚊蝇虫卵，预防蚊蝇泛滥。也会把枯草变成灰质速效自然肥料，使新草长得既快又茂盛，畜群能够及时采食青草抓膘。还能为秋季的割草创造有利条件。如果不把枯草烧掉，到秋季割草时不但很费力，而且青草与枯草相混，降低储草质量，影响牲畜的营养。蒙古族牧民提倡在初春火烧原野枯草的同时，严禁秋季荒火。牧民认为秋季荒火不但烧掉冬春季草场的牧草，对畜群过冬有极大的危害，甚至草原植被的地上枯草也被烧光，以致草地在冬春季易于风蚀沙化。所以，古代蒙古社会，在严禁草原秋冬荒火方面制定了十分严厉的处罚条例。潘世宪在《蒙古民族地方法制史概要》中引述了台湾李则芬先生的《成吉思汗新传》中"禁遗火而燎荒，违者诛其家"，又引证了在《黑鞑事略》中记载的"遗火而炙草者，诛其家"。《阿拉坦汗法典》规定的"失荒火之死亡者，罚三九，以一人或一驼赔偿顶替，烧伤断人手足，罚二九，烧伤眼睛，罚一九，烧伤面容，杖一，罚五畜"。《卫拉特法典》规定："失放草原荒火者，罚一五，荒火致死人命，以人命案惩处"，"因报复而放草原荒火，以大法处理"。[①] 用生态学观点来看，无论是初春烧荒，还是严禁秋冬荒火，都是保护草原生态环境的明智之举。蒙古民族也十分注重保护草原土壤，尊大地为"万物之母"，对开垦土地有严格规定，在游牧迁居过程中要整理驻地遗址。1942 年日本学者后藤十三雄著《蒙古游牧社会》中说："极为了解土壤荒芜结果的蒙古人，为保全牧场付出很多心血。例如怕秋季野火烧毁牧场而警戒，不耕土地不挖坑穴……结果确实是避免了牧场的荒芜化。"

蒙古族牧民在保护牧场方面的一些良好习俗很值得我们深思。自古以来，蒙古族禁止在草地上任意挖坑、挖草根，即便是在游牧的短期驻地必须

---

① 潘世宪：《蒙古民族地方法制史概要》，呼和浩特市蒙古语文历史学会 1983 年编印。

挖的灶坑，木桩的埋坑等都要在离开时及时填平，以免破坏草场。尤其是在草原的青草发芽之际，不允许动土。必要时，哪怕挖一锹土也要举行宗教仪式，请求神灵宽恕。也不允许任何人和车辆随意碾压草地，以免破坏草地植物和土壤。《黑鞑事略》也有记载："禁草生而刨地者……诛其家。"

牧民在草地上放牧时，收集优良牧草的种子，随身携带，在放牧时撒下种子，促使草地牧草繁殖，生生不息，具有改良草场的作用。蒙古族赖以生存的草原生态系统，也为鼠类提供了食料和隐蔽场所，成为有害鼠类繁殖的天堂。众所周知，草原鹰、普通鹰、毛脚鹰及草原雕等食肉猛禽是这些有害鼠类的天敌。蒙古族牧民利用鼠类的这些天敌，控制有害鼠类种群的繁殖。为此，除了同鹰类和谐相处，不加伤害外，在猛禽稀少之地，竖立招竿，供猛禽栖息，以便招来更多的猛禽来灭鼠。这是符合生态学规律的一大发明。

蒙古民族的狩猎不仅是一种生产与经济补充，又是体育运动和娱乐活动，也是一种军事训练。蒙古人狩猎分集体围猎和个人打猎。无论是何种狩猎，都不允许滥捕滥杀。早在习惯法时代，蒙古社会就对动物的保护及狩猎有相关规定。按蒙古族习惯法，春不合围，夏不群搜，保证野生动物交配繁殖。入冬下雪之前，春季雪融之后，禁止狩猎；不得捕杀和惊动怀孕或带幼仔的野生动物；狩猎不能一网打尽，每次围猎必须放生所猎各种动物至少一雌一雄，幼崽要全部放生，不捕或少猎雌性动物。13 世纪，成吉思汗西征，就曾下令：大军路过各地时对一草一木都要保护。在西征返回途中，大军围猎捕获野生动物数十万，烙印后全部放走，因为当时是野生动物繁殖季节。民地蒙哥汗是一位十分喜欢打猎的大汗，但他也曾下令"正月至六月尽怀羔野物勿杀"。到了元朝，忽必烈皇汗向全国颁布命令，严格规定了禁猎区和禁猎物种，禁止捕杀野猪、鹿、獐等动物，保护天鹅、野鸭、鹘、鹤、鹧鸪、秃鹫等飞禽。① 13 世纪之后，陆续颁发了一系列成文法，对野生动物的保护制定了更具体的条例。比如《阿拉坦汗法典》规定："偷猎野驴、野马者，以马为首罚五畜；偷猎黄羊、狍子者，罚绵羊等五畜；偷猎雌雄鹰、鹿、野猪者，罚牛等五畜；偷猎岩羊、野山羊、麝者，罚山羊等五畜；偷猎雄野驴者，罚马一匹以上；偷猎貉、獾、旱獭等，罚绵羊等五畜。"清朝时

① 潘世宪：《蒙古民族地方法制史概要》，呼和浩特市蒙古语文历史学会 1983 年编印。

期制定的《喀尔喀法典》中明确规定了禁猎期和禁猎区，第136条规定："不许杀无病之马、鸿雁、蛇、青蛙、黄鸭、黄羊羔、麻雀、狗，见有捕杀者，罚要其马。"蒙古族保护生物的法规内容丰富，条款具体，奖罚分明，便于操作，已成为全民性的生态保护法规。1251年，蒙哥汗发布登基诏书说："要让有羽毛的和四条腿的、水里游的和草原上生活的各种禽兽免受猎人的箭和套索的威胁，自由自在地飞翔与遨游，要让大地不为桩子和马蹄的敲打所骚扰，流水不为肮脏不洁之物所玷污。"

第三节　顺应自然的生活方式

保护水源也是蒙古牧民在逐水草而居的生涯中必然形成的理念和实际行动。他们深知水是生命之源，以至把河川、湖泊、泉水奉为神灵。在为河湖等命名时也采用敬重之词，例如把河流称为"哈腾郭勒"是"母亲河"之意，把湖泊称作"达赉淖尔"意即"海洋之湖"，"额济淖尔"是"圣母之湖"的敬意，"阿尔山宝力格"是"神泉"之意。蒙古族不仅以敬爱之情看待各种水源，而且对保护与利用水资源也有重要的行为准则。他们十分注重保护水源的清洁，不允许把生产与生活中的污水污物排入河湖之中。对牲畜饮水也有选择，避免饮用有寄生虫卵的不洁之水。

古代蒙古人走出原始森林来到草原，成为逐水草而迁徙的游牧民之后，他们的居住方式也由原来的圆顶式窝棚或木结构棚舍演变成穹庐式毡帐。毡帐俗称蒙古包，以柳条、白桦、松木制成的陶脑（天窗）、乌尼（檩椽）、哈那（围墙）组成框架。所用木材可就地取材，灌木、树枝均可利用，对森林不构成破坏。毡帐上面覆盖的毡子和捆扎用的毛绳与皮绳，用羊毛、马鬃、骆驼皮和牛皮制成。蒙古包的结构简便、设计巧妙、搬迁方便，妇幼老弱都能拆会搭。拆卸只需30—40分钟，拆后装载勒勒车拉走。搭建"哈那"和"乌尼"只用30分钟，盖好毛毡，勒紧绳索，不超过1小时。蒙古包顶上有天窗，采光和通风良好，寒冬和酷夏都能适用。因其呈流线型，圆而不锐，迎风而立，所以刮风下雨时也岿然不动，体现了"天圆地方，人在其中"的理念。这是体现了蒙古族牧民的哲理思想与科学创造相结合的产物。蒙古包的突出优点是对草原自然环境的高度适应，避免了在草原上集中居住与城镇化所带来的弊端，对草原环境不构成损害，能够实现草原生态系统的和谐共生。牧民从旧址搬到新址，自觉对旧址进行清扫，掩埋垃圾和灰烬，防止荒火，保证牧草再生。蒙古族传统的畜圈一般都采用圆形构造模式，这种畜圈节省材料，可以有效地抵挡风力、牲畜的冲撞力等圈内外的冲击力，也避免了圈内形成死角造成牲畜的相互挤压，有利于圈内靠风力形成螺旋上升气流，把沙尘吹散。从几何学原理来看，和圆的直径相同的各种二维图形，以圆的面积为最大，蒙古包和畜圈的设计形状，无疑是符合这一数学定律的。①

在蒙古草原上，牛篷车是十分古老的交通工具，这种篷车的遗物，曾在伏尔加河流域青铜时代晚期的家墓遗址里发现。到了13世纪，蒙古人已有了帐幕车、哈剌兀台·帖儿坚、合撒黑·帖儿坚等各种车。鲁不鲁乞在《东游记》中描述了帐幕车的轮廓，帐幕做得很大，宽度可达三十英尺，当帐幕放在车上时，两边伸出车辆之外至少各有五英尺，22头牛拉一辆帐幕车，11头牛排成一横排，共排成两横排。车轴粗大，犹如船的桅杆，在车上，一个人站在帐幕门口，赶着这些牛。关于哈剌兀台·帖儿坚，在《东游记》中是这样记述的："这些车子的形状，我不知道怎样用文字来为您描绘，除非用一幅画来表示。一个妇女可以赶二十或三十辆车子，因为那里的土地是平坦的。她们把这些车子一辆接一辆地拴在一起，用牛或骆驼拉车。这个妇女坐在前面一辆车子上赶着车，而所有其余的车子也就在后面齐步跟随着。"② 哈剌兀台·帖儿坚，即我们常说的勒勒车，是蒙古族牧民的主要运输工具之一。车身长4米左右，车轮直径达1.4—1.5米，也可带篷，用白桦木制作。白桦木材较坚硬质轻，轻便易驾，载300—450公斤，日行30公里。无论是哪一种车，都适应蒙古族牧民生产和生活的需要，有很高的实用价值，适宜于草原上运输，对草地破坏力极小，有利于草原生态与环境保护。

蒙古人的丧葬习俗以野葬、火葬为主。野葬又称大葬或明葬，将死者装

---

① 乌兰巴图、葛根高娃：《蒙古族游牧文化的生态属性》，《游牧文明与生态文明》，内蒙古大学出版社2001年版。

② 〔英〕道森著：《出使蒙古记》，吕浦译，周链霄注，中国社会科学出版社1983年版。

入白布口袋，或用土布缠裹全身，载于勒勒车，送至荒野，任狐狼飞禽啄食。这种丧葬仪式意为：生前吃肉成人，身后还肉体于自然。认为大自然是蒙古人衣食住行的源泉，我们是大自然之子。我们来自于草原，来自于天地之间，我们自己都是草原的，所以当一个人的生命结束了，理应还给自然。无论哪一种丧葬，均不深修坟冢，不破坏草原植被。

蒙古族牧民生产、生活与保护草原的传统知识和观念已成为生态文明的内涵，对当前的畜牧业经营和发展，对草原生态保育有重要启示和借鉴价值。继承这些遗产的精髓是当代创新发展的源泉。

第四节　富有生态理念的民间信仰

萨满教是在原始社会产生的以大自然崇拜为主要内容的原始宗教，"万物有灵"论是萨满教的基本理念，它反映了人与自然的关系。其中包括了无生命的自然事物、自然现象和有生命的动物及植物神灵系统。自然神包括天地神和山水神系统，也包括风、雨、雷、火等自然现象的诸神灵和各种动植物之神灵。于是在萨满教的万神殿便有了各种腾格里神、地神、日神、水神、山神、树神等。在萨满教的观念中，认为宇宙万物、人世祸福，都是由神灵来主宰的。萨满教的自然观也是一种"天人合一"的宇宙思想，"天"是指人以外的一切自然，"人"与"天"就构成了人与自然的关系。"长生天"被誉为最高神灵，认定是保护神，所以要崇拜他，保护他，视为比人的生命还重要。此外，大地、山川、丘陵、湖泊、森林等，均由各种神灵分别掌管，日、月、星、云、风、雷、雨、雪等都是按照天意活动。因而认为森林火灾、陆地水灾、疾病死亡等是天意的惩罚。太阳给人以温暖，月亮给人以光明，北斗星指示方向，这些也是人类直接受益的天意之恩。"长生天"主宰一切，大地养育万物，蒙古人把天比做生身之父，把地比做养身之母，于是广泛流行着敬天敬地之俗。有了萨满教的"万物有灵"论，大自然被萨满教神灵化，赋予大自然有超越纯粹自然的属性，形成了神格化及人格化的观念体系和宗教信条的规范。由此，得到了人们崇拜的超自然的权威性和威慑力，久而久之，更自然内化为人们心目中根深蒂固的"生态道德"。在蒙古人心目中，保护草原，保护森林，保护野生动植物，从来就是应有的道德，是善事；而破坏草原，破坏森林，滥捕滥杀动物，是恶事，是在作孽。有了这种生态意识，蒙古大草原长期赢得了山清水秀的美好环境，保持了绿色大地。英国著名历史学家汤恩比说："要将自然从人类的技术活动所造成的破坏状态中拯救出来，需要人们皈依一种广义的'宗教'，回到古代亚洲东部的多神教，即万物有灵论，或者回到对自然界抱有崇敬心情的宗教，如佛教、道教。"

总之，蒙古族既有物质生态文化，也有非物质生态文化。蒙古族传统生态文化体现在生产方式、生活方式、风俗习惯、宗教信仰、文化艺术、伦理道德、美学与哲学、法规与律令等诸多方面，是以狩猎文化和畜牧文化类型为主的生态文化，也有和农耕文化交融的生态文化，所涵盖的内容十分丰富，特色鲜明，功能全面。蒙古族传统生态文化不仅是蒙古族的宝贵文化遗产，也是中华文化宝库中一颗璀璨的明珠。蒙古族传统生态文化的实质就是人与自然和谐相处，已成为蒙古族文化的主流和灵魂。从某种意义上说，蒙古族游牧文化就是生态文化。

第五节　历史文明传统的现代启示

人类社会发展到20世纪中期的第二次世界大战后，在征服自然、改造自然和索取自然的征途上取得了前所未有的"成功"。但是，在成功的呼声中，同时也出现了像"伦敦的烟雾""洛杉矶的光化学烟雾""日本的水俣病""欧洲的酸雨""大气臭氧层变薄""土地荒漠化""全球气候变暖"等令人深感不安的全球性环境污染、生态失调问题。人们发现"人类中心论"的价值取向是十分脆弱的，甚至是十分可悲的，所谓的"成功"是表面的、眼前的，人类还要面临更深层、更长远的威胁与挑战。

现在，人们深深感到生态环境的恶化已经危及整个人类的生活与生存。我们目前的生态与环境还在恶化。据内蒙古自治区国土资源厅有关负责人介绍：目前，全区土地受各种形式的荒漠化威胁的面积达9 538万公顷，占土地总面积的82.58%。其中，约有三分之二的耕地处于水土流失区，土地风蚀面积达6 378万公顷，占土地总面积的55.20%，盐渍化土地面积达320万公顷，占土地总面积的2.77%。据全区第三次草场调查统计，我区退化草场面积已占可利用草场面积的50%以上，呼伦贝尔草原上的达赉湖近三十年来面积锐减300平方公里。2000年4月，中央电视台二套节目在"黄河还能活几年！"中曝光黄河内蒙古段水污染的严重情况。内蒙古草原地区的沙尘暴近些年连续发生，据报道，近几年沙尘暴天气给锡林郭勒盟地区造成7 000多万元的直接经济损失。

　　走向21世纪，是人类文明的一个"历史性转折"，人类将进入一个"后现代"的生态文明时代。如果说，新世纪以前人类文明的演进主要表现为对大自然的不断征服、改造与索取的话，那么，在21世纪，人类将逐渐放弃盲目地追求物质技术进步的纯实利主义的文明发展目标，进而转向与大自然的和谐共生，与人类赖以生存的生态环境协调发展。我国著名生态经济学家刘思华在《论生态时代》一文中阐述时代特征时指出：把现代化经济社会的运行与发展切实转移到良性生态循环的轨道上来，使人、社会与自然重新成为有机统一体。因此，实现人与自然的更高层次的和谐统一，达到生态与经济在新的更高水平上的协调发展，就成为生态时代的特征。内蒙古一位热爱草原的生态学家刘钟龄在《蒙古族的传统生态观与可持续发展论》一文中说明："蒙古族人民的游牧生活恰恰构筑了天（气候环境）、地（土壤营养库）、生（生物多样性）、人（人群社会）的复合生态系统，是历史条件下能量流动与物质循环高效和谐的优化组合。游移放牧的完整规范，可以保持草原自我更新的再生机制，维护生物多样性的演化，满足家畜的营养（能源）需要，保障人类的生存与进步。这是草原复合生态系统结构与功能协调有序的耦合效应。存在决定意识，这种优化系统组合必然成为生态观念的客观根据。所以，在蒙古民族文化中，从意识形态、科学技术、伦理规范、民风习俗、宗教信仰等诸多方面都蕴涵了鲜明的生态观念与环境思维。"①

　　地理学家探寻长江、黄河的源头，是为了科学地揭示其形成过程，预见其未来的发展，以求更好地整治和利用。同样，我们今天研究蒙古族生态文化传统，并不是把文明还原为野蛮，贬低文化的高雅，而是基于这样一种认

---

　　①　刘钟龄：《蒙古族的传统生态观与可持续发展论》，《草原、牧区、游牧文明论文集》，内蒙古畜牧杂志社2000年版。

识：蒙古族的传统生态文化是一种历史性创造，所以具有高度的历史合理性和必然性。人类在长期的社会实践检验中创造的文化将会包含着真理的内核。今天，我们回过头来研究蒙古族传统生态文化，无论是对于我们今日寻求草原牧区的发展模式和草原畜牧业走向现代化的途径，还是对构建社会主义和谐社会，都具有重大的现实意义。

第 十 七 章

呼伦贝尔草原的历史
沿革与生态文明传统

第一节　生态地理环境与生物多样性

　　呼伦贝尔草原位于内蒙古东北部的大兴安岭西侧，属于蒙古高原的东北一隅，面积约 88 700 平方公里。西北边以额尔古纳河与俄罗斯为界，西边和南边与蒙古国相毗邻，国境线长达 675 公里。草原中心城市是海拉尔，西部边界上有口岸城市满洲里，东边和北边与大兴安岭林区相接，并有新兴城市牙克石市和额尔古纳市。

　　呼伦贝尔高原的地质构造属大兴安岭褶皱带的额尔古纳槽背斜，东部与北部为低山丘陵区，中部与西部为波状高平原。基岩主要由花岗岩、安山岩、石英粗面岩等火成岩所组成，岩性比较均一，所以久经剥蚀、丘陵浑圆，地形起伏较缓，局部有燕山期花岗岩出露。海拔高度由东而西逐渐下降，并且有南高北低的趋势，北部海拔约为 700—1 000 米，东南部达 950—1 200 米，西部下降到 600 米。源出于大兴安岭的根河、海拉尔河、特尼河、伊敏河等一些河流在草原上形成河网及宽阔的河滩与沼泽湿地，流向西北注入额尔古纳河。呼伦贝尔草原上的达赉湖与贝尔湖由乌尔逊河相连接，也向北与额尔古纳河相通，构成外流水系。发源于蒙古国肯特山区的克鲁伦河在呼伦贝尔草原西边入境，流入达赉湖。

　　呼伦贝尔草原东半部处于温寒半湿润气候的草甸草原地带，年平均气温约为-3℃—-1℃，1月均温-26℃—-20℃，7月均温18℃—20℃，全年大于等于10℃的活动积温1 600 ℃—2 000 ℃，无霜期90—100天。年降水量350—450毫米，湿润度0.5—0.7。地带性土壤为黑钙土、淋溶黑钙土及岛状森林下发育的灰色森林土。在草原植物组成中，主导成分是达乌里蒙古植物种，贝加尔针茅、羊草、线叶菊等为草甸草原建群植物。其次是欧亚大陆温带成分和东亚森林与草甸成分，如地榆、裂叶蒿、野火球、歪头菜、大叶野豌豆、沙参、黄花菜、无芒雀麦、日阴菅等都是五花草甸的主要植物，白桦、樟子松、兴安落叶松是组成小片森林的主要树种。草甸草原植被保存较多，贝加尔针茅草原是典型地带性生境的草甸草原，分布在丘陵坡地的中部，土壤为中壤质黑钙土，群落的植物组成以中旱生禾草与杂类草为主。羊草草原是分布最广的草原类型，占据丘间宽谷、丘陵坡麓、丘坡下部等生境。土壤为厚层黑钙土，土质肥沃，土壤水分条件较好。群落组成中，除中旱生植物以外，往往含有中生杂类草，种类成分相当丰富，是优质的牧场与割草场。东边靠近森林区的低山地区，阴坡多分布白桦林与白桦山杨林，山顶及阳坡上部为线叶菊草原及少量羊茅草原，大面积缓坡多为地榆等多种中生杂类草所组成的五花草甸，沟谷及河漫滩分布了中生杂类草和苔草类组成的沼泽化草甸及沼泽植被。南部的红花尔基一带，有大片沙地的分布，形成了大面积的樟子松林，林下有发达的草本层。这是一类独特的草原化沙地松林，是十分珍贵的森林种源基地。半个世纪以来，樟子松林得到较好的人工保育，有些已发育成密林。岛状分布的山地白桦、山杨林及沙地樟子松林对于草原环境有重要作用，对农牧林业生产有防护功能。总之，呼伦贝尔草原东部是森林区与草原区的交错地带，植被类型组合比较丰富，生产力也较高。既有大面积优良天然草场和一定面积的天然林，又有合理分布的农垦地，为农、牧、林业生产的综合经营提供了有利的资源与环境条件。

呼伦贝尔草原的中西部是波状起伏的高平原，沉积物以厚度不等的沙层或沙砾层为主，沿海拉尔河南岸及其以南的地区还有沙地的断续分布。由于大气环流直接承受蒙古高压的强烈影响，所以形成了典型的内陆半干旱气候。全年平均气温约-2.0℃—-1.0℃，7月均温20.0℃—22.0℃，1月均温-25.0℃—-20.0℃，大于等于10℃的年积温1 800 ℃—2 200 ℃，年降水量250—350毫米，湿润度0.3—0.4。这种中温带半干旱气候的热量与雨量都集中在夏季，使草原植被形成明显的夏季生长高峰。在植被的组成中有一组典型草原的特征植物，最主要的种类是大针茅、克氏针茅、糙隐子草、米氏冰草、洽草、寸草苔、黄囊苔、双齿葱、矮葱、细叶葱、星毛委陵菜、大委陵菜、菊叶委陵菜、扁蓿豆、草木樨状黄芪、乳白花黄芪、多叶棘豆、红柴胡、芯芭、白婆婆纳、火绒草、阿尔泰狗哇花、麻花头、冷蒿、小叶锦鸡儿等典型草原旱生植物。大针茅草原是地带性植被的主要群系，广泛分布在排水良好的平原上，形成大面积的群落，土壤多是轻壤或沙壤质的厚层暗栗钙土与栗钙土。克氏针茅草原也是本区草原植被的基本类型，它比大针茅草原的旱生性强，在经常放牧的草场和交通线附近，克氏针茅草原占优势，这是由大针茅草原所发生的演替类型。在本区西部，由于气候湿润度下降，克氏针茅草原取代了大针茅草原成为优势群系，这是克氏针茅草原的原生类型，其土壤也逐渐向淡栗钙土过渡。高平原及丘陵坡麓、干谷地等水分条件较好的生境中，羊草草原也有分布。河湖沿岸的低湿地中，草甸与沼泽植物种类也很丰富，其中以苔草类、早熟禾属及芦苇等为代表。在半干旱气候的典型草原栗钙土的土地上不能进行稳定的旱作农业。因此，在长期的历史上，呼伦贝尔草原中西部始终是以畜牧业为主的牧区。

达赉湖及其附属水域共有鱼类 26 种，分属于 4 目、6 科，按其起源和生态类群，大致分为四种类型，多是适应北方寒带水域的鱼类。分布在河湖及沼泽地域的鸟类共有 38 科、204 种。以候鸟与旅鸟的种类为主，共约 180 种。猛禽种类也较多，约 25 种。有 35 种鸟类已列入国家珍稀濒危保护物种的名单。哺乳动物有 14 科、42 种，植食性的种类为主，特别是啮齿目的种类较多，其中草原鼠类共有 14 种，这是草原动物区系的特点。

第二节　历史沿革与民族人口变迁

呼伦贝尔草原是北方游牧民族成长发育的摇篮之一，具有悠久的历史。早在一万年以前的旧石器中晚期就有古人类——"扎赉诺尔人"在此生活栖息。

秦代时这里是东胡游牧之地，西汉时为匈奴所据。东汉时鲜卑拓跋部走出大兴安岭北部"南迁大泽"，驻牧于今达赉湖一带。隋唐时，先后属柔然、突厥、室韦及室韦都督府管辖。辽代，隶属乌古、敌烈统军司。金时为塔塔尔部驻牧地。

1206 年成吉思汗统一蒙古各部后，东蒙古草原分封给四个弟弟。呼伦贝尔草原的西部地域为其大弟哈布图哈萨尔的封地，陈巴尔虎到伊敏河以西为小弟斡赤斤的封地。忽必烈建元后，受辖于岭北中书行省和林路。明初，这里为特古斯铁木尔的牧地，后置努尔干都司斡难河卫海拉尔千户所。明末清初，成吉思汗之弟哈布图哈萨尔的十五世孙布尔海统率的乌拉特部游牧于今日的新巴尔虎右旗一带。

清朝为了防止沙俄侵略，加强呼伦贝尔边界地区的防守，1727 年（雍正五年）沿边界设立"敖包"，并以轮回方式派 500 人的巡边部队驻守扎格丹（今海拉尔）地区。1732 年，朝廷应黑龙江将军卓日海等奏请，从布特哈八旗内调遣索伦（鄂温克）、达斡尔、鄂伦春、巴尔虎等部的 3 798 人移驻呼伦贝尔草原，将其中的 3 000 人编为索伦左、右两翼八旗五十佐。其余 798 人为朝廷准许携带的家属随迁。1734 年，清廷又从喀尔喀蒙古车臣汗部中前旗移来巴尔虎蒙古 2 984 人，从中选出兵丁 2 400 人，按索伦兵制编成两翼八旗。为了区别于早两年从布特哈地区来的巴尔虎而称新编的两翼八旗为新巴尔虎。新巴尔虎右翼分为正红、正黄、镶红、镶蓝四旗。右翼总管叶克忠氏部落酋长诺日布达延寨桑的子孙车仁，管领右翼四旗，下辖五佐，每佐的佐领一员，骁骑校一员，领催六员，兵丁 54 人。右翼四旗驻牧于贝尔湖北岸，乌尔逊河与呼伦湖两岸及克鲁伦河下游地区。此时，呼伦贝尔草原上已有十七个旗，由清廷派统领一员管辖。1743 年，清廷停止派统领，设副都统一员管理呼伦贝尔各旗，归黑龙江将军管辖。1783 年总管下设笔帖式一员。1880 年，改副都统衔总管为副都统。1908 年裁撤呼伦贝尔副都统，改为兵备道加参领衔，兼辖旗务；同时设立呼伦直隶厅、胪滨府及吉拉林设治局。新巴尔虎右翼四旗、满洲里周围地区由胪滨府管理。

1912 年，受沙皇俄国策动，呼伦贝尔一度宣布自治，取代呼伦贝尔兵备道。呼伦直隶厅、胪滨府、吉拉林设治局皆废，仍由副都统衙门统辖呼伦贝尔地区。1915 年，北京政府同沙俄签订了《中俄会订呼伦贝尔条约》，取消地方自治，将呼伦贝尔改为"特别区域"，直接归中华民国中央政府节制，呼伦贝尔副都统由中华民国大总统任命。1919 年索伦八旗中的镶白旗两个佐、正蓝旗三个佐另立陈巴尔虎蒙古部，单设陈巴尔虎旗。1920 年，撤销"特别区域"，呼伦贝尔副都统改归黑龙江将军节制，专辖蒙旗事宜，新巴尔虎右翼四旗受辖于呼伦贝尔副都统衙门。俄国十月革命后受蒙古封建主与宗教上层的鼓动，一部分蒙古族布利亚特部和鄂温克族牧民从俄国贝加尔地区迁入呼伦贝尔的陈巴尔虎和新巴尔虎地区，先后迁来人口达 3 000 多人。1922 年成立布利亚特旗，下设 4 个苏木，至 1929 年又扩编为两翼八个苏木。各苏木设骁骑校 1 名，领催 4 名。迁来的布利亚特部和鄂温克族牧民驻牧于海拉尔河、特尼河一带，他们的畜牧生产方式、生活方式及保护草原等方面也有新的进步。

1932 年 3 月，日军制造的伪满洲国成立以后，将呼伦贝尔地区划为兴安北分省，随后撤销呼伦贝尔副都统衙门。将索伦八旗、布利亚特旗、厄鲁特旗合并，成立了索伦旗。原新巴尔虎右翼各旗的总管改为旗长，总管衙门改为旗衙门。1934 年，兴安北分省改为兴安北省，并将原设各旗改为佐。1937 年，伪满洲国在阿拉坦额莫勒建立公署和警察总局。

1945 年 8 月日本投降后，先后建立呼伦贝尔自治省省政府和地方自治政府。1948 年 1 月 1 日，呼伦贝尔地方自治政府改为呼伦贝尔盟政府，隶属于内蒙古自治区。

经过长期的民族交流和人口迁移，呼伦贝尔草原区成为蒙古族等多民族聚居的疆域。现有的民族包括蒙古族、达斡尔族、鄂温克族、鄂伦春族、汉族、满族、回族、朝鲜族、俄罗斯族等 20 个民族的大家庭。

蒙古族是从 12 世纪随着乌古、敌烈两部迁往嫩江流域和蒙古各部的兴盛与迁移，使呼伦贝尔成为蒙古合底忻部、山只昆部等部族的牧地。13 世纪呼伦贝尔草原又成为成吉思汗为其弟的封地。从此，蒙古族已是呼伦贝尔草原的主体民族。直至 18 世纪的清朝雍正、乾隆时期，1732 年从布特哈八旗迁来索伦、达斡尔、鄂伦春、巴尔虎、厄鲁特等部的人口 3 798 人。1734 年，又从喀尔喀蒙古车臣汗部中前旗移来巴尔虎蒙古 2 984 人。1790 年杜尔伯特、太吉布特、布仁、嘎尔吉德等率领的蒙古族厄鲁特部也迁到呼伦贝尔草原。经过 200 年的艰苦历程，包括几次鼠疫的流行，到 1990 年，这些生活在呼伦贝尔的厄鲁特蒙古人，仍保持了千余人口。他们的文化水准也很高，操厄鲁特蒙古方言，曾使用过"陶德"蒙文（按照厄鲁特蒙语方言特点稍加改变的蒙文）。蒙古族布利亚特部于1918—1928年期间，先后约由苏联西伯利亚贝加尔湖一带来到呼伦贝尔草原从事畜牧生产。他们的蒙古语言词汇中有借用俄语的成分，生产与生活方式也比较先进，促进了畜牧业生态与文化的发展。新巴尔虎蒙古部人口，在20世纪40年代以前，曾有三次较大规模的外迁。1917年，受色布精格动乱的影响，上百户牧民迁往外蒙古。1928年呼伦贝尔青年党暴动，又有数百名牧民迁入外蒙古。1946年，由于内战的发生，受"国民党军要进驻呼伦贝尔"的影响，上百户牧民再次越境进入蒙古人民共和国。事后，有部分巴尔虎人回到呼伦贝尔，但三次迁移曾在一段时间内造成新巴尔虎部人口的减少。新中国成立后，内蒙古自治区提出"人畜两旺"的方针，在牧区开展驱梅和新法接生，有效地控制了人口的下降。1960年，呼伦贝尔盟为解决牧区缺乏劳动力问题，从扎赉特旗、科右前旗等地迁来蒙古族移民人口落户于呼伦贝尔草原牧区。从此，各族人口一直在增长之中。长期生活在呼伦贝尔草原的蒙古族牧民和来自各地的蒙古族及其他民族的居民共同劳动，共同保卫边疆，共同创造了光辉的历史和文化，结成了友好团结的民族关系。

呼伦贝尔草原也是达斡尔族、鄂温克族的聚居区之一。达斡尔族最早生息在外兴安岭以南黑龙江以北的河谷地带。17世纪中叶沙俄殖民者入侵黑龙江流域，江北的达斡尔族、鄂温克族、鄂伦春族居民受到掠夺与屠杀，被迫内迁，主要迁到嫩江流域。1732年清廷往呼伦贝尔调遣的人丁之中就包括了达斡尔族、鄂温克族、鄂伦春族居民。来到呼伦贝尔草原以后，平时生产，战时充军。在长期的民族繁衍中成为呼伦贝尔的重要成员，为呼伦贝尔的历史文化发展作出了富有特色的贡献。

呼伦贝尔地区的汉族人口是在清代海拉尔等城镇商业与手工业逐渐兴起才有定居的。所以在滨洲铁路沿线是汉族最集中的地方。从20世纪60年代起，随着工商业、农业与文教科技事业的发展，从外地引进大量的干部、职工和工程技术、医疗卫生、文教、商贸等人员，其中，汉族占有较大比例，这是汉族人口增长的主要原因。

第三节　传统生产方式与生活方式
蕴涵着深刻的生态文化

生态文化是民族生存和发展的产物，是由本民族的生产方式、生活方式、民风民俗、宗教信仰等文化因素所构成，是追求人与自然和谐发展的文化体系。畜牧业是呼伦贝尔草原蒙古族与鄂温克族等民族的传统产业。自清朝雍正年间，清廷采取"移民实边"的政策，先后将布特哈八旗的索伦（鄂温克）、达斡尔、鄂伦春、巴尔虎等部以及蒙古喀尔喀车臣汗部中前旗的巴尔虎蒙古人迁入呼伦贝尔草原，便驻牧于呼伦湖、克鲁伦河下游、乌尔逊河、辉河、伊敏河及海拉尔河流域的草原上，畜牧业成为草原牧民的经济基础。在呼伦贝尔草原的广阔天地间形成了"居无常所""逐水草而迁徙"的游牧生产方式。实行按季节牧场迁移轮换放牧，是在当时历史条件下最优化合理利用草地资源的方式，可以保持草原生态系统的再生机制，维持草原的最高生产力。

春季是家畜放牧饲养的关键性季节，因为在寒冷的冬季，草地上枯黄的牧草营养价值很低，过冬之后，家畜的膘情严重下降，体力衰弱。这时牧草刚刚萌动，积雪已经融化，放牧的家畜无雪可吃，所以是放牧家畜生存和生长最困难的季节。春季也是各种家畜繁殖时期，必须选择返青较好的向阳草地供妊娠母畜放牧，并保护畜不再受寒。牧民将妊娠母羊和苏白羊（空怀母羊和羯羊）分群放牧，以减少接羔草场的压力。对苏白羊群和其他不下羔的牲畜寻找有青草滋生的地方去放牧，使过冬的牲畜可采食青草尽快肥胖起来。早春的天气仍比较寒冷，每天放牧要晚出早归，选择牧草丰富的高产牧场，利用刚刚发芽的青草，引诱牲畜采食，可以将枯黄草和矮青草一起采食，使家畜吃到满腹。天气转暖时，改为早出晚归，尽量延长牲畜的采食时间。春季的日平均气温稳定到0℃，牧草开始萌动。日平均气温稳定到5℃，大部分牧草开始返青。最先返青的地区是呼伦贝尔草原西部的克鲁伦河两岸与达赉湖一带。牧草返青期，那些枯草少的草地远看一片绿色，但牧草矮小，家畜容易跑青，消耗体力，应尽量到阳坡去放牧。牧民选择春季营地必须保证羊群按时舔碱，以便保持母羊的健康和促进羊羔的发育，也有预防疾病的作用。所以牧民非常注意营地附近有盐碱料及盐碱滩地草场。营地多选择低地向阳处，要避开风口。春营地的草地多生长克氏针茅、洽草、冰草、羊草、隐子草等禾草与苔草、冷蒿等。

夏季，放牧的家畜经过春季放牧，体质已基本得到恢复，正是家畜贪青抓"小膘"的时期。因为躲避天气炎热和蚊蝇骚扰，牧民从春营地转移到夏营地放牧。夏营地的条件是河流、湖泊、井泉等水源充足，便于家畜饮水，就近出牧的草地又是通风凉爽、地势较高的丘陵，可以保证家畜充分迎风采食避免蚊蝇骚扰和及时饮水不致中暑。达赉湖、贝尔湖等大小湖区，克鲁伦河、辉河、伊敏河、海拉尔河、特尼河等河流沿岸，都是水源充裕、草地丰茂、较为理想的夏营地。草原的牧草有大针茅、克氏针茅、羊草、冰草、山葱、野韭等。夏季放牧时，绵羊对高温天气比较敏感，当风速小于3米/秒、气温达到20℃以上，在日照下，绵羊就不爱吃草，当气温达到25℃以上的日照下表现精神委靡，这时必须转到阴坡或荫蔽处放牧。山羊对高温的耐力比绵羊强，当气温升到25℃，山羊仍可在阳光下吃草，当气温升到30℃时才有不适应的表现。牛和山羊耐高温的程度差不多，在气温高达30℃以上时，才到荫蔽处吃草。夏季放牧要早出牧，中午休息，并保证饮上清洁的活水，下午凉爽时再出牧。

秋季，酷暑已过，天气转凉，这时要转移到牧草长势良好、开花结实的秋季营地上放牧。充分利用繁茂的草地在抓好夏膘的基础上，进一步抓好秋膘（俗称油膘），使牲畜肥壮。当牲畜转入秋营地时，正是禾草的生长高峰与山葱、野韭的盛花和结实期，植物营养价值高。所以牧民这时不失时机地转换牧场，及时抓膘。为了保证抓好秋膘，牧民们采用走"敌特尔"的放牧法。以羊群出牧为例，由放牧人不携带家属老幼，用勒勒车带小包、小帐篷，或在勒勒车底下露天宿营，轻装简行，羊群不圈散卧，使其通气舒适，每3—5天转换一次草场放牧，每天或两天饮水一次。牧民们认为家畜秋天吃碱易增膘，所以常选择盐碱化草地放牧。晚秋时节，气候转寒，此时往往在早晨出现霜冻，牲畜采食带霜的草后，会引起流产或其他疾病。所以，这时晚出早归，在早晨待霜消失后出牧，傍晚气候转寒前收牧。秋营地一般选择丘陵地带的针茅草原和羊草草原，并且有水源的草地，保证羊群与牛群能采食到碱性草，如羊草、野黑麦、芨芨草、星星草、碱葱、碱蒿、碱篷等。

10 月气候变冷，此时羊群夜间不入圈，仍在蒙古包外散卧，经过 20 天左右的时间，羊只的腹部脂肪组织变小，可避免拥挤发汗而造成疾病，也不会因气温下降而掉膘，反而增强抗寒能力。

冬季，呼伦贝尔草原的气候寒冷漫长，1 月是全年最冷月份，平均气温为-25℃—-20℃。一年之中长达 6 个月的寒冷季节，牧草完全枯黄。所以对牧民来说，冬季是一年中最困难的时期，是灾害发生几率最多的季节。所以冬营地的选择要以防灾保安全为条件，首先要选可以积雪而且草高的草地，保证羊和马放牧时都能吃到雪，又能刨雪吃草幕。牛和骆驼不会刨雪，只能在积雪很少的草地吃草，单另饮水。为了防风避寒，要在丘间低地或在草群高大的芨芨草滩做冬季宿营地。牛的冬季牧场也要求选择丘间洼地、河谷地等背风的地方。到 11 月至 12 月初，大、小牲畜迁入冬营地。首先要让家畜到比较边远的草地放牧，然后逐渐近放。当风寒侵袭或有灾情时畜群一般不远离宿营地，可就近放牧，并逆风赶放，以避免失散和便于赶回宿营地。冬季昼短夜长，草地上完全是枯草，营养价值不高，所以尽量延长畜群的可采食时间。在正常情况下，羊群出牧时间为上午 9—10 时，特殊天气视情况推迟。牛群每天放牧 10 小时左右，早 8 时出牧，晚 5—6 时归牧。冬天特别注意牛的卧盘，每天都要清除冻牛粪，保持卧盘的清洁。冬季严寒，为了提高家畜的抗寒能力和食欲，经常做到牛、马、羊盐碱舔吃。降雪之后，放牧畜群要选择雪浅草深而且向阳背风之牧地采食。

四季游牧的传统生产方式是力求符合生态系统的能量与物质运行规律，既要确保家畜的健壮成长，畜产品优质高产，也要确保草地生态系统的物质代谢平衡与可持续利用。草原畜牧业是人类利用草地生态系统的功能，用有生命的草地植物生长繁殖能力，进行动物生产，获得人类社会所需畜产品的古老产业。在草原畜牧业不断再生产过程中，维持人、畜、草、地间高效有序的能量转化，保持草畜平衡是传统游牧生产方式获得可持续发展的历史性成就，是蒙古族等游牧民族长期实践的产物，使草原文化成为中华文明和人类文明的明珠。

为适应游牧生产的需要，巴尔虎蒙古人由几个或几十个家庭组成一个共同放牧的团体，即"古列延"。他们共同拥有一定数量的各种家畜及生产工具，组成畜群放牧。这种组织既是生产组织，又是军事组织。随着呼伦贝尔地区封建化的加深，原有社会组织的关系逐渐削弱，地缘关系逐渐加强，出现了以血缘和地缘相结合的"敖特尔"为主的社会组织。在"敖特尔"中，又有在同一地区游牧的同族"爱力"（牧户），这是巴尔虎蒙古族社会的基本单位和组织，一直延续到明末清初。巴尔虎蒙古人实行以一夫一妻为核心的家庭形式，由夫妻、子女和孙子、孙女组成，这是最基本的社会组织细胞。文化学理论认为，这种形式的家庭便于适应流动性生活。清朝统一蒙古各部落后，将蒙古地区分为内扎萨克、外扎萨克和不设扎萨克（又作札萨克）的旗。呼伦贝尔地区新巴尔虎八旗为内属蒙古八旗（不设扎萨克旗），没有王公贵族，设有副都统、总管。

　　巴尔虎蒙古人适应于游牧迁移的生产方式，蒙古包也一直是牧民家庭的居住设施。蒙古包的结构也保持了传统形式。蒙古包周壁框架用木条制成，用皮钉连成可折叠的"哈那"，蒙古包顶中心有一个直径约1米的天窗，称"陶脑"，用木椽子与"哈那"连接，成为伞架形的整体框架，将毛毡盖在包架上。蒙古包门向南，用木材制成，蒙古包内部高约2米，直径大小有所不同。巴尔虎人的蒙古包中央摆设饮、炊和取暖用的火炉，烟筒从"陶脑"伸出，火炉的东、北、西三面地上都铺上毡子或地毯。床多放在东西两侧，东侧一般是年轻夫妇，西侧为老人床位，包的北部为贵人处，多有箱柜和摆设。包门内的一侧主要放置炊具食具。根据需要，可调整包的大小。包顶斜度大，以防夏天漏雨。为了凉爽，也可在"哈那"下部做帆布和纱网围子，天热时掀起，以便通风纳凉。冬季为了保暖，在围毡接地面处压土，以防止进风。蒙古包之所以长期沿用，是由于游牧生产方式和生活地域的自然条件所决定的。草原辽阔，风雪大，圆形蒙古包可减轻风力作用，包顶不积雪。由于经常迁移，蒙古包拆搭方便，可折叠成若干部分，搬迁自如，适合游牧。蒙古包对自然环境的影响小，克服了建设房屋所产生的环境效应，可与草原生态条件保持和谐。

　　历史上，巴尔虎蒙古人的行政组织也是流动性的，巴尔虎人移居呼伦贝尔以来，除当时的副都统衙门所在地海拉尔有少量建筑物外，各旗境内基本上没有砖木结构的建筑物。直到20世纪20年代，巴尔虎三旗的旗署办公地还设在较大的蒙古包里，属流动办公。这种流动性适应于牧民游牧生产生活方式，对生态环境也有重要意义，可减少用地，减轻对草地的破坏性，有利于草地的恢复。另一方面，游牧生活不聚集太多的不动产，用具一般较轻便、简单，这样的经济生活也不会对草原产生太大的压力。

巴尔虎人的传统交通运输工具是勒勒车。车的结构为双轮牛车，车轮直径可达 1.4 米，车身一般长达 3—4 米，轻便易驾，载 300—450 千克，可日行 30 公里，是牧民游牧迁移时运载物品的主要交通工具，适宜于草原上运输，对草原压力极小。每户牧民一般均有 3—5 辆不等，迁移时首尾相接，鱼贯而行。20 世纪六七十年代，也有牧民家庭购置小四轮拖拉机或手扶拖拉机牵引一串勒勒车搬迁，已成为草原一景，人们称之为"草原列车"。马也是牧民的传统交通工具，放牧牲畜，外出办事，打猎旅行，都要靠乘马。巴尔虎牧民的男女老幼都精于骑马，五六岁的儿童即可上马奔跑。骑马对草地的压力显然比车辆轻得多。

巴尔虎蒙古人衣着服饰也有很多传统特色，蒙古袍、腰带、马靴、毡靴、达哈、用羊皮制成的皮板朝里毛朝外的外套，冬季穿在袍外御寒、头巾等服饰是牧民衣着的主流形式。男女老幼穿皮靴十分普遍，这是日常骑马的需要。蒙古袍有皮、棉、夹、单之分，适宜于四季气候。腰带多以绸缎为料，长约 3—5 米，自然幅宽。男子系腰带时将袍子向上提，使胸部的袍子宽松，显得精悍，便于骑乘。妇女系腰带时则将袍子向下拉紧，以保持体形自然。乳、肉是呼伦贝尔牧民的主要食品。乳品主要有黄油（奶油、酥油）、奶、奶皮子、奶豆腐、奶酪、奶干、奶果子等。饮料则以奶茶、酸奶为主，奶茶为日常饮品。肉食以牛、羊肉为主，"手扒肉"是食肉的主要方式，食用时以蒙古刀为餐具。此外，牧民还晾晒牛、羊肉干，捣碎的牛肉干，称牛肉松，以便多日保存，随时食用。

世世代代生活在草原的牧民，其生产生活的物质需求大部来自草原和家畜，长期的实践使他们深知：取之草原，必须回馈草原，才能永续不断。因而在牧民的生产生活方式和精神情怀中必然不乏爱护草原，回报草原，保护生灵，崇拜自然的行为准则和信仰。

第四节 传统习俗和信仰反映出鲜明的生态文明

呼伦贝尔草原古老的民风民俗得以世代传承延续，原因就在于它长期适应着人们与自然的物质关系和精神需求。所以，习俗从一个方面反映了巴尔虎蒙古人的自然观与生态观。

历史上，巴尔虎蒙古人的婚姻习俗是比较简约的，订婚方式通常是男方请媒人执酒一瓶、哈达一条，赴女方家中商议婚事，由两家议定聘礼。结婚时，男方在自家附近另设新蒙古包作为新房。新郎赴女方家接亲，向女方父母献哈达、烧酒等礼品，新娘乘马绕自家蒙古包三圈后向家人告别，由亲友护送随新郎到男方家。先在男方家的蒙古包外绕三圈，然后下马执鞭双双通过两堆旺火，以示爱情的忠贞。进蒙古包后双双跪拜父母，亲友互赠礼品，举行婚宴后即完成婚礼。这样简朴的婚俗，就是在长期的游牧生活中形成的。20世纪推翻满清建立民国以来，布利亚特蒙古族与俄罗斯族人口成批地迁入呼伦贝尔，婚俗更趋简化，青年男女自由恋爱者逐渐增多，男方建新蒙古包，配置新家，男方到女方迎亲等习俗仍然延续。呼伦贝尔作为多民族聚居区，对异族通婚也无严格的限制，较早地成为婚姻自由的地区。

呼伦贝尔的巴尔虎蒙古族及其他民族的丧葬仪礼有土葬、风葬、火葬三种。土葬是将死者四肢折卧，装入四方棺木后，内置乳和糖、酒、点心等供品，亲友们前来祭祀，然后送往墓地，挖穴入葬。风葬，将死者折卧，用白布或蓝布裹上，而后再用绸缎包扎后，亲属送葬到自家墓地或死者生前指定的地方，头朝北安放，用石头做标记。火葬，将死者装棺或用布绸裹好后，在自家墓地或喇嘛指定的地方火化，三天后收骨灰，安放在指定的地方，堆石头做标记。巴尔虎蒙古人的葬礼简朴，符合草原环境与生态条件，没有我国内地汉族举行隆重厚葬礼仪的习俗。

巴尔虎蒙古人有许多禁忌相传，乘马或乘车到亲属或朋友家做客，要轻骑慢行走进蒙古包，不能快马直冲而至，否则意味着报送不吉利的事情，是不礼貌的行为。乘马或乘车行走遇到畜群时，要绕过畜群而行，不要从畜群中穿过，以免惊害家畜。过去，巴尔虎蒙古人是不吃鱼的，自己更不去捕鱼。后来受各民族的相互影响，在河湖捕鱼时，也要把小鱼小虾都放回河里。河里的鱼偶尔跳出来落在河岸上，牧民们见了，也要捡起来放回河里，认为这也是关爱生命。在牧民的眼里，黄羊是"天狗"，不准捕猎黄羊，所以黄羊从不与蒙古人为敌，有时竟然跑进家养的羊群里活动。牧民各家都有堆放垃圾灰土的固定地点，禁止随便倒垃圾；河水里禁止洗衣物，认为污染草原和大自然很不吉祥；认为森林、树木、柳丛等植物都有生命，禁止乱砍滥伐；青草发芽期不允许动土。在利用草地植物资源时，特别注意保持植物的正常繁殖，使之生生不息，一般只利用植物的地上部分，不损伤根部，以利多年生植物的再生。牧民们有用日月星辰、江河山岭、花草树木命名的习惯。也常运用寓言故事、格言教育儿童不要破坏动物洞穴、鸟巢及蚁穴，不得打碎鸟蛋，这些教育深深铭刻于人们幼年的心灵之中，使民族习俗得以传承。

巴尔虎蒙古人有祭敖包、祭山岳的传统习俗。敖包分为旗敖包、苏木敖包、氏祖敖包三种，祭敖包的范围和日期各不相同。氏祖敖包主要由本姓氏的后人祭祀，有时也可邀请其他姓氏的人参加祭奠活动。敖包大小不一，一般在高地堆积石块为台，台基上分设大敖包和小敖包，大敖包为中心敖包，东、西、南、北各附有 3 个小敖包，即由 13 个敖包组成。至今，在新巴尔虎旗祭奠的敖包有：翁布格敖包、陶林敖包、阿米拉图敖包、哈日陶日木敖包、乌兰布拉格敖包、德林敖瑞敖包、白音额尔图敖包、额尔德尼陶勒盖敖包、础鲁图化敖包、那木达格套拉盖敖包、塔林陶拉盖敖包（系正黄旗三苏木敖包）等。祭敖包时，场面隆重、严肃、热烈、欢快，敖包主持人和喇嘛提前一天到敖包做准备和诵经。在祭敖包日子里，远近的牧民和各界人士穿上节日盛装，或骑马、或坐车，捧着祭品，从四面八方赶来参加。祭品有羊肉、酒、点心、乳制品、哈达，也有供奉牛、马、羊和现款者。敖包主持人——记录大型供品，纳入敖包仓。敖包主持人宣布祭奠开始后，首先是喇嘛集体诵经，牧民们将供品放在一个指定的地方，然后向敖包叩首，绕敖包一周后各回各自的营地开始娱乐。"忙扎"煮好后，纷纷分吃肉粥和供品，而后参加敖包会举办的"男儿三艺"。祭敖包是祈求风调雨顺，草原和牲畜兴旺，生活幸福安康。敖包象征着自然山川，森林茂密和江河发源的山岭是蒙古族自古以来祭祀祖先和天地神灵的"圣山"。在敖包祭祀的目的和场所中可以窥见其自然崇拜的价值观和生态观。这些山林之所以被精心地保护下来，是同蒙古人与自然和谐统一的观念联系在一起的。大兴安岭的山林对呼伦贝尔草原生态系统的保护和发展起着巨大的作用。呼伦贝尔草原西南部有一座白音孟和山，海拔 922 米，方圆 20 公里，巴尔虎蒙古人由喀尔喀迁来之后，乾隆三年（1739 年），这里的蒙古人开始祭奠白音孟和山。为了表达崇仰之心，将白音孟和山改称为"宝格达乌拉山"（圣山），一年祭两次。农历五月十三日，由新巴尔虎右旗主持祭山，农历七月三日，由新巴尔虎左旗主持祭山。草原牧民都把宝格达乌拉山的祭祀活动当成神圣的盛会，周转几百里的千百牧民如期而至，参加祭祀活动。达赉湖打鱼，人们都要进行祭祀仪式，每年冬天开网前，首先要祭达赉湖。在湖边宰羊，放在桌上，摆上酒，用纸蘸上羊血点火燃烧，向四方水神磕头，烧香，求神灵保佑，祭毕，携酒载网乘爬犁出发。打第一网时，在下网前和下网后，都要磕头、烧纸、洒酒，保佑下网顺利安全。祭达赉湖的习俗，一直延续到20世纪50年代。

萨满教是蒙古人的宗教，实际上是自然崇拜、动物崇拜和祖先崇拜。认为山、川、日、月、风、雨等一切自然现象都有生灵。正因为萨满教崇尚的是自然万物有灵论，因而对待自然往往是爱拥有加，是自然而然的生态保护者。祭敖包、祭山川就是萨满教"万物有灵论"的体现。在蒙古族游牧文化中，佛教的因果法则，慈悲为怀，调和的原则，也孕育了人、畜、草关系的生态哲学，促使人们维护与自然的和睦相处。黄教传入蒙古地区后，逐渐成为巴尔虎蒙古族的信仰。1733年，巴尔虎蒙古人在喀尔喀车臣汗部"额尔敦召"失败时，将佛像装入装肉的"兴格力格"车里，次年迁到呼伦湖畔后，将佛像找出来一看，全身有油污，故以"套斯图玛哈嘎拉"称呼，供起来。从车臣汗部迁来时有90多名喇嘛，到1945年增加到1 162名喇嘛，巴尔虎蒙古人崇佛敬僧成为重要信仰。新巴尔虎右翼各苏木都有自己的寺庙，富户人家甚至有自己的寺庙。史册记载，新巴尔虎右旗共有14所寺庙。

说起呼伦贝尔的变化，人们深有感触。巴尔虎蒙古人占布拉老人说："变化确实太大了，现在社会发展了，牧民的生活提高了，油灯变成了电灯，勒勒车变成了汽车和摩托车，蒙古包变成了砖瓦房。但是，草原的质量退化了，山水不如以前那样好看了，各种自然灾害也多起来了。我们巴尔虎草原的山变成了穷山，水变成了浊水，山上的野生动物和水里的鱼都少了。"到20世纪末，呼伦贝尔草原明显退化面积已超过50%，海拉尔等城市与工业区的环境已出现污染。主要是工业生产的"三废"（废水、废气、废渣）污染物。例如达赉湖区捕鱼的作业车船燃用汽油、柴油等。在调研中，这里的牧民一谈到生态变化时，往往以 20 世纪中期作为过去和现在的生态时间界限。生活与工作在内蒙古的一批 70 岁以上的人士，他们曾在 20 世纪 50 年代来过呼伦贝尔草原，今昔对比感触良多，真是天壤之别。1960 年开始开垦草原种地，60 年代，为解决牧区缺乏劳动力问题，从扎赉特旗、科右前旗等地迁来移民 680 户、3 000 余人。到 20 世纪 80 年代，大部分牧民已经定居，只能在较小的草地空间放牧，又开始实行牲畜作价归户，草地承包到户的承包责任制，草原开垦的土地已达几十万亩。这些缺乏长远规划与科学论证的举措和超载过牧的状况必然导致草原的退化。这种历史悲剧只有在科学发展观的指导下，发扬生态文明传统，遵循生态规律与经济规律，才能转变，重新走上人与自然和谐发展之路。

第 十 八 章

阿拉善地区的传统生态文化

第一节　阿拉善地区的生态地理环境

　　阿拉善地区位于内蒙古自治区的西部，是我国西北干旱荒漠区的东翼。在亚洲中部自然地理区域中阿拉善荒漠是蒙古高原戈壁荒漠区的主体。北部进入蒙古国的南戈壁省，南部延伸到河西走廊。阿拉善荒漠区的地质构造上为长期稳定隆起的剥蚀地块，即"阿拉善地台"，海拔 1 000—1 500 米。其四周被山地所环绕，东有贺兰山，南面是祁连山系的走廊北山与南山，北面是蒙古国境内的戈壁阿尔泰山，西部有马鬃山。阿拉善荒漠区内部有乌兰布和沙漠、腾格里沙漠、巴丹吉林沙漠鼎立分布。三大沙漠之间与北部是沙砾质戈壁与砾石戈壁。除东部边缘有黄河过境外，只有额济纳河与石羊河流入阿拉善地区，山沟溪泉只分在山地中。三大沙漠内有许多湖泊，盐碱湖多见于沙漠边缘地带，淡水湖泊多分布在沙漠腹地。地下水成为主要的水源，有潜水、裂隙水、承压水等类型。

　　气候条件是干旱、多风的温带大陆性气候。年平均气温 6.5℃—9.0℃，全年大于等于 10℃ 积温 3 300℃—3 500℃。夏季炎热，最高温度达 40℃，冬季寒冷，可达-28℃。年平均降水量从东部的 200 毫米向西递减到西部的 40 毫米，年均蒸发量 2 300—3 800 毫米。年平均风速 2.9—4.8 米/秒，3—5 月为多风季节，占全年风日 60%，所以此时是沙尘暴多发的季节。年日照时数约 3 000—3 500 小时，成为典型的荒漠气候环境。

阿拉善荒漠区拥有一批古老的残遗植物种类。蔷薇科的残遗植物绵刺（Ptaninia mongolia），在演化系统中是孤立的单种属，也是阿拉善荒漠的特有植物。豆科的古老植物沙冬青（Ammopiptanthus mongolicus）也是第三纪残遗物种，保持着常绿植物的特征。菊科的革苞菊（Tugarinovia mongolica）是标志性旱生化残遗植物。裸子植物麻黄科的膜果麻黄（Ephedra przewalskii）是更为古老的残遗植物。还有怪柳科的琵琶柴（Reaumuria soongorica），藜科的梭梭（Haloxylon ammodendron）、珍珠柴（Salsola passerina），蒺藜科的坝王柴（Zygophyllum xanthoxylon）、泡泡刺（Nitraria sphaerocarpa）等。这些植物都是高度适应干旱气候的物种，其叶器官各自向萎缩退化、刺化、肉质化、革质化等特征演化，成为阿拉善荒漠植被的主要建群植物。阿拉善荒漠的野生动物种类不多，两栖类、爬行类、鸟类、兽类野生动物共180多种，其中国家级保护动物有20余种，但目前多已消失。

琵琶柴荒漠是在阿拉善分布最广泛的植物群落类型。在东阿拉善地区，琵琶柴与旱生小禾草及冷蒿等植物组成草原化荒漠群落，是牧民放牧羊群和骆驼的重要草场。珍珠柴荒漠是东阿拉善分布较多的草原化荒漠群落，也是羊和骆驼的良好牧场。绵刺荒漠是阿拉善荒漠区的特有群落类型，对气候干旱和降雨有敏锐的反应，形成独特的适应干旱的方式，降雨后其枝叶很快变绿，天气干旱时即转入休眠，是羊和骆驼喜食的植物，所以绵刺荒漠具有重要的放牧利用价值，也是列入国家红皮书的濒危保护植物。梭梭荒漠的分布，东起乌兰布和沙漠的西南部向西南断续分布到巴丹吉林沙漠的北缘，形成了一条东北—西南走向的生态防护带。梭梭也是骆驼的良好饲用植物，死亡的梭梭枝条是良好的生活燃料。近五十年来，梭梭遭受的人为破坏十分严重。此外，坝王柴、泡泡刺、白刺等多是分散分布的荒漠群落类型。沙拐枣、沙蒿、花棒等可组成沙漠群落，具有防风固沙的重要功能。在沙漠中的湖盆盐碱洼地上常分布着大白刺群落、盐爪爪群落等，是给家畜提供含盐饲料的草地。

贺兰山山地植被形成了森林、灌丛、草原组成的垂直带谱，海拔2 500米以上是亚高山锦鸡儿灌丛带，海拔1 600—2 500米是青海云杉林和油松林组成的针叶林带，海拔1 600米以下是草原带。贺兰山地植被构成了我国北方草原区和荒漠区的分界线，也是一道重要的绿色生态屏障。额济纳河沿岸是一条以胡杨林和柽柳灌丛为主的绿洲带，它正好是处于亚洲大陆中心的天然防护林带，对我国中东部地区的生态安全具有重要功能，更是阿拉善荒漠区生命线。但是在 20 世纪，随着黑河上中游用水量的不断扩大，额济纳河由常年河流变成了间歇性季节河流，额济纳绿洲日趋萎缩，河流末端的东、西居延海完全干涸，沙尘天气与沙尘暴的危害明显加剧。1950—1990 年间，平均每两年发生一次强沙尘暴。1991 年以后，由于生态环境恶化，连续 8 年遭受特大沙尘暴袭击。1993 年 5 月 5 日发生的特大沙尘暴，风力达 10 级以上，平均风速 26—40 米/秒，持续 6 个小时，落地堆积沙尘厚度分别达 10—70 厘米，造成巨大经济损失。1998 年，40 天内就发生 6 次沙尘暴。1999 年沙尘暴发生时间由每年的 4—5 月提前到 3 月。阿拉善的环境恶化已引起国内外各界的广泛关注，采取积极措施，恢复与治理阿拉善的生态环境，已成为 21 世纪的重大任务。

第二节　阿拉善地区的历史沿革与民族

阿拉善古为《禹贡》雍州之域，春秋时属秦，汉时属北地、武威、张掖三郡，晋为前凉、后凉、北凉等所居，唐属河西节度使，宋辽时为西夏所据，元代属卫拉特，明永乐初年为西部瓦剌地区。明朝将瓦剌部的马哈木、太平、巴图勃罗分别封为"顺宁王"、"贤义王"、"安乐王"。马哈木死后，其子脱欢承袭王位，先后兼并顺宁、贤义、安乐三王的属部，合四部为瓦剌蒙古。16 世纪，瓦剌蒙古逐渐分为准噶尔、杜尔伯特、和硕特、土尔扈特四大部落。当时准噶尔部驻牧在今日的伊犁一带，杜尔伯特部驻牧额尔齐斯河流域，和硕特部驻牧哈萨克斯坦境内的斋桑泊一带，土尔扈特部驻牧塔尔巴哈台附近。17 世纪 20 年代末，土尔扈特部离开塔尔巴哈台，移牧俄罗斯的额济勒河（今伏尔加河）下游玛努托海一带。明崇祯十年（1637 年），和硕特部的头领巴尔斯图鲁拜虎（即顾实汗）也率属民进驻青海。同年，顾实汗兄拜巴噶斯率领部分属民从乌鲁木齐迁到阿拉套岭以西驻牧。明崇祯十五年（1642 年），巴尔斯图鲁拜虎占据西藏。此后，他们的后代继承祖业，分别统治西藏、青海和阿拉夏山（今贺兰山）以西的广大地区。阿拉善地区到清康熙时属和硕特部（即阿拉善额鲁特部）。和硕特与杜尔伯特、准噶尔、土尔扈特合称四额鲁特。

康熙十六年（1677 年），顾实汗之孙和罗理率部由青海移牧到额济纳河流域。康熙二十五年（1686 年），和罗理归顺清朝，康熙帝赐阿拉善地区。康熙三十六年（1697 年），清朝将和罗理部按四十九旗之例，编置佐领，册封和罗理为多罗贝勒，授札萨克印，正式设置阿拉善和硕特旗，直属理藩院。其疆域为"至京师五千里，东起黄河与鄂尔多斯高原隔河相望；西与额济纳河源接壤；北逾瀚海，从喀尔喀起始；南与甘肃省凉州、甘州接界，袤延七百余里"，总面积约近 19 万平方公里。旗府额肯衙门设在"夏日布勒都"（今锡林高勒苏木境内，又名紫泥湖）。康熙四十六年（1707 年）和罗理卒，康熙四十八年（1709 年），其子阿宝袭爵。青海是顾实汗家族的祖居之地，顾实汗之后，其后裔迁至山前，越界游牧不服节制。唯阿宝顺从朝廷，屡建功勋，于是，雍正帝诏令赐以青海"贝子丹忠"所遗一块牧地名博罗充克克为其牧地，授权阿宝管辖青海诸部，将其牧地阿拉善收回。雍正七年（1729 年），阿拉善又归属阿宝。次年（1730 年），在贺兰山以西十里修建了定远营城（今巴彦浩特）作为镇守之地，雍正九年（1731 年），阿宝复王位回归故地后，清廷便将定远营城赐之。夏日布勒都的旗府额肯衙门迁至定远营城。乾隆四年（1739 年），阿宝逝，其子罗布桑多尔济袭职为札萨克多贝勒。乾隆二十二年（1757 年），清廷晋爵罗布桑多尔济为多罗郡王，授参赞大臣。乾隆三十年（1765 年），晋爵和硕特亲王（即称罗王）。乾隆四十七年（1782 年），诏封罗王世袭罔替。乾隆四十八年（1783 年），罗布桑多尔济逝，其长子头等台吉旺沁班巴尔袭位。阿拉善旗自嘉庆二十年至二十三年（1815—1818 年）始施行政建制，设 8 个苏木、36 个巴格。清朝灭亡，终止了阿拉善和硕特亲王的俸禄。中华民国时期，国民政府将阿拉善旗划归甘肃省管辖，并保留了王公世袭特权，政治上按照蒙古盟旗组织法直属中央行政院，受蒙藏委员会节制。民国三十年（1941 年）4 月 1 日，经国民政府批准，对宁夏省行政区进行调整，同时在阿拉善旗"紫泥湖"设置治局。1947 年 4 月起，阿拉善旗政府按蒙古盟旗组织法第四条仍隶属中央，旗与省之关系就近接受西北行辕之督导，阿拉善旗的军事事项由驻旗军事专员负责协调处理，同时受西北行辕节制。

1949 年，阿拉善旗和平解放，成立了阿拉善和硕特旗人民政府。1950

年划给宁夏省，成立宁夏省阿拉善自治区人民政府。1953 年、1954 年两次划给甘肃、宁夏各县 16 180 平方公里。1954 年宁夏省建制撤销，自治区遂归甘肃省管辖。1955 年，阿拉善旗、额济纳旗、磴口县合并成立巴音浩特蒙古族自治州。1956 年 4 月国务院决定设置巴彦淖尔盟，并将巴彦浩特镇改为市（县级），划归内蒙古自治区，巴彦淖尔盟驻巴彦浩特市，辖阿拉善旗、额济纳旗、磴口县、巴彦浩特市。1958 年，巴彦淖尔盟机关迁址，巴彦浩特撤市为镇。将原拐子湖巴格划入额济纳旗。1961 年 4 月，阿拉善旗划分为阿拉善左旗和阿拉善右旗。1961 年 7 月建立乌达市时，将巴彦木仁公社的大部分地区划给乌达市。1969 年，阿拉善左旗连同阿拉善右旗北部 5 个苏木划给宁夏回族自治区管辖。阿拉善右旗大部与额济纳旗划归甘肃省管辖。1979 年 7 月 1 日，阿拉善左旗、右旗与额济纳旗复归内蒙古自治区。1980 年 4 月 1 日阿拉善盟成立，盟机关驻巴彦浩特镇，辖阿拉善左、右旗和额济纳旗。从此，以蒙古族为主体，汉族居多数的多民族聚居的阿拉善盟建立了政府机构的完整管理系统，盟署所在地巴彦浩特是阿拉善盟政治、经济、文化、交通中心。

清代，阿拉善的人口多为蒙古族，其他民族人数极少。雍正八年（1730 年），定远营城建成后，有不少汉、回等各族商人、民工由内地迁来定居。据 1947 年《西北论坛》记载：阿拉善旗居民多民族共约 35 000 余人，蒙古族为阿拉善旗主要居民，约 21 000 人。汉族多为山西省及甘肃省民勤县籍，居定远营者大部分经商，约 11 500 人。满族多为清代时随公主下嫁及派来的满族贵族，定居在定远营城西花园附近，共约 50 余户。回族多为信奉伊斯兰教者，人数不多，居住在吉兰泰盐池附近。藏族多为喇嘛，人数也很少。

1949 年，阿拉善仍有 5 个民族，其中蒙古族约 13 000 人、汉族约 11 000 人、满族 50 人、回族约 2 400 人、藏族 18 人。1966 年增加到 12 个民族。1990 年，已有蒙、汉、回、满、朝鲜、达斡尔、藏、鄂伦春、苗、彝、壮、畲、瑶、东乡、土、鄂温克、锡伯 17 个民族。其中，蒙古族人口约占 24%，汉族约占 68%。50 年代人口逐年有增，平均每年增加约 1 000 人，到 1959—1960 年，甘肃等地区由于自然灾害大量移民迁入定居，人口增到 6.5 万人之多。至此，汉族人口已占 70% 以上。60 年代与 70 年代人口仍有较多增长，1981 年全盟人口已达 12 万人。此后，人口增长减缓，并走上规范化管理，到 1999 年人口约 15 万人。

第三节　阿拉善地区的蒙古族传统生产方式

阿拉善牧民的传统生产方式是根据四季的节律和每年草牧场变化安排放牧营地，一般均循序在冬春、夏秋营地放牧和饲养，特殊的旱年要做调整。冬营地上有板升房子（土坯房）、圈棚和井，春季三、四月间就从冬营地到春营地放牧。春营地一般距离冬营地不远，因为春季家畜需要井水，这时又接羔，又剪春毛，不宜远离冬营地放牧。春季草牧场上植物生长量不高，必须频繁移动放牧，一地只能放牧几天。有 200—300 头牲畜的中等牧户移牧春营地肘，只有羊群放牧，大牲畜（驼、马、牛）仍留在冬营地上，特别是牲畜较多的牧民，更需这样安排。因受到牧草和水源的限制，只有牲畜较少的牧民才全部移到春营地放牧，或者不动，仍在冬营地放牧。牲畜少的牧民一般只是在遇到严重的旱灾时，才会集体走"敖特尔"。到五、六月间，牧民就带着自己的全部大小牲畜从冬营地和春营地移到夏营地。夏营地往往是固定于一地，因为夏季青草长起来了，水的问题也容易解决，除井水之外，还可以利用雨水、泉水。所以，夏营地移动的次数较少。到秋季九月，为了在冬营地剪秋毛和举行"招财祈福"仪式，就逐渐向冬营地移动，九、十月间便移到冬营地了。因此，秋营地多不固定。走"敖特尔"的时候，用帐篷或"车金格尔"（简便蒙古包），移场放牧的远近要根据当年当时的具体情况而定。一旦必须远距离走"敖特尔"，除老弱病残留在固定居住地外，不分男、女都要出去放牧。冬营地一般是固定的，地形要靠在"希勒"（丘陵坡地）的阳坡面，以求北、西、东三面有挡风的丘陵。地下水必须浅而涌流，含碱量不高，水质良好。还要考虑牧场能容纳牲畜的数量，植物密集又比较高大，牧草种类也较丰富。与他人的冬营地之间要保持一定的距离，以免影响自家和别人的冬季放牧。春营地的主要条件是距离水较近，地形能避风。如果春营地没有井，就不能远离冬营地，只好在冬营地过春。选择夏营地要求夏季牧草长得茂盛，地势通风凉爽，若有梭梭（扎格）形成丛林，则牲畜能蔽荫乘凉，附近五六里内必须有可靠的水源。因秋季较短，对秋营地的要求不甚严格，如果当年夏营地的草好，一般就不另迁移营地了，等到八、九月可直接迁回冬营地去。牧民四季游牧时间、路线和范围的确定，一般来说是比较固定的。但也要看当时水草条件的好坏、牲畜的强弱等具体情况而有所变动。

游牧方式在各地、各畜种略有不同，有一日出牧归牧和两日归牧的，也有多日归牧的。小畜多为一日出牧归牧。畜群分布比较密集的地区，或在秋季，牧民多跟群放牧。草场宽阔的畜群，大都实行散牧，牲畜自由归牧饮水。雨天、雪天之后，野外有饮水时，部分羊群数十日不归者也并不少见，牧民两三天巡视一次。大牲畜多为自由归牧，如骆驼终年放牧在草牧场上，自由采食，牧民只是每隔数天巡查一次，将走散的骆驼归拢起来，牧民称之为"天牧"、"撩牧"或"散牧"。这些散牧的大牲畜到了配种期，牧民将畜群集中放牧，一般实行一日出牧归牧或两日归牧制的较多。出牧归牧时间也颇有讲究，一般随季节变动。青草期早出晚归，日出前后出牧、日落时归牧。进入酷暑期，缺水地区羊群有一日两出两归的，早晨乘凉出牧，午间气温高，上井饮水后就地卧息，然后自由出牧至晚间才归牧。枯草期多晚出早归，出牧时间早9时前后至晚5时左右，尽量避开早晚低温的时间。传统棚圈设施十分简陋，一般用羊粪板、石头、灌木砌一畜圈或盖一个临时软棚，永久性棚圈甚少。

在长期的生产实践中，牧民根据各畜种的生活习性，形成了许多民间的放牧习俗，例如"青走远，黄走近"，青草期放牧走的距离远，枯草期放牧距离近。"秋汗如油"，是禁止驱赶、惊吓牲畜，快走疾奔而出汗，尤其秋季出汗，不益于抓膘，更容易引起流产。"饥忌水，饱禁奔"，牲畜忌讳空腹饮水，牲畜满腹状态（吃饱时）禁止奔跑，特别是役用畜（驼、马、驴等）满腹时骑乘或负重，更不宜疾跑，否则易引发疾病，严重者造成死亡。在实践中，牧民还发明和掌握了治疗牲畜疾病的知识，如羊群长了癞疾，可用在盐池里浸洗的办法来医治，沙肝病，用针灸治疗。骆驼常患的一种传染性咳嗽病，治疗的方法是用青稞或"沙尔木道"（一种木本植物）和大黄煮的汤灌饮，并使之多饮水，即可治好。

牧民对牲畜具有很高的识别能力，不用说自家的牲畜，就是邻近营地的牲畜，不用看标记就差不多都能识别出来。虽然如此，牧民们还是给自己的牲畜打上标记，若有混群时，按标记来准确无误地识别。标记分两种，一种是烙印，用于驼、马，另一种是剪耳朵用于羊、牛。牲畜打标记，首先是自家的牲畜已够一个苏鲁克，其次是有长期放牧的打算。所谓牲畜够一个苏鲁克，是指种畜与牝畜形成了合适比例。一头种畜与牝畜的最低比例是：骆驼1：7—8，马1：4—5，牛1：3—4，羊1：30—40。羊与牛的标记较简单，只要在耳朵上剪自家的记号即可。记号有20余种，如剪去耳尖，剪成三角形裂口等。骆驼和马的标记比较复杂，骆驼可打烙印的地方有十多处，左、右后胯上，左、右腿上，左、右颊上，左、右眼下部，鼻左、右旁。马打印的地方有四处：左、右后胯上，左、右腿上。

双峰驼是阿拉善的特产，其原种是第三纪中新世在古北大陆的变动中，由北美起源地大群迁移，在寒冷的荒漠地区逐渐演化成为适应沙漠生态环境的双峰驼。后经人工驯养培育成现代的阿拉善双峰驼。1227年，成吉思汗灭西夏后，将西夏的许多骆驼带入蒙古各地。双峰驼具有抗风沙的能力，可在8级大风下照常行走觅食。耐粗饲，能采食其他牲畜不采食的粗糙、带刺、木质化程度高、灰分含量高、异味浓烈的植物。耐饥渴，近30天内不饮水，生命也不受影响。又有耐严寒酷暑的特点，很适合在干旱荒漠地区的严酷环境中生活。骆驼具有乘和驮等役用性能，一天骑乘8—9小时，快慢步交替可行60—70公里，可驮重可达150—250千克，日行30—40公里，还可牵犁驾车，成为阿拉善牧民的主要交通工具，号称"沙漠之舟"。双峰驼有毛、肉、乳、役等多种用途，也是牧民的主要生活资料。此外，骆驼的脚掌为肉质结构，着地的面积大，对植物和土地的破坏性较轻，走过的脚印处还能长出新的青草。骆驼的粪便里有各种活的草子，所到之处，可传播种子。所以说，骆驼不破坏植被和生态环境，反而具有维护生态系统的功能。

第四节　阿拉善地区的蒙古族传统习俗与信仰

阿拉善蒙古族家庭成员一般包括父、母、子、女、祖父、祖母和孙辈。称父母为"阿卜、额吉"，称祖父为"额卜克阿卜"，称祖母为"呼克申额吉"，称子为"呼"，称孙为"阿其"，称伯父和叔父均为"阿博克"。一般说来，成年儿子都在父生前分家另居，娶了媳妇就要另立门户。即使是为了生活上的互相帮助，彼此便利，而兄弟在一起过日子，也都各有各的"乌木齐"，即财产份子。父亲在世时，父亲为家长，父亲过世，兄弟间选一为家长。一般地说，母亲是不主持家务的。财产的继承，作为制度，是长子继承，但实际上特别是分家另过的场合下，末子继承得多。据说，这是因为父母总是以末子年龄小，不放心，所以，就留下末子继承自己最后的财产，其余的分出另过。如果是共同生活，要由长子继承，或者父亲从诸子中指定一个继承。如果无子嗣时，可由同族中或亲戚中抱养继子，但须先同族、后亲戚，如果从同族和亲戚中都找不到时，也可从非亲族中过继。但台吉不能从他族中抱养继子，即不能从"哈利楚"人里抱养继子，否则，认为混乱了台吉的骨血。亲生子女乃至出嫁的姑娘、侄儿、胞兄弟、外甥、随姓赘婿，都有财产继承权，妻无财产继承权，但她们具有获一部分财产的权利。如果是苏木民，死后没有财产继承人时，财产归旗仓。公、台吉、格根、喇嘛坦的"阿勒巴图"、"沙毕那尔"死后没有财产继承人时，财产也同样归其主人。

　　蒙古包是阿拉善牧民的传统居住设施。蒙古包用木料做框架，以木条与驼毛绳结成"哈那"，伞形顶，上盖毛毡，用毛绳固定，顶部有天窗，可采光通风。蒙古包的门朝向南或东南，挂有毡门帘。此外，还有简易蒙古包，即无哈那的蒙古包，用厚布制成，便于游牧。游牧文化是"独贵文化"，苍天是圆的，草原是圆的，棚圈是圆的，蒙古包也是圆的，其圆形呈流线型，迎风而立，不怕风雪，不怕地震，既保生活安全，又保生态安全，最适合游牧生活。

　　蒙古族的饮食以肉食和乳食为主。日常食用的还有炒米、青稞炒面等。肉食有手抓肉、烤羊背、烤全羊、奶蒸羊羔肉等。乳食在饮食中占有一定的比重，乳食有奶茶、酸奶、奶酪、黄油、奶皮、奶酒。牧民忌讳吃驴、马、驼、狗肉和被狼咬死的牛、羊肉，牲畜病死，全部烧掉或挖坑埋起来。发菜是阿拉善地区的特产，自古以来，牧民反对搂发菜。他们认为搂发菜会损伤地面，刮风起土，破坏环境。阿拉善牧民打猎，但不允许滥捕滥杀，不得捕杀和伤害怀孕或带哺乳幼崽的野生动物，反对一网打尽，不猎或少猎雌性动物。牧民认为贺兰山林中的鹿是长寿动物，不能滥捕滥杀。过去每个"巴格"（相当于现在的苏木）都有护林员，专门负责保护梭梭与灌木，保护草牧场。如果外地人来开地种蔬菜，必须得到本地人的允许，反对乱开土地，目的是保护草牧场。牧民逐水草而游牧，居无定所，人畜饮山谷清流和泉水，反对到处滥挖坑滥挖井，破坏草场。必要挖井时，须事先勘测准确，保证挖井见水，一人挖井众人得益。

牧民的丧葬有土葬、火葬、天葬三种形式。土葬将死者置木棺中，挖深坑埋葬。火葬较为普遍，在野外将死者火化。天葬是将死者遗体放至人迹罕至的荒野，以便被兽禽食尽。

在历史上，阿拉善地区的宗教信仰有萨满教、佛教、基督教、天主教和伊斯兰教。牧民从明代开始接触到了格鲁派佛教，世代相传，延续下来。到乾隆年间，喇嘛已达3 000余名，有90%以上的人信奉佛教。同治年间，阿拉善地区的佛教更为兴盛，喇嘛达6 400多人。直到1949年，还有喇嘛4 200余名，共有寺庙、教堂46座，其中佛教寺庙38座、清真寺7座、基督教堂1座。在"文化大革命"动乱中几十座寺庙、教堂遭到破坏，有些被拆除。文化大革命过后开始修复和恢复，到1999年已有寺庙教堂22座，其中佛教寺庙10座，清真寺10座，基督教堂2座，宗教职业者近800人。

萨满教也是阿拉善蒙古人的传统宗教。我们牧民都是大自然的一员，祖祖辈辈与大自然同呼吸、共命运，大自然养育了我们，我们要像爱护自己的眼睛一样爱护大自然。相信大自然的山林草地、飞禽走兽，都有神灵，爱护自然，会有好报，违抗自然规律，必遭报复。根据萨满教"万物有灵"的教义，牧民们反对破坏草地，破坏林木，滥捕滥杀野生动物。对大自然赐给我们的一片草地，要倍加爱护，这是牧民们的虔诚信仰。祭敖包是萨满教的主要信仰之一，具有悠久的历史。牧民们自古以来将祭敖包看成是神圣的盛事。无论是平时还是祭敖包时，敖包周围的一棵树、一根草都被认为是神圣的。阿拉善的牧民们说，我们这里的"敖包"就是阿拉善神、贺兰山神。有画像，有塑像，有长须的神灵。敖包是用石块堆积的圆形物，沙漠无石，用树枝、梭梭，在沙漠高处砌成堆，敖包正中立一木杆，上有"天马"旗帜。敖包是祭天地、山川、草木的圣地，后来逐渐发展成为牧民们集会、游艺、祈祷风调雨顺、庆丰收的活动场所。据不完全统计，阿拉善地区共有150多个敖包，著名的有诺颜敖包、将军敖包（延福寺）、巴彦笋布尔敖包（南寺）等。在历史上，打仗出征前必须祭敖包，在敖包上献上酥油、鲜奶等美食，以祈祷凯旋。后来，每年最少祭一次敖包。祭敖包的时间一般为每年五月牧草返青之际。祭敖包时人们都身穿节日盛装，给敖包插柏枝、献哈达、挂彩，在木架上挂串起来的羔羊耳标等。祭祀仪式先由头人代表部落献牲洒血，称为血祭，喇嘛诵经吹海螺，众人从左向右绕敖包三圈。绕圈时，将带来的鲜奶、酥油、奶茶等食品洒在敖包上，祈求平安幸福、风调雨顺、牲畜兴旺。祭祀仪式之后，开始进行射箭、摔跤、赛马等活动。祭灶也是萨满教的一种信仰和民俗。牧民每年农历十二月二十三日家家户户都要祭火神，即是"祭灶"。祭灶前把屋里屋外打扫干净，把灶火整修好，将油果子、羊胸叉、酒、茶、松柏叶及各色绸缎头儿、五色丝线等准备好，到夜晚星斗满天时开始把火炉烧旺或在灶火上点一小堆柴，在火堆旁，其左方或前方铺一块毡子或毯子，上面放一张桌子，将煮好的羊胸叉面朝上摆在一个木盘或铜盘中，用五色丝线缠绕几层，并在盘子里盛满五谷、油果子、奶酪、枣子、茶叶等食品和各色绸缎头儿，最上面放一条哈达。主人高举羊胸叉拜火神，祈祷来年一切顺利、平安。

　　阿拉善蒙古族具有丰富而独特的传统生态文化，表现在生产方式、生活方式、风俗习惯、宗教信仰、伦理道德、文化艺术、美学与哲学等诸多方面。并把生态保育和人与自然和谐相处，作为重要信条体现在行动中。所以说，蒙古族的生态文明传统正是游牧文化的精髓。

第 十 九 章

内蒙古植物学与生态学的重要科学成果

第一节　内蒙古植被生态学考察研究工作

　　研究一个地区植物种类多样性的形成、演化及生态地理分布规律，是国际植物学、生态学和生物地理学的重要研究内容。对于认识该地区的生物资源和生态地理环境具有重大科学意义，是区域开发和社会文明发展的需要。到了18—19世纪，随着国际资本主义的兴起，对外扩张和殖民开发的形势下，地理学与生物学的考察研究成为一项历史性科学任务。世界著名的地理学家洪堡和生物学家达尔文首开国际科学考察研究的先河。内蒙古地区作为亚洲中部内陆高原的重要组成部分，早已引起各国的生物学、地理学等大批学者的高度关注和兴趣。俄国、日本及欧洲其他国家的学者、商人、军人曾在18世纪到20世纪前半世纪，多次组织团队进行科学文化考察活动。其中包括采集大量植物标本和生态地理环境的考察研究工作，确定了一大批植物种、属的国际命名和系统地位，阐述了内蒙古草原、荒漠与森林的地理分布概况。但是受历史条件和时间的限制，还远远没有完成对植物种属多样性，即植物区系和植被的完整与系统的研究成果。新中国成立以后，内蒙古自治区面临着社会主义经济文化建设的历史任务，全面进行生物学、生态学及生物地理学考察研究工作成为一项迫切的需要。国家在1956年制定的第一个科学发展规划中就把内蒙古列为重要的综合科学考察区域，其中包括生物学与生态学的内容。内蒙古自治区人民政府也相继组织了草原、森林、土地、地质、水文等多项科学考察工作。1957 年我国著名生物学、生态学家李继侗来内蒙古大学担任副校长兼任内蒙古科学技术委员会副主任，他根据国家和内蒙古建设的迫切需要和科学发展的任务，提出了对全区植物与动物区系和植被生态学考察研究的计划与指导意见。他富有远见卓识地说明了这项任务的重要意义和艰巨性，要求大约用十年时间全面调查采集植物和动物标本，建立标本馆，再用十年至十五年时间完成植物志与动物志的编著工作。同时也要进行全区植被和土壤的调查研究工作，争取也用二十年的时间完成。他认为这是重大的基础性的创新工程，要经得起历史的检验。他要求内蒙古大学与全区各高校等单位的人员合作，由内蒙古科委组织此项工作，并请马毓泉先生主持植物学考察研究工作，廖友桂先生主持动物学考察研究工作，李博、刘钟龄主持植被考察研究工作。按照李先生的建议，由内蒙古科委组织并出资，从 1958 年开始，这项工作正式启动，内蒙古大学、内蒙古师范学院、内蒙古农牧学院、内蒙古林学院、内蒙古草原管理局等单位的近百位教师和专业人员投入了这项工作。经过四年的考察共采集植物标本达 4 万多份，并存入内蒙古大学植物标本馆。这是内蒙古植物学研究史上第一次大量积累的研究资料。1961—1966 年中国科学院内蒙古宁夏综合考察队，吸收内蒙古大学、内蒙古师范学院、内蒙古农牧学院等单位的一部分教师与人员，按照国家科学规划共同进行了新一轮多学科考察研究。其中，专设植物学考察组进行植被与植物区系的调查采集与研究。六年间采集植物标本约 18 000 份，补充了内蒙古大学植物标本馆，同步完成了约 2 000 多个植被样方调查。这些科学资料的积累，为《内蒙古植物志》和《内蒙古植被》专著的编写奠定了坚实的基础。

第二节　《内蒙古植物志》第 1 版的编写与出版

《内蒙古植物志》第 1 版，从 1976 年到 1985 年，经过十年的艰苦工作，第 1—8 卷总计达 400 万字的一部巨著已展现在读者面前。它向国内外学术界表明，约占中国八分之一国土面积上的植物区系多样性已经基本查明。这是我们内蒙古植物科学上的一项重大成果。它的出版引起了国内、外学术界的重视，并在有关生产、教学、科研上广泛应用，得到了学术界和舆论界的一致好评。十年的辛勤钻研，终于开花结果了，实现了我国老一辈植物学家的夙愿，参加编著本志的全体 40 名同仁也感到高兴和激动。总结这一科学研究工作的经验，提请国内外专家评议这一成果的学术水平，对于内蒙古植物学、生态学的发展具有十分重要的意义。开始筹备编写工作的 1975 年，还处在"文化大革命""四人帮"横行猖獗之时，对植物学研究工作无理指责。坚持内蒙古植物学研究的几位专家提出了编写《内蒙古植物志》的计划，并多方奔波，积极推动，得到了内蒙古科技局的支持，终于在 1976 年 1 月由科技局主持召开了《内蒙古植物志》编著工作会议。同年 7 月 1 日，科技局决定在内蒙古大学生物系建立《内蒙古植物志》编写办公室。7 月 8 日，在呼市宾馆召开了全体编者会议。成立了编写组，草拟了《关于内蒙古植物志编写的若干规定》，确定了编写大纲和细则，落实了各位编者的编写任务。为了保证编写质量，1978 年又设立了审定组。但是在当时历史条件下，受"文化大革命"风气的干扰，编志工作强调所谓"大众化"，致使第 2、3、4 卷不做文献引证，影响了科学性。1981 年 1 月 7 日，内蒙古科委在呼市宾馆又召开了一次内蒙古植物志工作会议。会上，编写组做了工作报告，总结了经验，经讨论，制定出新的编写细则，并对各卷的出版时间做了调整。这次会议上经过协商，正式成立了内蒙古植物志编辑委员会，推选出主编、副主编和编委。会议强调了编写工作必须达到更高水平，并总结出几点重要认识。

首先，多年来的植物采集，已经积累了内蒙古地区的大量标本和比较系统的研究资料。一部植物志的编著，它的依据是植物标本。三十年来，由于农、林、牧等生产建设事业的需要和中央对边远地区经济建设的支持，曾多次组织专业队伍在内蒙古进行考察，内蒙古植物志编委会在编志的同时又加强了对植物标本的补充采集工作。在这些大规模的、连续不断的考察工作中，采集了数以万计的植物标本，获得了丰富的科学资料。各单位所采到和保存的植物标本大约有十多万份，其中高等植物的采集比较齐全，这些标本大多集中保存在内蒙古大学植物标本馆，为编著内蒙古植物志提供了最基本的素材和依据。随着植物采集调查与整理鉴定工作的进行，在前人研究基础上，已分别编写出许多地区的植物名录和采集报告，有的还进一步编写了植物检索表，甚至对本区种子植物进行了专科专属的研究。所有这些积累为编志工作奠定了良好的基础。

其次，植物志的编者是一个团结合作和高效率的团队。他们酷爱植物学专业，为了振兴中华和科学进步，多年来在内蒙古从事植物学的教学与研究，积累了丰富的科学资料。1976 年以来，编著《内蒙古植物志》的编者共 40 人，来自我区 16 个单位。植物志的主编马毓泉是造诣很深的植物学家，编委会的成员都是科学素养良好的学者，编者中有精力旺盛、善于研究的中年人，还有智力活跃、勤奋向上的青年，老、中、青互相配合，共同奋斗了十年。在编志过程中，老专家承担难度较高的科和属，还为中青年编者创造条件，查找文献资料，帮助解决疑难问题等。中、青年编者积极好学，在编志中进步成长，一些同志发表了专科专属植物的研究论文，有人晋升了职称，使植物志的编著成为培养人才的平台。

内蒙古植物志的编著也是一项民族文化的成果。编者有汉族、蒙族、满族、回族等，本志的编者中还设有蒙名、生态、药用、饲用等专业小组。他们把长期实地考察积累的丰富知识，用精练的文字简单而明确地表达出来，使本志具有突出的民族与地区特色。

第三，在编志过程中，认真组织审稿是提高质量的关键。在每卷初稿完成后，组织专门人员认真审稿，查阅文献资料，反复核对保证物种的鉴定无误。为此，我们的同志有时争论得面红耳赤。有些疑难科属，组织审稿之后，还特地邀请我国知名的植物学家把关，从而避免了许多错误。为了提高植物绘图的质量，专门进行了生物绘图员的培养。请有绘图经验的老师作指导，绘图员在较短的时间内已能熟练地胜任绘图工作，达到了出版要求，圆满地完成了本志 1 086 幅图版的绘制任务，得到了国内外专家好评。

第四，争取了国内、外同行的广泛支持和帮助。与中国科学院植物研究所建立了密切的联系。著名植物学家秦仁昌曾多次给我们热情帮助，解决蕨类植物疑难鉴定等问题；著名植物学家俞德浚热情地为本志写了序言；关克俭多次亲手抄写文献和查阅标本，十分关注内蒙古植物志的编著，曾亲临内蒙古参加审稿会议进行指导；吴征镒也热情地帮助鉴定标本。此外，和中国科学院林业土壤研究所、江苏植物研究所、西北植物研究所、兰州沙漠研究所、昆明植物研究所、武汉植物所、华南植物研究所、青海高原生物研究所、北京大学、北京师范大学、兰州大学、华东师范大学、东北林业大学、西北师范大学、新疆八一农学院、四川大学、复旦大学、广东农林学院、西北林学院、南京大学、武汉大学、东北师范大学等单位和个人建立了联系，请他们审阅稿件，协助查阅文献，提供图书资料和标本，解决疑难问题等。和瑞士日内瓦植物园图书馆建立了长期的资料交换关系，为本志提供了许多文献资料。和苏联研究蒙古植物区系的格鲁勃夫取得联系，赠送了他的新著《蒙古维管植物检索表》，这是一本很重要的参考书。日本东京大学植物标本室曾借给珍贵的模式标本。和美国、英国、德国、法国、加拿大、日本、澳大利亚、巴基斯坦以及香港特别行政区等许多国家与地区的单位和专家建立了友好联系。还邀请国内外专家作有关植物志的学术报告。美国哈佛大学胡秀英于1984年夏亲临内蒙古讲学与审稿。所有这些，对于植物志的编写，特别是在提高质量方面起了很重要的作用。内蒙古植物志的出版深受科研、教学、生产各有关部门的欢迎。在高等院校里已成为大学生的教学参考书，在有关科研单位已成为重要参考文献，在草原站、药检所、林业局、环保所等部门已成为必备的鉴定牧草、药材、林木、花卉等植物的手册。以上是《内蒙古植物志》编著成功的重要保障。调动了各方面的积极因素，集全体编者的才智，利用了可利用的资料文献，经过十年奋斗，产生这部光华的著作。应该怎样评价《内蒙古植物志》的价值呢？

内蒙古跨越了亚洲东部和中部的湿润森林带、半湿润森林草原带、半干旱草原带和干旱荒漠带的辽阔地区，它包括蒙古高原的一大部分，又占有松辽平原的西部和冀北山地、黄土高原的北部边缘。地理环境条件的复杂多样，自然历史也经历了沧桑变化。所以，内蒙古的植物区系十分复杂，具有不少独特的成分。因此，研究内蒙古植物区系对于全面阐明亚洲中部及东亚植物区系历史和区系地理具有重大科学意义。《内蒙古植物志》的出版，为继续研究内蒙古植物区系奠定了基础，又为生产建设事业提供了宝贵的科学资料。

我国著名植物学家、中国植物志主编俞德浚在为本志撰写的序言中高度评价《内蒙古植物志》是"我国植物学的一项重要科研成果，为祖国边疆民族地区的科学文化宝库增加了崭新内容，它为合理开发利用边疆植物资源，发展农、林、牧业生产和改善环境事业提供了基础科学资料，同时为提高植物教学研究水平，对于进一步研究亚洲大陆的植物区系和植物地理具有十分重要的学术意义。《内蒙古植物志》的完成，在速度上和质量上都占优先地位。这部植物志的优点和特点是：其一，注意发扬地区的特色，如在每一种下的蒙语名称、地方别名以及在本区的生态环境、生态特性都进行准确和详细的描述。其二，注意调查植物的经济价值，如药材、牧草、饲料、林木、薪炭、蔬菜、果树以及轻工业原料等方面的利用评价。其三，所有科、属、种的描写均能简单扼要，通俗易懂，检索表采用显明性状，便于鉴定。这样的志书将对普及植物分类学知识，解决植物命名问题，起到良好的推动作用"。

我国著名植物学家、世界蕨类植物专家秦仁昌，在 80 岁高龄（1981年）看到已出版的《内蒙古植物志》部分卷册时十分兴奋，他说："植物志是一个地区植物资源的汇总。是植物学工作者们通过长期调查、积累、鉴定、研究等细致工作得到的成果，也是有关地区植物区系、种类、生态、地理、经济等方面的基本科学资料，直接为农、林、牧、医药卫生、教育、人民生活等服务。它既是一门理论科学的基础性成果，又是和社会经济活动密切联系的应用科学。在科学文化发达的国家中有国家植物志，省、州植物志和县区植物志。我国从 1956 年列入国家长期科学规划，1959 年起，才开始编著全国植物志。除全国植物志的工作外，各省、区也大多成立地方性植物志编委会，在科委直接领导下，组织、划拨专款，分区、分期地开展植物资源普查和专业调查工作，取得了大量成果。内蒙古植物学工作者们，如其他许多省、区一样，积极响应全国植物志编委会的号召，组织起来，投入自己地区的植物志工作，十多年来，在十分困难的条件下，忘我劳动，做出了可喜的成绩。到目前已出版了五卷内蒙古植物志，这是一件了不起的成就，和全国各省区比照，名列前茅，为全国表率，堪称全国各省区植物志先进编辑小组。特别考虑到全国解放初期，植物学工作在内蒙古自治区是个空白，缺乏最起码的工作条件。十多年来，在内蒙古大学领导下，在同志们的忘我努力下，一跃而后来居上，博得了全国植物界的称赞，不能不使人由衷地高兴，并向你们致以崇高的敬礼！内蒙古植物志的科学水平又怎样呢？到目前为止。该志已出版 5 卷，是全国各省区植物志出版卷数最多的。即以条件最好的江苏植物志而言，第 2 卷尚未出版。《内蒙古植物志》最近出版的第 5卷和前几卷对比，又有了明显的改进和提高，例如，每种都引证了原始文献和重要文献，使志书具有更浓厚的科学性，博得科学工作者的赞赏。过去出版的第 2、3、4 卷虽然没有文献引证，但在编写规格的其他方面都是符合要求的。还值得指出的是，志书作者们在野外工作中，结合内蒙古的特点，对牧草和药用植物的评价予以高度的重视，做到了理论联系实际，对于木本植物的林学特性和经济用途的观察也比较踏实中肯，大大提高了志书的实用价值，值得地方植物志学习。"

本志陆续出版后，我们不仅在国内与全国各省市科研、教学、生产等部门及个人进行交流，而且与世界许多国家的学术单位与学者个人进行了广泛的交流，不断地收到索取本志的来人来函上千次。我们收到了美国哈佛大学胡秀英、美国宾夕法尼亚大学李惠林、美国密苏里植物园主任彼得·瑞文（Peter Raven）巴基斯坦卡拉奇大学植物学系主任卡麦·马林（Kamal Akhten Malin）、瑞士巴赛尔（Basel）大学蕨类植物学家伊卡斯坦（Reichstein）及日内瓦图书资料中心、德国西柏林植物园与植物博物馆、瑞典乌普莎拉大学植物研究所和英国丘植物园等的来信，他们表示对本志很感兴趣，愿意建立长期的资料交换关系。目前，我们通过交换获得各种资料图书数百种。美国哈佛大学胡秀英来信赞扬"《内蒙古植物志》是精致的书，它在中国边疆地区出版是很可贵的"。她对书中的部分插图也表示赞赏，要求允许在她的著作中引用。她还特地撰文在 Taxon 和 Arnoidia 杂志上介绍《内蒙古植物志》。瑞士学者伊卡斯坦教授来信说这三册赠书是宝贵的礼物，他因年已八旬，唯恐存放家中遗失，已转送日内瓦欧洲最大的图书馆了。香港中文大学科学馆中药研究中心教授毕培曦来信说："我对《内蒙古植物志》特别喜爱，主要是因为其内容丰富，对我们研究中药资源特别有用，而且编辑方面亦有很高水平，谨此祝贺你们的成就。"德国的一位外宾来内蒙古大学参观时，要求带走《内蒙古植物志》，表示要进行宣传报道。《内蒙古植物志》还作为内蒙古人民出版社的最佳图书，参加了在西德和香港举办的国际书展。总之，本志已传至五洲四海，为世界文化书库增添了新的篇章。

《内蒙古植物志》第 1 版第 1—8 卷共记载了内蒙古境内野生的维管植物 131 科、660 属、2 167 种。在进行植物学研究过程中，发现 1 个新属、34 个新种、2 个新亚种、30 个新变种。这些新植物类群多是我国或内蒙古的特有种类，在植物分类和植物区系研究中具有特殊的科学意义。编志工作的同时，不少编者还在全国各种学报期刊杂志上发表了许多篇本区种子植物的专科、专属的研究论文，计有豆科、藜科、龙胆科、禾本科、兰科及杨属、柳属、繁缕属、女娄菜属、麦瓶草属、乌头属、阳山茅属、锦鸡儿属、肉苁蓉属、沙参属、凤毛菊属、蒲公英属、眼子菜属、茨藻属、灯心草属、针茅属及冰草属等，使内蒙古植物区系的研究取得了新的进展。

当然，《内蒙古植物志》第 1 版也不是尽善尽美的，也存在一些缺点。限于历史的原因，全书所出 8 卷在编写规格和图文质量上，前后各卷尚有不一致的缺陷，第 2、3、4 卷只限于当时的内蒙古行政区域范围，从 1979 年的行政范围来看还缺少东部四盟、西部一盟的植物种类及产地分布的记载。这 3 卷册还缺少科学的文献引证，致使本书各卷的规格先后不一。书中有少数种的鉴定不够准确，也有少数植物的描述不够确切，还有一些种可能遗漏。有些插图不够完善，审校后仍有错字、漏字等。所有这些缺点，除了客观历史原因外，是工作的失误造成的。《内蒙古植物志》虽然出齐，但是第 2、3、4 卷需重新编著，单出《内蒙古植物检索表》也很必要。在此基础上，还应编著出版内蒙古植物志修订版（第 2 版）精装本。

关于《内蒙古植物志》工作的经费，一直是由内蒙古科委直接拨款的。从 1977 年至 1984 年共拨款 14.6 万元（1977 年 1.2 万元，1978 年 0.9 万元，1979 年 0.3 万元，1980 年 1.5 万元，1981 年 2.0 万元，1982 年 2.0 万元，1983 年 2.7 万元，1984 年 4.0 万元）。开支情况是：给内蒙古人民出版社支付出版费 4.0 万元，其余 10.6 万元用于野外调研采集、学术出差、图书期刊资料、国际交流、标本台纸材料、标本制作加工、会议等费用。仅耗用了十几万元即完成了这一项巨大的研究成果，这在全国各地是最节约的。

第三节　《内蒙古植物志》第 2 版的编写与出版

《内蒙古植物志》第 1 版的编著与出版工作从 1976 年开始，经过十年努力，于 1985 年 10 月全部出版问世。全书共分 8 卷，总计约 400 万字。它的出版是内蒙古科学史上一件很有意义的大事，博得了国内外学术界及有关生产、教学部门的好评，在科研、教学与生产建设事业中已被广泛应用，1987

年荣获国家教委科技进步二等奖，1988年又获内蒙古自治区科技进步一等奖。

鉴于本志第1版在编著第2、3、4卷期间，我区的行政区域不包括东部四盟市与西部的阿拉善盟，致使这几卷缺少了东部林区与西部荒漠区的数百种植物。又因"文化大革命"政策与思潮干扰，编著工作中缺少了许多国际文献的引证，使本志科学水平受到影响。因此全体作者和编委会决心再接再厉，继续奋斗，为重新完成一部质量更好、内容齐全的《内蒙古植物志》新版本而努力。从1986年起我们又开始投入到新的研究和编著工作。第2版按计划合编成5卷分期出版，到1996年全部出版完。第2版的编著与出版工作又历时10载。从第1版到第2版，先后20个春秋，我们长期发扬了团结合作、艰苦奋斗的精神，完成了这一项浩繁的科学工程，为我国生物科学宝库增添了新的成果。下面对本志第2版的新水平、新特点简述如下。

一、增补了一大批植物种类

本志第2版较第1版增补了483种植物，占总种数的21.8%；增编了78属，占10.5%；增加了8科，共收编了134科。由于大幅度地增补了植物种类，对于提高植物志的科学水平具有以下几方面突出的意义。一是更充分地反映出内蒙古地区的物种多样性和生态多样性的现状，为内蒙古环境与发展提供了可贵的信息和基本资料。二是补充了东四盟市地区的植物，特别是森林植物种类以及阿拉善盟、贺兰山山地的植物种类，使内蒙古自治区行政区域范围内的植物种类得到完整的记载，成为名副其实的内蒙古植物志。三是在增补大量植物的工作中，深化了植物种属研究，发现了一批新种及新分类单位，推进了我区植物分类与植物系统学的研究工作。四是为我区植物区系的分析和亚洲大陆中部植物区系发生与演变的研究增加许多新线索。例如睡莲科、茅膏菜科、猕猴桃科的增补，进一步反映出与热带植物区系的联系；岩高兰科的增补，提供了与极地植物区系联系的线索。

二、增写了许多新内容和新篇章

基于对内蒙古及其相邻地区植物区系的最新研究资料，在第2版内由朱宗元同志编写了"内蒙古植物区系研究历史"作为第1卷的单独一章，本章篇幅共3万余字，全面阐述了新中国成立前外国学者对本区植物的采集、考察研究成果和内蒙古自治区成立以来四十余年我国学者对本区植物研究的内容等。文章叙述翔实，有充分的第一手资料依据，是介绍内蒙古植物研究史的最新成果。对内蒙古植物区系的环境背景也做了更深入的研究与概括，叙述了古地理环境的变迁及现代景观生态环境的分异，为植物区系地理与历史分析奠定了基础。对全区植物区系组成从分类群统计、植物属的分布型及植物种的地理成分等方面进行了更详细的论述。根据吴征镒的建议也编写了内蒙古优势植物、特征植物、特有植物和地理替代分布的研究内容。我们也根据植物区系的新资料和统计数据修改了植物区系分区部分，并且增补了具有区域特征意义的 46 种植物分布图，这是根据多年积累的研究资料所编绘的新图。随着植物种的增补，第 2 版还增加了 156 张描绘植物种的新图版，使全书共有 1 192 张图版，更突出了图文并茂的特点。

三、增加了文献引证，统一了编写体例

第 1 版的第 2、3、4 卷编写工作受到"文化大革命"思潮影响，没有文献引证，不符合国际上编写植物志的惯例。第 2 版则完全纠正了这一缺陷，在全书中对每一种植物都做了完备的文献引证，有利于国际交流。为了便于纳入全国和亚洲大陆植物区系的研究系列，我们在第 2 版把每一种植物的地理分布与植物区系分区衔接起来。但也同样按行政区域（盟、市、旗、县）说明其分布，以便于各地、各行业人员查阅植物志的需要。此外，也加强了对植物种的生态类型及群落分布型的描述。植物种的标本依据和鉴定工作也做了更严格的考核，修改了第 1 版中一些种的不确切描述与学名的使用。检索表的编写方法与质量是影响植物志使用价值的重要一环，为了便于读者查证与鉴别植物，对一些节令变化较大的植物类群编制了双套植物检索表。我们继续坚持发扬民族特色与地区特点，每一种植物均附有蒙古名称，编入了植物可作蒙医药的价值及饲用价值等。上述这些内容的修改与增订使本志第 2 版的科学性得到了显著提高。

四、加强了重点科属的系统研究

对内蒙古的一些大科、大属的植物，经过新一轮的系统研究，做了较大幅度的增订。例如毛茛科由第 1 版的 47 种增加到 119 种，共增补了 72 种，

占 153%；菊科增补了 14 属、57 种；豆科增补了 6 属、52 种；石竹科增补了 5 属、45 种；蔷薇科增补了 2 属、26 种；十字花科增补了 8 属、28 种；禾本科增补了 8 属、23 种；莎草科增补了 21 种。一些大属，例如黄芪属增加了 20 种，蒿属增加了 19 种，乌头属增加了 15 种，毛茛属与繁缕属均增加了 14 种，苔草属增加了 12 种，棘豆属与堇菜属各增加 10 种。对这些大科、属的专门研究不仅增补了种属数，而且进行了新分类单位的确定与组合研究，取得了一批新成果。由于这些种属数量的增补，改变了内蒙古植物区系组成的比例。特别显示出森林植物多样性的特点以及与东亚区系的联系，也增补了一些荒漠植物种属，进一步反映出我区的古地中海植物区系特色。

五、采用了当代生物学研究的新方法

在第 2 版的编著工作中，采用了细胞学的新方法，对一大批植物种类进行了细胞染色体核型分析，对于许多植物种及种下单位的分类鉴别增加了新的科学依据，也系统地查证了国内外已发表的有关植物种的细胞染色体数目，充实了对植物种的描述。还运用了花粉形态研究的方法，解决植物种类鉴定的疑难问题。在一些科属的研究中还使用了数量分类与分支分类学新方法，为解决科属分类系统提供了新的思路。这些新方法的引用使本志的科学水平得到新的提高，并为今后的研究工作开辟了新途径。

总之，《内蒙古植物志》第 2 版是全面更新内容、提高科学性和使用价值，因而面目一新的版本。在编写本志第 2 版的过程中，内蒙古的植物学工作者又得到了新的锻炼和成长，有 10 余位作者晋升为教授，也有一批青年同志达到独立开展研究的新水平。

《内蒙古植物志》第 2 版作为崭新的科学成果摆在读者面前后又得到了国内外的好评。中国科学院院士、著名植物学家王文采评价说："新一版，在质量上和种类的数量上均比第一版有明显提高。在较短的 20 年中，一种植物志竟编写出两版之多，这是很罕见的情况。内蒙古的同行们对事业的高度认真负责态度，对编写工作精益求精的钻研精神，以及整个编写工作的跃进速度，都给我们留下了极为深刻的印象，我谨向他们表示由衷的钦佩和敬意。"

1994 年，84 岁高龄的美国哈佛大学植物学家胡秀英热情地从美国来函

祝贺本志第 2 版编著完成，并给予高度评价，她说："这一套植物志不单替内蒙古地区的农、林、畜牧、医药、工商业、教育文化、环境保护提供了基本参考资料，更为广大中国荒漠干旱省区架起一座明亮的灯塔，让邻近的省区借光，不但如此，它的光芒也射进全世界各大植物、农、牧科研单位的图书馆、研究室，美国哈佛大学就有好几部《内蒙古植物志》。"

《内蒙古植物志》第 2 版编著与出版的完成，包含着可贵的经验，值得植物学工作者借鉴和发扬。首先内蒙古自治区党政和科委对这项基础性科学工作的关怀支持与连续的经费资助，保证了工作的进行与完成。在编著第 2 版的过程中，内蒙古自治区人民政府副主席赵志宏曾三次听取汇报并给予指导。内蒙古科委逐年连续提供经费总计 12.5 万元用于第 2 版的编著工作，内蒙古教育厅先后提供经费 2.5 万元。内蒙古人民出版社把本志的出版摆在优先位置上，并将本书推向国际图书市场和国外的图书展览。中国科学院有关研究所、标本馆、高等院校及各协作单位从学术上及标本资料等方面给了大力帮助。没有兄弟单位的帮助，这项浩繁的工程是不能完成的。《内蒙古植物志》编著出版的成功更有赖于全体工作人员团结合作，连续作战。来自 20 个单位的 40 多位老、中、青植物学工作者组成了一个高效率的科研团队，他们热爱植物学事业，在长期的研究工作中，积累了丰富的素材和资料，为植物志的完成奉献自己的才智。还有经过二十年培养锻炼的几位生物绘图人员，为本志绘制了 1 200 余幅高质量的图版。内蒙古大学、内蒙古农牧学院、内蒙古师范大学、内蒙古林学院、中国农科院草原研究所等单位的科研管理工作的同志们大力帮助，创造了良好的工作条件。

多年来积累的内蒙古地区大量植物标本和系统的研究资料，为编志奠定了坚实的基础。除了植物学工作者 40 年来在全区各地采集的标本外，还有国家及自治区的林业、农业、草原、治沙、土地资源、医药、环保等有关部门组织的科技考察队伍所提供的标本和资料。目前我区各院校及科技部门所保存的植物标本大约有 20 万份以上。

《内蒙古植物志》是我区植物学科学研究的综合性成果，包含了极丰富的科技信息和智慧，作者要进行严密的研究工作，还必须组织严格的编审工作。编委会要对每一段文字和插图进行审定，还特别邀请我国知名学者专门审稿，由于认真审稿把关，所以保证了全书的质量，并且在第 1 版的基础上显著地提高了第 2 版的科学水平。

《内蒙古植物志》在编著出版过程中，也进行了广泛的国际交流工作，主编与作者在出访英、美、澳、新西兰、巴基斯坦、俄罗斯、哈萨克斯坦、蒙古等国时，都认真介绍了本志的研究与编著出版工作情况，赠送了已出版的各卷。我们还多次接待了国外来访的学者，交流了植物志的编写工作经验。我们还通过许多途径和国外进行资料交换，因而获取了大批国外最新出版的地区植物志与植物学资料。例如：《欧洲植物志》、《亚洲中部植物志》、《西伯利亚植物志》、《巴基斯坦植物志》、《泰国植物志》、《北美植物志》等大批有重要价值的文献资料。俄罗斯科学院植物研究所和日本专家还为我们借用珍贵的模式标本提供了有力的支持。通过广泛的交流，吸收了国外的最新资料，借鉴了国外的先进经验，对提高我们的研究水平和植物志的质量起到了重要作用，使我们的植物志也走向世界，为祖国增光。

《内蒙古植物志》第 2 版的编著出版，系统地总结了内蒙古植物区系的科学研究成果，为我区的经济建设、资源开发与环境保护提供了科学资料，同时也为今后本区的植物学和生物多样性的研究奠定了重要基础。内蒙古位于祖国的北部边陲，跨越了亚洲大陆东部和中部的温带湿润、半湿润、半干旱和干旱地带，是蒙古高原、松辽平原和黄土高原的组成部分，生态地理环境复杂多样，又经历了漫长的历史演变，所以区系成分相当复杂。研究本区的植物区系，对于阐明亚洲中部和东亚植物区系的历史联系具有重要意义，有赖我区年轻的植物学工作者不断开展新的研究，做出新的成绩。

第四节　《内蒙古植被》的编写与出版

内蒙古植被生态学与植被地理学的考察研究经历了很长的时期，但是按照现代生物地理学和生态学理论与方法做全面系统的研究，是在新中国成立以后。率先进行这项研究的学者首推李继侗。1954 年，李继侗领导北京大学生物系和地理系的一批师生，在北京西山运用苏联生态学学派的方法进行了一次成功的植被生态学考察实习，撰写出第一篇北京植被的研究论文。1954—1955 年又带北大生物系、地理系师生参加中国科学院黄河中游综合考察队，到甘肃省、山西省的黄土高原做植被生态考察研究，并参加编写综合性考察与研究报告，也撰写了种草兴牧、退耕还草等专题报告。1956 年他带领北京大学生物系师生到呼伦贝尔草原做草原生态考察研究，随后写出了呼伦贝尔草原的植被考察报告，这是对植被生态学研究的开创性工作。1957 年李继侗到内蒙古大学后，又向内大生物系布置了全面研究内蒙古植被的任务。1956—1960 年，内蒙古自治区农牧业厅先后组织了草原、土地等勘察队，在进行各项资源考察中包括植被生态学调查的内容，内蒙古大学生物系师生 1958—1960 年参加了上述考察工作。从 1961 年中国科学院内蒙古宁夏综合考察队开始考察工作后，内蒙古植被的考察研究工作由该队植物学组承担。到 1966 年基本完成内蒙古植被考察任务，"文化大革命"动乱使工作停顿。到 1973 年，中国科学院内蒙古宁夏综合考察队的工作得以恢复，仍由该队植物学组进行内蒙古植被考察研究的总结，编著《内蒙古植被》。参加此项工作的植物学组成员有内蒙古大学、中国科学院植物研究所、中国科学院自然资源综合考察委员会、内蒙古乌兰察布盟科委四个单位的 7 位植物生态学专业人员。内蒙古植被的研究与专著的编写工作包括：历史文献及前人研究资料的查寻与整理；植物标本的鉴定、整理及植物种类编目；植被的各项生态地理条件的分析，即地质地貌条件、气候条件、土壤条件等与植物群落类型发生及分布的相关分析；内蒙古植物区系的科属分析、地理成分分析及植物分区；各种植被类型的群落调查样方与野外调查资料的全面分类排序整理；植被分类和分区方案的讨论；植物群落数量特征的统计和分析；植物群落的组成、结构、功能与动态特征的描述；植被图的绘制以及全书的撰写等。这项研究工作从 1973 年开始到 1982 年基本完成，1985 年《内蒙古植被》由科学出版社出版。

　　内蒙古自治区面积广阔，计有 118 万平方公里。其东北部为大兴安岭山地明亮针叶林区，西部为阿拉善荒漠区，中部是广大的草原区。三者循序排列，依次形成了一系列不同的自然植被地带。因而在自治区境内，拥有多方面适宜于发展工、农业的自然条件和自然资源，这是本区社会主义现代化建设的重要物质基础。内蒙古植物区系和植被的考察研究，为土地资源、生物资源及其他自然资源的合理利用与科学管理，从生态学观点提供科学依据。

　　植物地理学和生态学的基本观点告诉我们：植被的发生和演变必然是以植物区系的演化为背景的。因此，要对植被进行深入研究，就必须从植物区

系的分析研究入手，对于区系组成和区系历史剖析得越深刻，则植被研究的
基础越雄厚。基于这种认识，在历次野外考察工作中，都是把完整、系统地
采集植物标本列为最重要的一项基本任务。在室内总结和撰写本书的过程
中，也是把内蒙古植物区系的研究看做全面研究内蒙古植被的重要前提。本
书第二、三、四各章都是讨论本区植物区系方面的内容，这就为以后各章论
述植被分布规律和各种植被类型的性质奠立了必要的基础。

　　全书共分十二章，第一章概述全区植被发生与分布的生态地理条件。第
二章是对本区每一种维管束植物的生态特性、地理分布进行简要记述。这些
资料是根据我们运用比较生态学方法在野外长期反复观察和对比并参考有关
文献记载所确定下来的。它是研究植物群落的性质、组成、层片结构、外
貌、功能、动态等特点的基本材料。第三章综述了全区植物的科属组成、区
系地理成分类型、生活型及生态学类型等，为植被的生态发生和基本性质的
研究提供重要依据。第四章以全球植物地理区域为根据，并参考内蒙古周围
相邻地区的区系研究资料，提出我区植物区系分区的初步方案，划分为 18
个植物州和 8 个植物省，这也是植被区划研究的基础。第五章的内容是论述
全区的植被地带。按照自然地带学说的原理应用 H. Walter 气候图式的方法，
分析了全区大气候的水热组合特点，可以看出显域植被的分布与热量及湿润
度的地理差异是密切相关的。根据植被对热量分布的反映，我们在本区划分
出寒温型、中温型、暖温型三种不同的植被带。再按照植被与湿润度的相关
性，不仅可以划分森林、草原、荒漠等植被地带，而且还应该进一步分出不
同植被亚带。在草原带内可分为森林草原亚带、典型草原亚带、荒漠草原亚
带；在荒漠带内我们分出草原化荒漠亚带、典型荒漠亚带。第六章及第七章
是以野外考察资料的分析为基础对本区两项最主要的显域植被——草原植被
和荒漠植被的类型进行了详细的论述。草原植被一章共记述了 13 个群系，
其中大针茅草原群系（Form. Stipa grandis）是本组 1964 年在内蒙古高原区
的考察中首次确定的一个群系，它是蒙古高原中温型典型草原亚带最基本的
草原群系。关于本区各草原群系在生态发生和地理分布上的相关性也在本章
做了分析论述。在荒漠植被一章，对本区荒漠植被的分类进行了探讨，划分
了四个荒漠植被型，并且对本区 23 个主要荒漠群系的特征和生态位置进行
了阐述。第八章简要记载了内蒙古各山地的植被类型和植被垂直分布的特

点。第九章专门讨论了不稳固的松散风沙土基质上所发育的各种植物群落类型及其地理特征。第十章对本区的隐域性植被——低湿地草甸、沼泽、盐生植被等做了简要的描述。第十一章所介绍的植被区域特征是从植被地理分布的角度来探讨植物地理学区划的一个方面，它与第四章、第五章的内容是衔接的。第十二章从生物学和生态学观点对于内蒙古地区植被资源的评价、合理利用和管理问题提出了原则性意见。

为了便于读者更多地利用野外考察的基础资料，所以本书的内容带有考察报告的特点。例如对本区每一种植物的生活型，生态特性，生境特点，在群落中的作用、地理分布、分布区及区系地理成分等都力求做出简要的说明，对一些建群种、优势种和特征种也编绘了分布图和分布区图，对各种植物群落的描述也尽量多使用一些具体资料，如群落结构图、表等。这些资料对于植物生态学、植物地理学和植物引种栽培、植被利用管理等方面都有参考价值。本书的大部分章节已在 1976—1977 年写出初稿，并送请吴征镒、侯学煜、陈昌笃等进行审阅。1978 年又将有关章节的手稿及打印稿提供给《中国植被》的编著作参考，其中，本书第一章、第三章、第五章、第六章、第七章、第十一章等各章的部分内容已被《中国植被》在有关章节中大量引用或参考，使本书在编写过程中已发挥了初步的作用。

本区植被和植物区系的考察研究工作是在一定的历史阶段进行的，所采用的手段也限于常规考察方法，不仅缺乏连续性的定位观测资料，而且对区内各地的考察工作也是不平衡的。因此，对不同植被地带、不同区域、不同类型的植被和植物群落以及不同的植物种类所占有的材料也是不均衡的。所以对许多问题的阐述有一定局限性，需要在以后的研究中不断深化。

收入本书的植物种，大部分都有本队所采集的标本为依据。另外，还利用了内蒙古大学生物系、内蒙古农牧学院、内蒙古药物检验所、中国科学院植物研究所、中国科学院林业土壤研究所、江苏省植物研究所、南京大学生物系等单位所保存的植物标本。在本书编写中除参考已发表的文献和著作以外，还参阅了一些同志的原始手稿和记录资料等。在植物标本整理鉴定工作中，得到了秦仁昌、吴征镒、马毓泉和中国科学院植物研究所植物分类研究室许多同志的热情指导和帮助。书中的全部插图是由中国科学院自然资源综合考察委员会技术室制图组和植物研究所生态学研究室植被制图组的同志共同清绘的。

　　《内蒙古植物志》和《内蒙古植被》都是内蒙古自治区生态科学与生物科学的基础性成果，具有长期的科学价值和实用价值，成为内蒙古生态文明史上的两颗明珠。

第 二 十 章

中国科学院内蒙古资源环境
综合考察工作及成果

第一节　考察研究工作历程

新中国成立之初，全国各地区的自然资源和地理环境的科学考察资料十分缺乏，尤其是边远地区的现代科学资料几乎是空白。因此，在《1956—1967年国家科学技术发展规划》中确定了四项综合考察任务，要求中国科学院组织若干综合性的科学考察队伍，在摸清自然资源情况及其环境条件的基础上，分别提出各有关地区的资源开发利用方略和生产力发展的远景设想，从而为国家社会主义建设提供科学依据。其中第四项为"新疆、青海、甘肃、宁夏、内蒙古地区的综合考察及其开发方略的研究"。

为此，中国科学院在基本完成新疆综合考察（1956—1960年）和青海甘肃地区综合考察（1958—1960年）之后，于1961年组织了中国科学院内蒙古宁夏综合考察队，确定其任务是调查两自治区的自然资源、自然条件及其分布规律，并结合对国民经济现状考察，综合研究该地区自然资源合理利用的方向与途径，为国家和地方有关部门制定资源开发利用和发展生产力规划提供科学依据；同时，本着综合考察工作远近结合的原则，要提出上述设想的实现步骤，以便更好地为当前建设服务。该队组织了中国科学院有关研究所、国务院有关部委和高等院校以及内蒙古、宁夏两自治区有关部门共28个单位150余人（其中参加内蒙古自治区综合考察的人员约120人）参加考察研究，由著名科学家、中国科学院学部委员、中科院地质研究所所长侯德封担任队长，中科院土壤研究所所长马溶之、中科院综合考察委员会李应海、中科院内蒙古分院副院长巴图任副队长。全队包括地学、生物、经济、工程等多学科的 16 个专业的人员，按照各年考察地区或中心任务，组成分队及学科专业组进行工作。

内蒙古和宁夏两区的考察研究历时五年。其中，宁夏自治区的考察研究由宁夏分队于 1964 年完成，并提交了多项研究报告成果，随即向宁夏自治区政府做了汇报；内蒙古自治区的考察研究工作由各分队与各专业组于1961—1964 年先后进行了锡林郭勒盟、乌兰察布盟、巴彦淖尔盟、昭乌达盟、哲里木盟、呼伦贝尔盟、伊克昭盟、包头市、呼和浩特市等各盟市和一些重点地区的考察研究，每年都向各盟市有关政府部门汇报阶段考察研究结果。1965 年已完成全区有关资源状况与开发方案的报告（或初稿）和多种专题研究报告，1966 年 4 月在呼和浩特市举行汇报会，向内蒙古自治区党委和政府做了历时四天的研究成果汇报。时任自治区党委的几位副书记、政府副主席及各部门负责人共 50 余人听取了汇报，并进行了座谈讨论，对考察工作给予了很高的评价。此后，全队投入各专业各学科的总结工作，但1966 年 5 月因"文化大革命"而使工作中断。直到 1973 年自然条件及农林业等各专业组恢复工作后，分 8 个学科组进行科学总结，于 1976—1983 年完成了"内蒙古自治区自然条件和自然资源综合考察专集" 8 项学科专著的编著，包括地貌、土壤、植被、草地、水资源、农业气候以及畜牧业、林业等，共 420 万字的篇幅，由科学出版社于 1985 年前全部出版。

内蒙古自治区综合考察项目的科学成果先后荣获 1978 年全国科学大会集体研究成果奖，1978 年中国科学院重大科技成果奖和 1979 年内蒙古自治区人民政府科研成果奖。并在内蒙古自治区多项发展规划的制定中、建设项目的实施中和科学研究与教学中被广泛应用。

第二节　资源开发与生产力发展的
科学建议与研究成果

通过几年对内蒙古各地区的各项资源与环境条件的考察研究和全面总

结，考察队完成了以下三方面为内蒙古资源开发与经济发展服务的研究成果，共计有研究报告183篇，图件十余种：其中，全区性综合开发方案方面有33篇，例如：①内蒙古自治区农业资源利用与农业发展布局；②内蒙古工业发展远景与合理布局。重大专题研究方面有31篇，可列出：①内蒙古天然草场的合理利用与开发；②内蒙古宜农土地资源的评价和农、牧区开发的方向与途径；③内蒙古水利资源开发利用的重大问题；④内蒙古畜牧业基地的发展方向与配置；⑤内蒙古西辽河和黄河流域地区粮食基地的发展远景；⑥内蒙古不同地区农牧业合理结合问题；⑦内蒙古大自然改造设想；⑧内蒙古综合自然区划；⑨包头钢铁基地发展远景有关问题；⑩内蒙古主要矿产资源评价；⑪内蒙古轻工业发展方向与布局；⑫内蒙古交通运输网与重要物资合理运输；⑬内蒙古煤炭资源评价与开发利用，等等。地区性考察研究报告共有150篇，各盟、市、区域分别有：呼和浩特与包头21篇，呼伦贝尔盟22篇，昭乌达盟和哲里木盟64篇，锡林郭勒盟13篇，伊克昭盟18篇，乌兰察布盟和巴彦淖尔盟12篇。这些地区性报告都对水资源合理利用、土地资源评价与利用、草地资源利用与保护、森林资源的合理采伐与更新保护、农林牧业合理布局、工矿业发展条件及产业布局、交通设施与运输业的发展、自然环境的治理与保护等进行了论述。一系列自然与经济图件有：内蒙古自治区土地资源图、草场资源图、水利资源图、农业气候区划图、地貌区划图、农林牧布局示意图等。

在上列各种考察研究报告中，都是本着服务于内蒙古长远经济发展与当前生产建设的战略思考，在进行科学分析基础上提出的可行性方案与建议。下面分为农牧林业、工业、水利三方面加以说明。

一、农、牧、林业发展方面

通过实地考察研究，到1965年，科考队完成了内蒙古自治区农业资源利用及农业发展布局的综合性总体报告和多项专题性考察研究报告。这是完成考察后，对大部分地区利用1/2.5—1/6万航空照片编制的1/20万和1/10万专业图件测算基础上，提出了从全区到盟、旗、县的土地资源和天然草场资源的数量质量及其评价，结合水、气候与森林资源的估算评价以及分析自治区自然条件和社会经济条件的特点后，提出了内蒙古自治区农牧林业的发展方向和布局，进一步划分出 9 个农业发展区，分别论证了它们的生产方向、资源开发程序、潜力和措施。

在谷物粮食等农业生产方面，提出重点建设黄河河套平原、西辽河平原及大兴安岭东麓地区的粮食基地。河套平原农业区的建设中，要把土地盐碱化的多途径综合治理列为重点项目。根据需要和水利、土地条件进行耕作制度与作物种类配置的改进。西辽河平原农业区要对发展农田灌溉进行优化布局及水资源合理利用的研究和改进。大兴安岭东麓农业区要随着水利建设项目的发展，提高农业经营水平。

在畜牧业方面，查明了内蒙古自治区有天然草场 11 亿亩，其中一、二等优质草场 3.3 亿亩，占 30%。针对内蒙古畜牧业基地的建设，论证了发展方向和布局，提出了改进经营与饲养方式，正确处理数量与质量的关系，因地制宜实现畜牧业稳定优质高产的意见，和从东到西建设不同类型畜牧业商品基地的意见。考察过程中，还专题研究了呼伦贝尔草原地区的大畜良种基地与乳品基地，昭、哲盟肉乳与耕畜基地，伊克昭盟养羊业的发展以及锡、昭、哲、伊盟农牧结合的发展途径等。针对内蒙古的农牧关系、草畜矛盾和草原开垦问题，在调查估算宜农土地资源和对水资源条件分析的基础上，研究认为：广大草原地区的土地资源利用方向应以牧为主，不宜大面积开垦草原，只可适当开发部分水土条件优越的宜农土地，经营精耕细作的种植业。并特别明确指出，在内蒙古草原地区大规模开垦土地，建立京津地区粮食基地的条件是不具备的。

对林业方面，认为其基本任务除巩固提高已有的用材林基地外，主要林业建设项目应是保护农牧业的发展，大力营造水土保持林、防风固沙林和农田防护林。

农牧林业的发展要体现合理布局、因地制宜的原则，从东北往西南分别论证了 9 个农业开发区的发展条件、发展方向、资源开发程序和潜力以及措施等。针对今后长远深入的科学研究，还提出了建议项目，例如在草原带建立定位实验站；在大青山以南的土默特平原与鄂尔多斯建立种草种树草田轮作，农牧结合的生产样板；在鄂温克、二连浩特等地设立牧业电气化和风力机械与风能利用的实验站等。

二、工业发展方面

关于内蒙古工业发展方向：考察队工业各专业组经过几年对各盟、市的考察和专题研究，在分析了各种有关条件、尤其是评价了资源条件之后，认为内蒙古的工业发展方向应是，以钢铁、稀土、机械制造、森工、畜产品加工为主体，并贯彻地区专业化与综合发展相结合的原则，建成紧密配合华北、东北，而又面向西北的全国性原材料工业基地，重要的轻工业品产区，以及与内蒙古资源条件和促进农牧业现代化目标任务相适应的工业体系。在原材料方面除了主要向国家提供大型钢材外，同时适当发展有色金属、基本化工与煤炭工业；在轻工业品方面除了主要向国家提供乳、肉、毛、皮革制成品与半成品外，同时适当发展农副产品加工与食盐开采、制糖、造纸等工业；积极发展化肥、农机与通用机械工业。依靠以上建设，为达到增强国家和地区经济实力，改善北方工业布局，促成早日实现具有现代经济、文化的先进的民族自治区的长远目标发挥重要功能。在工业布局上，应一方面重点建设包头和呼和浩特综合性工业基地和大兴安岭森林采伐与林产工业区，另一方面在包兰铁路沿线、通辽等地区开辟一些新的工业建设区。

关于包头工业基地建设问题：科考队工业各组对包钢的发展做了专题研究。认为早日建成包钢，不仅可大大加强我国钢铁工业的实力，而且作为内蒙古工业的骨干企业，必将有力地推动内蒙古西部与华北地区国民经济的发展和支援西北大规模的经济建设。但当时由于已证实白云鄂博铁矿是我国少有的一个富含稀土与稀有金属的大型综合矿床，从而凸显了自然资源特点与钢铁工业建设性质不相适应的矛盾和资源保护与生产建设的矛盾。经过多方分析研究，认为要坚持保护资源、综合利用的原则，同时也应考虑现实条件。要既保证包钢生产需要，又采取一切可以做到的保护措施，本着综合开发的精神开发白云矿区的矿床。明确建议在包钢生产建设中，积极带动稀土生产的发展与产品利用，使稀土生产逐步过渡成为一个独立而强大的工业部门；同时包钢本身也应借助稀土过渡成为一个独具特色的合金钢基地。另外，还研究了包钢炼焦煤源与包头动力用煤来源问题和呼包二市工业综合发展问题等。

关于内蒙古东部三盟的工业发展问题：1962 年对东三盟的许多企业进

行了调查，注意了远近结合问题。认为今后该地区的工业发展方向是建成面向全国的森林工业基地、畜产品加工基地与东北区的燃料动力辅助基地。森林工业应尽量减少浪费，充分利用枝杈，适当发展制材工业，以提高木材资源利用率。畜产品加工应保证重点企业原料供应，合理划分原料供应范围，增加产品品种，改善产品质量。鉴于呼伦贝尔盟西部和昭盟南部煤炭资源比较丰富，不仅能保证本区动力煤需要，而且可支援黑龙江与辽宁，建议加大其开发规模，并发展电力工业。

三、水利建设方面

经过考察研究，系统地论述了内蒙古水资源形成的地质基础、自然条件，水文系统与水资源变化规律及分布特征，并对开发利用条件进行综合评价。在分析开发历史与现状基础上，着重于抗旱防洪，满足工、农、牧业合理用水，并对调节和改善环境做了论证，使水环境、生态环境良性循环优化发展。河套平原，根据水盐运移规律，提出控制引水量、实施井渠结合灌溉、改良盐渍土的措施，在 20 世纪 70 年代还与自治区、水利厅合作在乌拉特前旗开展井渠结合改良盐渍土实验。西辽河平原区，提出引洪淤灌、利用洪水改造沙区的方案等，促进灌溉农业发展。为使牧业供水合理化，缓解缺水草场人畜用水困难，提出牧业供水站网合理布局、机井综合利用、供水机具改良、草料基地灌溉等措施，促进畜牧业发展。研究多泥沙河流蓄水工程效益，提出多泥沙水库、塘坝减少淤积运用方式和措施，为水土流失区修建水库和延长使用年限提供有科学根据的意见。对承压自流水的控制使用、聚集地表径流、有效利用降水资源等提出了有效措施的建议。

第三节　学科总结与专著出版

1973 年，参加内蒙古考察的农牧林与自然条件自然资源的各专业组，在大量野外调查与制图工作的基础上，进行了系统的学科总结，陆续完成了一套 8 卷的《内蒙古自治区自然条件和自然资源综合考察专集》。这套成果比较全面系统地研究了内蒙古地区自然条件和自然资源的类型划分、基本特征、发生与演变规律、地理分布、资源开发利用的价值及对策等，发现了许多新现象，提出了许多新观点，并作出规律性解释。下面对各卷的基本内容与科学创新点做简要记述。

《内蒙古自治区及东北西部地区地貌》由郭绍礼主持编著，由科学出版社 1980 年出版。本书对内蒙古自治区的地貌形成条件、分布规律、地貌发育、地貌区划以及地貌对农牧林业生产和自然改造的影响和作用等问题进行了论述，以期为各有关产业和科教单位制订发展规划和教学与研究工作提供地貌学方面的依据和参考资料。全书共分 8 章，分别对内蒙古地区的地质构造与地貌形成、地貌演变的外营力条件分析、第四纪沉积与地貌发育、火山熔岩地貌、风沙地貌、湖泊地貌及其演变、高平原地貌的形成与结构、地貌区划与农牧林业等作出了系统全面的研究总结，是研究生态地理环境的一部完整的内蒙古地貌环境专著。

《内蒙古自治区及其东西部毗邻地区气候与农牧业的关系》由李世奎主持编著，由科学出版社 1976 年出版。本书的主旨是在研究内蒙古地区气候条件动态规律的基础上探索气候与农牧业生产的关系。全书分为 3 篇，共 10 章。第一篇全面阐述了季风环流、水、热、风、光照、蒸发、沙尘暴、积雪、冻土等内蒙古主要气候条件的动态特征；第二篇是关于农业气候鉴定、农业气象灾害以及农业气候区划的论述；第三篇是对家畜生产与气候条件、草原牧草与气候条件、畜牧业气象灾害以及畜牧业气候区划的研究。气候条件决定着生态系统能量与物质的光、热、水分来源，也是生态地理环境中敏感多变的因素。本书对此做了深入研究。

《内蒙古自治区及其东部毗邻地区水资源》由杜国垣、马长炯主持编著，由科学出版社 1982 年出版。本书在内蒙古地表水与地下水形成条件、基本特征、分布规律、资源潜力、水资源开发利用等进行系列考察研究的基础上，广泛汇集利用了多年的水文与水文地质资料及数据，经过分析研究，形成了各地区水资源评价及合理开发的认识。全书分为 10 章，首先分别阐明了内蒙古的地表水、地下水与区域自然地理条件及地质构造体系的关系，进而采用地表水与地下水融为一体的观点对水资源进行了综合评价与估算。又分别对呼伦贝尔高原、嫩江右岸地区、西辽河地区、内蒙古高原、阴山南麓地区、河套平原、鄂尔多斯高原等的水资源特点及开发利用问题做了深入论述。

《内蒙古自治区及东北西部地区土壤地理》由石玉林主持编著，由科学出版社 1978 年出版。本书以内蒙古草原土壤及土地资源为重点，系统地阐述了全区各类土壤的形成、分类、性质、地理分布以及土地资源的质量评价与合理利用问题。全书分为 4 篇，共计 17 章，第一篇专述土壤发生的条件和形成过程，各类土壤的分类原则与分类系统，土壤分布与土被结构等；第二篇详述内蒙古森林土壤、草原黑钙土、栗钙土、棕钙土、黑垆土、荒漠土壤、岩成土壤、水成土壤、盐成土壤等的性质与特点；第三篇论述了内蒙古的土壤地理分区，在全面认识亚欧大陆草原土壤特征和区域分布规律性的基础上提出划分为三个相，也记述了在考察中发现的草原碱化类型；第四篇是对土地资源合理利用的论述，根据土壤、气候与农业关系的综合分析，确定了可经营旱作农业地带的界限应在典型草原带的西界，旱作农业可保持稳产地带的边界是森林草原带的西界，这项结论对农牧林业生产布局和生态保育有重要指导意义。

《内蒙古植被》由刘钟龄、王义凤主持编著，由科学出版社 1985 年出版。这是历史上最完整的一部内蒙古植被生态学和植物区系多样性研究的总结性专著。全书共分 12 章，包括：植被生态地理条件、植物种的生态地理特征、植物区系多样性分析、植物分布区域、植被地带、草原植被、荒漠植被、山地植被、沙地植被、低湿地植被、植被区划、植被的资源利用与保护等内容。本书强调植物区系与植被研究的统一性，在论述内蒙古地区自然地带分异规律的基础上，首次提出"暖温型草原带"和"暖温型草原类型"的新概念，并以本氏针茅草原的分布作为主要标志，其地带性原生土壤是黑垆土。调查发现大针茅是内蒙古草原植被的主要建群种，确定了大针茅草原是最基本的地带性群系。在植被的资源利用中强调了生态保育的原则和对策。

《内蒙古自治区及东西部毗邻地区天然草场》由廖国藩主持编著，由科学出版社 1980 年出版。作者在全面考察内蒙古全区草场资源的基础上，编著了本书。全书分为 3 篇，共计 10 章，分别研究论述了草场类型及其属性与分布规律，草场生产力与畜牧承载力；草场植物营养与草场质量评价；草场合理利用的原则和草场保护的基本对策；基本草牧场和饲料地建设的条件分析，草种与饲料品种的选择和培育，因地制宜的基本草牧场和饲料地建设的对策与方略；草牧场利用、建设与畜牧业现代化发展的方向与目标。

《内蒙古自治区及东北西部地区林业》由石家深主持编著，由科学出版社 1981 年出版。内蒙古林业的考察包括全区森林资源和营林的全部内容。本书分为三部分，共 13 章，第一部分论述天然林的地理环境条件与分布，森林的类型和演替，森林的采伐利用和更新；第二部分是宜林地类型与评价，造林树种的选择，农田防护林、草原牧区造林、固沙造林的方略；第三部分是论述全区的林业区划，共分为湿润地区、半湿润地区、半干旱地区、干旱地区四区。湿润地区是大兴安岭水源涵养与用材林区，半湿润地区是大兴安岭等山麓地带的森林草原区，半干旱地区是草原地区隐域性立地的林业，干旱地区是绿洲天然林与防护林营造。

《内蒙古畜牧业》由沈长江主持编著，由科学出版社 1977 年出版。畜牧业是内蒙古的基础产业，经历了长期的发展过程，新中国成立后面临着逐步向现代化发展的任务。作者在完成了内蒙古畜牧业历史与现状的考察后编著了这一专著。本书分为 10 章，首先概述了内蒙古畜牧业的发展历程和畜牧业的地域类型及其特点。再论及内蒙古畜牧业经营与发展的环境条件并进行了生态学分析与评价，包括草牧场饲料条件与家畜牧养的生态学分析。对绵羊、山羊、黄牛、马、驴、骡、骆驼、猪等畜种均分别做了品种生态特性、地理分布与品种区划等详细论述。最后是对内蒙古畜牧业的发展方向和家畜牧养条件与生态环境改善进行了研究，提出了完整的建议。

可以认为这 8 部科学专著是内蒙古自治区最系统的各项自然资源评价和利用与生态环境科学的专著，它丰富了内蒙古地区的地理学、气候学、土壤学、生态学、生物学、资源科学、环境科学与农牧林业科学的内容，填补了内蒙古地区有关学科的空白，是具有历史价值的科学文献。

第四编

人　物

李继侗

　　李继侗，江苏省兴化县人，1897 年 8 月 24 日生。1912 年先就读于上海青年会中学，后转圣约翰大学附中学习。1917 年中学毕业后考入圣约翰大学，两年后，转学南京金陵大学林科，得到奖学金资补学习费用。1921 年在金陵大学林科毕业前，曾赴青岛林场实习，写出了《青岛森林调查记》一文，在学术期刊《森林》第 1 卷第 3 号发表。毕业后当年考取清华学校公费留美，入耶鲁大学林学研究院，于 1923 年获硕士学位，完成了论文《关于苗圃瘁倒病的研究（Nursery Investegation with Special Reference to Damping-off）》，1924 年和导师 J. W. Toumey 教授共同署名发表。1925 年又通过博士论文，题为《森林覆盖对土壤温度的影响（Soil Temperature as Influenced by Forest Cover）》，获博士学位，是到美国留学的中国人在林学方面获得博士学位的第一人。该论文于 1926 年作为耶鲁大学林学研究院专刊第 18 号出版刊行。

　　1925 年李继侗由美国回到祖国后，先在南京金陵大学任教一年，1926 年受聘于天津南开大学生物学系。当时南开大学生物学系教授只有李继侗一人，所以几乎讲授了生物学系的全部课程，除普通生物学、植物学、植物生理及植物解剖学外，还要兼顾动物学方面的课程，无脊椎动物学、比较解剖学，遗传学和进化论等。为了讲授一小时的课，要遍读有关的参考书，常用两三天的时间去备课。实验课也要自己先做一次，晚上常常工作到深夜。就是在这样繁忙的教学工作中，在南开大学生物学系的设备相当简陋的条件下，李继侗也要在教学之余进行科学研究。在南开任职的三年期间，完成 3 篇植物生态生理学论文，都在国外的科学刊物上发表。一篇是《光照改变对光合作用速率的瞬间效应》，一篇是《强烈日光对树木幼苗的影响》，另一篇是《气候因素对植物吸水力的影响》。他对光合作用瞬间效应的发现是对植物生态生理学的贡献，在国际上得到公认。植物吸水力的研究是探索植物水分生态生理机制的重要工作。由此可见，他对教学与科学工作认真负责的态度，不畏难、不强调条件、不辞辛苦的精神，是十分难能可贵的。

1929 年李继侗受聘于北平清华大学，任生物学系教授。清华学校自1925 年正式成立大学部，开始招收大学生，1926 年大学部改为四年一贯制的正规大学，同年秋季成立生物学系，先由钱崇澍担任系主任，1928 年起由陈桢任系主任。李继侗到清华生物学系以后，讲授普通生物学（大一公共必修课），植物生理学、植物生态学、植物解剖学及应用植物学等课程。他在教学中十分重视实验课，每次实验前印发的实验指导书都亲自编写或审核后付印，对学生悉心指教，诲人不倦，受到师生好评，不少学生在他指导下都成长为著名学者。李继侗与陈桢都提倡课余积极从事科学研究，1930年就在国外学术刊物上发表《去顶燕麦胚芽鞘上新生理顶端的出现》，在国内发表《燕麦子叶去尖后之生理的再发作用》，这是我国植物生理学研究的先驱性工作。在燕麦胚芽鞘向光性运动中发现了生长素，从而引起农作物生产中化学控制的兴起。同年，李继侗引用当时著名植物生态学家辛帕尔（A. F. W. Schimper）的理论观点，发表了《植物气候组合论》一文，这是我国最早的论述全国植被类型、分布及分区的论文，是对我国植被生态学研究的开创性贡献。鉴于我国 20 年代末的气候干旱，西北地区旱灾严重，李继侗十分关注灾区农业生产，于 1930 年在清华周刊发表了《植物与水分之关系》的书评，评介马克西莫夫（N. A. Maximov）所著的《植物与水分之关系（The Plant in Relation to Water）》一书及其他相关论著。他从 1928 年提交《气候因素对植物吸水力的影响》一文时即对植物适应干旱的生态学机理进行研究，为农业抗旱提供科学支持。随后，李继侗又开始了光、温等因子对银杏叶与胚发育的生态效应研究，至 1934 年在国外发表了一系列论文。[①] 李继侗到清华任教期间正是日寇加紧侵华、国内战火不停的年代，华北之大，已放不下一张平静的书桌，教学与研究工作更受到财力与物力的诸多限制。在这种条件下，仅五年多时光，李继侗就在国内外发表了十多篇论

----

① 李继侗文集编委会：《李继侗文集》，科学出版社 1986 年版，第 103、147、151、162、167、169、175 页。

文，可见他对科教事业的执著与勤奋。

为了改善清华大学生物学系的教学设施，李继侗也投入到清华生物馆的建设。1930 年冬生物馆建成，实验室得以扩充，实验仪器设备也有所增加，并且订有国外的有关生物学期刊 100 多种。其中的植物生理实验室就是在先生的设计指导下建立起来的，可容 20 人同时实验，每人有一套实验仪器，独立进行操作。现在看来这种上课的实验条件是起码应该具备的，但在当时战乱的年代，这是经过奋斗争取才得以实现的。

李继侗自 1931 年起在清华生物系讲授植物生态学课程，以后隔年开课。他十分了解国外植物生态学的进展，也注重研究我国对植物生态学的需要和研究方向。从 1932 年起，历年都到野外进行植物采集与生态考察工作，到 1937 年，他的足迹已走遍北京附近的山区，如香山、八大处、妙峰山、潭柘寺、南口、八达岭以及百花山等地，跋山涉水，不辞辛劳。有一年去小五台山调查采集标本，中途遇到刘桂堂匪部流窜过境，遭受洗劫，只得困居山上庙内，与家中月余不通音信，致使校中同事及家人深切挂念，后虽平安返校，但已令人惴惴不安。即便如此，李继侗却未减少对野外工作的热情。在做野外考察时，与学生同吃同住，融洽无间，从无特殊享受，深受同学的爱戴。但对学生的学习与工作却严格要求，在野外一律步行，还要自己背行李和标本，李继侗自己也不例外，以作表率。他走山路速度很快，且按照林学家的训练，旅途和爬山时很少喝水。自 1932 年开始做野外植被考察，李继侗设想用几年时间对华北地区的植被做全面深入调查研究，完成相关的论著，但因抗日战争爆发未能实现。直到 1954 年，新中国第一个五年计划开始时，按照北京市林业建设事业的需要，李继侗才带领北京大学生物学系、地理学系，南开大学生物学系，北京师范大学生物学系的一批师生重新开始了北京市植被生态学研究。①

1933 年中国植物学会成立，李继侗为发起人之一。1935 年，学会决定编辑出版英文版的《中国植物学会汇报》，每年一期，作为国际交流之用。李继侗被推为主编，到 1936 年共出两期，后因抗日战争而停刊。

按照清华大学当时的规定，教授任教 5 年后，可以带薪赴国外考察或进

---

① 　马毓泉文集编委会：《马毓泉文集》，内蒙古人民出版社 1995 年版，第 37 页。

行科研工作一年。依此规定，李继侗于 1935—1936 年去德国柏林大学进行科学研究一年，并在国外与陈焕镛代表我国参加了在荷兰阿姆斯特丹召开的第六届国际植物学会议。回国后，继续在清华大学任教，并于 1937 年春去淮河流域桐柏山地区进行植物生态考察与造林设计工作，回校后不久便爆发了抗日战争。

1937 年 8 月，清华大学在国难当头之际决定迁校，先到达湖南长沙，与北京大学、南开大学联合成立临时大学。年底，战火逼近长沙，学校决定西迁昆明。1938 年 2 月临时大学第一学期结束后，师生开始启程。由于内地交通困难，除女生和体弱男生乘粤汉铁路火车到广州，经香港、越南入滇外，男同学 200 余人组成了湘黔滇旅行团，在李继侗、曾昭伦、闻一多、黄子坚四位先生亲自率领下，历时两个多月，经过衡山湘水，跋涉三千多里路程，由长沙步行到达昆明。李继侗当时患有腿病，起步困难，先由两位青年教师（其中有吴征镒）背扶走一段路程，而后才能勉强自行走动。就是这样的艰苦困难也没有改变他坚持步行到达昆明的决心，临行前致书家人："抗战连连失利，国家存亡未卜，倘若国破，则以身殉。"李继侗爱国心的强烈，民族感的深厚，对日寇的仇恨，由此可见一斑。

1938 年 5 月 4 日，临时大学改名为西南联合大学在昆明开学。李继侗担任西南联大叙永先修班主任，曾长时间在叙永主持先修班的一切事务，对学生十分关切，但要求一丝不苟，连自己的儿子也前后念先修班三次才升入大学。李继侗还用自己省吃俭用节约下来的钱资助困难的学生，但不愿别人提起，甚至还设法不使被帮助的人知道，他究竟资助过多少人，无法得知。在西南联大教授中，他以不计辛劳、勇挑重担著称。别人做不了的他做，别人不愿干的他干，他管理过合作社，出任过校景委员会主任，还担任生物学系主任，办事认真负责，公而忘私。

在联大生物学系的教学中，由张景钺、吴韫珍、李继侗三位先生为二年级学生开设必修的普通植物学课程。其中，植物形态学由张景钺讲授，植物分类学由吴韫珍讲授，植物生理学和解剖学由李继侗负责。讲授质量很好，并于 1940 年开始分头编写讲义。由李继侗执笔的植物生理及解剖学部分，作为全书的上编，后于 1950 年在北京大学出版部印行，成为当时颇为重要的普通植物学教材。其中较多地结合我国植物的实例进行讲解，更切合我国教学的实际需要。1940 年，李继侗曾为联大植物学专业学生讲授植物生态学课程，说明植物和光温水土等环境因素的关系，从植被生态系列到植物垂直分布，从植被生态作用、群落演替到森林破坏、水土流失、环境演变等都有精辟的论述，并以昆明西山植被为例，增加感性认识的内容，理论联系实际，讲课用语生动，条理分明，效果良好，深受学生欢迎。

抗战期间，教学条件很差，西南联大生物系只有几间简陋平房，分别作为植物生理学及分类学实验室之用，其他课程都没有专用的实验室。李继侗的工作室很小，约有 4 平方米，但保留了一个较大的标本室。至于图书仪器等设施的贫乏，也不难想象。即使在这种情况下，再加上繁重的教学任务和具体事务工作，李继侗仍不放弃科学研究工作，还因陋就简，利用可能利用的条件进行工作。例如在 1942 年，曾参加当时赈济委员会组织的考察团到滇西（今德宏自治州）做社会调查时考察山地植被，又曾对紫花地丁的闭花受粉现象，做过详细的观察，还指导研究生做花生结实的生理学研究。但限于当时的恶劣环境与局势，未能将研究结果整理发表，实属憾事。

1945 年 8 月抗日战争胜利，1946 年 5 月西南联大结束，三校各院系随原校复员，师生分批北上，于同年 8—10 月间全部回到北平和天津，李继侗与清华师生也回到一别九年的清华园。在北平沦陷期间，清华园被日军占用，历时八年，先是驻扎军队，后改为伤兵医院，使原有建筑严重受损，校舍残破不堪，生物馆也不例外。这时教学条件十分困难，而当时政府用于教育的经费极少，不足以满足需要。当时生物系主任仍由陈桢担任，在如此困难的情况下，由于得到李继侗的大力协助，团结全系教师同心协力做好复员工作，才使正常教学得以继续进行，使应届毕业的同学及时完成学业。

新中国成立时李继侗已年逾半百，鉴于过去对苏联与俄罗斯的科学成就了解较少，为了扩大学术眼界，并探索苏联生态学派的理论和米丘林学说的内涵，必须广泛阅读俄文原著。李继侗 1950 年开始学习俄文，以惊人的毅力，只用了一年时间，即突破难关，不但能阅读还能顺利地翻译俄文教材和专业参考资料。

1952 年全国高校实行院系调整，清华大学生物学系和北京大学动、植物学系及燕京大学生物学系合并到北京大学。李继侗对此决定完全拥护，在工作上服从统一安排。他担任植物学教研室主任，负责植物学专业的教学和科研领导工作，在工作中充分发挥主观能动性，对北京大学生物学系的建设与发展付出了不少心血，作出了重要贡献。

1953 年中国科学院派出访苏代表团到苏联考察，我国植物学家吴征镒等人作为代表团成员着重考察了苏联的生物科学和地理科学等相关领域的学科发展情况。他们了解到苏联作为世界上国土面积最大的国家，生态科学是富有特色的重要学科领域，并且形成了国际上著名的三个生态学派之一。其中，植物生态学、地植物学、植物地理学在苏联的生物、土壤、地理及相关的科学机构中更占有突出的地位。苏联改造大自然计划的制定和实践中，植物生态学与地植物学家担负着重大的科学任务。苏联的集体农庄、国营农场、林业基地、草原牧场更需要植物生态学与地植物学的工作。代表团在考察报告中介绍了这些情况，苏联的这些成就和经验在当时给予我们重要启示。同年，我国教育部在青岛举行了全国第一次大学理科教学工作会议，会上确定了植物生态学和地植物学应列为大学生物学系的专业课程，植物地理学也定为生物学系和地理学系的专业课程，并委托北京大学李继侗教授编订植物生态学、地植物学和植物地理学教学大纲。会上也酝酿了在北京大学、南京大学、云南大学等高校设立植物生态学与地植物学专科的方案。

李继侗根据国家教育部的部署，提出了在北大植物学专业成立"植物生态学及地植物学专科组"的建议，得到学校的支持，于 1954 年开始招收研究生，并接收来自全国各地的进修生，植物学专业的本科生到三年级时也可选读植物生态学方向。李继侗同时兼任中国科学院植物研究所植物生态学研究室的青年导师，从此开辟了我国植物学史上第一次有目的、有方向、有计划地在高校与科学院培养植物生态学人才的科学阵地。他以富有远见的眼光，选定了北方草原作为发展生态学的主攻目标，确立了在我国开创草原生态学的方向。他翻译了《蒙古人民共和国植被基本特点》、《蒙古人民共和国天然草地资源》等书作为重要参考文献。1956 年，他亲自带领青年教师和学生到内蒙古呼伦贝尔草原做生态学考察研究，主持撰写出草原植被研究报告，为青年学者做草原生态学研究提供了范例。

李继侗在领导教学工作中，一直要求基础课必须由教授主讲，并坚持亲自讲授普通植物学、遗传学、植物生理学等主要课程。1950—1951 年，李继侗在清华和北大两校连续两届和吴素萱共同讲授普通植物学课程，他住在清华园，每次到北大讲课，都是不辞辛劳，步行约30华里走到城内沙滩的北大理学院生物楼上课。1952年，李继侗又继续为合并后的北大生物学系讲授普通植物学课程。他在西南联大编写的植物学教材基础上，每年都对教学内容、教材的组织等方面进行更新，并把自己的研究心得贯穿到讲课之中，用生动的语言启发学生思考，可谓是创造性教学。1953年起，北大的普通植物学课程改由沈蒻如讲授，李继侗同系主任张景钺每次都去听课，随即将问题记下，课后加以讨论或提出意见，以求讲课质量的提高，并对答疑及辅导课时时进行检查，还亲自参加学生口试科目。这门课虽不再由自己讲授，但对于中、青年教师的关怀培养以及对于教学质量的继续提高仍认真负责。1954年李继侗还讲授遗传学，以实事求是的态度钻研米丘林著作，作出严谨的评价，这对于当时在我国正确理解遗传学不同学派间的特点是很有益的。李继侗观察科学问题十分敏锐，早在1954年对苏联李森科的治学道路就提出中肯而尖锐的批评，以此告诫青年要端正治学态度。

李继侗从1953年到1957年在北大讲授植物生态学和地植物学课程，并讲授植物地理学、植物生态学和地植物学发展史，为植物生态学专科组的建设和发展奠定了坚实的基础。对于本学科组的青年，李继侗对讲课实验，野外调查，言传身教，无不亲身指导。为了让研究生和进修生了解植物生态学的发展历程，李继侗博览国内外文献，在几次讲授植物生态学史的基础上，1956年编著了《植物地理学、植物生态学与地植物学的发展》一书，于1958年由科学出版社出版。这本书使读者开阔了视野，引导我们思考本学科的发展道路与方向。由于当时青年学生外语阅读能力有限，为了尽快学习国外文献，李继侗积极组织并亲自承担一批教材和参考文献与书籍的翻译工作。他所翻译的苏联科学院主编的《地植物学研究简明指南》即成为当时我国野外生态学考察唯一的中文版工作指南，是20世纪50年代我国开拓植被生态学研究的重要文献。为教学急需，他主译的P. D. 雅罗申柯编著的《植被学说原理》成为当时讲授地植物学的重要参考教材。为了植物生态学研究成果及时发表和交流，李继侗接受时任中国植物学会主席钱崇澍委托，创办了不定期刊物《植物生态学与地植物学资料丛刊》（即现在的《植物生态学报》前身）。他担任主编，为本刊确定了自由讨论、百家争鸣的方针。

1951—1957年间，李继侗一直在推动植物生态学及地植物学的教学和研究工作，亲身参加并带领青年人多次进行野外植物生态学调查研究及植物采集工作，现将重要的几次调查研究工作简述如下：

第一，1951—1952年冬春，为发展我国热带作物生产，建立橡胶生产基地，接受国家农林部门委托，李继侗带领北大植物学系师生去海南岛参加华南橡胶树宜林地考察。他先写成《我对于巴西橡胶树的了解》一文，印发给同行的考察人员作为参考。考察后对该稿又加以修改补充，改写为《橡胶树概论》，印成单行本供研究部门与生产单位作参考。本文是这次考察研究的重要成果，文中针对当时生产部门一些人不切实际的认识和草率的决策，根据生态学原理和橡胶树的适应性及宜林地的生态条件进行全面分析，提出了科学的指导性意见，给同行人及有关部门人士以重要启迪。

第二，1952年，李继侗带领马毓泉、段金玉等一批师生到京北宣化等地的草原进行植物采集及植被考察，这是为开拓草原生态学研究的前期工作，开始积累草原地区植物种类与植被生态学资料，也是开展北京地区植物生态学研究的内容。

第三，1954年，根据北京市园林建设的需要，也为了试行苏联地植物学派的研究方法，李继侗翻译了苏联科学院苏卡乔夫(В. Н. Сукачев)等人编著的《地植物学研究简明指南》，先用油印本发给学生学习，随即在当年和次年夏季，带领北京大学、北京师范大学、南开大学、东北师范大学的中青年教师和北大、南开两校的三、四年级学生及进修人员在北京小西山卧佛寺一带进行植被生态调查和植被制图，用该译本作为研究方法的主要参考，要求每个学生采集当地的全部植物标本，准确地鉴定和认识植物，用样方法调查各种植物群落的种类组成与群落结构，用样带法测定植物群落的空间分布与生态系列，对不同植物群落的根系与地下结构也做了取样对比。这次绘制的卧佛寺一带大比例尺植被图，算是新中国早期完成的第一张此类植被图。

第四，1954年秋，李继侗应中国科学院黄河中游水土保持综合考察队的邀请，带领郑钧镛等师生去甘肃东部的西峰镇地区做水土保持工作的实地考察，主要目的是探索植物学与生态学如何为黄土高原的水土保持工程进行科学研究的任务。考察过程中对水土流失地区的气候、地形、土壤等地理环境条件，植物的分布，水土侵蚀状况，当地农业、畜牧业生产与社会情况都进行了考察和访问，将考察结果写成《陇东水土保持工作的观察报告》。运用生态学观点阐述了实施水土保持工程的原则，为次年参加黄土高原水土保持的全面考察做了必要的准备。

第五，1955年中国科学院黄河中游水土保持综合考察队，由土壤学家马溶之担任队长，植物学家林榕担任副队长，李继侗担任学术委员，他带领北大生物学系的马毓泉等20多位师生到山西省西部的中阳、离石、方山等县（吕梁山地区）进行科学考察。李继侗负责全队的植被调查工作，经考察，他主持完成了晋西地区的植被图及吕梁山地区的植被考察报告，讨论了植被对水土保持的生态功能和退耕还林还草还牧的对策。这一报告收录在该队出版的《黄河中游晋西水土保持考察报告》中。随后，李继侗为了深入解决水土保持中种草种树的生态学问题，又翻译了苏联学者 B. A. 契尔喀索瓦编著的《利用干沟坡地建立割草场及放牧场》一书，把苏联与我国晋西地区的生态条件作比较，说明种草与经营畜牧业的可行性。

第六，1956年6月，李继侗带领北京大学植物生态学与地植物专门组的青年教师与进修生、研究生、四年级大学生去呼伦贝尔进行草原考察，为建立谢尔塔拉种畜场进行生态背景条件的研究。李继侗在野外工作一个多月，对场区植被做了详细调查与大比例尺植被制图，在调查中敏锐地发现草原因放牧利用方式与强度不同，引起植物种类消长与植被发生演替的趋势，要求研究生对此做动态研究，还指导研究生进行呼伦贝尔草原区植被与植物区系的全面调查研究，把呼伦贝尔草原作为发展草原生态学的重要阵地之一。参加这次考察实习的十几名大学生收集了回校写毕业论文的资料，为成批地培养植物生态学人才进行了有益的探索。回校后李继侗主持写成了《内蒙古呼伦贝尔盟谢尔塔拉种畜场的植被》一文，这在我国草原植被生态学研究史上是第一次。

第七，1957年初，李继侗为全国草原讲习班讲授草原生态学与地植物学课程。随后，去河北省张北地区进行现场教学与实习，对坝上草原做野外考察，并为研究生确定了研究题目——河北坝上地区草原利用与改良问题，为我国第一批草原科技人员的培养贡献了力量。随后又赴沈阳为中国科学院林业土壤研究所研究人员讲授植物生态学与地植物学。这两次讲课全面介绍了植物生态学与地植物学的基本内容和原理以及本学科的来历，并且结合中国实际，阐述了土地资源利用与保护的原则，草原盲目开荒的危害，森林过量采伐的后果，干旱、半干旱地区造林与种草问题，黄土高原水土流失的根源与防治途径等一系列应用生态学理论正确认识的实际问题。

第八，1957 年 7—8 月，李继侗带领北京大学植物生态学组的师生赴黑龙江省萨尔图草原（现今的大庆地区）做植物生态学实习，这是李继侗对松嫩平原的草原进行的生态学考察研究，并与大兴安岭以西的呼伦贝尔草原做比较，发现两者的植物组成有不少差别，松嫩草原区具有我国东北与华北的许多植物种类，隐域性植物群落类型也较多，在呼伦贝尔草原是缺少的。这次考察以后，李继侗又及时写出《黑龙江省红色草原牧场的植被和草场资源》一文。

总之，新中国成立以后李继侗在清华和北大生物学系任教的八年期间，工作十分繁重，既要筹划和指导我国生态学科的建设与发展，又有大量教学和培养研究生的任务，他亲自讲授多门课程，忙于备课、编写教材及翻译介绍国外文献资料，并指导中青年教师的教学与进修，还马不停蹄地每年外出做考察研究工作。他担任中国科学院学部委员和常委，参与了我国 12 年科学发展规划的制订。并任中国科学院编译出版委员会委员，积极参与制订 12 年编译出版规划，推动我国植物生态学与地植物学的出版工作。还兼任科学院植物研究所研究员，每周定期到该所上班，指导植物生态学及地植物学研究室的青年人员在科学研究工作中成长。当时李继侗是一位很有威望的长者，但从未考虑个人的安逸，一心为国家科教事业奋力拼搏，特别是为植物生态学及地植物学培养了新中国的一代人才，他所作出的巨大贡献是不可忘怀的，他的远见卓识与无私奉献精神成为我们后辈学习的楷模。

1957 年，国务院和内蒙古自治区政府决定在呼和浩特建立内蒙古大学，由乌兰夫兼任校长，李继侗接受周总理签署的委任书担任副校长，主管学校的教学和科学研究工作。这时他已届花甲之年，但内蒙古大学是新中国在兄弟民族地区筹建的第一所综合性大学，政府要求以北京大学为主，同全国一批高校共同支援内大的建设，所以李继侗积极响应号召，当即愉快地接受了委任，全力投入建校工作。

出乎意料的是，1957 年 9 月 4 日，李继侗正在加紧筹备开学之际，突患中风，当即送北京协和医院，经急救治疗和休养，半年后病情有所好转，这时他坚持要到学校工作，于 1958 年 4 月抱病来到内蒙古大学。到校后，虽行动不便，但仍然关注学校的教学和学科建设等工作。他在家中设置了办公室，经常和有关同志商谈讨论各方面的工作，提出处理意见。特别是对学校各学科的发展方向和师资队伍的成长更是精心考虑和谋划。对生物学和植物生态学及地植物学在内蒙古大学的发展提出重要指导意见。他遵照乌兰夫提出的要把内蒙古大学办出自己的地区特色与民族特点，既要培养合格的建设人才，又要担负起繁荣发展文化科学的任务等完整的建校方针，认为生物学系必须面向草原，把草原作为生物学各学科的阵地和主攻方向。他来内蒙古大学以前，在筹划建校过程中，就曾和时任北京大学副校长江隆基商请北大全面给内大以师资、教材、图书资料和设备的支援，并将在北大创建的植物生态学和地植物学专科组移植到内蒙古大学生物学系，均获得北大同意。李继侗到内大以后曾对生物学系主任沈蒻如讲：内蒙古草原是广阔的绿色大地，资源十分可贵，是发展畜牧业的重要基地，但由于历史条件的限制，草原的经营管理有待改进。因此，加强内蒙古草原生态学与生物学研究是经济建设的需求，是富有地区特色与民族特点的学科，应成为内蒙古大学生物学的主要发展方向，要长期坚持，作出我们独特的贡献。李继侗的这一指导意见经全系教师热烈讨论后确定为该系长远发展的指南——"面向草原，旁及农林"。至今，全系的教学与研究一直是遵照这一方向前进的，李继侗的宏愿正在不断实现。

　　李继侗作为生态学家、生物学家和教育家，对内大生物学系的教学和研究工作格外关心并给予指导。他考虑到内大开学之初，担任高年级课程的教师，暂且不上课，经与北大生物学系商定，这些暂时不上课的教师全到北大生物学系，在教学实践中进修。建议要针对草原的特点讲授植物分类学、植物生态学及地植物学，还要专门开设草地学课程；要求加强基础课教学，也要重视野外生态学实习和各门实验课。1958 年夏季，他提出学生的植物学、动物学和生态学实习应到内蒙古草原去进行。从此，就在锡林郭勒种畜场（后改称白音锡勒牧场）建立了实习据点，历年实习都以此地为主。他从生态学、生物学的长远发展考虑，要求对内蒙古的动、植物资源与植被进行全面系统的调查和动态研究以及群落生态演替的实验观测。为此，应建立野外定位观测实验站，希望首先在呼伦贝尔草原建站。1960 年，在李继侗指导下，就在他 1956 年曾亲自做过植被调查研究的呼伦贝尔盟谢尔塔拉牧场及莫达木吉苏木建立了定位观测样地，开始做草原生产力动态测定和草原植物群落水分生态学实验。

李继侗从 1958 年起还兼任内蒙古科学技术委员会副主任。他曾向乌兰夫提出：内蒙古草原是宝贵的自然资源，不是荒地，不能盲目开垦草原，要对草原实行合理利用，并加强保护；大兴安岭森林也不能无节制地采伐，要采用择伐制度，不应实行皆伐，必须坚持采伐与更新相结合的原则，否则，森林就会衰退，就会丧失涵养水源的功能，嫩江流域就可能遭殃。这些意见得到乌兰夫的赞许。针对内蒙古建设事业的需要，并推动草原生态学科的发展，他向内蒙古科委建议组织各大学的师生和科学研究单位的人员进行全区的植物区系、动物区系和植被的考察研究。要普遍采集植物、动物标本，建立标本室，积极进行标本鉴定、资料整理、绘图等工作，逐步创造条件编写《内蒙古植物志》、《内蒙古动物志》和《内蒙古植被》。1959 年春，我国著名植物学家刘慎谔和崔友文到内蒙古大学访问，当时李继侗卧病在床，即在床前约请两位先生同马毓泉等人会面，他将编写《内蒙古植物志》的意图做了说明，指出这是生物学与生态学的重要基础性工作，任务十分艰巨，估计要用二十年的时光刻苦工作才可能完成。他恳切地敦请刘、崔两先生多方给以指导和帮助，要求马毓泉同校内外同仁密切合作，共同完成这项重任。

1959—1960 年，内大生物学系的 30 多位师生分别由沈蔼如、仝治国、马毓泉、李博、廖友桂、刘钟龄、赵肯堂等老师带领学生，先后参加内蒙古科委组织的植物、动物调查队，内蒙古畜牧厅草原勘察队，中国科学院治沙队等科学考察工作，采集了大量植物与动物标本，取得了植被生态学的第一手资料。1961 年春，内大接到中国科学院来函，请选派植物学、生态学人员参加"内蒙古宁夏综合考察队"的工作，李继侗认为这正是与我校学科发展方向完全一致的重要任务，当即推荐不久前由苏联留学回国到生物学系任教的雍世鹏带领学生参加此项考察工作。

从 1957 年到 1961 年，李继侗在内大抱病工作四年多，他与其他几位校长和党委书记密切配合，对学校的师资培养，重点学科的建设及学校的长远发展贡献了自己的智慧。特别是把他在北大亲自建立的植物生态学科组迁移到内大，全面筹划了生态学与生物学在内蒙古的发展，为以后的长期工作奠定了良好的基础。不幸的是，正当内蒙古大学在草原上茁壮成长之际，李继侗因数年积病，心力衰竭，医治无效，于 1961 年 12 月 12 日在呼和浩特逝世，终年 64 岁。他在生前特别嘱咐，将他自己所有的图书资料全部捐赠给学校，其中有不少国外出版的生态学与生物学经典著作，是十分珍贵的。

李继侗去世后至今已近五十年，在内大的历届校党委和历任校长领导下，生物学系的全体师生始终不忘李继侗的遗愿，已经建立了生命科学学院，分设生物学系和生态学与环境科学系，建立了硕士培养点 4 个，博士培养点 3 个。五十年来已培养本科生专科生 2000 多名，研究生 200 多名，并建立了自然资源研究所、实验动物学研究中心、生物高新技术研究中心，还得到国家和内蒙古政府的支持建立了相关学科的重点实验室，在生态学与生物学各分支领域承担并完成了近百项科学研究课题。李继侗所期望的《内蒙古植物志》由马毓泉担任主编，与内蒙古的五十多位植物学及相关学科的人员紧密合作，于 1985 年完成了《内蒙古植物志》第 1 版（共分 8 卷）的编写与出版工作，随即进行第 2 版的修订，大量地补充了新内容与植物种类，于 1998 年合成 5 卷出版，这一部图文并茂达 400 多万字的科学成果先后荣获内蒙古科技进步一等奖、国家教育部自然科学二等奖。《内蒙古植被》一书经过二十多年的植被生态学考察研究，由内大与中国科学院植物研究所、综合考察委员会合作，作为内蒙古宁夏综合考察队系列成果之一，在 1985 年由科学出版社出版，先后荣获国家教育部和中国科学院的科技进步二等奖。《内蒙古动物志》也已出版一卷，正在继续编写之中。现在可以告慰李继侗的是，这些基础性研究成果已经按照他的嘱托取得成功。

在李继侗从教的一生中，直接受业深得教诲的学生已有 6 人成为中国科学院院士，他们是：殷宏章、娄成后、吴征镒、李博、蒋有绪、李德平，约有 30 人成为知名教授。他们都曾在不同场合表达了受到李继侗的教诲，在一生的成长中受益无穷。

以上回顾了李继侗的生平与业绩，特别是对生态学与生物学在我国和我区的发展以及人才培养上作出的重要贡献。下面对李继侗在学术上的主要成就再做一些具体说明。

旧中国的林业科学十分落后，林科人才很少，李继侗从国家需要出发，特意选学林业及森林生态学，学习成绩优异，而且注重实际，毕业时做青岛森林生态考察，奠定了较坚实的理论及实践基础，并考取出国留学深造。在美国入耶鲁大学林学研究院，受业于知名林学家 J. W. Toumey 门下。他是一位特别注重森林立地学（Standdortlehre）、就是现在作为森林生态学研究的教授，特指导李继侗从事这一领域的研究，选题是"森林覆被对土壤温度的影响"。土壤温度作为立地因子对森林更新有重要实际意义，对林木种子在林地上的保存、萌发和幼苗及幼树的成长发育都有影响，是造林育苗生产需要进行深入研究的基本理论问题之一。在 20 世纪 20 年代，这方面的研究工作并不很多，虽然欧洲研究开始较早，但也不够详尽深入，而在美国则资料更为缺乏，可以说是一个空白点，所以，李继侗所选做的课题符合当时的科学与生产需要。在研究工作进行中，所采用的方法比前人有不少改进，观测数据丰富而全面，对森林覆被如何影响土表到不同深度土壤温度变化的规律，取得了可信的结论，为森林立地学填补了重要内容。这一研究结果颇受Toumey 的重视，这是李继侗的博士论文，特推荐为耶鲁大学专刊出版，并在 Toumey 所著的《Foundation of Silviculture Upon an Ecological Basis》一书（1928 年第 1 版，1937 年第 2 版）中被引用。

李继侗在国外学有专长，1925 年回国后，正是旧中国军阀混战、社会动荡不安的年代，只能选择大学为国育才，以求贡献社会。他到南开大学后，在生物学系的教学与建设中选择了植物生理学、生态学为主攻方向，多方查阅国外文献，积极深入钻研，在简陋的实验设备条件下，展开科研工作。1927 年夏秋，他带领学生殷宏章做不同色光对光合作用效应的实验，发现了气泡速率有规律的变化。此现象立即引起他们注意，经多次重复这个实验，证明观察无误。又查阅文献，得知当时尚无深入的研究与科学解释，这一实验继续进行到次年，取得完整的观测数据和资料，将研究结果写成论文：《The Immediate Effect of Change of Light on the Rate of Photosynthesis》，于1928 年发表在英国的《Annals of Botany》第 43 卷，第 588—601 页。文中所阐明的光合作用光色瞬间效应（Immediate Effect 后来译作 Transient Effect）是植物生理学研究史上第一篇根据实验发表的研究结果。后来随着光合作用研究方法和实验仪器的进步，国外一些学者再进行此项实验与测定的结果与李继侗的研究是完全一致的。因此，美国的 C. F. French 等人曾在多项论著中说明这是李继侗的创新发现与贡献。从这项工作成果中可以看出，李继侗科学思维的敏锐，实验操作的严谨，尽管在简陋的实验条件下，也能改进方法，作出重要的科学成果与贡献。

在南开任教期间，李继侗受到苏联 N. A. 马克西莫夫著的《植物与水分关系》一书的影响，还进行了有关植物吸水功能的科学研究，写出《气候因素对植物吸水力的影响》一文，于 1929 年在国外的期刊上发表，探讨环境因子对植物生理过程的影响。这是当时植物生理学上的新课题，也是向生态生理学方向迈出的重要一步。因此，这一工作也受到国外的重视。后来，在 A. S. Crafts 等人编著的《Water in the Physiology of Plants》（1949）一书中，就曾引用李继侗的这篇文章。

李继侗 1929 年到清华大学任教后，受当时国际植物生理学研究动向的影响，参考荷兰学者 F. A. Went 的文献，注意到植物生长的研究，开始以燕麦胚芽鞘和子叶为材料，研究生长锥的再生作用，发现了生长素的产生与向光性的功能。1930 年在荷兰的《Proceedings Koninklijke Akademie von Weten-schappente Amsterdam》第 33 卷第 10 号发表了论文《The Appearance of the New Physiological Tip of the Decapitated Coleoptiles of Avena sativa》，阐明了生长素产生于感光敏锐的胚芽鞘和子叶顶端分生组织，去顶以后可以再生新的顶端，并恢复生长素的产生。这是李继侗对植物再生作用与向性机理及生长素的创新发现，受到国际植物生理学的重视，并成为农作物生产中化学调控技术的科学基础。

为了突出植物生理学生态学的中国特色，李继侗在植物生长的研究工作中，改用我国特产的古老植物银杏种子作实验材料。银杏是木本裸子植物，可以和燕麦等禾谷类草本农作物做多项对比研究。可见，李继侗对实验材料的选用，是经过精心的科学思考的。决定了恰当的实验材料以后，有利于从多方面进行植物生长的研究。首先是着重于实验生态生理学研究，从光照和银杏叶发育的研究开始，将银杏黄化幼苗放在不同强度的光照下，观察对叶形态形成过程的影响，这不仅是我国最早的实验生态学研究，在国际上也是较早的尝试。随即进行了有关银杏胚的发育、胚根的离体培养、温度对胚发育的影响等方面的工作，都是开创我国植物生理生态学之先河的工作。这些研究连续进行数年，于 1934 年将结果整理成一系列论文在《清华理科学报》中发表。后来出国到欧洲做学术活动，归国后不久便发生了卢沟桥事变。抗日战争开始，学校南迁，这项科学研究被迫停顿。

就在以上的科学研究过程中，李继侗广泛阅读国外植物生态学的文献，受到辛帕尔（A. F. W. Schimper）和瓦尔明（E. Warmin）等植物生态学家的经典著作的启示，又根据已有的我国植物采集记载和植物地理分布的部分资料以及自己涉足各地对植被的了解，于 1930 年写出了《植物气候组合论》一文。这是我国最早的一篇对全国植被类型分布与分区进行论述的论文，从植物组合（植被）与降水、湿度、温度等气候因素及地形、土壤等土地条件的关系上进行生态地理分布的阐述，是我国植被生态地理学研究的开创性研究成果。据我国植物学家汪振儒回忆，此文发表后得到植物学先辈钱崇澍先生的高度评价，认为是我国当时最有价值的植物生态学论文。此后，一直到 40 年代才有我国学者再发表同类的论文，是新中国成立后全面研究中国植被分类、分区的奠基性工作。

上述各项植物生理与生态学研究所选的课题都是当时的前沿性和关键性的问题，采用的研究方法与成果多有创新，受到国内外的重视和推崇，这是值得我们后辈学习的。从 1927 到 1937 年的十年中，李继侗是在我国政局不稳、环境不安的艰难条件下进行教学、科学研究和学科建设的，但是取得了辉煌的教育和科学研究成果，成为我国生态科学的第一代开创者。

新中国成立后，从 1950 年到 1961 年，李继侗更是竭尽全力从事教育、培养人才，推动生态学生物学建设，还积极参加国家建设与科技发展规划的制订及重要调研与咨询工作，这一时期的教学与学术成果也是非常丰硕的。

李继侗多次在北大生物学系、中国科学院植物研究所、东北林业土壤研究所（现改为中国科学院应用生态学研究所）及有关的讲习班讲授植物生态学、地植物学与本学科发展历史等课程。他受教育部委托制订的植物生态学与地植物学教学大纲成为当时各大学教学的课程指南，这时他编写和翻译的植物生态学、地植物学教材也在各校成为首选的学习参考资料。

1958 年正式出版的《植物地理学、植物生态学和地植物学的发展》一书，是当时青年学者进入生态学之门的向导。当时国家派往苏联学习植物生态学的研究生在国外研读此书，向苏联的学者和导师介绍此书的内容，得到他们的高度赞赏，认为是准确地概括这三个相关学科发展来历的一本好书，对学习本学科有很好的指导意义。

这一时期，李继侗对国家建设事业十分关注，他基于深厚的学术造诣，对国家面临的资源开发、环境治理和生产发展中的重大问题提出了许多科学的认识和建议，其中蕴涵着深刻的生态学思想。例如：扩大引种橡胶树的生态地理环境及建立橡胶园的可行性；黄河流域水土保持的生物措施及科学对策；建立森林采伐与更新相结合的制度；华北山地封育保护恢复林木植被与人工造林树种的选择；利用山地种植木本粮食与油料植物的建议等。到内蒙古工作以后又提出：合理利用与保护草原及制止盲目开垦草原的科学依据、大兴安岭森林的水源涵养功能及采育结合的意见、河套平原改善灌排体系防治土地盐渍化问题、土默特平原建立奶牛饲养和乳品基地的设想等，都是以实事求是的科学态度提出意见，绝不随声附和。表现出他运用生态学理论解决实际问题的学术思想。

综观李继侗的一生，艰苦奋斗，为祖国科学教育事业的发展，为生态学生物学的进步和人才培养做出了不可磨灭的建树。在当今振兴中华、建设和谐社会的伟大事业中，让我们继承李继侗的精神和贡献，为我国我区生态科学的创新发展做出成绩。

许令妊

许令妊是把一生奉献给内蒙古的一位女科学家，她出生于 1929 年，原籍江苏省太仓县。她出生时正是国难当头的年代，日寇侵华的战火迫使她的父亲携全家老小迁居重庆。她在重庆读小学，毕业后考入由天津市迁到重庆的南开中学读书。抗日战争胜利后，1947 年中学毕业，又以优异成绩考入北京大学。她出于对我国农业、农村与农民需要科学知识的感受，决意进入农学院学习。入学后，一方面攻读各门基础课与专业课程，同时还积极参加进步的学生运动，于 1948 年加入"民青"组织，从此也确定了一生为祖国的命运和建设事业而奋斗的志向。1949 年新中国的成立，更激励着她年轻的心灵，学好本领为建设事业无私奉献是她的人生选择，就在大学毕业前的 1950 年，她已经成为一名共产党员。

为草原作奉献——无怨无悔　青年许令妊为北国草原无私奉献，既有坚定不移的信念和决心，更有脚踏实地的艰苦行动。

1950 年，新中国刚刚诞生不久，国家为了建立起最强大的农业人才培养基地，把各有优势的北京大学农学院、清华大学农学院、辅仁大学农学院和华北大学农学院合并成立北京农业大学。此时，原在北京大学农学院读书的许令妊也来到新建的北京农大继续攻读农学系统的专业课程，并响应学校的引导与号召，毅然选读了畜牧专业的相关课程，表达出她要选择到最艰苦的草原牧区去奉献自己的年华和智慧。次年，她被选送到南京农学院草地与牧草学专家、英国爱丁堡大学博士王栋门下做研究生，从此开始了许令妊献身草原科学的一生。

1952年初夏，中央人民政府组团到内蒙古牧区进行考察，王栋任副团长，并决定他的研究生许令妊作为考察团的成员之一。她高兴极了，飞向草原的梦想即将成为现实。考察的地区是锡林郭勒草原。6月份，许令妊跟随导师王栋和植物生态学家李世英一行，从南京乘火车先到北京，再转乘火车到张家口，这三天的路程是当时最方便的交通条件。然后从张家口出发，便开始了艰苦的旅途，当时只能搭乘运货的卡车。从张家口先到锡林郭勒草原西部的温都尔庙，一路考察，再到草原中心的城镇——锡林浩特，全程约750公里，要用十多天时间才可能到达。那一年她23岁，正是人生充满美好梦想的年华，她想象的是绿草如茵，洁白的蒙古包，如云的羊群，奔驰的骏马……她和导师坐在装满货物的高大卡车上，随时都有掉下来的危险，一路颠簸，黄尘弥漫，朝行夜宿、日晒雨淋，终于到达了锡林浩特的大草原中心。

在这劳顿的旅途中，沿途所见，既有一片北国苍茫大地的绚丽景观，又呈现出旧社会留下来的畜牧业生产艰苦和牧民生活的贫寒。使她深深地感到新中国的草原牧区多么需要用科学技术改变凋敝的景象，走向兴旺发达的明天。草原的现实，牧民的企盼，激励着这位热血青年为草原的繁荣而献身的使命感。

许令妊在草原科学考察工作中，不管路远路近，总是一丝不苟地按照导师指点，实地调查草原牧草种类及其生长发育、分布的环境、家畜的适口性和营养价值等。还要到各个苏木和牧户聚居点走访蒙古包，了解生产经营中的问题，特别是畜群过冬的状况。她对游牧的周期和四季营地的轮换进行着计算，在笔记本上翔实记载，向导师请教和探讨。

这是她第一次踏上草原大地的科考经历，成为一生最难忘的记忆。整整两个月的牧区生活，许令妊获得了关于牲畜冬春膘情与死亡状况，牧草生长的季节变化与牲畜消长之间相互依赖关系的第一手材料。在即将离开大草原的时刻，面对这片充满神奇而又饱含苦难的土地，她的心情激荡，决心要把草原科技和牧区建设作为一生的事业。

创建草原专业——艰苦奋斗 以执著的创业精神，在一片空白的基础上，不畏艰苦，排除困难，创建了我国高校中的第一个草原科学专业。

1952年秋，许令妊完成了锡林郭勒草原的考察，回到南京农学院的工作室中，整理考察资料，写研究生毕业论文，并协助王栋撰写锡林郭勒草原考察研究的科学报告。半年后通过了论文答辩，研究生毕业，她以品学兼优的成绩被留校任教，担任王栋的助教。这时，她刚刚结婚，爱人庄幼纯在北京农业大学畜牧学专业毕业后分配在北京工作。为了解决两地分居的不便，爱人的单位同意许令妊调到北京工作，但她首先考虑要跟随王栋从事草原科学工作。这时，内蒙古自治区政府和乌兰夫主席出于对草原畜牧业的高度重视和发展畜牧业的卓识远见，决定建立内蒙古畜牧兽医学院，培养扎根草原的科技人才。为此，特向中央申请选聘草原、畜牧、兽医等专业的高级专家和优秀人才，来筹建畜牧兽医学院。经中央同意，特聘王栋来内蒙古主持建校，担任院长职务。教授临行之前，需要结束各方面的工作，即安排他的助手许令妊先行到校。但是，令人遗憾的是王栋因病未及到任就被癌症夺去了宝贵的生命。面对这种困难情况，新中国第一代大学生、也是第一代草原科学的专业人才许令妊，担负起庄严的使命，到塞外草原，按照王栋的遗愿，建设草原，不辜负草原人民的期盼。她等不及正在办理调转手续的爱人一同来内蒙古，便告别了山清水秀的江南，孤身一人来到了呼和浩特，来到正在创建的内蒙古畜牧兽医学院。校址在呼和浩特市南郊一片高草丛生的草甸，间有耕作的农田与菜园，完全是郊外的农村。她只能住在工地上的临时工棚里，隆冬到早春，北风漫天，积雪盖地。她从南方初到北方，不熟悉燃煤生火炉，最初常常是费尽气力生着了火，可是做完了饭又不能把火炉封好，下班后火炉灭了，家里成了冰窖，只好再呵着冻僵的手烟熏火燎地重新生火。她生长在江南，一年四季都有丰富的蔬菜，来到北方，没有事先挖好的菜窖，也不懂得储存冬菜。漫长的冬春季吃上土豆、圆白菜就算不错了。她在繁忙的工作中还要适应艰辛的生活环境，以坚强的意志锻炼着在北方生活的能力，更要全身心地投入到教学工作之中。

一进校，许令妊就担当起大量教学任务，兼任系秘书职务。她忙于多方查找资料，编写教材，在那简陋的教室里，开始了培养人才的教师生涯。学校初建，师资不足，许令妊凭着一颗无私无畏勇于探索的心，承担了多门课程的教学工作：牧草栽培、饲料生产、家畜饲养、饲料营养分析等。工夫不负有心人，在顽强拼搏和克服诸多生活不便的情况下，她很快地成了这所年轻学院的教学骨干力量。

此时此刻，许令妊并没有满足，草原的渴望，老师的嘱托，使她产生一个强烈的愿望，激励着她思考一个宏伟的计划。为了更好地合理利用和保护内蒙古大草原，为内蒙古草原畜牧业更快更好地培养专门人才，要创建草原专业。而草原专业不仅是国内第一个，在国外也无完备的经验可借鉴。当时的苏联各高等学校也仅有草地经营学与饲料生产学科，没有正式的草原专业。

许令妊带领着彭启乾等几位青年教师要创建草原专业，面对的是一张白纸，必须在摸索中白手起家。既要自力更生，也要争取各方的支持和帮助。要依靠和培养校内的教师开设主要课程，也要争取从兄弟院校聘请教师讲课。凭着扎实的学业功底，凭着对草原科学的执著，在边学边干之中制订专业教学计划，确定课程设置的方案。

其中，最重要而又最艰巨的工作要算编写各门课程的教材。这一项工作，必须广泛查找和利用国内外文献资料，也必须了解草原牧区生产与经营管理的实际经验，是十分严谨而又要发挥创造才能的工作。许令妊在繁重的教学中与几位教师合作，组织了教材编写工作。经过反复讨论，他们明确了建立草原专业宗旨是为合理利用、保护草原，培养人才。专业理论课就应该有：草原利用与管理、牧草栽培与育种、草原改良、家畜营养等学科。这些专业课，又必然涉及遗传学、植物学、动物学、生物化学、土壤学、农牧机械学等许多学科的课程。许令妊和其他几位教师共同研究，采取抓住"主轴"课程，再围绕"主轴"设置相关的必修课程。统计下来总共有 32 门学科。他们一起呕心沥血编写各门课程的教材，为创建草原专业奠定了基础。从 1956 年开始，在校长领导下进行筹划，1957 年又得到国家和内蒙古政府的支持，专门从苏联聘请一位教师 A. F. 伊万诺夫到内蒙古畜牧兽医学院来讲授"草地经营学"。经过两年时间的筹备，1958 年，内蒙古畜牧兽医学院畜牧系终于增设了草原专业，向全区及全国开始正式招生。

随着农学专业、园艺专业、水利专业、农机专业及相关系科的建立，内蒙古畜牧兽医学院在 20 世纪 60 年代之初扩大为内蒙古农牧学院。畜牧学系的草原专业又得到更多学科的支撑，因而也扩建为草原系，由许令妊领导全系工作。四十多年来，草原系的建设不断发展，学术水平和教学质量不断提高，已经为全区和全国培养出数万名草原科技人员。

创建草原专业，是内蒙古的第一个，也是全国的第一个。从此，辽阔的内蒙古大草原有了培养自己的草原科技人才的摇篮。他们招收本科学生，也培训基层科技人员，同时负担代培新疆、青海、甘肃、宁夏、贵州等许多省区的草地专业人才。

四十多年过去了，草原系的建设和师资队伍得到不断的壮大和发展，现已成为我国重要的草原科学中心之一，亦是从培养本科生到硕士、博士研究生的草原人才培养基地。现在，艰苦创业的许令妊可以豪迈地告诉人们，在全国，凡是有草地的省区，就有我们内蒙古农牧学院培养出来的草原专业毕业生。

发展草地科学——成果丰硕　我国草地科学的开创者和奠基人——王栋的光荣继承者，内蒙古草地科学事业的开拓者。

许令妊所从事的第一次草原科学实践是 1952 年 6—8 月跟随导师王栋到锡林郭勒草原进行的考察研究。在历时两个月的考察中，她的收获是十分丰硕的。观察到草原的地理景观，了解到牧民的生产方式和生活的艰辛，调查了牧草种类及其对家畜的适口性与营养特征，根据植物种类的组合研究草地类型的划分，也对放牧制度和季节性特点进行了探讨。她对这些调研成果如获至宝，返校后对第一手资料经过认真分析归纳，写成了一篇卓有见地的毕业论文：《草原饲用植物营养物质变化对牲畜的影响》，通过答辩，获得导师、专家的一致赞誉。她同时又协助导师写出了考察研究总结报告：《内蒙古锡林郭勒盟草场概况及主要牧草介绍》，1955 年由畜牧兽医图书出版社出版。这一报告把锡林郭勒草原划分为 5 个类型，分别说明了不同类型草地的特性。对 40 多种主要牧草的生态习性、营养成分和利用价值作出论述。这是我国学者对内蒙古草原考察研究首次完成的科学成果。

结束了研究生学业以后，许令妊如愿以偿地到内蒙古畜牧兽医学院工作，并亲手创建了我国高校的第一个草原专业。当时，面对着草原科学体系和理论尚不够完善的状况，许令妊懂得，要培养适合我国我区需要的草原科技人才，不能只靠吸收和引用国外的文献资料与经验，必须团结全体教师参加到草原生产与科研实践活动中去探索，草原便是他们的第一课堂和实验室。

当时，需要研究的课题很多，其中最迫切的是研究草原多种植物的生长发育和草群的季节动态与年际变化。还要研究家畜牧养的季节性特征。这是草原合理利用与改良的科学基础。草原的类型多样，各有不同的性质。草甸草原、典型草原、荒漠草原、荒漠等主要类型的气候、水热组合、土壤与植被条件都有较大差异。必须在每一类草原上分别建立科学研究实验站，进行系统的定位观测，以便全面掌握动态变化情况。

草原专业的负责人许令妊，争取到与内蒙古草原管理局的合作，于1958—1959年经过科技人员的勘察，确定在内蒙古的呼伦贝尔、锡林郭勒、苏尼特（朱日和）、达茂旗、东阿拉善建立5个草原科学实验站。各站均圈定了观测与实验样地，配备了实验观测人员，并由内蒙古畜牧兽医学院的许令妊、彭启乾、章祖同等几位教师和内蒙古草原管理局的池肯谦负责指导各站的观测与研究工作。草原实验站设在远离人烟的草原上，没有现成的公路，也没有汽车等交通工具。为了提高工作效率，节省时间，工作人员与学校师生就住在实验站上。开始建站时只能住帐篷。白天他们在草原上奔波考察，晚上燃一堆篝火，铺一块油布，盖两件衣服就过夜了。吃的更是简单的粗茶淡饭。物质条件的艰苦对坚强的许令妊算不了什么，她的同事、学生们受到她的感染，也理解了从事草原科学事业必须要吃苦耐劳。

草原科学实验站建立之后确定的第一项基础性科学工作，就是对草原植被生产力的季节动态和年度动态进行定期测定。为此，许令妊、彭启乾、章祖同参照国外草地科学生产力研究方法，为5个实验站设计了具体测定方法和规范，并按照不同草地类型分别设置了观测实验样地。每年从牧草返青期开始到牧草枯黄期止，按10天的周期进行草群的生长高度、多度、盖度、产量的实测记录。这是一项必须长期坚持的监测工作，5个实验站分别从1959年或1960年起，直到1966年"文化大革命"爆发为止，一直坚持进行这项测定，各站均积累了 6—7 年的完整数据。这是我国有史以来第一次对草原动态进行连续几年的科学测定工作，许令妊、彭启乾、章祖同等根据这些实测数据做草地动态分析研究，分别写出研究报告和论文，为我国草地科学提供了最早的草原动态研究成果，成为一项开创性工作，对于我国草地科学的发展具有奠基性的重要意义。

许令妊等几位老师对 5 个实验站的青年工作人员都经常给予技术和方法的指导。也有些安排到学院的草原专业进修学习或在学院任教的青年教师和学生也定期到实验站工作和实习，使实验站成为实验教学基地，在几年之内已培养出一批熟练的技术人员。后来，这些人员和青年教师中有不少人成长为高级科技人员和教授。

许令妊在 1958—1966 年的几年内还带领青年教师和学生开展了不少专题科学研究，而且多次参加自治区和全国组织的草原科学考察工作。他们揭示出草原枯荣的生物节律，为内蒙古草原载畜量提供了可信的数据和草畜平衡发展的科学依据。许令妊作为草地科学家，一直主张草原畜牧业必须坚持草畜平衡的原则，并建议党政领导和畜牧业主管部门实行草畜平衡发展的指导方针。她所坚持的这一主张已被近几十年来的畜牧业生产实践和大量的科学实验所证实。从 20 世纪 80 年代以来的二十年间，内蒙古草原不断退化的现实已充分说明，草畜平衡在畜牧业的经营和发展中是不可违抗的客观规律。

在许令妊的领导下，也有一些青年人在实验站进行专题研究，但因"文化大革命"的发生，各项工作被迫中断，5 个实验站的工作人员也在"文化大革命"中转业，使实验站的工作夭折，学院中的草原专业也完全停课，停止招生，造成了令人痛惜的巨大损失。许令妊和她的亲密伙伴们在艰苦条件下所做出的这些开创性成绩，本来已经为草地合理利用和畜牧业发展提供了科学支持，也受到学术界和党政领导的赞扬。但是在"文化大革命"中却遭到污蔑，热爱草原科学事业的许令妊在屈辱中度过了六年之久的岁月。真理的光辉和历史规律是不可违抗的，在"文化大革命"中，逆潮流而动的"四人帮"集团终于被打倒了，科学的春天重又来临了，草原畜牧业也出现了生机勃发的形势。不久，我国的草地科学家们组建了中国草原学会，内蒙古也建立了草原学会，许令妊被推选为中国草原学会副理事长，内蒙古草原学会理事长，学院的草原专业也扩大为草原系。

多年的时光虽然已经流逝，然而许令妊的心和大草原一样，仍然充满着不知疲倦的活力。她所主持的草原系，不仅扩大招收本科生，而且培养研究生，她亲自担任导师。在草地科学中她也开拓了新的研究领域，到1983年，一些老师已经在牧草引种、选育、栽培以及兴建冬春饲草料基地等方面取得了重要进展，初步培育出"草原1号"和"草原2号"苜蓿品种，提出了牧户建立小型草料基地和推行草库伦建设等诸多草原急需的技术方案。

推进科技兴区——呕心沥血　在内蒙古科技事业的领导岗位上，不辱使命，不遗余力，开创科技兴区的新局面。

1983年，许令妊接受党和人民的重托，走上了内蒙古自治区党委常委、科委主任兼科协主席的领导岗位。三十多年的草原科学实践和教学第一线的体验，使许令妊深知科教事业的发展是社会主义现代化建设的根本大计，要把内蒙古的科教事业尽快转化为社会生产力，必须脚踏实地一步一个脚印地解决具体问题。

她一上任首先便抓紧重点科研攻关项目，大力扶植和发展肉、乳、毛、皮生产及农牧业丰产攻关。她广泛依靠科学技术人员，集思广益，多方筹措贷款，引进国外良种和生产加工技术，建起了化德县羊绒絮片厂、呼伦贝尔奶牛场、奶制品加工厂、包头东宝皮革厂。她对内蒙古自治区具有突出优势的重化工业发展也高度重视，与国家科委领导大力推动包头的稀土工业，对于煤炭电力等能源与石油化工等优势资源开发研究更着力给予扶持。这些有效的工作，使科学技术在内蒙古经济建设中发挥着先导作用。她曾欣慰地对记者说："科学技术正在结出硕果，真是大有星火燎原之势。"

1985年，内蒙古自治区党委提出了"念草木经、兴畜牧业"的任务，这也是内蒙古的特色和优势产业。许令妊认为要在传统农牧业的基础上逐步实现农牧业现代化，更需要依靠科学技术进步。在畜牧业生产全过程中，每一个生产环节，每一项生产保障条件，都需要引用和创造高效的技术和工艺。传统的草原放牧畜牧业所存在的"夏饱、秋肥、冬瘦、春乏"的季节不平衡，只能依靠科学技术，合理利用与保护草原，发展饲草料生产，开发水资源，改进畜群饲养管理，改良家畜品种，建立畜牧业生产的社会化技术服务体系等多方面的措施，才能推进畜牧业向优质高产高效益的目标发展。

为此，对这一领域的科技项目也给予大力支持。

教师出身的许令妊，最知道培养人才的重要，也最知道知识分子是发展科学技术事业的开拓者。因此，评定他们的专业职称，是发挥其才智、调动其积极性的重要举措，是一项政策性很强的工作。许令妊被委任为内蒙古职称评定委员会主任，为了全区各行各业知识分子职称评定的公正合理，她付出了很大的辛劳和智慧。许令妊也深感知识分子的工作条件艰苦，生活也十分清贫，提高知识分子待遇、改善知识分子的工作和生活条件，成为她强烈的心愿。在内蒙古科干局大量的调查研究基础上，提出了在知识分子的工资中，增加"边疆补贴"的方案。20世纪80年代前期，国家不富裕，待解决的问题很多，对单单给知识分子以补贴并不是意见统一的。身为党委常委与科委主任的许令妊，力排众议，坚持必须以实际的措施关心人才，留住人才，一步步解决知识分子的实际困难，发挥知识分子的积极性。在自治区党委的支持下，许令妊的意见使知识分子如愿以偿，从此每个学有所长的知识分子都得到了补贴。她作为内蒙古科教人员的杰出代表，曾开心地对记者说："我深知中国的知识分子是很可爱的，他们只求奉献，不计待遇，我是太理解他们了。"可见，内蒙古自治区科学技术协会——"内蒙古科技工作者之家"推选她做主席，她确实是当之无愧的。

1988年许令妊被选为自治区人大常委会副主任，分管科教文体卫和计划生育委员会的工作。这是人大立法和监督工作的重要方面，工作头绪和内容更多了，然而她的心没有忘记那无际的大草原。1992年，她到各盟市对卫生和计划生育工作做执法检查，特意到了锡林郭勒草原。面对大草原，她思绪万千，不住地自语，草原的变化太大了。昔日的蒙古包已经换成了清一色的砖瓦房，牧民家中的彩电、洗衣机、收录机十分齐全，拖拉机、摩托车已成为草原上普遍使用的生产和交通工具，科学养畜、科技兴牧促进了畜牧兴旺、牧场繁荣。科技已在转化为第一生产力，草原也在奔小康，这些成就超出了她当年的想象。她想起四十年前第一次来到锡林郭勒大草原的情景，想起返校时对大草原的默默承诺。她没有忘记自己的誓言，她把汗水、心血和青春都奉献给草原。四十年了，她竟没有时间回过一次故乡，那个离苏州城只有40里的江南小镇，可内蒙古大草原上却留下了她的足迹。令她感到安慰的是一生最美好的时光都是在内蒙古度过的，她与内蒙古建立起了深深的感情。她还想起与她一起创建草原专业的元老和挚友们，其中已有三位离开了人世，"多好的同志啊！"一想起他们，她的眼睛湿润了。因为草原已经融入了她的生命，她的生命之树保藏着永不消褪的绿色。那些最能使她感情激动的事，也必然是与草原有关的经历和创办那个草原专业的往事回忆。

应对草原巨变——呼喊求索　草原上人畜两旺，经济文化大有发展，但资源超负荷利用，草原全面退化，必须改弦易辙，走可持续发展的科学之路。

草原是地球生物圈的重要生物群域，是与人类协同共生的生态系统，具有多元化的生态与生产功能。我国北方草原各民族在长期的历史进程中创造了与草原和谐发展的游牧文化，保障着草原畜牧业的可持续经营和人类的生存。但是自满清后期以来，国运日衰，文化科学和经济凋敝，草原人民生活贫困。直到新中国成立，优越的社会制度和民族团结的大局促进了生产力的发展。草原牧区实行"稳、宽、长"的一套政策，使畜牧业生产得到长足发展。随着改革开放的形势和市场经济体制的实行，草原地区的农牧工贸交通等社会经济又有全面进步，牧民的物质文化生活大有改善。然而经济发展与草原的环境和资源发生了矛盾，在经营策略上是以满负荷和超负荷利用自然资源及环境容量的基础上发展生产的，是以损坏生态环境，突破水、土、生物资源循环再生机制为代价所取得的当前收益，因此，是不可持续的。到20世纪末期，已导致草原全面退化，风沙侵蚀和水土流失加剧，许多土地肥力耗尽，自然灾害频发的严峻后果。

20世纪是世界上科学技术空前大发展的世纪，也是世人面对人口、环境、资源诸多矛盾进行反思之后，确立起可持续发展观念的时代。人与自然和谐发展是不可违背的客观规律。

许令妊是我国著名的草地科学家，她深知草原是多功能的生态系统，草原利用与管理必须遵循自然规律和经济规律，才能全面发挥草原的功能。在20世纪80年代，她面对家畜的快速增长，就预见到草原的压力过大，特别向内蒙古党委提出了应保持畜草平衡的发展观念。因为，当时草原退化的形势还未达到最严重的境地，面对着快速发展经济的要求，坚持畜草平衡还不能立即成为人们的共识。但许令妊坚信这一科学认识，表现出一位科学家坚持真理的精神。

1992 年，联合国举行了空前规模的世界环境与发展大会，人类面对全球变化的严峻形势，提出《21 世纪议程》是人类走向可持续发展之路。大会之后，我国也制定了《中国 21 世纪议程》。其中，明确地提出了锡林郭勒草原、呼伦贝尔草原等北方草原必须加强保护与治理。这时，许令妊在指导"锡林郭勒盟经济社会发展战略规划"工作中，又一次要求按照畜草平衡的原则规划草原畜牧业的发展进程，不能盲目追求家畜数量的增长，还要多方建设人工草地和饲料基地，要保护草原，发挥草原的环境效益。

1999 年，党中央确定了实施西部大开发战略，内蒙古自治区也纳入西部大开发的地区之内。在广泛研讨我区如何投入西部大开发的任务中，作为内蒙古科协名誉主席的许令妊，又在呼吁加强环境治理和草原保护，坚持草畜平衡，建设北方绿色生态屏障的主张。可见，她确实是一位把草原融入自己生命的科学家。

李　博

李博，1929 年 4 月 15 日出生于山东省夏津县。1944 年就读于夏津县立师范初中部，一年后转入山东省立济南第一中学。初中毕业时成绩优异，免试升入高中。其父李江文任中学教师，1948 年底病逝，因此学费来源中断，无力在中学就读，从高中三年级考入提供生活费的济南华东交通专科学校。半年后在亲友资助下赴北京考大学。当时大部分高校的招生工作已结束，正赶上华北大学招生，又实行供给制，学习与生活有着落，就考入华北大学农学院，1951 年与北京大学农学院、清华大学农学院、辅仁大学农学院等合并为北京农业大学。1953 年毕业于北京农业大学农学系，当年被分配到北京大学生物学系任助教，攻读植物生态学。1959 年自愿支援边疆，并携家属到内蒙古大学生物学系任教。他的妻子蒋佩华毕业于北京农业大学，也于同年来到内蒙古大学，多年从事科研管理工作。她全力支持李博的工作，李博的成就与妻子的支持、协助是分不开的。

李博在内蒙古大学先后任讲师、副教授（1978 年）、教授（1983 年）、硕士生导师（1978 年）、博士生导师（1990 年）。行政上先后担任植物生态学教研室主任、生物学系主任、自然资源研究所所长、生命科学学院名誉院长。1988—1995 年任中国农业科学院草原研究所所长，1993—1997 年任农业部重点实验室——草地资源生态实验室主任。

李博的社会兼职较多，曾担任国家教育部高等学校理科生物学教学指导委员会委员，国家自然科学基金委员会生态学组评审委员，中国科学院出版基金专家委员会生命科学专业组成员，内蒙古科学技术顾问委员会委员，内蒙古自治区科协名誉主席，北京大学遥感应用研究所兼职教授，四川大学生物防治工程国家实验室兼职教授，中山大学热带、亚热带森林生态系统实验中心学术委员，东北师范大学国家草地生态工程专业实验室学术委员会副主任，兰州大学干旱农业生态学国家重点实验室学术委员会委员，中国科学院青海高原生物研究所学术委员，北京师范大学国家教委环境演变与自然灾害开放研究实验室第二届学术委员会主任，中国生态学会副理事长，中国草原学会副理事长，中国自然资源学会副理事长，内蒙古生态学会理事长，中国植被图编委会副主编，《中国草地》主编，《生态学报》副主编，《遥感学报》副主编，《植物生态学报》常务编委。

李博 1950 年加入中国新民主主义青年团，后转为共产主义青年团。1980 年加入中国共产党。他是内蒙古自治区第五届、第八届人民代表大会代表，第九届全国人民代表大会代表。1993 年当选为中国科学院院士。

李博 1980 年 10 月—1981 年 7 月应邀出访美国爱达荷大学，为该校国际讲座介绍了中国草原与荒漠植被。在此期间考察了北美草原，出席了在美国肯塔基召开的第 14 届国际草地大会（XIV. International Grassland Congress），宣读了论文《中国草原植被及其利用》。1983 年 10 月受国家教育部委托率中国生态学教育考察团访问比利时并顺访法国。1984 年 10—11 月赴法国巴黎出席第 18 届国际环境遥感会议，发表《遥感在内蒙古草场类型调查中的应用》。1985 年 8—9 月赴日本京都出席第 15 届国际草地大会（XV. IGC），与北京大学、南京大学等代表一起展示一组遥感在内蒙古草场资源调查与监测中应用论文展板，引起大会重视。1988 年 4—5 月受内蒙古政府委托率内蒙古畜牧业科技考察团访问了澳大利亚的大学、科学院、农场、牧场、工厂等 21 个单位，行程约 1 000 千米。1988 年 11 月赴印度新德里出席第 3 届国际牧草地大会（III. International Rangeland Congress），提交《遥感技术在内蒙古资源调查中的应用》。1990 年 9 月赴日本仙台出席世界植物生态与环境会议，应邀在大会上作特邀报告《中国内蒙古草原生态特征》。1990 年 11 月应新西兰草地研究所所长的邀请，考察南岛与北岛草地及野外实验站，商谈科技协作。1991 年 4 月赴法国蒙伯利埃出席第 4 届国际牧草地大会（IV. IRC），提交《中国的草原及其开发》和《内蒙古毛乌素沙地草地动态的遥感监测》论文。1992 年 4—5 月受国家科委委托，率中国草地遥感应用考察团考察澳大利亚遥感应用并进行中澳科技项目合作谈判。1992 年赴美国华盛顿出席第 17 届国际遥感与摄影测量会议，同时参加全球变化监测与制图会议，提交论文《中国温带草地草畜平衡动态监测系统的研究》和宣读论文《内蒙古锡林郭勒盟草地遥感估产与生产力格局》。1993 年 2 月在新西兰梅泊密斯顿出席第 17 届国际草地大会（XVII. IGC），在大会上作特邀报告《影响温带草原稳定性问题评价》。1993 年 11 月赴阿根廷嘎罗帕兹镇出席政府间气候变化专门委员会第二工作组第三小组工作会议，在会上作《气候变化对中国草地影响研究简况》报告。1994 年 11—12 月赴印度新德里出席亚太地区退化土地持续发展会议，在大会上作《中国退化草地的恢复与持续发展》报告。1995 年 7 月以国际专家顾问委员会委员身份赴美国盐湖城出席第 5 届国际牧草地大会（V. IRC），提交《中国草地生物多样性研究》论文，会上被选为该会持续委员会亚洲地区委员，并获突出贡献奖励证书。1995 年 9 月赴俄罗斯圣彼得堡出席亚洲植被图工作会议，任中国代表团副团长，在会上作《内蒙古植被图及其应用》报告，参观访问自然保护区、大学、研究所等，并建立了学术交流联系。1996 年 8 月作为特邀代表赴美国波罗温顿斯出席美国生态学会的"亚洲今天及未来的生态与环境问题"专题会议，在大会上作特邀报告《欧亚大陆草地生态研究的新进展》。1998 年 5 月赴匈牙利德布勒森出席第 17 届欧洲草地管理学术会议，作《中国草地资源及其管理对策》报告。

李博作为主要组织者之一，成功地在呼和浩特市举办了三次国际学术会议。1987 年 8 月，内蒙古大学与中国人与生物圈国家委员会、中国科学院植物研究所联合发起主持召开国际草地植被会议（IGVC），任组委会副主席。1993 年 8 月，中国农业科学院草原研究所与中国草原学会、农业部畜牧兽医司联合发起并主持召开国际草地资源会议（ISGR），任大会秘书长。1997 年 8 月，为庆祝内蒙古自治区成立 50 周年、内蒙古大学建校 40 周年，与中国科学院内蒙古草原生态系统定位研究站联合发起并主持召开蒙古高原草地管理国际学术会议（ISCM），任组委会主席。

李博先后主持国家科技攻关研究课题 3 项、专题 4 项，省部级课题多项。主编与参编的专著 21 本，发表论文百余篇。先后获全国科学大会表彰奖，"六五"国家科技攻关表彰奖，国家自然科学二等奖，国家科技进步二等、三等奖各 1 项，省部级科技进步一等奖 4 项、二等奖 2 项、三等奖 2 项。内蒙古自治区第二届乌兰夫奖金基础科学特别奖。

1953 年 8 月，李博大学毕业后，到北京大学担任著名植物学家、植物生态学家李继侗的研究助教。当时李继侗正在致力于我国生态学的发展，在北大生物学系成立了植物生态学与地植物学专科组，并招收生态学方面研究生。针对这一专业的要求，李继侗亲自为李博制订听课与读书计划，要求李博与大学生、研究生一起参加考试，并承担基础课实验。李继侗学识渊博，勤奋朴实，一丝不苟，言传身教，深深影响着刚刚大学毕业的李博。当时李博每天学习工作达 16 小时，每月工资除生活费外都购买了专业书籍，如饥似渴地钻研，从而打下了扎实的专业基础。此外，李继侗还谆谆告诫，作为一名科学工作者，要随时了解学科的动向，要瞄准科学前沿做工作，同时要结合中国实际，要解决我国生产建设中所存在的实际问题，而作为一名生态学工作者，要重视野外调查研究，要重视资料的积累。李博正是遵循这些教导，一步一步前进的。

李博虽是李继侗的研究助教，但李继侗不让李博过早地接触研究工作，要他先带好实验课，学好专业课与外语，把基础打好。1955 年起，李博才开始进行北京西山植被研究，并先后随李继侗参加黄河中游水土保持考察，内蒙古呼伦贝尔草原考察，黑龙江省萨尔图地区（现大庆市）草原考察与河北坝上草原考察等野外研究工作，掌握了标本采集、样地记载、植被制图、资料分析整理等一系列工作方法和技术。1956 年，他随李继侗第一次踏上内蒙古大草原，当时缺少大比例尺地形图与航片，也没有汽车等现代交通工具，在草原上工作主要靠步行及马车。开始工作的第一天就迷了路，因为草原一望无际，缺少可辨方向的标志。李博和学生们上午从驻地（帐篷）往东做样地调查记录，日落前便向西对着太阳方向返回，没想到走了多时，天已全黑，还没有回到驻地。这时他们举目四望，见背后方向有一灯光，就回头向灯光走去，近半夜才到帐篷。原来该地纬度偏北，太阳在西北方向降落。李继侗见大家久久不回，怕迷了路，在帐篷杆子上挂了一盏油灯，才把大家引回来。面对茫茫草原，李继侗反复阐述他的观点，即草原不是荒地，而是宝贵的草地，是国家的一项重要自然资源，蕴藏着巨大的生产潜力，生态学工作者在这里大有作为。在李继侗的启发下，李博深深地被广阔草原所吸引，与草原结下了不解之缘。

　　1959年起，李博参加中国科学院治沙队的沙漠综合考察工作。1959年5月，李博带领18人的考察队考察了我国第二大沙漠巴丹吉林。这里流沙面积近2万平方公里，沙丘高大，起伏高差达300米，夏季烈日如火，沙面温度高达70℃，一阵风起，流沙滚滚，连骆驼都免不了风沙之害，被称为蟒蟥之地。为了揭示这块神秘区域的真面貌，他们租用了72匹骆驼，驮上人和器材以及生活必需品，开进了与外隔绝的沙漠腹地。每天黎明开始，就一边前进，一边忙于采集样本，描述样地，记笔记，直到天黑才扎营下寨，大家忙于支帐篷，捡薪柴，安灶煮饭。饭后又忙于压制标本、写标签，讨论下一步行动方案等，一直忙到深夜。因缺水，渴得唇干嘴裂。有一次突然刮大风，他被流沙埋入，幸亏骆驼拼命挣扎钻出，才脱险，免遭丧命。就这样，经过二十多天的考察，终于顺利地纵贯巴丹吉林沙漠，获得了这一地区难得的地貌、沙漠水文、动植物区系、植被等第一手资料，填补了这一地区研究的空白。60年代初李博发表了几篇论文，阐明了我国及内蒙古沙漠地区的植被类型和分布规律，提出了地带划分和分区方案，以及草原化荒漠和库布齐沙地东西分异等观点，均为后人的工作所证实和引用。李博不满足于植被的调查研究，他还先后参加了中国科学院磴口治沙实验站及呼伦贝尔莫达木吉草原实验站的实验研究，探讨了草原蒸腾耗水量及水分利用效率，对草原第一性生产力与降水的关系进行了定量阐述，在我国较早地从系统与功能角度研究草原。上述成果，1978年获全国科学大会表彰奖。

　　1977年，中国科学院联合全国有关院校组织《中国植被》一书的编写，这是我国植被生态学研究的集成工作，由吴征镒担任主编。李博任该书中干旱、半干旱区植被编写组副组长，与十几位同志合作执笔编写草原植被类型与分区部分，概括了我国草原植被的基本规律，首次把青藏高原的高寒草原列为欧亚草原区的一个亚区。朱彦丞和他执笔的"中国植被分类的原则、单位与系统"一章，提出了具有中国特色的一个分类系统，对该书编写起了重要作用。1989 年，该书荣获国家自然科学二等奖，并获全国优秀科技图书一等奖。

"文化大革命"结束后，迎来了科学的春天，1980 年 10 月—1981 年 7 月，李博应美国爱达荷大学邀请，赴美进行学术访问，考察了北美草原，也考察了美国 21 个州的植物与生态环境，行程 8 000 千米之多。看到当时我国科学与国外的差距，他心急如焚，查阅了大量有关草原的资料，把自己在国外的一点积蓄，几乎全部花在收集书刊资料、野外考察、购置幻灯机及制作幻灯片等教学设备上。回国后他发愤图强，积极投身于生态学的教学和研究工作之中。

1983—1987 年，李博与北京大学遥感应用研究所陈凯共同主持了国家"六五"科技攻关项目——"遥感在内蒙古草场资源调查中的应用研究"，联合了全国 9 所高校等单位的近百名专家、专业人员，对内蒙古 118 万平方公里的土地和草场资源全面展开了遥感应用研究，编写了近百篇论文和专题报告，编制出内蒙古及各盟、市的草场资源系列地图（1∶150 万），包括地貌、土壤、植被、水资源、气象条件、草场类型、土地利用、生态分区八种专题地图，使我国草地资源的调查、评价与制图在方法上迈上了一个新台阶。这项成果于 1987 年获内蒙古自治区科技进步一等奖，1988 年获国家科技进步三等奖。

1991 年，在他任中国农业科学院草原研究所所长期间，提出以生态系统理论和生态工程方法改良和管理草原的主张，主持了国家"八五"科技攻关项目"中国北方草地草畜平衡动态监测"，建立了我国草地资源数据库，利用 NOAA 气象卫星信息与 GIS 成功地进行了大面积草地估产、草畜平衡监测与评估研究，建立了我国北方草地资源动态监测系统，使植被研究从静态研究进入大范围动态研究。李博还利用植被作指标，进行环境评价，提出研究环境变化的新方法。该监测系统在内蒙古锡林郭勒盟试运行获得成功，1993 年 8 月通过了由农业部畜牧兽医司主持的中外专家鉴定，专家们认为已达国际先进水平，1994 年获农业部科技进步一等奖。1995 年建成了我国北方牧区 221 个县（旗），300 万平方公里的草地遥感估产与草畜平衡监测系统，使我国草地资源的信息管理步入国际先进行列，获 1997 年国家科技进步二等奖。

李博还主持"八五"科技攻关项目中的"北方草原畜牧业优化生产模式研究",其中"鄂尔多斯高原沙质灌丛草地绒山羊试验研究"获 1997 年农业部科技进步三等奖。

此外,李博还参加了《中国生物多样性保护行动大纲》的起草工作,主持"我国草原生物多样性保护技术研究",1995 年出版《草地生物多样性保护研究》论文集一册,该项目"九五"期间继续进行。1996 年 11 月至 12 月,中国科学院生物学部组织了我国南方草地资源及其开发利用的科学考察,1997 年他发表了"我国草地资源现况、问题及对策"论文,急切地希望草地生态学和草地畜牧业管理水平赶上国际先进水平。这期间,他还参与翻译了一些生态学方面的著作,如《植物生理生态学》、《草地生态学》等。

45 年来,李博一直在大学任教。1977 年,他在内蒙古大学带领一批教师,率先建成我国高校中的第一个生态学专业。当时正值"文化大革命"之后,我国生态学已落后于国际水平近二十年,如何在高起点上培养生态学人才,他费尽了心血。李博首先参考国外经验,制订了新的专业教学计划,加强了外语、数学教学,增加了生物统计、计算机应用等新课,强化了野外实习及大实验。组织翻译和编写了一系列教材,并请国内外知名生态学家讲学,使培养出的第一批毕业生就适应了现代生态学工作的需要。接着,在他主持下,先后建立硕士点(1978 年)、博士点(1990 年),使内蒙古大学成为我国生态学人才培养的基地之一。1989 年获国家高等教育优秀教育成果奖。该专业的毕业生基础理论扎实,动手技能强,吃苦耐劳,事业心强,用人单位均给予充分肯定,培养了一大批专业人才。其中,近 20 名赴美、日、法、英、澳、新西兰等国深造,得到国外专家的赞赏。获国外博士学位的已达十数人,为祖国争得了荣誉。李博受李继侗的影响,对青年学生倍加爱护,他一贯鼓励学生要青出于蓝胜于蓝,希望学生超过自己。他对年轻人热心扶植,严格要求,从读书到科研实践、写作论文等,均悉心指导,一次又一次地循循诱导,见到学生们的成长和做出成绩,他由衷地欣喜,他与国内外学生经常有书信业务信息来往,从中找出差距,激励自己奋发图强,追赶创新,为祖国科学技术的发展和人才的培养贡献力量。1996 年,李博又忙于教育部为迎接 21 世纪高校统编教材一百本中的一本《生态学》的主持编写工作，1999 年由高等教育出版社出版。

45 年来李博一直兢兢业业地在科教第一线耕耘，埋头实干是他最大的乐趣。每当他主持的课题快结题时，他总是高度紧张地加班加点，日夜奋战，不完成任务决不罢休。1986 年李博被内蒙古自治区政府评为内蒙古自治区特等劳动模范；1990 年被国家教委、国家科委评为全国高等学校先进科技工作者；1990 年被评为中国农业科学院先进工作者；1991 年被评为内蒙古优秀教育世家；1991 年享受中华人民共和国国务院特殊津贴。1993 年他当选中国科学院院士后说："国家培养了我，在有生之年，我一定努力拼搏，为祖国的科教事业，生态学和草原科学的发展，尽自己最大的力量。"

1998 年 5 月 16 日赴匈牙利德布勒森出席第 17 届欧洲草地管理学术会议，5 月 21 日不幸殉职，享年 70 岁。

马毓泉

马毓泉，1916 年 2 月 21 日出生于江苏省苏州市。1929 年就读于当时国内闻名的江苏省省立苏州中学。该校的生物学教师顾昌栋是清华大学的毕业生，他讲课生动，课余带领学生到野外观察与采集，唤起学生对生物学的浓厚兴趣。1935 年，马毓泉高中毕业，即考入北京师范大学生物学系，读完一年级后，又转学到北京大学生物学系读二年级。转学到北大的原因有二，一是为了投奔北大的知名学者张景钺和徐仁，二是他以优异成绩获得了奖学金和保荐入北大的条件。马毓泉终于找到了攻读生物学最理想的环境。

马毓泉到北平读书不久，1935 年 12 月 9 日，北平发生了著名的"一二·九"爱国救亡运动，有 6 000 多名青年学生走上街头，高喊"停止内战，一致抗日"、"打倒日本帝国主义"、"反对妥协外交"等口号，马毓泉也是一位"一二·九"运动的参加者。这时他虽然得到了良好的读书条件，但是国难当头，打破了他求学的美好梦想，深觉必须全国团结抗日才是中华民族生存之道。1937 年 7 月 7 日爆发了震惊世界的卢沟桥事变，日本军国主义者发动了全面侵华战争。中华民族处于危难之际，北平已经完全失去了平静的读书环境，各校师生在义愤中被迫逃亡，北京大学的爱国师生也奔向祖国的西南后方。刚刚读完二年级的马毓泉会同几位同学经天津、青岛等地冲破重重艰险抵达长沙。当年 10 月，北京大学与清华大学、南开大学的流亡师生在长沙成立了临时大学。马毓泉开始在临大生物系三年级学习，但是上了仅仅三个月的课时，上海、南京又相继沦陷。面对祖国大好河山出现的严重危局，马毓泉下决心从军救国。1938 年春，他考入黄埔军校，成为第 15 期学员，受军官训练一年零三个月。1939 年毕业后分配到 71 军 36 师参谋处服役，先后担任少尉、中尉附员、上尉参谋，随 36 师在洛阳附近守护黄河，后调到山西太行山一带。1940 年 3—6 月曾参加山西太行山长治县抗击日军的战役，后被调防到四川撞南县保卫重庆，1941 年又调防到西昌。1942 年 5 月，日军由缅甸侵入我国滇西，攻占畹町、腾冲、龙陵等地，造成了西南边疆的危急。当时宋希濂领导的 11 集团军命 36 师从西昌赶到云南保山，马毓泉也随 36 师来到滇西参加了怒江的激战。从 1942 年 6 月到 1943 年 6 月，36 师利用怒江天险与日军隔江相持一年，以后又渡过怒江，深入到日军侧后的北高黎贡山地区牵制日军，使战况好转，保卫了祖国大西南。1943 年 11 月，36 师换防到后方大理北部洱源一带休整。这时，马毓泉接到恩师张景钺来信，希望他返校复学。马毓泉退伍来到昆明的西南联合大学生物学系三年级继续学习，受教于名师张景钺、李继侗、陈帧、赵以炳等，直到 1945 年毕业。从此开始了他拼搏一生 55 个春秋的学术生涯。

日本帝国主义的侵华战争完全逆历史潮流而行，激起了我国全民族的八年抗战，终于以可耻的失败而告终。1945 年 8 月 15 日日本宣布无条件投降，此时马毓泉正好在西南联大生物学系毕业，并留校做李继侗的助教。他的心情无比激动，一直揪其心肺的国难之忧终于解除了，他可以专心致志地治学了。

1946 年，西南联大复原，北大、清华、南开三校的师生分别返回北平和天津。马毓泉也来到北大担任助教并兼读研究生。他在导师张肇骞的悉心指导下，专心进行植物分类学的专题研究，为完成硕士论文而孜孜不倦地工作。他的论文《中国龙胆科一新属——扁蕾属》于 1950 年完成。这是一篇出色的论文，它得到了北京大学、清华大学和中国科学院教授们的好评，授予他硕士学位。论文在 1951 年《植物分类学报》第 1 卷第 1 期发表后，引起国外植物学家的重视，荷兰国际植物学会编的《世界植物分类学家名录》

中把马毓泉作为中国龙胆科专家予以介绍。

1950 年，马毓泉在北大植物学系晋升为讲师，他多年讲授植物学、植物分类学及植物地理等课程，并指导实验课及野外采集实习。1952 年，马毓泉、段金玉等一批师生由李继侗带领到冀北山地和宣化等地的森林与草原进行植物采集及植被考察，这是为了开拓草原生态学研究和华北地区植被与植物区系研究工作，开始积累植物种类与植被生态学资料。在这次考察工作中马毓泉对植物区系和植物生态学的研究得到很大的提高。

1954 年夏季，马毓泉协助李继侗组织了北京西山地区植被与植物区系的考察实习。这是解放后我国学者首次对北京山地植被的生态学考察研究。它一方面是在李继侗精心指导下全面学习苏联地植物学研究方法的一次尝试，而且又是结合北京西山绿化与园林建设任务的一项考察工作。这次考察实习是由北京大学、北京师范大学、南开大学与东北师范大学 4 校生物系的师生共同组队完成的。考察实习队由李继侗担任总领队，参加考察的教师有马毓泉、王恩涌、郑钧镛（北大），乔曾鉴、邢其华（北师大），李永彪（南开），祝廷成（东北师大）等。参加实习的学生有北大生物系植物学专业三、四年级学生，北大地理系三年级学生，南开大学生物系四年级学生共 17 人。野外考察实习共 50 天，然后按照李继侗的学术指导思想和大纲，在集体进行学术讨论和总结的基础上由马毓泉主笔完成了考察研究报告。经过五十多年的绿化建设，如今北京西山的植被已经发生了根本性演变，这一项考察研究报告成为记载当地生物历史面貌的宝贵资料。

1955 年马毓泉又随同李继侗参加中国科学院黄河中游水土保持综合考察队到山西吕梁山区进行植物学考察，参与完成了考察报告中中阳县万年饱八道岗林区植物考察的报告资料撰写，由李继侗统编到吕梁山区的植被考察报告中。

马毓泉在北大任教的 12 年期间，根据生物学系各学科发展的要求和分工，他把主要精力放在植物分类与植物区系地理的教学和研究方向上。他既注重教学与室内研究，也十分重视野外考察研究。他随同李继侗参加过冀北地区、北京西山和黄土高原的植物采集和植被生态考察等，还多次在华北各山区进行考察与采集，为北京大学植物标本室积累了大批标本，也为北方地区植被生态学研究积累了基本素材。

马毓泉还热心于中国植物学会的活动与工作，从 1950 年起他担任中国植物学会秘书长，为 1951 年 7 月在北京大学召开的中国植物学会第一届全国代表大会做了出色的筹备与服务工作，并为这次有历史意义的会议写出《中国植物学会第一届全国代表大会纪要》。此后，他还多次参加了中国植物学会的学术会议。

马毓泉在北大工作的环境与生活条件都是比较好的。但是他心存报效国家科教事业之志，1957 年当国家发出了支援边疆民族地区发展教育事业的号召时，马毓泉毫不犹豫地报名表示愿意到内蒙古来。1957 年，他尊敬的导师李继侗接受国家委聘到内蒙古大学任副校长，兼任内蒙古科委副主任。李先生瞄准了内蒙古草原、森林和荒漠，认定这里是发展生物学与生态学的理想之地，也是亟须发展教育、培养专业人才的民族地区，因而不顾年迈来到了边疆。在李继侗的感召之下，北京大学生物学系一批年轻的追随者都相继响应国家号召来内蒙古大学工作，马毓泉也在 1958 年春正式调来内蒙古大学生物学系任教。他的妻子冯兰英原来在北京从事幼儿教育工作，也响应支边号召一同调来内蒙古，他的 4 个未成年的子女也从此成为内蒙古人。

内蒙古的总面积有 118 万平方公里，东西全长 2 000 余公里，跨越了亚洲大陆的温带湿润区、半湿润区、半干旱区、干旱区、极端干旱区。这里天然植被有寒温带针叶林，温带夏绿阔叶林，温带草原植被，温带荒漠植被。植物区系多样性，具有独特的生态地理成分，这对一位少年时代立志于植物学的科学工作者，其吸引力是可想而知的。马毓泉来到内蒙古大学，把安家之事交给妻子，自己一心投入到植物学的教学与研究之中，年年整装出发，在内蒙古大地上奔走了 40 个春秋，他的行程究竟是十万里还是二十万里，难以准确计算。从东到西，大兴安岭森林，呼伦贝尔、锡林郭勒、乌兰察布草原，鄂尔多斯沙地，阿拉善沙漠戈壁，黄河之滨，阴山之巅，到处都有他的足迹。他把自己的学识和志趣，同内蒙古的植物世界完全结合在一起。几十年来，他采集了上万份标本，对数千种植物的标本进行鉴定和命名，还发现了一些新种、新属、新科。他写出 50 余篇论文，主编或参与编写的专门著作总计达千万字。他在植物区系地理科学的征途上，取得了丰硕成果。

马毓泉也十分热心于教学工作，长期在内大生物系主讲植物分类学，编写了富有内蒙古特色的植物分类学讲义，多次带领学生进行野外植物学实习。在内蒙古大学直接受业于马毓泉的学生已近千人，20 世纪 80 年代以来，还先后培养了 6 名研究生，他们正在科研或教学岗位上成长为新一代植物学、生态学工作者。他培养的学生，有些人在国内外继续深造，获得博士学位，多年来与马毓泉保持着学术联系和深厚的师生情谊。马毓泉为培养专业人才的事业作出了重大奉献。

马毓泉虽然一生经历曲折，但他始终以一种锲而不舍的精神，顽强工作，终于使自己以科学和教育报效祖国的雄心在内蒙古得到实现。他遵照老师李继侗的嘱托，在坚持 40 年之久的内蒙古植物区系和植被地理研究中书写出宏篇巨著和多篇论文，获得了丰硕成果。

马毓泉在内蒙古进行植物学研究的最初一篇专题论文是 1960 年发表在《内蒙古大学学报》的《内蒙古肉苁蓉属植物的初步研究》，按照国际生物学名法规，给肉苁蓉正式确定了植物学名（拉丁名），现已被国内外植物学界和药学界（肉苁蓉是著名中药材）所承认和广泛引用。文章还论述了本属植物的生态特性、地理分布以及原始考证，澄清了本属植物分类学与名称上的混乱状况，《中华药典》一书也引入了本文的描述。肉苁蓉属植物在植物演化、植物区系地理和植物生态适应特性等多方面具有重要科学意义，又具有号称"沙漠人参"的重要经济价值。因此，马毓泉对肉苁蓉的研究持续不断。1977 年，他又发表了一篇论文：《内蒙古肉苁蓉属植物订正》，对肉苁蓉属植物的形态特征、世界分布做了更全面的介绍，写出了本属植物的分种检索表，为植物学和医药工作者提供了十分方便参阅的科学资料。20世纪 80 年代，马毓泉与张寿洲合作，1989 年发表了《肉苁蓉的核型分析》一文，采用细胞学实验方法，对肉苁蓉的细胞染色体数目与组合、细胞核型进行了研究，得出了肉苁蓉细胞核型公式，并结合形态和生物学特征，探讨肉苁蓉属的演化关系。

1964 年和 1965 年，马毓泉与夏光成、萧培根合作，发表了有关龙胆科植物研究的两篇论文：《中国龙胆属秦艽组的分类研究》、《中药秦艽原植物的研究》，对常用中药秦艽的研究达到了前所未有的新水平。文章分别介绍了中外对龙胆属秦艽组植物的研究历史，秦艽组植物在欧亚大陆的地理分布，秦艽组植物的分类，分种检索表，特别对商品秦艽原植物（即中药材）提出科学鉴定标准，为去伪存真、还药用秦艽以真面目而给出科学依据。论文中鉴定出我国当时 16 种商品秦艽之中有 9 种属于龙胆科真品，有 7 种属于其他科的伪品，这对我国中药事业的发展无疑是一大贡献。马毓泉在国际上被认为是龙胆科植物的权威性专家也与这两篇论文有关。

马毓泉的论文中，有一些是介绍他在植物学考察研究中发现的新分类群和植物系统演化地位的研究结果，计有一个新亚科，两个新属，十多个新种和一些植物系统地位的改正。《中国龙胆科的一新属——扁蕾属》（刊于 1951 年《植物分类学报》）、《阴山荠属——中国十字花科一新属》（刊于 1979 年《植物分类学报》）的研究成果均已得到国际公认。在《四合木属系统地位的研究》（刊于 1990 年《植物分类学报》）一文中对蒺藜科植物的花、果、胚胎的结构，花粉特征，细胞染色体等做了全面的对比分析，论述了四合木属植物在蒺藜科中的演化地位和独特性，提出了建立新亚科的科学论据。这是一项研究植物演化的创新成果，得到植物学界的广泛认同。《内蒙古眼子菜属一新种》刊于 1989 年《内蒙古大学学报》，《内蒙古小蒜芥属一新种》刊于 1989 年《内蒙古大学学报》，《中国桦木属一新种》刊于 1989 年《植物研究》。马毓泉所发现的上述新种以及小扁蕾、长柱扁蕾、黄花扁蕾、肉苁蓉、苏木山花葱等都是特征明显而稳定的植物新种。马毓泉在内蒙古地区发现的植物新类群以及对一些植物分类单位进行系统整理研究的论文，都是对内蒙古以至中国植物学研究的新成果，均有独到之处。其中，《革苞菊属及其系统位置的订正》、《内蒙古灯心草属植物的分类研究》、《内蒙古兰科植物分类研究》、《内蒙古兰科植物的分布与区系分析》、《内蒙古种子植物新记录分类群》、《内蒙古桦木属植物的分类与分布》、《内蒙古锦鸡儿属花粉形态在种内的变异》、《内蒙古五种豆科植物花粉形态》、《内蒙古悬钩子属植物的分类与分布》等都受到学术界的重视和引用。

编写并出版《内蒙古植物志》最初是由李继侗提出来的。那是在 1958 年他担任内蒙古大学副校长之后。当时他向马毓泉提出要以内蒙古大学生物学系为主力，组织内蒙古有关科研、教学部门的专业人员，编写《内蒙古植物志》。李继侗因身体不佳，不便亲自组织这项工作。所以，组织编写植物志的重担就请马毓泉承担起来。为了实现李继侗的遗愿，马毓泉根据李继侗的具体指导意见，从 1958 年起，利用一切机会进行内蒙古各地植物的调查和采集标本的繁重工作，从没有一份标本的空白之上亲自积累标本，鉴定标本，初步建立了内蒙古大学的植物标本室。从 1959 年起，在马毓泉的主持下，逐年吸收全系师生采集的标本、通过国内外交换关系得到的标本均充实到内蒙古大学植物标本室，并且建立了相匹配的文献资料室。到 70 年代末，已被列入《世界植物标本馆名册》，发展成为国内外学者广泛利用和交流的植物标本馆，为植物志的编写积累了丰富的素材和标本资料，成为编写《内蒙古植物志》的科学平台。

1979—1985 年，由马毓泉主编的《内蒙古植物志》（第 1 版）各卷先后出版，全书共 8 卷，400 余万字，附图 1 036 幅。它记载了内蒙古生长的维管植物 131 科、660 属、2 167 种。参与编写这部植物志的还有本志书副主编富象乾、陈山，以及 40 多位作者。这是全体作者经过二十多年进行野外调查和全面采集植物标本，建立标本室和十年奋力研究所完成的一项重大科学成果，国内各地的有关科研院所、大专院校和一些外国学者对本志书的编著也曾给予可贵的支持。但由于编写《内蒙古植物志》的年代中内蒙古自治区行政区划变动，致使植物志部分卷册的植物种类收录不全。又因"文化大革命"干扰，编写规格也未能完全达到国际规范的要求。因此，作者与读者都感到遗憾，马毓泉对第 1 版植物志的缺陷也深感遗憾。为此，特向内蒙古科委申请再编写出版《内蒙古植物志》第 2 版。1986 年获得批准后，马毓泉担任主编，投入新的重任。第 2 版的编写在第 1 版的基础上增补了 483 种植物，占总种数的 22%；增编了 78 属，占总属数的 10.5%；增加了 8 科，共编写了 134 科。植物种类的增补更完整地反映出内蒙古地区植物种类多样性和生态多样性的特征。第 2 版的内容采用了生物学与生态学研究的新方法，加强了重点科属系统演化的研究，增写了若干新篇章，还增加了文献引证，提高了编写规格。总之，第 2 版的学术水平和实用价值都得到很大的提高。到 1998 年，《内蒙古植物志》第 2 版共 5 卷全部出版问世。前后奋战四十年才得以完成的《内蒙古植物志》作为一项历史性的重大科学成果将永载内蒙古史册，成为今后植物学、生态学研究和生产应用再发展的基础成果。

《内蒙古植物志》是汇集植物分类学、植物区系地理学、植物生态学、地质学、孢粉学、细胞学等各学科的研究成果才得以铸成。内蒙古在亚洲大陆中东部植物地理区内占有相当重要的特殊地位，它除有自己的特有植物、特征植物外，还与东亚植物区系、喜马拉雅植物区系、古地中海植物区系的植物具有一定的亲缘关系。《内蒙古植物志》所描述的每一种植物都有中文名、蒙语名、拉丁文名，并介绍了它们的形态结构特征、生态特征、生境和分布地域、用途等，并附有绘图。在首卷的《内蒙古植物区系概况》中，对内蒙古植物分布的生态地理环境、内蒙古植物分类群、内蒙古植物区系地理成分等，都做了具体论述。

《内蒙古植物志》出版后，经常收到国外学者索取本志的来信，有的甚至高价复印也要购买。美国哈佛大学胡秀英来信赞扬《内蒙古植物志》是一本精致的、可贵的书，她要求允许在她的著作中引用该志的内容。她还撰文在国际植物分类学会编的《植物分类群》杂志上对该志书进行了宣传。美国还有几所大学的教授，巴基斯坦、瑞士、德国、瑞典、俄罗斯、哈萨克斯坦、蒙古、日本等国家的一些学者、植物园、博物馆也曾来信，除索取志书外，还表示愿同内蒙古大学标本馆建立资料交换关系。时年80岁高龄的瑞士植物学家雷许斯坦来信说，他把马毓泉赠送的《内蒙古植物志》当成宝贵的礼物，怕放在家中遗失，便把该书送给日内瓦博物馆与植物园的图书馆。该志书还曾参加在德国、香港举办的国际书展，进入了世界文化书库。

国家教委和内蒙古自治区政府表彰了全体作者和马毓泉的贡献，1987年《内蒙古植物志》（第1版）获国家教委科技进步二等奖，1988年又荣获内蒙古自治区科学技术进步一等奖，《内蒙古植物志》第2版于2001年获国家教育部科技进步二等奖。

1989年，马毓泉接到老友、我国植物学家吴征镒的邀请，承担国家自然科学基金重大项目"中国种子植物区系研究"的专题"蒙新草原植物区系研究"工作。在马毓泉主持下，有7位教师研究生参加此项研究，这是对我国北方草原区植物区系的一次集成性研究。经过6年的工作，完成了北方草原区植物科、属、种的统计与分析，草原区植物分布区和区系地理成分的研究；做出了优势植物、特征植物、特有植物、残遗植物的分布区图；相继写出了多篇论文：《内蒙古草原区植物区系的研究》、《新疆北部草原植物区系初步分析》、《阿拉善—西鄂尔多斯生物多样性中心的特有植物及植物区系特征》、《大兴安岭南部山区植物区系多样性分析》、《中国锦鸡儿属植物地理分布的研究》、《中国锦鸡儿属植物分类学研究》等，分别在"东亚植物区系多样性国际学术会议"上宣读，并收载到大会出版的论文集中，或发表在《植物研究》《干旱区资源与环境》《内蒙古大学学报》等学术期刊中。这些研究所获得的基础资料也被《内蒙古植物志》第 1 卷大量引用。

马毓泉作为副主编，参与编写《内蒙古植物药志》。这部志书的主编是内蒙古医学院已故的朱亚民。药志编写的初期，朱亚民已经故去，因此马毓泉又受到内蒙古科委的委托，挑起了代主编的重担。本药志分 3 卷，约 300 余万字。书中收载中药、蒙药植物 1 196 种，附图 623 幅。对重要的药用植物进行了生药形态、理化鉴定，化学成分、药理实验、栽培技术等方面的综合研究。这是一部涉及多学科的药用植物专著，对广大中医、蒙医及科研、教学工作者以及医药生产单位，都有可贵的参考作用。此书各卷在马毓泉的实际主持下，先后在 1989—1996 年全部出版。

《内蒙古珍稀濒危植物图谱》也是马毓泉作为副主编参与编写的一本重要著作。时任国家科委主任宋健为本书题词："保护濒危生物，永续自然资源。"这本书除文字描述之外，还有大量精美绘图，是请著名画师绘制，1992 年 2 月由中国农业科技出版社出版，被认为是一部有科学普及指导意义，又有较高收藏价值的科学著作。书中共介绍了 95 种珍贵的濒危植物，还将其分成一类、二类、三类、四类不同保护价值的等级，并提出六项保护对策。

马毓泉还主编了《内蒙古经济植物手册》《内蒙古大青山区种子植物检索表》《大青沟自然保护区植物考察报告》《鄂伦春自治旗（大兴安岭）植物考察报告》等著作。

马毓泉教授除了为内蒙古的植物学、植物地理学、生态学研究作出十分卓越的贡献以外，还承担了国内其他地区的多项研究工作。他被聘请担任《河北植物志》编委会的学术顾问，并承担编撰了河北植物志龙胆科植物词条。他为西藏植物区系与植被研究也贡献了力量，承担了大批植物鉴定工作。马毓泉在植物分类与植物区系学研究领域造诣很深，他作为我国龙胆科研究的权威专家，还为《中国植物志》龙胆科的编著进行了审稿与指导工作。

马毓泉在繁重的教学和科学研究工作中还亲手建设内蒙古大学的植物标本室及植物学资料室，这是他在内大建校之后从无到有，一点一滴建立起来的。他带领师生，日积月累建成了国内外公认的标本室和专业资料室，这是内蒙古大学生物学系保证教学质量和进行科学研究工作的基础条件。标本室与资料室已同国外许多大学、植物园、研究所、图书馆建立了交流关系。目前，内蒙古大学标本馆馆藏植物标本约 200 科、800 余属、4 000 余种，近 6 万份。美国纽约植物园出版的《世界植物标本室索引》第 7 版（1981 年）、第 8 版（1990 年）都介绍了内蒙古大学的植物标本馆，并介绍了几位为该标本馆收集和制作大量标本的人，其中第一位就是马毓泉。他长期坚持采集标本的工作，"文化大革命"期间被下放到农村劳动，也利用山村野外有大量植物生长的条件，在休息时间采集和制作标本。有人认为他在干傻事，因为领导没给他布置这样的工作任务。他不管别人说啥，仍坚持不懈地去做。"文化大革命"过程中，内大植物标本室的工作无人问津，但是马毓泉还是在可以自主的时间内鉴定标本、整理标本。"文化大革命"结束后，他把积累的一批很有价值的标本送到内大植物标本室。1972 年旧历除夕，他还在生物楼内孜孜不倦地埋头于标本鉴定之中，晚上大楼值班人员锁住楼门回家过年，他便被锁在楼内，出不了门，只好从窗户爬出来，这已传为佳话。

与标本室相匹配的资料室现已藏有 5 000 余册植物学类图书、期刊和资料，其中以外文书居多。这些书籍大部分是马毓泉同国外一些著名大学、植物园、图书馆交换得来的，是用我国出版的汉文书刊交换得到的重要外文书籍。为了得到外国的有用书籍、资料，他发往国外的信件不下千余封。他联系较多的有美国哈佛大学标本室、美国密苏里植物园、原苏联科学院植物研究所、瑞士植物园图书馆、英国丘植物园、英国爱丁堡植物园、日本东京大学植物标本馆等。

1990 年，马毓泉应邀出席了在巴基斯坦召开的"南亚植物生活国际学术讨论会"，被推选为大会主席团成员。他的论文《内蒙古与蒙古植物区系的比较》在会上宣读后，受到好评，因为对蒙古高原植物区系整体的研究工作在国际上尚属首次。1990—1991 年，马毓泉偕夫人去美国，应哈佛大学、佛罗里达大学、加州植物园等邀请进行学术交流。

马毓泉一生对科学和教育事业无限执著，不求利禄，个人生活十分简朴。1993 年春节，内蒙古科学技术协会主席张应琦专程慰问马毓泉，送给他的条幅《魂系草原》，正是马毓泉一生的写照。

宝日勒岱

宝日勒岱，女，蒙古族，1938 年 5 月 11 日出生于内蒙古乌审旗乌审召苏木。1956 年加入中国共产主义青年团，1958 年加入中国共产党。1961 年任乌审召苏木的布日都嘎查党支部书记，1966 年 4 月任乌审召党委副书记，1969 年 8 月任乌审召党委书记，1972 年任乌审旗党委第一书记，1975 年任内蒙古自治区党委书记。从 1969 年起，在中国共产党的全国代表大会上连续当选为第九届、第十届、第十一届中央委员，1978 年 12 月当选为内蒙古自治区人大常委会副主任。

在 20 世纪 60 年代之初，发达国家的人民首先感受到地球环境恶化与资源走向枯竭必将威胁人类的生存与发展。这一理性的思考，敲响了全球环境问题的警钟，唤起了世人开始自觉保护环境的意识。就在这时，宝日勒岱面对着自己家乡的草地沙漠化正严重威胁着牧民的生产与生活，深深地感受到为了改变乡亲们贫困的生活，必须大力进行草原生态治理。她带领乌审召的乡亲们，用艰苦奋斗、治理风沙、绿化大地、治穷致富的光辉实践，以切实的行动响应了这一历史性潮流，成为内蒙古以至全国自觉进行生态建设的先驱和典范，受到党和国家领导人周恩来总理与乌兰夫主席的高度赞誉，也得到许多国际组织和友人的赞赏。

有人问宝日勒岱为什么要选择这条艰难的绿色之路，她说："我家乡的牧民面临着沙漠化日益严重的现实，每年都有大量的草地和田园被风沙吞没，林木也遭受损坏，动物植物日渐减少，河湖水资源也走向干涸，这些威胁乡民生存的灾难不是都与绿色的丧失密切相关吗？"这位牧民的女儿是在大自然的严峻挑战面前赢得科学真知的。在一个狂风肆虐、飞沙迷漫的春天，她指着连绵起伏的沙丘，深有感慨地说道："这些危害我们的黄沙不去进行绿化治理，怎能造福于乡亲和后代子孙们。"她满怀信心地憧憬着绿色的未来。

宝日勒岱热爱自己家乡的人民和土地，她已经清醒地认识到只有治理风沙才能改变家乡的荒凉和贫困。从 1957 年起，宝日勒岱就开始在漫漫的流动沙丘上试种沙蒿。她担任团支部书记，组织了 60 多人的青年突击队，风餐露宿，进行种草大会战，在大面积的沙丘上种植沙蒿。由于是初次种植，还没有积累起经验，所以大部分沙蒿未能成活，但也有零星的几株沙蒿苗壮地长大了。有些人认为种植沙蒿是失败了，对前景表示怀疑。面对着困难和嘲笑，宝日勒岱坚定地说："失败是成功之母。既然有几株成活了，就说明有可能成活的更多。在沙丘上人工种植沙蒿是前人没有做过的事情，我们必须总结失败的原因，在实践中积累经验，最后总会取得经验和成功。"经过几年的艰苦奋斗，探索出在春秋两季，趁着沙丘表土墒情最好的时节，种草种树就容易成活。并总结出人工种植与自然封育相结合；因地制宜，因害设防；先易后难，由近及远；前挡后拉，穿鞋戴帽；栽、种、补、护相结合；种草、种灌木与种树相结合等经验。还提出了治理风沙必须和草地合理利用相结合的基本原则。到 1965 年，在宝日勒岱领导下，布日都嘎查取得了令人赞叹的好成绩，全嘎查共完成了治理流动和半流动沙地 1 800 亩的战果。宝日勒岱和乡亲们所创造的成就，大大地鼓舞了乌审召和鄂尔多斯的广大牧民和干部，他们看到了在贫困的鄂尔多斯和毛乌素沙地有治穷致富的希望和前景。内蒙古自治区党委树立了"牧区大寨——乌审召"的光辉旗帜，宝日勒岱作为布日都嘎查的党支部书记被树为这一旗帜的旗手。《人民日报》于 1965 年 12 月 2 日发表了社论：《发扬乌审召人民的革命精神》和长篇通讯：《牧区大寨——记乌审召人民建设社会主义新牧区的革命道路》。《内蒙古日报》也同时发表了《沿着大寨的道路奋勇前进》的专论。从此更激发了宝日勒岱继续创造和不懈奋斗的精神。

　　在种草种树治理风沙的实践中，宝日勒岱不断探索治沙的新方略；了解生产发展中的新问题和牧民脱贫致富的实际需要；也不断研究毛乌素沙地的生态环境特点和生态建设的任务；创造了建设草库伦的综合治沙新模式。建设草库伦是宝日勒岱和乌审召人为我国草原沙地生态建设所作出的杰出贡献，是一项内涵丰富的重要科学成果。实际上是根据毛乌素沙地的景观结构，草地生态格局，生物多样性类型，水资源的时空分布，光热资源的特点和优势等自然条件，以及畜牧业与农林业生产的优化配置所营建的高效人工生态系统，也是资源可持续利用和环境友好和谐发展的经营模式。其中的科学内涵首先是水资源的高效可持续利用；其次是光、热和生长季节的合理配置；第三是增产优质饲草饲料，保证全年的草料均衡充分供应；第四是充分发挥乔灌草良好植被结构的环境效益；第五是牛羊畜种品种及畜群的优化组合。

在草库伦内可以兴建的工程项目也是十分多样的，最主要的是水利建设。毛乌素沙地下有较丰富的浅层地下水和深层地下水，合理开发水资源是沙区生态建设的基本物质保障，这是乌审召人在草库伦建设中的重要经验和科学认识。建立多种牧草和饲料植物的种植基地，并实行多年生牧草混播与轮作，既可提供优质牧草饲料，又有防止风蚀、改良土壤的生态功能。根据土地结构的特点，选择丘间滩地，适度地开辟农田与园田，打井抽水灌溉并保证合理施肥，种植粮油果蔬及饲料等作物，成为草库伦多种经营的重要内容。乌审召地区和广大的毛乌素沙区由于景观多样性和生物多样性的优势条件，可以饲养牛羊猪禽等多种家畜，使放牧家畜与饲养的畜种形成良性互补的经营方式。构建乔灌木组成的防风固沙体系，可以充分利用当地大量分布的沙柳、柠条、黑格兰、沙棘、沙地柏等乡土灌木和旱柳、杨树、榆树等乔木树种，因地制宜地建成防护网络，才能确保草库伦的生态安全和生产效益。

在草库伦的建设和不断发展中，凝聚着宝日勒岱和乌审召人进行生态建设和发展生产的宝贵经验和科学智慧，这是内蒙古自治区以及全国建设社会主义新牧区和实现农业现代化的重要财富。

宝日勒岱是一位朴实无华的劳动者，草原生态建设的开拓者，建设事业的领导者，是人民群众的忠实朋友和公仆，得到了党和人民大众的信赖和爱戴。周恩来总理对宝日勒岱的成长十分关切，也很赏识这位草原女儿的质朴与真诚，曾给予她很高的评价。周总理曾对内蒙古自治区党委书记尤太忠同志说："你们那个宝日勒岱是个好同志，人品高尚，心地善良，对待事物认真稳重，她年轻，又是少数民族妇女干部，我认为可以提升为内蒙古自治区党委书记，并且早点提上来。"周总理的一席话引起了内蒙古党委的重视，1975年宝日勒岱担任了自治区党委书记。从此，她在领导岗位上始终按照周总理的教导和人民的期望，在"文化大革命"后期为解决各种遗留问题和在改革开放的年代为农村牧区的改革与建设及农牧业发展作出了重大的贡献。俗朴风淳，勤奋奉献；风沙治理，汗马奇功；行动感召，众志成城；创新发展，和谐共荣。这是宝日勒岱光辉形象和她创建鄂尔多斯生态建设丰碑的写照。

刘钟龄

刘钟龄，1931年1月出生，河北省南皮县人。他的童年与少年正是日寇疯狂侵华国难当头的年代，受到父亲和师长的爱国教育，他的心灵中深深地埋下了抗日爱国的情感。抗战胜利后，1945—1951年在天津市读中学，在进步青年和老师的引导下，1948年加入了"民青"组织，后转为中国新民主主义青年团，1952年加入中国共产党。1951—1958年在北京大学生物学系攻读本科及研究生。1958年来内蒙古大学生物学系任教，1978年被评为副教授，1986年被评为教授。1982—1987年任内蒙古大学自然资源研究所副所长、1987—1993年任所长。曾任内蒙古自治区科学技术协会副主席（1983—1992年），中国自然资源学会常务理事（1983—2002年），中国沙漠学会副理事长（1984—1994年），人与生物圈国家委员会委员（1984—2001年），《干旱区资源与环境》学报主编（1987—1996年），内蒙古自治区人大常委会教科文卫委员会委员（1989—1998年），中国科学院内蒙古草原生态系统研究站学术委员会副主任（1989—2000年）。现任中国农业科学院草原研究所兼职研究员，中国农业科学院呼伦贝尔草原生态系统研究站学术委员会副主任，兰州大学草地农业学院兼职教授，内蒙古自治区人文社会科学联合会学术委员。

1957年内蒙古大学建校，中国科学院学部委员、北京大学教授、著名生物学与生态学家李继侗接受国家委任担任副校长。他推荐自己指导的研究生刘钟龄到内蒙古大学生物学系任教。1958年，刘钟龄跟随导师李继侗来到内蒙古大学，成为李继侗创建的生态学与地植物学教研室的一员，继续在李继侗指导下投入生态学科的教学和研究工作。半个世纪以来，刘钟龄在我国草原生态学领域中作出了可贵的奉献。李继侗为内蒙古大学生物学系确定了面向草原的学科发展方向，也明确地要求刘钟龄把草原生态学作为一生奋斗的目标。恩师的教诲，使刘钟龄实现了自身的人生价值。

多年来，刘钟龄在内蒙古大学讲授植物地理学、植物生态学、草地学基础、干旱区植被生态学、普通生物学等课程，也为中国科学院研究生院和兰州大学讲述草原生态学，多次指导野外生态学实习，指导研究生18名。先后承担国家自然科学基金项目、国家科技攻关项目、国家重点基础科学规划研究项目（973 项目）和中国科学院、中国工程院、中国农业科学院的研究项目 20 多项。1958—1961 年参加内蒙古草原勘察队，开展内蒙古草原植被生态学与植物区系考察研究。1962—1965 年参加中国科学院内蒙古与宁夏综合考察队，进行内蒙古全区植被生态学与植物区系学考察研究。以这些考察研究工作为基础，主持编著《内蒙古植被》、《内蒙古自然保护纲要》，参编《中国植被》、《内蒙古植物志》第 1 版和第 2 版、《内蒙古珍稀濒危植物图谱》、《内蒙古农牧业资源》等 10 部专著，发表相关论文 50 余篇。这些成果分别获全国科学大会奖 1 项，国家级自然科学二等奖 1 项，国家教委和内蒙古科技进步奖一、二等奖 3 项。被评为内蒙古高等教育先进工作者，内蒙古优秀教育世家，以"生态学专业建设"的成绩获国家级教育成果一等奖与国务院特殊津贴。

从 20 世纪 80 年代起，刘钟龄与一些青年教师和研究生合作在内蒙古锡林郭勒盟、阿拉善盟开始进行草原生态系统功能与动态研究，区域景观生态学研究。20 多年来，先后完成了国家自然科学基金项目与课题 13 项，国家科技攻关项目与国家"973"项目的课题 5 项，中国科学院、中国工程院、中国农业科学院委托的研究课题 7 项，内蒙古自治区的科技项目 5 项等。课题内容包括：草原生态系统生产力动态研究、草原退化与恢复演替的实验监测研究、草原火生态效应的研究、草原改良和营建人工草地的实验生态学研究、草原生态系统健康与动态评价、草原生态功能与服务价值、干旱半干旱区的荒漠化发生机制及生态环境治理对策、北方草原生态地理信息与资源环境数据平台的建立、草原生态安全与可持续发展模式等。这一阶段发表论文 100 余篇，主编与参编专著和文集 16 部，获教育部和省部级科技进步奖一、二等奖 5 项和内蒙古杰出人才奖、全国地球奖。

在内蒙古大学的生态学科发展中也承担了一些组织建设和学术团体的工作。

1979 年起，与一批青年教师代表内蒙古大学与中国科学院合作，在内蒙古锡林郭勒盟建立草原生态系统定位研究站。连续 22 年在本站从事草原生态学研究工作，1989—2001 年担任本站学术委员会副主任，为本站的科学研究选题和草原生态学发展规划的实施发挥了力量。

1981 年受校长委托，筹建内蒙古大学自然资源研究所，1982—1987 年任副所长，1987—1993 年任所长。组织全所人员在草原生态学研究和多项国家自然科学基金项目的实施中做出成绩。

此外，1983—1992 年曾兼任内蒙古科学技术协会副主席，组办了多次有关生态科学与环境、资源科学的国际与国内学术会议。1987—1996 年主编学术期刊《干旱区资源与环境》第 1—10 卷。

刘钟龄在我国北方植被生态学和草原生态学领域中做出一些学术建树，对草原地区的可持续发展提出一些科学思考。主要内容如下：

一是在前人研究基础上，阐明了内蒙古及邻近地区种子植物区系成分及物种演化的古地理背景，揭示了北方草原植物区系多样性起源和演化历程：是在古地中海西撤，陆地抬升，内陆旱化的地质气候环境中，以东亚森林植物种类和古地中海植物区系为基础，适应严酷气候条件所形成的旱生化多年生草本植物、一年生植物和旱生灌木等被子植物种属及其所组成的植被类型。

二是在植被生态学研究中，详细论述了横跨东北、华北与西北的内蒙古及相邻地区，沿着纬向和经向相交的地域分化梯度，形成的北方寒温针叶林、华北夏绿林、中温型草原、暖温型草原和暖温型荒漠的生态地理分异规律。做出了北方地区的生态地理分区研究成果，为我国北方的自然划区、资源合理利用、产业发展规划、环境保护和国土生态安全提供了基础科学资料与研究成果。

三是在内蒙古典型草原生态系统第一性生产力动态研究中，持续进行了28 年定位监测。初步分析了植物种群产量与能量分配的关系，揭示了气候年际波动与植物种群间的补偿效应和自组织功能。探讨了季节动态和年度间对水热条件及全球气候变化的响应，即 20 世纪 90 年代以来，晚冬和早春气候变暖，改变着生长季早期植物生产节律的渐变。根据 F. E. Clements 植被演替顶极学说的精髓，提出了蒙古高原典型草原自然演替趋势的基本认识，验证了内蒙古几种针茅草原群系的地带性和演替顶级的稳定性特征。

四是现有的草原植被是在人类长期利用和管理条件下的次生性植被。对超载放牧所引起的草原退化演替和封育禁牧的恢复演替，连续进行了 26 年定位观测和广泛调查。阐述了草原退化与恢复演替系列类型，演替阶段性，退化草原的诊断指标，演替的动力机制等。认为草原退化演替的生态学实质是在超负荷的干扰压力下，使生态系统的物质与能量流程及收支平衡失调，突破了生态系统自我调控的相对稳态，下降到低能量效率的系统结构与功能过程。

五是经过多年的研究积累，面对当前草原退化的现实，提出了"建成北方草原生态安全体系是可持续发展根本大计"的思考。认为过去千百年来，由绿色草原植被组成完好的大地覆盖，既是北国大地生态安全的重要保障，也是经营畜牧业的物质基础，成为北方民族文化的发祥地。时至今日，草原荒漠化，环境恶化已成为不可回避的现实。我们是唯物主义者，要勇于面对现实，用大自然敲响的警钟进行自我警示教育，对草原退化与环境恶化的原因和机理进行科学的探讨。要发扬游牧文化与科学的精髓，树立起发挥草原多项服务价值及草原区工业化城镇化的科学发展观，推行休牧还草和人畜流转的生态保育工程。逐步探索"休牧轮牧，建设草地；夏牧冬饲，异地育肥；增加投入，集约经营；优化管理，确保安全；系统开放，持续发展"的产业化经营模式，把北方草原建设成生态功能健全、产业结构良好的生态经济安全地带。

在进入 21 世纪之际，面对中国西部大开发的战略任务，刘钟龄继续针对草原生态安全与可持续发展的要求进行研究和培养人才。目前仍承担着国家自然科学基金项目和国家"973"项目的研究课题：草原生态系统健康与动态评价、草原生态功能与服务价值、干旱半干旱区的荒漠化发生机制及生态环境治理对策等为国家需求服务的研究工作，还承担着中国科学院研究生院和兰州大学讲授草原生态学等任务，实践了把一生奉献给草原的志愿。

雍世鹏

雍世鹏，1933 年 6 月出生，甘肃省康乐县人。1955 年毕业于西北大学生物学系。1956—1960 年赴苏联列宁格勒大学生物土壤学系攻读生物科学副博士研究生学位。1961 年至今，在内蒙古大学从事生态学、地植物学教学工作，并长期坚持致力于内蒙古高原植被结构、生态功能及大自然问题的研究，做出了突出的成绩，受到学术界及有关部门的好评。

雍世鹏教授所在的内蒙古大学生物系生态学与地植物学教研室有一个优

良传统，特别重视理论教学和现实教学的紧密结合，这是李继侗创建本教研室时的重要教诲。经过多年的实践，逐渐形成了一条集教学、科研、生产实践于一体的生态学教育的发展模式，为国家培养了一大批优秀的适应时代进步需要的生态学人才。这些成绩的取得和教研室主任李博、副主任雍世鹏、刘钟龄以及骨干教师曾泗弟、孙鸿良等的辛勤工作是分不开的。基于这个集体多年来在我国生态学与地植物学教育事业中所作出的突出贡献，国家教委于 1990 年授予李博、雍世鹏、刘钟龄"生态学与环境生物学专业建设"的国家级教育成果一等奖，1991 年授予国务院特殊津贴。

为了全面适应全国改革开放对科学与教育事发展的需要，特别是内蒙古自治区的现代化建设中实施资源转换战略的需要，内蒙古自治区党委于 1982 年在内蒙古大学组建了内蒙古自然资源研究所，先后任命李博、刘钟龄为所长，雍世鹏为副所长。新型研究单位的成立，改善了科研条件，扩大了研究领域，同时也加重了大家的社会责任。在这一段时间，雍世鹏先后承担了"内蒙古草场遥感综合考察""'三北'防护林内蒙古牧场防护林遥感综合考察"以及"中国北方牧区雪灾遥感调查"等国家"六五""七五""八五"重大科研攻关项目，出色地完成了研究任务，撰写出高水平的科研报告。

通过四十多年的教学科研实践，雍世鹏教授撰写了多篇学术论文，参与多部学术著作的编撰和植被生态地图的编制，其中《内蒙古植被》、《中国的草原》、《内蒙古自然保护纲要》、《中国生物多样性国情报告——温带草原的生物多样性》以及《中国植被图及其说明书》、《内蒙古植被图、草场资源图及其说明书》、《中国自然保护区地图集——锡林郭勒草原自然保护区》、《中国自然灾害系统地图集——草原自然区》、《中华人民共和国自然地图集——锡林郭勒区典型图》等都是具有重要学术价值的科学资料，受到同行的认可。这些研究成果曾获得中国科学院、国家林业局、内蒙古自治区科技进步一等奖与二等奖。1988 年，雍世鹏获得国家"有突出贡献的中青年专家"称号。

雍世鹏在认真完成教学任务和科研项目的同时，对我国草原保护事业倾注了大量心血。在推动我国草原生物多样性保护、发展自然保护区事业方面，做了大量的工作。他担任两届国家级自然保护区评审委员，多次赴草地类、森林类、湿地类自然保护区实地考察，为国家自然保护区的有效管理提出了有科学依据的建议和评估意见。在国家环保局主持的"全国大自然保护管理人员培训班"（1982年贵州华溪）中，他首次提出了在我国中西部地区建立锡林郭勒草原等10个国家重点自然保护区的建议，引起了国家的重视，《内蒙古日报》在头版做了报道。为表彰雍世鹏在环境保护方面作出的突出贡献，国务院环境保护委员会于1989年授予他"热心环境保护事业的社会活动家"荣誉称号。

雍世鹏在对草原进行调查的过程中，深感我国草原健康状况日趋恶化的严重性。早在60年代初期，当他参加中国科学院内蒙古与宁夏综合考察队的工作时，就在《锡林郭勒草原考察报告》中明确提出了畜牧业要因地制宜，稳步发展，要维持草原生态功能的健康自然运转，预防植被退化的原则，并提出了根据草原群落成分变化，诊断草原退化强度的自然动态分析技术。这一理论在编写《全国草原生态监测技术规程》中得到了进一步的发展和应用。

雍世鹏作为一个生态学教育工作者，深知普及生态科学知识，唤起民众环境保护意识的重要性。他不仅积极参加国内的生态学会的活动，而且热心参与国际生态学学术交流。由内蒙古大学主持在呼和浩特成功举办的首届"国际草地植被学术会议"正是由李博、雍世鹏等联合倡议的，并由雍世鹏任大会秘书长。

1993年2月在新西兰举行的第17届国际草地大会（XVII IGC）上，李博、雍世鹏联名发表了题为《寒温带草地：识别与鉴定（Winier Cold Tempepate Grasslands：Identfying Problems）》的特邀报告，全面介绍了欧亚大陆草原植被的自然特征和草地经营管理问题，和国际草地生态学同行交流了信息，为推动我国现代生态学的发展起到了有益的作用。

主要参考文献

1. 伊都哈西格主编：《蒙古民族通史》第 1 卷、第 3 卷，内蒙古大学出版社 2002 年版。

2. 札奇斯钦：《蒙古秘史新译并注释》，经联出版公司 1979 年版。

3. 林干：《匈奴通史》，人民出版社 1985 年版。

4. 周清澍：《内蒙古历史地理》，内蒙古大学出版社 1994 年版。

5. 叶新民：《元上都研究》，内蒙古大学出版社 1998 年版。

6. 李逸友：《黑城出土文书》，科学出版社 1991 年版。

7. 刘钟龄、朱宗元、郝敦元：《黑河流域地域系统的下游绿洲带资源环境安全》，《自然资源学报》2002 年第 17 卷第 3 期，第 286—293 页。

8. 〔英〕巴德利著：《俄国·蒙古·中国》，吴持哲、吴有刚译，商务印书馆 1981 年版。

9. 〔俄〕阿·马·波兹德涅耶夫：《蒙古及蒙古人》，内蒙古人民出版社 1983—1986 年版。

10. 中国科学院自然地理编委会：《中国自然地理——古地理》，科学出版社 1986 年版。

11. 中华人民共和国国务院：《中国 21 世纪议程——中国 21 世纪人口、环境与发展白皮书》，中国环境科学出版社 1994 年版。

12. 李慧明：《环境与可持续发展》，天津人民出版社 1998 年版。

13. 国家环境保护局：《中国生物多样性国情研究报告》，中国环境科学出版社 1998 年版。

14. 陈灵芝主编：《中国的生物多样性现状及其保护对策》，科学出版社 1993 年版。

15. 马毓泉主编：《内蒙古植物志》（第 2 版）第 1 卷，内蒙古人民出版社 1998 年版。

16. 中国科学院内蒙古宁夏综合考察队：《内蒙古植被》，科学出版社 1985 年版。

17. 盖山林、盖志毅：《文明消失的现代启悟》，内蒙古大学出版社 2002 年版。

18. 周欢水、向众、申建军：《我国荒漠化灾害综述》，《灾害学》1998 年第 13 卷第 3 期。

19. 吴鸿宾等：《内蒙古自治区主要气象灾害分析》，气象出版社 1990 年版。

20. 内蒙古自治区建设厅：《内蒙古自然保护纲要》，内蒙古人民出版社 1989 年版。

21. 朱宗元：《18 世纪以来欧美学者对我国西北区地理环境的考察研究》，《干旱区资源与环境》1999 年第 13 卷第 3 期。

22. 许崇灏：《漠南蒙古地志》，正中书局 1945 年版。

23. 周廷儒、张兰生：《中国北方农牧交错带全新世环境演变及预测》，地质出版社 1992 年版。

24. 田志和：《清代东北蒙地开发述略》，《东北师范大学学报》1984 年第 1 期。

25. 程廷恒：《呼伦贝尔志略》，上海太平洋图书公司 1933 年版。

26. 谢又予、龚高法、陈恩久：《呼伦贝尔盟东南部河谷甸子地的形成演化与发展趋势》，《呼伦贝尔盟东南部甸子地专辑》，科学出版社 1982 年版。

27. 都永浩：《鄂伦春族游猎、定居发展》，中央民族大学出版社 1993 年版。

28. 陈巴尔虎旗史志编纂委员会：《陈巴尔虎旗志》，内蒙古文化出版社 1998 年版。

29．韩茂莉：《草原与田园——辽金时期西辽河流域农牧业与环境》，生活·读书·新知三联书店 2006 年版。

30．田广林：《西辽河地区的文明起源》，中华书局 2004 年版。

31．张柏忠：《科尔沁沙地历史变迁及其原因的初步研究》，《内蒙古东部区考古学文化研究文集》，海洋出版社 1991 年版。

32．张柏忠：《北魏至金代科尔沁沙地的变迁》，《中国沙漠》1991 年第 11 卷第 1 期。

33．邹本功、陈广庭、王康富等：《科尔沁草原土地沙漠化过程及整治》，《中国科学院兰州沙漠研究所集刊》1994 年第 4 期。

34．李森、孙武、李孝泽等：《浑善达克沙地全新世沉积特征与环境演变》，《中国沙漠》1995 第 15 卷第 4 期。

35．田广金、史培军：《内蒙古中南部原始文化的考古研究》，《内蒙古中南部原始文化研究文集》，海洋出版社 1991 年版。

36．李博主编：《内蒙古鄂尔多斯高原自然与环境研究》，科学出版社 1990 年版。

37．王尚义：《历史时期鄂尔多斯高原农牧业的交替及其对自然环境的影响》，《历史地理》1985 年第 5 期。

38．侯仁之：《从红柳河上的古城废墟看毛乌素沙区的变迁》，《文物》1973 年第 1 期。

39．北京大学地理系：《毛乌素沙区自然条件及其改良作用》，科学出版社 1983 年版。

40．王北辰：《毛乌素沙地南缘历史演化》，《中国沙漠》1983 年第 3 卷第 4 期。

41．吴波、慈龙骏：《毛乌素沙地荒漠化的发展阶段和成因》，《科学通报》1998 年第 43 卷第 22 期。

42．内蒙古历史研究所：《原札萨克图旗清末土地放垦及其演变情况调查报告》，1965 年。

43．宝玉：《清末绥远垦务》，《内蒙古史志资料选编》第 1 辑（下），1980 年。

44．朱震达、刘恕、高前兆：《内蒙西部古居延—黑城地区历史时期环境的变化与沙化过程》，《中国沙漠》1983 年第 3 卷第 2 期。

　　45.　色音：《蒙古游牧社会变迁》，内蒙古人民出版社 1998 年版。

　　46.　〔日〕后藤富男：《内陆亚洲游牧民族社会研究》，吉川弘文馆 1968 年版。

　　47.　札齐斯钦：《中原农业民族与蒙古游牧民族之间的贸易方式与战争》，《中亚研究》1977 年。

　　48.　王建革：《游牧圈与游牧社会——以满铁资料为主的研究》，《中国经济史研究》2000 年第 3 期。

　　49.　黄时鉴：《论清末政府对内蒙古的"移民实边"政策》，《内蒙古大学学报》1964 年第 2 期。

　　50.　格鲁塞著：《草原帝国》，魏英邦译，青海人民出版社 1991 年版。

　　51.　〔俄〕尤纳托夫著：《蒙古人民共和国植被基本特点》，李继侗译，科学出版社 1958 年版。

　　52.　〔日〕后藤富男：《内陆亚洲游牧民族社会研究》，吉川弘文馆 1968 年版。

　　53.　陈敏：《改良退化草地与建立人工草地的研究》，内蒙古人民出版社 1998 年版。

　　54.　道尔基帕拉木：《集约化草原畜牧业》，中国农业科技出版社 1996 年版。